NEW
서울대 선정
인문고전
60선

53
샤르댕 인간현상

NEW 서울대 선정 인문 고전 53

만화 샤르댕 인간현상

개정 1판 1쇄 인쇄 | 2019. 8. 14
개정 1판 1쇄 발행 | 2019. 8. 21

심재규 글 | 권욱 그림 | 손영운 기획

발행처 김영사 | 발행인 고세규
등록번호 제 406-2003-036호 | 등록일자 1979. 5. 17.
주소 경기도 파주시 문발로 197 (우10881)
전화 마케팅부 031-955-3100 | 편집부 031-955-3113~20 | 팩스 031-955-3111

값은 표지에 있습니다.
ISBN 978-89-349-9478-7
ISBN 978-89-349-9425-1 (세트)

좋은 독자가 좋은 책을 만듭니다. 김영사는 독자 여러분의 의견에 항상 귀 기울이고 있습니다.
독자의견전화 031-955-3139 | 전자우편 book@gimmyoung.com
홈페이지 www.gimmyoungjr.com | 어린이들의 책놀이터 cafe.naver.com/gimmyoungjr

이 도서의 국립중앙도서관 출판예정도서목록(CIP)은 서지정보유통지원시스템 홈페이지(http://seoji.nl.go.kr)와
국가자료종합목록시스템(http://www.nl.go.kr/kolisnet)에서 이용하실 수 있습니다. (CIP제어번호 : CIP2018043084)

어린이제품 안전특별법에 의한 표시사항

제품명 도서 제조년월일 2019년 8월 21일 제조사명 김영사 주소 10881 경기도 파주시 문발로 197
전화번호 031-955-3100 제조국명 대한민국 ⚠주의 책 모서리에 찍히거나 책장에 베이지 않게 조심하세요.

미래의 글로벌 리더들이 꼭 읽어야 할 인문고전을 만화로 만나다

NEW 서울대 선정 인문고전 60선

53

샤르댕 인간현상

심재규 글 · 권욱 그림

Ra
Fe

주니어김영사

| 기획에 부쳐 |

<서울대 선정 인문고전>이 국민 만화책이 되기를 바라며

제가 대여섯 살 때 동네 골목 어귀에 어린이들에게 만화책을 빌려주는 좌판 만화 대여소가 있었습니다. 땅바닥에 두터운 검정 비닐을 깔고 그 위에 아이들이 좋아하는 만화책을 늘어놓았는데, 1원을 내면 낡은 만화책 한 권을 빌릴 수 있었지요. 저는 그곳에서 만화책을 보면서 한글을 깨쳤고 책과의 인연을 맺었습니다.

초등학교 때는 용돈을 아껴서 책을 사서 읽었고, 중학교 때는 학교 도서 반장을 맡아 도서관에서 매일 밤 10시까지 있으면서 참 많은 책을 읽었습니다. 그 무렵 헤밍웨이의《노인과 바다》를 손에 땀을 쥐며 읽으면서 인생에 대해 고민했고, 헤르만 헤세의《수레바퀴 아래서》를 읽으며 사춘기의 심란한 마음을 달랬습니다. 김래성의《청춘 극장》을 밤새워 읽는 바람에 다음 날 치르는 중간고사를 망치기도 했습니다.

당시 저의 꿈은 아주 큰 도서관을 운영하는 사람이 되어 온종일 책을 보면서 책을 쓰는 작가가 되는 것이었습니다. 나이가 들고 어느 정도 바라는 꿈을 이루었습니다. 큰 도서관은 아니지만 적당한 크기의 서점을 운영하고, 글을 쓰는 작가가 되었거든요. 저는 여기에 새로운 꿈을 하나 더 보탰습니다. 그것은 즐거운 마음과 힘찬 꿈을 가지게 해 주고, 나아가 자기 성찰을 도와주는 좋은 만화책을 만드는 일이었습니다. 이렇게 해서 만든 책이 바로 〈서울대 선정 인문고전〉입니다. 서울대학교 교수님들이 신입생과 청소년들이 꼭 읽어야 할 책으로 추천한 도서들 중에서 엄선하여 만화로 만든 것입니다. 인류 지성사의 금자탑이라고 할 수 있는 고전을, 보기 편하고 이해하기 쉽도록 만화책으로 만드는 일은 결코 쉬운 일이 아니었습니다. 수십 명의 학교 선생님들과 전공 학자들이 원서의 내용을 정확하게 전달할 수 있도록 밑글을 쓰고, 수십 명의 만화가들이 고민에 고민

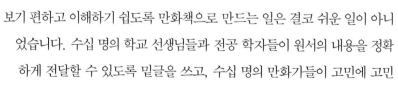

유물론

을 거듭하면서 만화를 그렸습니다.

〈서울대 선정 인문고전〉이 출간되고 얼마 안 있을 무렵에 우리나라에 인문학 읽기 열풍이 불기 시작했습니다. 〈서울대 선정 인문고전〉은 인문학 열풍을 널리 퍼뜨리는 데 한몫을 하면서 독자들의 뜨거운 사랑과 관심을 받았습니다. 덕분에 지금까지 수백만 권이 팔리는 베스트셀러가 되었습니다. 그 사랑에 조금이나마 보답하기 위해 《칸트의 실천이성 비판》《미셸 푸코의 지식의 고고학》《이이의 성학집요》 등 우리가 꼭 읽어야 할 동서양의 고전을 계속 만화로 덧붙여 만들어 가고 있습니다.

〈서울대 선정 인문고전〉은 어린이와 청소년은 물론, 부모님과 함께 봐도 좋을 만화책입니다. 국민 배우, 국민 가수가 있듯이 〈서울대 선정 인문고전〉이 '국민 만화책'이 되길 큰마음으로 바랍니다.

손영운

| 글 작가 머리말 |

우주 한가운데에 있는 우리의 삶

인간을 포함한 모든 생물들이 같은 조상에서 갈라져 나왔다는 진화론자들의 말을 들으면 어떤 생각이 드나요? 인간이 바퀴벌레와 같이 환경에 적응해 온 수많은 생물 중 하나일 뿐이라는 말을 들으면요?

우주를 연구하는 과학자들은 우주에 있는 먼지들이 뭉쳐 우리가 살고 있는 지구가 만들어졌다고 주장해요. 그렇기 때문에 결국 우리 인간도 우주의 먼지에서 비롯되었으며 죽으면 다시 먼지로 돌아갈 것이라고 말하지요. 이처럼 인간이 먼지로 이루어진 존재라는 말을 들으면 우리 자신이 한없이 초라하게 느껴지고 허무한 생각이 들기도 합니다.

《인간현상》의 저자인 샤르댕 역시 과학자였습니다. 그러나 샤르댕은 과학자들이 연구한 사실들을 바탕으로 인간을 새롭게 바라보았습니다. 샤르댕은 지구상에 있는 모든 생명체를 구성하고 있는 세포가 얼마나 놀라운 존재인지, 왜 세포의 출현이 우주의 역사에서 중요하고 핵심적인 사건인지 자세히 보여 주었습니다. 세포는 우리 인간이 비슷하게 흉내 내 만들기도 어려울 정도로 놀랍고 복잡한 존재입니다. 샤르댕은 우리 인간이 그러한 세포들로 이루어져 있음을 밝혔지요.

인간의 구조는 유인원과 크게 다를 것이 없습니다. 그러나 인간은 다른 생명체와 전혀 다른 존재입니다. 유일하게 반성 활동을 하는 존재이기 때문입니다. 샤르댕은 반성을 통해 인간이 동물의 본능과 다른 지성을 가지게 되었다고 주장했습니다. 반성 활동을 통해 진화의 과정에 있는 수많은 동물 중 하나가 아닌, 진화를 완성하고 마무리 지을 수 있는 특별한 존재가 되었다는 것입니다. 이처럼 샤르댕은 인간을, 세포라는 매우 특별한 존재로 이루어진 생명체 중에서 반성 활동을 하는 유일한 존재로 보았습니다.

정신 통일
정
신

현대 물리학 이론에 의하면 모든 물질은 원자로 이루어져 있습니다. 그리고 원자는 그 종류에 관계없이 모두 전자, 쿼크 등의 소립자들로 이루어져 있습니다. 그렇다면 과학자들이 물질을 이루는 궁극적인 물질인 입자와 현상을 모두 발견한 것일까요? 절대 그렇지 않습니다. 원자의 세계는 인간의 이성으로는 도저히 이해할 수 없는 현상을 보여 주고 있기 때문입니다. 물리학자들에게 원자의 세계는 신비 그 자체인 셈이지요.

놀라운 원자, 놀라운 세포, 놀라운 반성 활동 등 과학은 알면 알수록 놀라움의 연속입니다. 따라서 우리 모두는 거대한 우주 속에서 놀라운 일이 반복되며 생겨난 작은 우주라고 할 수 있습니다. 우주의 모든 핵심과 결정이 모여 만들어진 우주의 중심이지요. 이 책을 통해 우주의 한 가운데에 있는 우리의 삶이 얼마나 귀한지 느껴 보시기를 바랍니다.

심재규

kitabu
книга
Arabic
language
French
Spanish
English
हिन्दी
भाषा
감사합니다
Thank You
Merci
Obrigado

과학을 뛰어넘은 인간에 대한 탐구

샤르댕은 하느님이 세상을 창조했다는 창조론이 세계관의 중심이던 시대의 신부이자 과학자였습니다. 그와 동시에 양립하기 어려울 것만 같은 두 개의 길을 하나로 잇고자 했던 최초의 종교인이자 과학자였지요.

인간의 본질과 인류의 희망을 발견하기 위해 샤르댕이 택했던 진화에 대한 연구는 당시만 해도 성직자로서 생각하기 어려운 이단에 가까운 시도였습니다. 그래서인지 이 책의 그림을 그리기 위해 자료를 찾던 중, 샤르댕을 악마로 묘사한 이미지를 심심치 않게 볼 수 있었습니다. 과학 기술과 미디어가 발달한 오늘날에도 그러한 평가가 이루어지고 있다는 사실이 그저 놀라울 뿐이었습니다.

창조론과 진화론은 그 시작부터 지금까지 대척점에 서 있습니다. 진화론이 처음 등장한 17세기 이후 과학은 비교할 수 없을 정도로 크게 발전했습니다. 그러나 창조론을 믿고 있는 수많은 종교인들은 여전히 자신들의 논리를 발전시키며 '창조적 진화론'을 주장하고 있습니다. 어느 것이 맞는지는 누구도 확신하기 어렵지만 샤르댕은 물과 기름같이 어울릴 수 없을 것 같던 종교와 과학, 이 두 분야를 동전의 앞뒷면처럼 하나로 엮어 냈습니다.

이 작업은 고단하고 많은 인내를 요구했으며 때로는 탄압을 받아 먼 타국으로 쫓겨나게 만들기도 했지만 샤르댕은 인간에 대한 탐구심과 인류에 대한 무한한 사랑으로 고난을 이겨내고 이 책을 만들어 냈을 것입니다. 그래서 이 책이 더욱 가치 있지 않을까?라는 생각을 해 봅니다.

샤르댕은 《인간현상》을 오로지 과학책으로 봐야 한다고 했지만 종교와 철학 그리고 과학이 어우러진 이 책을 읽다 보면 이 책의 정체가 무엇인지 혼란스러울 수도 있을 것이라고 예상됩니다. 저 역시 그

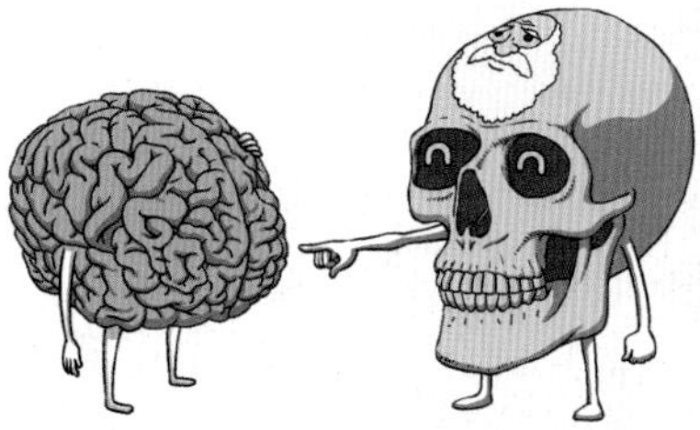

랬기 때문입니다. 그러나 《인간현상》이 과학적인 내용을 바탕으로 우리가 살고 있는 세계에 대한 새로운 철학을 제시하고, 우리 인류가 살아갈 미래의 꿈과 비전을 보여 주고 있다는 사실만 놓치지 않는다면 이 책을 이해하는 데 큰 어려움은 없을 것이라고 생각합니다. 더불어 과학의 영역을 넘어 인간을 바라보고 살필 수 있는 기회가 되길 기대합니다.

권욱

| 차례 |

1장

《인간현상》은 어떤 책인가?

누구나 한 번쯤은 인간의 존재와 본질에 대해 고민해 본 적이 있을 거야.
우리는 어디에서 왔고, 어디로 가고 있을까? 광대한 우주에서 인간의 존재 의미는 무엇일까?

프랑스의 과학자인 샤르댕은 이런 의문에 대한 답을 찾기 위해 평생을 바쳤어.
테야르 드 샤르댕 (Pierre Teilhard de Chardin, 1881~1955)
나는 가톨릭 신부이기도 하단다.

샤르댕은 우주의 생성부터 인간의 출현에 이르기까지 지구에서 일어났던 여러 가지 일들을 탐구했어.

그리고 그것을 바탕으로 인간의 미래를 살펴 책으로 펴냈지.
탁 탁탁
탁
탁

그 책이 바로 지금부터 우리가 살펴볼 《인간현상(Le Phénomène humain)》이야.
인간현상
Le Phénomène humain

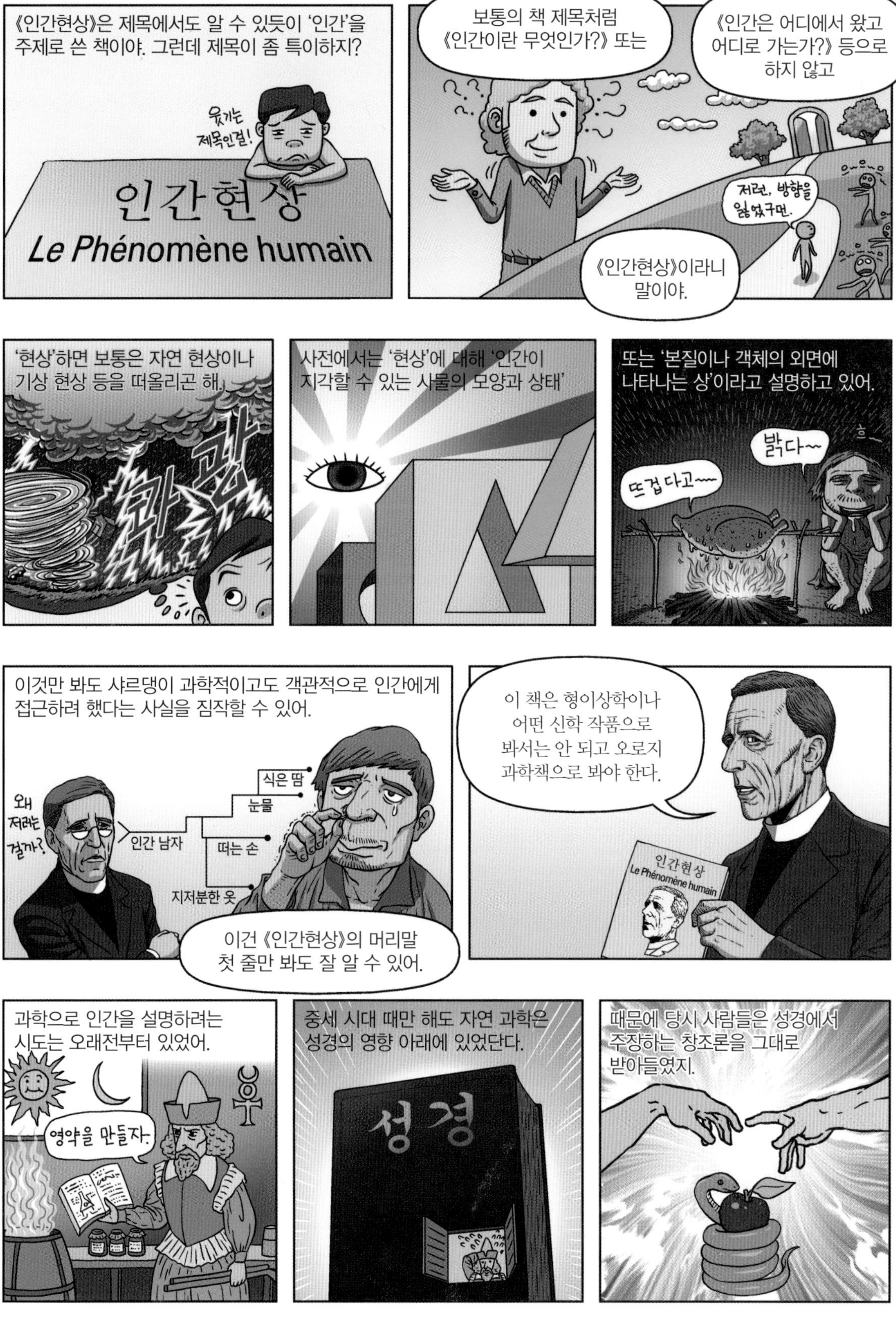
《인간현상》은 제목에서도 알 수 있듯이 '인간'을 주제로 쓴 책이야. 그런데 제목이 좀 특이하지?
웃기는 제목인걸!
인간현상
Le Phénomène humain
보통의 책 제목처럼 《인간이란 무엇인가?》 또는
《인간은 어디에서 왔고 어디로 가는가?》 등으로 하지 않고
저런, 방향을 잃었구먼.
《인간현상》이라니 말이야.
'현상'하면 보통은 자연 현상이나 기상 현상 등을 떠올리곤 해.
사전에서는 '현상'에 대해 '인간이 지각할 수 있는 사물의 모양과 상태'
또는 '본질이나 객체의 외면에 나타나는 상'이라고 설명하고 있어.
뜨겁다고~
밝다~
이것만 봐도 샤르댕이 과학적이고도 객관적으로 인간에게 접근하려 했다는 사실을 짐작할 수 있어.
왜 저러는 걸까?
인간 남자
식은 땀
눈물
떠는 손
지저분한 옷
이건 《인간현상》의 머리말 첫 줄만 봐도 잘 알 수 있어.
이 책은 형이상학이나 어떤 신학 작품으로 봐서는 안 되고 오로지 과학책으로 봐야 한다.
인간현상
Le Phénomène humain
과학으로 인간을 설명하려는 시도는 오래전부터 있었어.
영약을 만들자.
중세 시대 때만 해도 자연 과학은 성경의 영향 아래에 있었단다.
성경
때문에 당시 사람들은 성경에서 주장하는 창조론을 그대로 받아들였지.

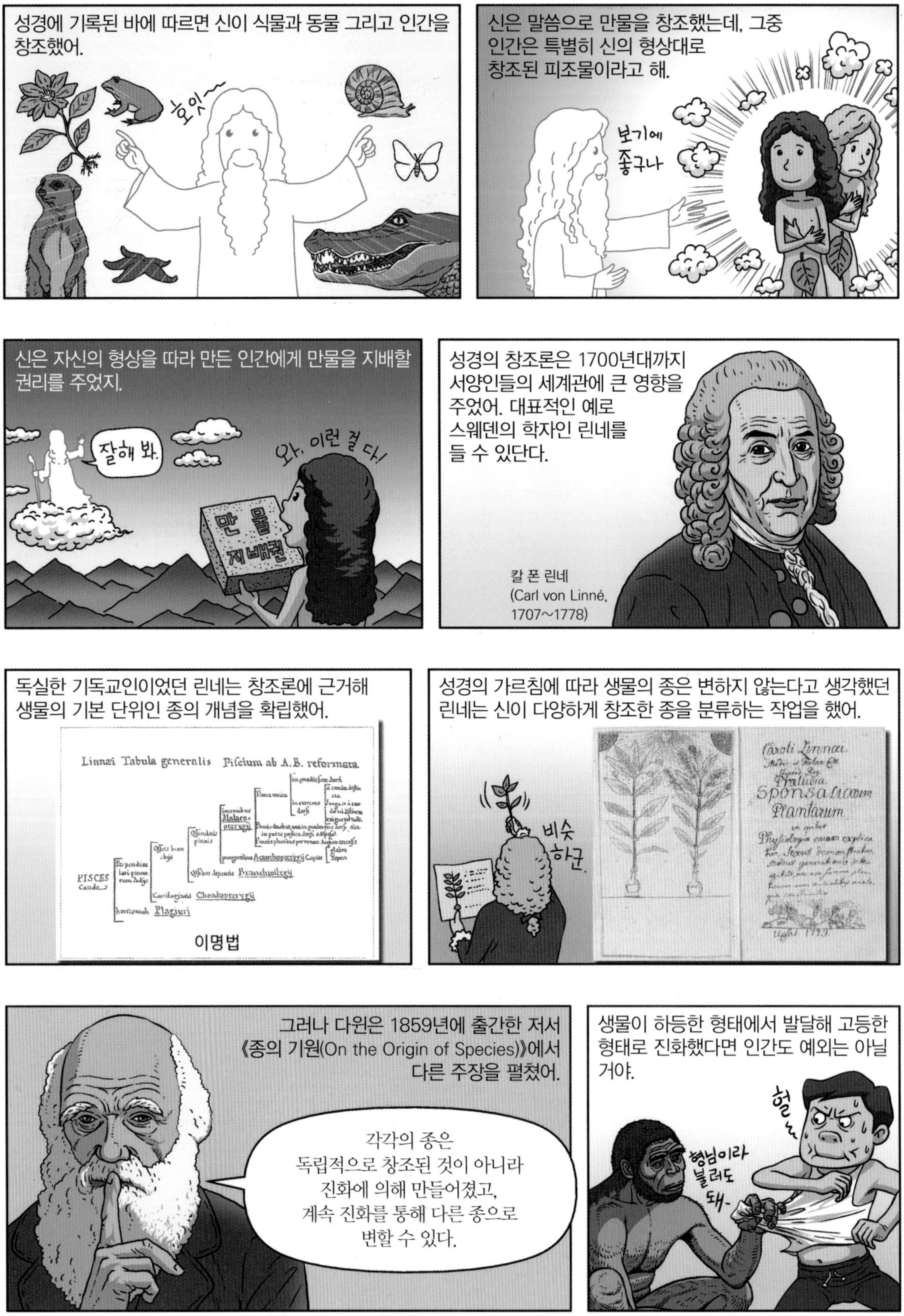
성경에 기록된 바에 따르면 신이 식물과 동물 그리고 인간을 창조했어.
호잇~
신은 말씀으로 만물을 창조했는데, 그중 인간은 특별히 신의 형상대로 창조된 피조물이라고 해.
보기에 좋구나
신은 자신의 형상을 따라 만든 인간에게 만물을 지배할 권리를 주었지.
잘해 봐.
와, 이런 걸 다!
만물 지배권
성경의 창조론은 1700년대까지 서양인들의 세계관에 큰 영향을 주었어. 대표적인 예로 스웨덴의 학자인 린네를 들 수 있단다.
칼 폰 린네 (Carl von Linné, 1707~1778)
독실한 기독교인이었던 린네는 창조론에 근거해 생물의 기본 단위인 종의 개념을 확립했어.
Linnæi Tabula generalis Piscium ab A.B. reformata
PISCES
이명법
성경의 가르침에 따라 생물의 종은 변하지 않는다고 생각했던 린네는 신이 다양하게 창조한 종을 분류하는 작업을 했어.
비슷하군.
Caroli Linnæi
Præludia Sponsaliorum Plantarum
그러나 다윈은 1859년에 출간한 저서 《종의 기원(On the Origin of Species)》에서 다른 주장을 펼쳤어.
각각의 종은 독립적으로 창조된 것이 아니라 진화에 의해 만들어졌고, 계속 진화를 통해 다른 종으로 변할 수 있다.
생물이 하등한 형태에서 발달해 고등한 형태로 진화했다면 인간도 예외는 아닐 거야.
헐~
형님이라 불러도 돼-

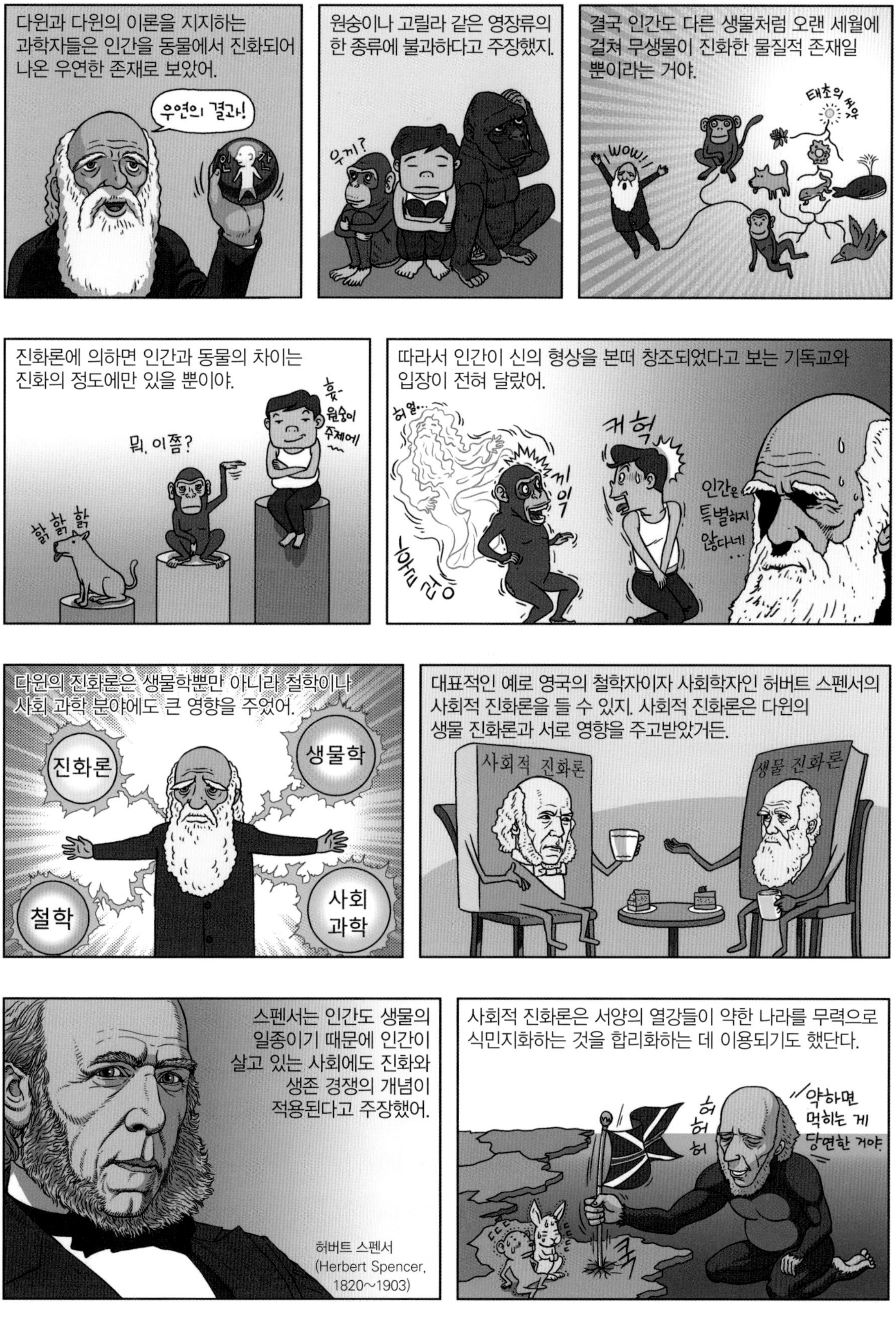
다윈과 다윈의 이론을 지지하는
과학자들은 인간을 동물에서 진화되어
나온 우연한 존재로 보았어.
우연의 결과!
인간
원숭이나 고릴라 같은 영장류의
한 종류에 불과하다고 주장했지.
우끼?
결국 인간도 다른 생물처럼 오랜 세월에
걸쳐 무생물이 진화한 물질적 존재일
뿐이라는 거야.
WOW!
진화론에 의하면 인간과 동물의 차이는
진화의 정도에만 있을 뿐이야.
뭐, 이쯤?
흥- 원숭이 주제에
따라서 인간이 신의 형상을 본떠 창조되었다고 보는 기독교와
입장이 전혀 달랐어.
허얼…
끼익
커헉
인간은 특별하지 않다네…
다윈의 진화론은 생물학뿐만 아니라 철학이나
사회 과학 분야에도 큰 영향을 주었어.
진화론
생물학
철학
사회 과학
대표적인 예로 영국의 철학자이자 사회학자인 허버트 스펜서의
사회적 진화론을 들 수 있지. 사회적 진화론은 다윈의
생물 진화론과 서로 영향을 주고받았거든.
사회적 진화론
생물 진화론
스펜서는 인간도 생물의
일종이기 때문에 인간이
살고 있는 사회에도 진화와
생존 경쟁의 개념이
적용된다고 주장했어.
허버트 스펜서
(Herbert Spencer,
1820~1903)
사회적 진화론은 서양의 열강들이 약한 나라를 무력으로
식민지화하는 것을 합리화하는 데 이용되기도 했단다.
허 허 허
약하면 먹히는 게 당연한 거야.
쿡

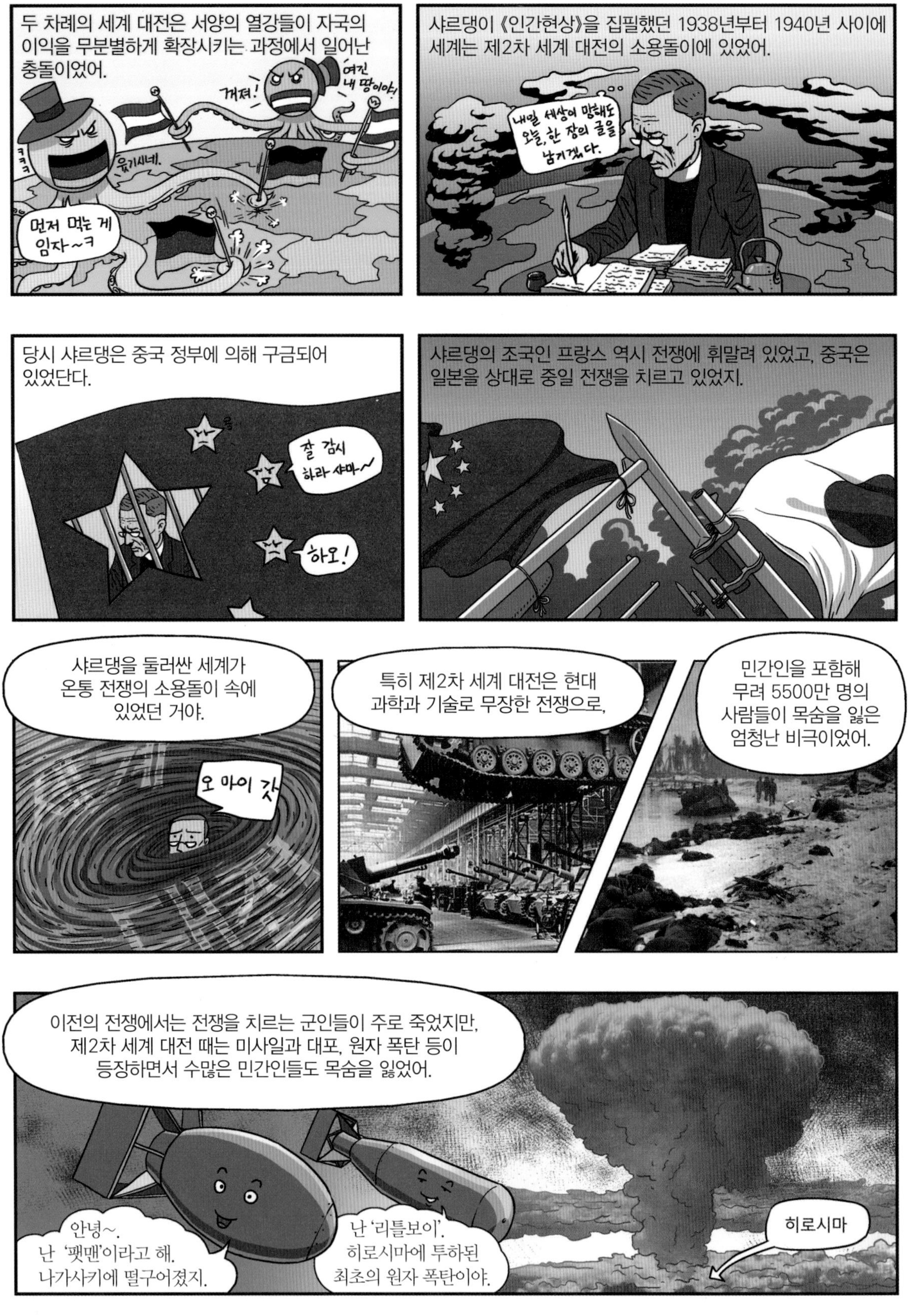
두 차례의 세계 대전은 서양의 열강들이 자국의 이익을 무분별하게 확장시키는 과정에서 일어난 충돌이었어.
여긴 내 땅이야!
꺼져!
웃기시네.
ㅋㅋㅋ
먼저 먹는 게 임자~ㅋ
샤르댕이 《인간현상》을 집필했던 1938년부터 1940년 사이에 세계는 제2차 세계 대전의 소용돌이에 있었어.
내일 세상이 망해도 오늘, 한 장의 글을 남기겠다.
당시 샤르댕은 중국 정부에 의해 구금되어 있었단다.
잘 감시 하라 샤마~
하오!
샤르댕의 조국인 프랑스 역시 전쟁에 휘말려 있었고, 중국은 일본을 상대로 중일 전쟁을 치르고 있었지.
샤르댕을 둘러싼 세계가 온통 전쟁의 소용돌이 속에 있었던 거야.
오 마이 갓
특히 제2차 세계 대전은 현대 과학과 기술로 무장한 전쟁으로,
민간인을 포함해 무려 5500만 명의 사람들이 목숨을 잃은 엄청난 비극이었어.
이전의 전쟁에서는 전쟁을 치르는 군인들이 주로 죽었지만, 제2차 세계 대전 때는 미사일과 대포, 원자 폭탄 등이 등장하면서 수많은 민간인들도 목숨을 잃었어.
안녕~. 난 '팻맨'이라고 해. 나가사키에 떨구어졌지.
난 '리틀보이'. 히로시마에 투하된 최초의 원자 폭탄이야.
히로시마

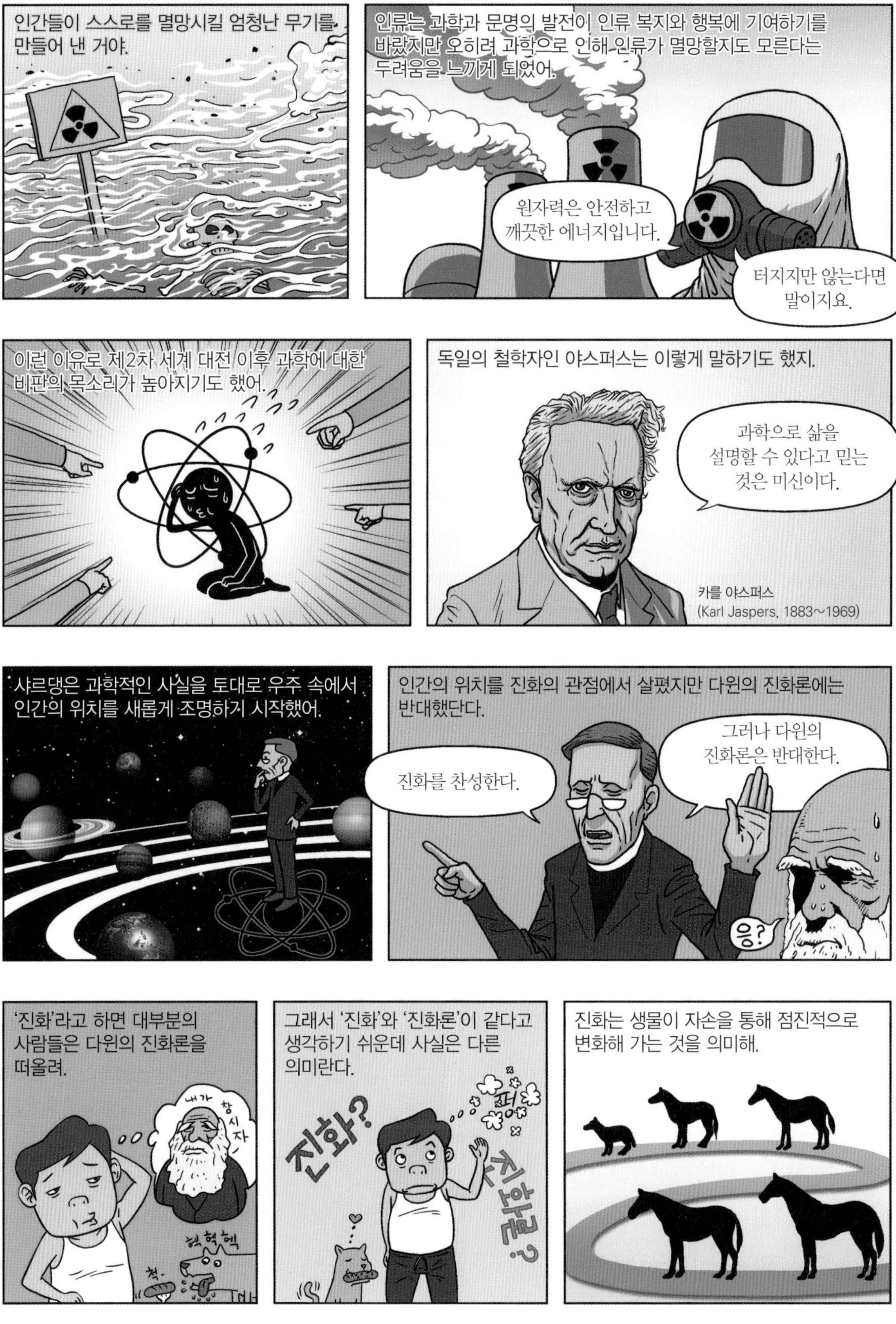

인간들이 스스로를 멸망시킬 엄청난 무기를 만들어 낸 거야.
인류는 과학과 문명의 발전이 인류 복지와 행복에 기여하기를 바랐지만 오히려 과학으로 인해 인류가 멸망할지도 모른다는 두려움을 느끼게 되었어.
원자력은 안전하고 깨끗한 에너지입니다.
터지지만 않는다면 말이지요.
이런 이유로 제2차 세계 대전 이후 과학에 대한 비판의 목소리가 높아지기도 했어.
독일의 철학자인 야스퍼스는 이렇게 말하기도 했지.
과학으로 삶을 설명할 수 있다고 믿는 것은 미신이다.
카를 야스퍼스
(Karl Jaspers, 1883~1969)
샤르댕은 과학적인 사실을 토대로 우주 속에서 인간의 위치를 새롭게 조명하기 시작했어.
인간의 위치를 진화의 관점에서 살폈지만 다윈의 진화론에는 반대했단다.
진화를 찬성한다.
그러나 다윈의 진화론은 반대한다.
응?
'진화'라고 하면 대부분의 사람들은 다윈의 진화론을 떠올려.
내가 창시자
헥헥헥
척.
그래서 '진화'와 '진화론'이 같다고 생각하기 쉬운데 사실은 다른 의미란다.
진화?
펑
진화론?
진화는 생물이 자손을 통해 점진적으로 변화해 가는 것을 의미해.

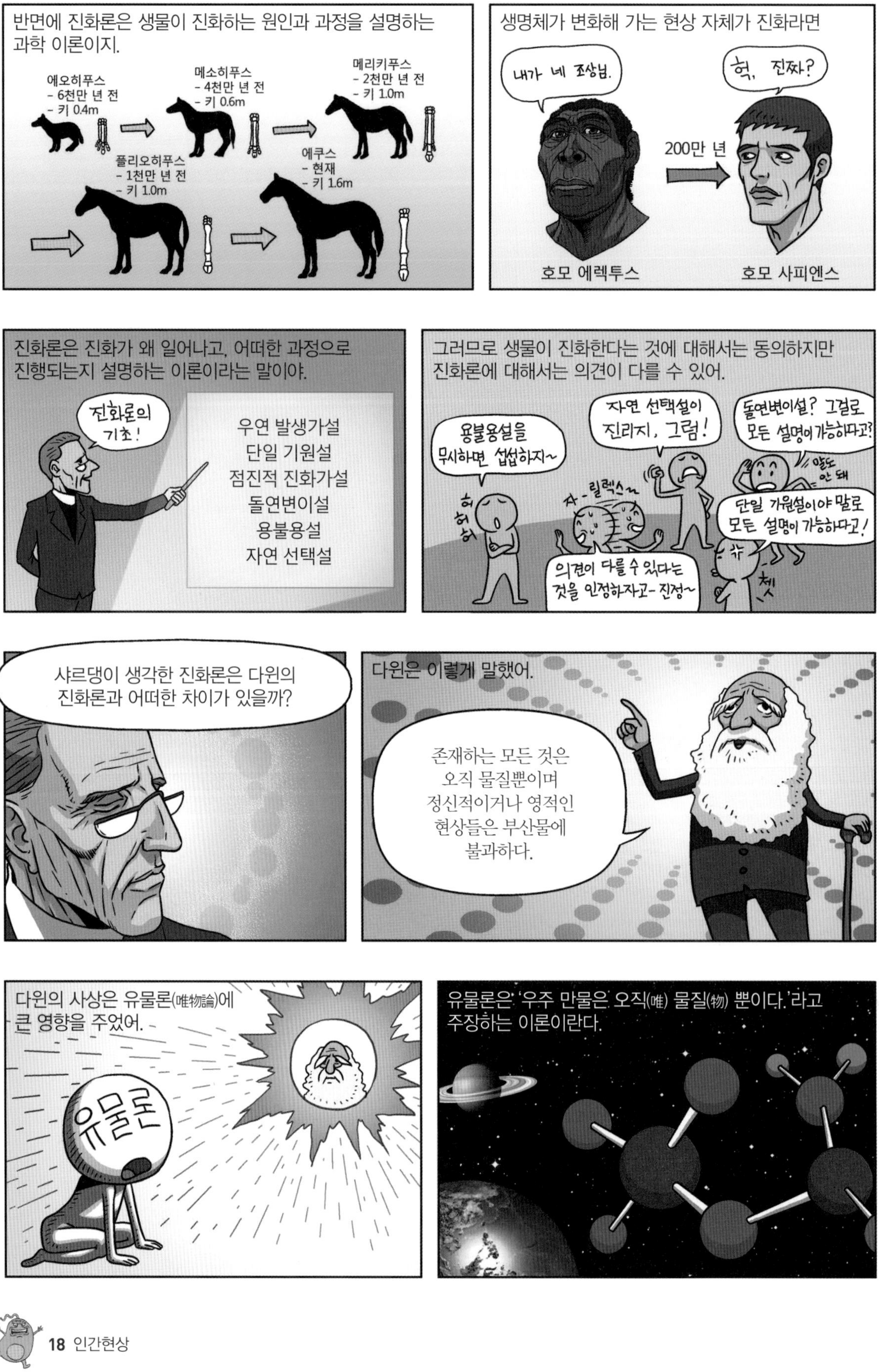
반면에 진화론은 생물이 진화하는 원인과 과정을 설명하는 과학 이론이지.
에오히푸스 - 6천만 년 전 - 키 0.4m
메소히푸스 - 4천만 년 전 - 키 0.6m
메리키푸스 - 2천만 년 전 - 키 1.0m
플리오히푸스 - 1천만 년 전 - 키 1.0m
에쿠스 - 현재 - 키 1.6m
생명체가 변화해 가는 현상 자체가 진화라면
내가 네 조상님.
헉, 진짜?
200만 년
호모 에렉투스
호모 사피엔스
진화론은 진화가 왜 일어나고, 어떠한 과정으로 진행되는지 설명하는 이론이라는 말이야.
진화론의 기초!
우연 발생가설
단일 기원설
점진적 진화가설
돌연변이설
용불용설
자연 선택설
그러므로 생물이 진화한다는 것에 대해서는 동의하지만 진화론에 대해서는 의견이 다를 수 있어.
용불용설을 무시하면 섭섭하지~
허허허
자연 선택설이 진리지, 그럼!
돌연변이설? 그걸로 모든 설명이 가능하다고?
말도 안 돼
사-릴렉스~
단일 기원설이야 말로 모든 설명이 가능하다고!
의견이 다를 수 있다는 것을 인정하자고- 진정~
쳇
샤르댕이 생각한 진화론은 다윈의 진화론과 어떠한 차이가 있을까?
다윈은 이렇게 말했어.
존재하는 모든 것은 오직 물질뿐이며 정신적이거나 영적인 현상들은 부산물에 불과하다.
다윈의 사상은 유물론(唯物論)에 큰 영향을 주었어.
유물론
유물론은 '우주 만물은 오직(唯) 물질(物) 뿐이다.'라고 주장하는 이론이란다.

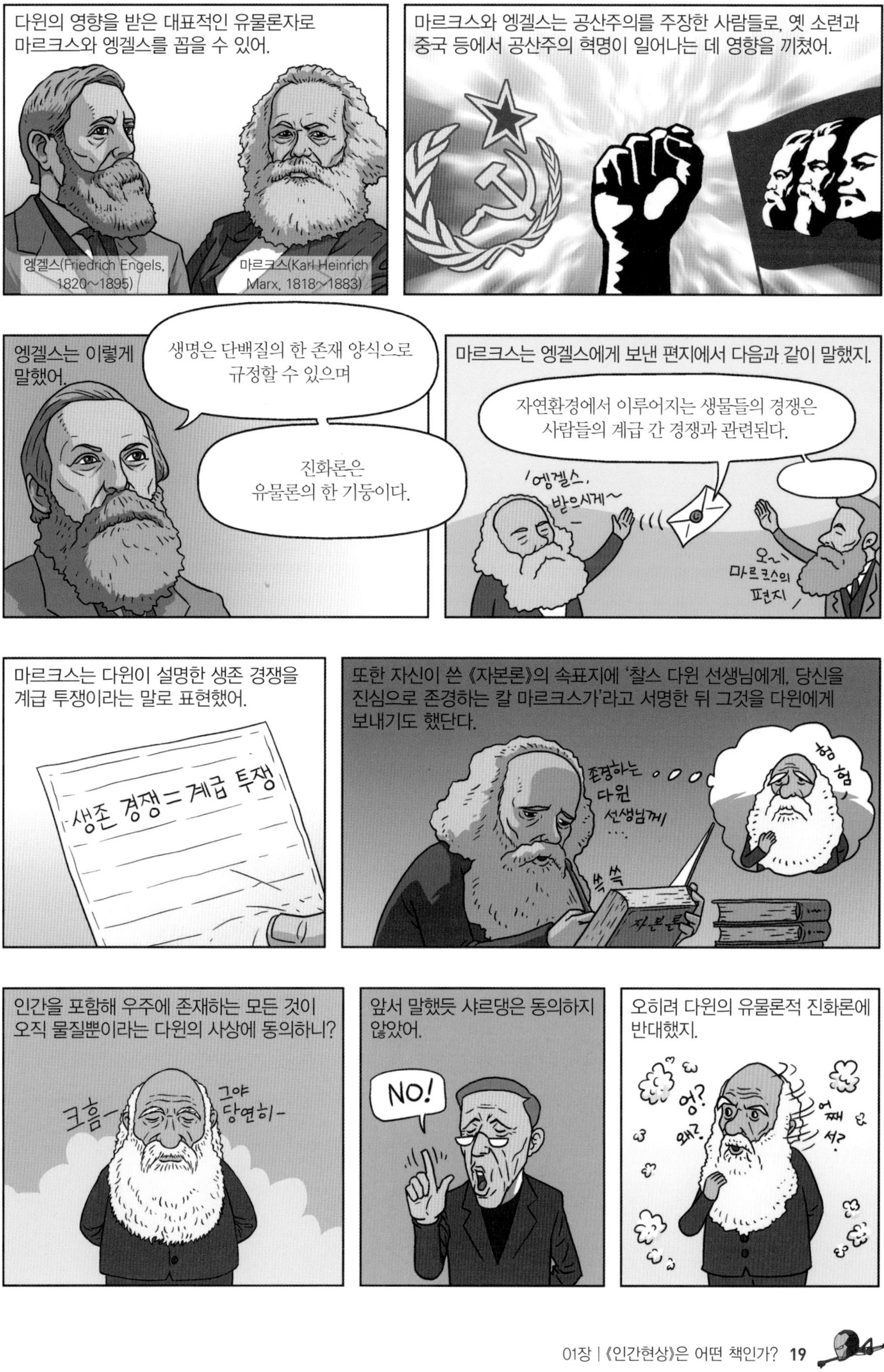
다윈의 영향을 받은 대표적인 유물론자로 마르크스와 엥겔스를 꼽을 수 있어.
엥겔스(Friedrich Engels, 1820~1895)
마르크스(Karl Heinrich Marx, 1818~1883)
마르크스와 엥겔스는 공산주의를 주장한 사람들로, 옛 소련과 중국 등에서 공산주의 혁명이 일어나는 데 영향을 끼쳤어.
엥겔스는 이렇게 말했어.
생명은 단백질의 한 존재 양식으로 규정할 수 있으며
진화론은 유물론의 한 기둥이다.
마르크스는 엥겔스에게 보낸 편지에서 다음과 같이 말했지.
자연환경에서 이루어지는 생물들의 경쟁은 사람들의 계급 간 경쟁과 관련된다.
엥겔스, 받으시게~
오~ 마르크스의 편지
마르크스는 다윈이 설명한 생존 경쟁을 계급 투쟁이라는 말로 표현했어.
생존 경쟁=계급 투쟁
또한 자신이 쓴 《자본론》의 속표지에 '찰스 다윈 선생님에게, 당신을 진심으로 존경하는 칼 마르크스가'라고 서명한 뒤 그것을 다윈에게 보내기도 했단다.
존경하는 다윈 선생님께 ....
쓱 쓱
험 험
자본론
인간을 포함해 우주에 존재하는 모든 것이 오직 물질뿐이라는 다윈의 사상에 동의하니?
크흠~
그야 당연히~
앞서 말했듯 샤르댕은 동의하지 않았어.
NO!
오히려 다윈의 유물론적 진화론에 반대했지.
엉?
왜?
어째서?

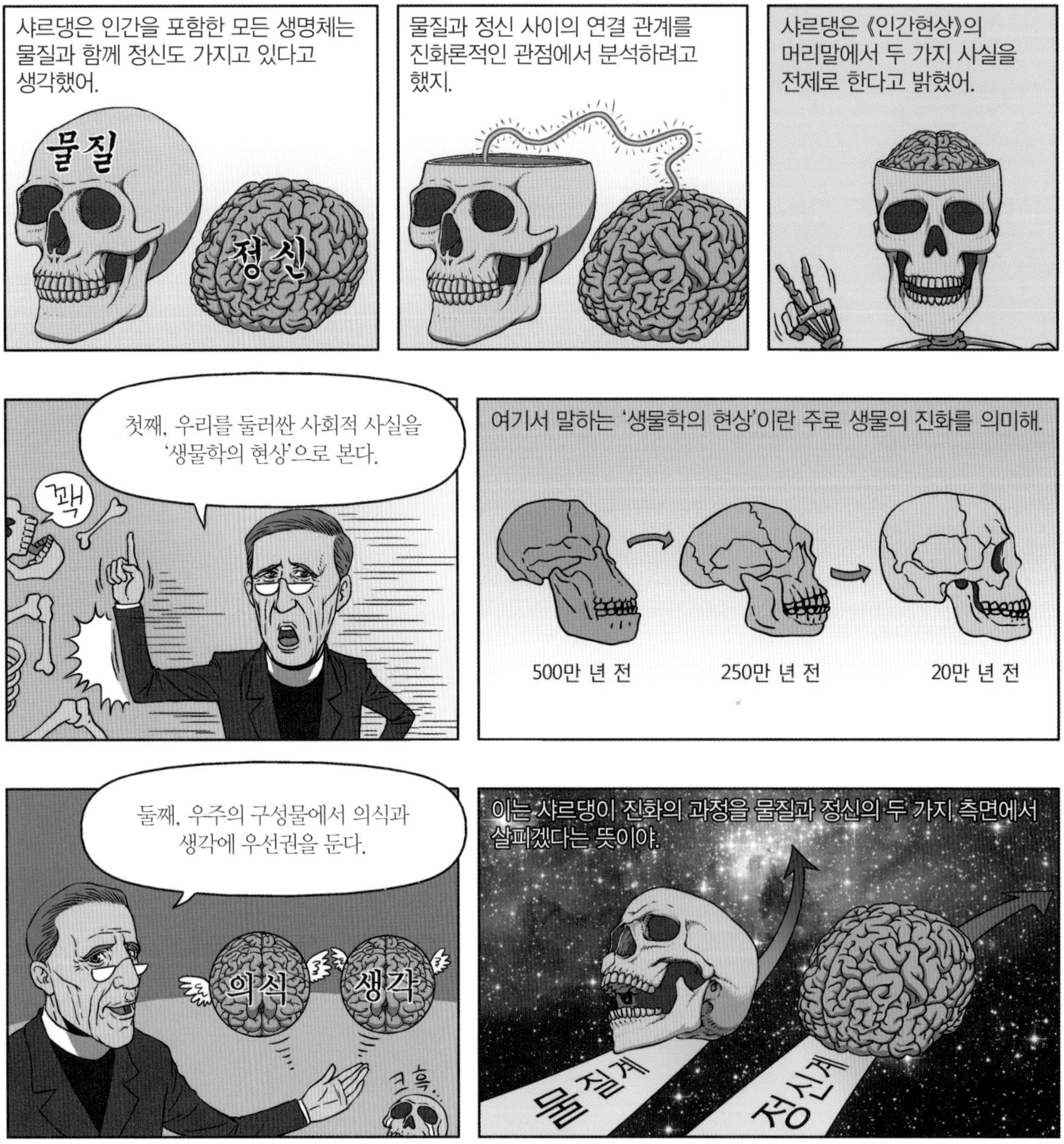

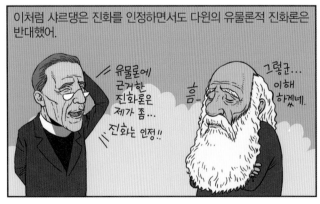

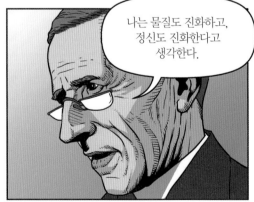

샤르댕은 인간을 포함한 모든 생명체는 물질과 함께 정신도 가지고 있다고 생각했어.
물질
정신
물질과 정신 사이의 연결 관계를 진화론적인 관점에서 분석하려고 했지.
샤르댕은 《인간현상》의 머리말에서 두 가지 사실을 전제로 한다고 밝혔어.
첫째, 우리를 둘러싼 사회적 사실을 '생물학의 현상'으로 본다.
꽥
여기서 말하는 '생물학의 현상'이란 주로 생물의 진화를 의미해.
500만 년 전
250만 년 전
20만 년 전
둘째, 우주의 구성물에서 의식과 생각에 우선권을 둔다.
의식
생각
크흑...
이는 샤르댕이 진화의 과정을 물질과 정신의 두 가지 측면에서 살피겠다는 뜻이야.
물질계
정신계
이처럼 샤르댕은 진화를 인정하면서도 다윈의 유물론적 진화론은 반대했어.
유물론에 근거한 진화론은 제가 좀...
진화는 인정!!
흠-
그렇군... 이해하겠네.
나는 물질도 진화하고, 정신도 진화한다고 생각한다.

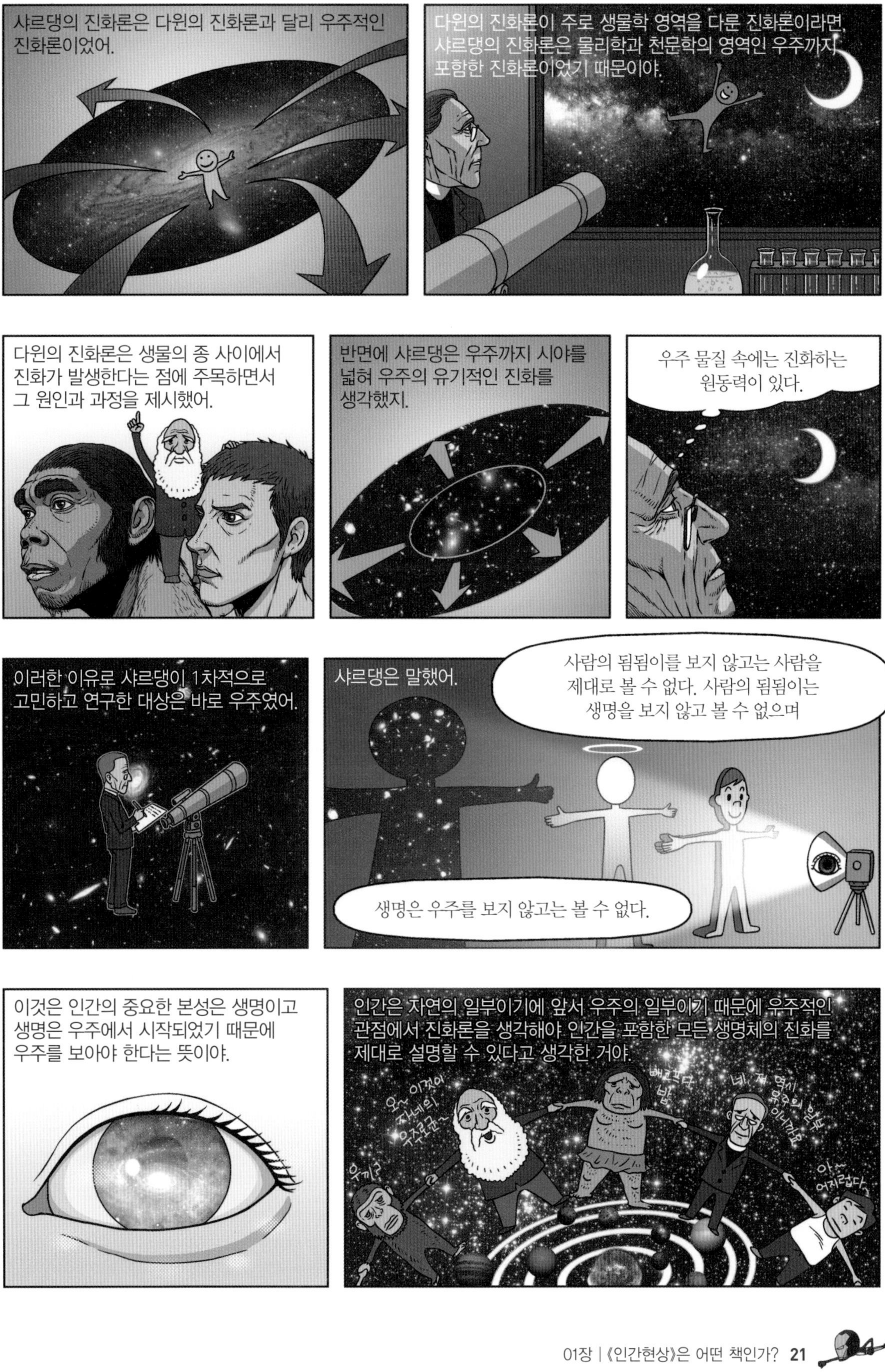
샤르댕의 진화론은 다윈의 진화론과 달리 우주적인 진화론이었어.
다윈의 진화론이 주로 생물학 영역을 다룬 진화론이라면, 샤르댕의 진화론은 물리학과 천문학의 영역인 우주까지 포함한 진화론이었기 때문이야.
다윈의 진화론은 생물의 종 사이에서 진화가 발생한다는 점에 주목하면서 그 원인과 과정을 제시했어.
반면에 샤르댕은 우주까지 시야를 넓혀 우주의 유기적인 진화를 생각했지.
우주 물질 속에는 진화하는 원동력이 있다.
이러한 이유로 샤르댕이 1차적으로 고민하고 연구한 대상은 바로 우주였어.
샤르댕은 말했어.
사람의 됨됨이를 보지 않고는 사람을 제대로 볼 수 없다. 사람의 됨됨이는 생명을 보지 않고 볼 수 없으며
생명은 우주를 보지 않고는 볼 수 없다.
이것은 인간의 중요한 본성은 생명이고 생명은 우주에서 시작되었기 때문에 우주를 보아야 한다는 뜻이야.
인간은 자연의 일부이기에 앞서 우주의 일부이기 때문에 우주적인 관점에서 진화론을 생각해야 인간을 포함한 모든 생명체의 진화를 제대로 설명할 수 있다고 생각한 거야.
우끼?
오~ 이것이 자네의 우주로군~
배고프다 밥
네, 저 역시 우주의 일부이니까요
아~ 어지럽다

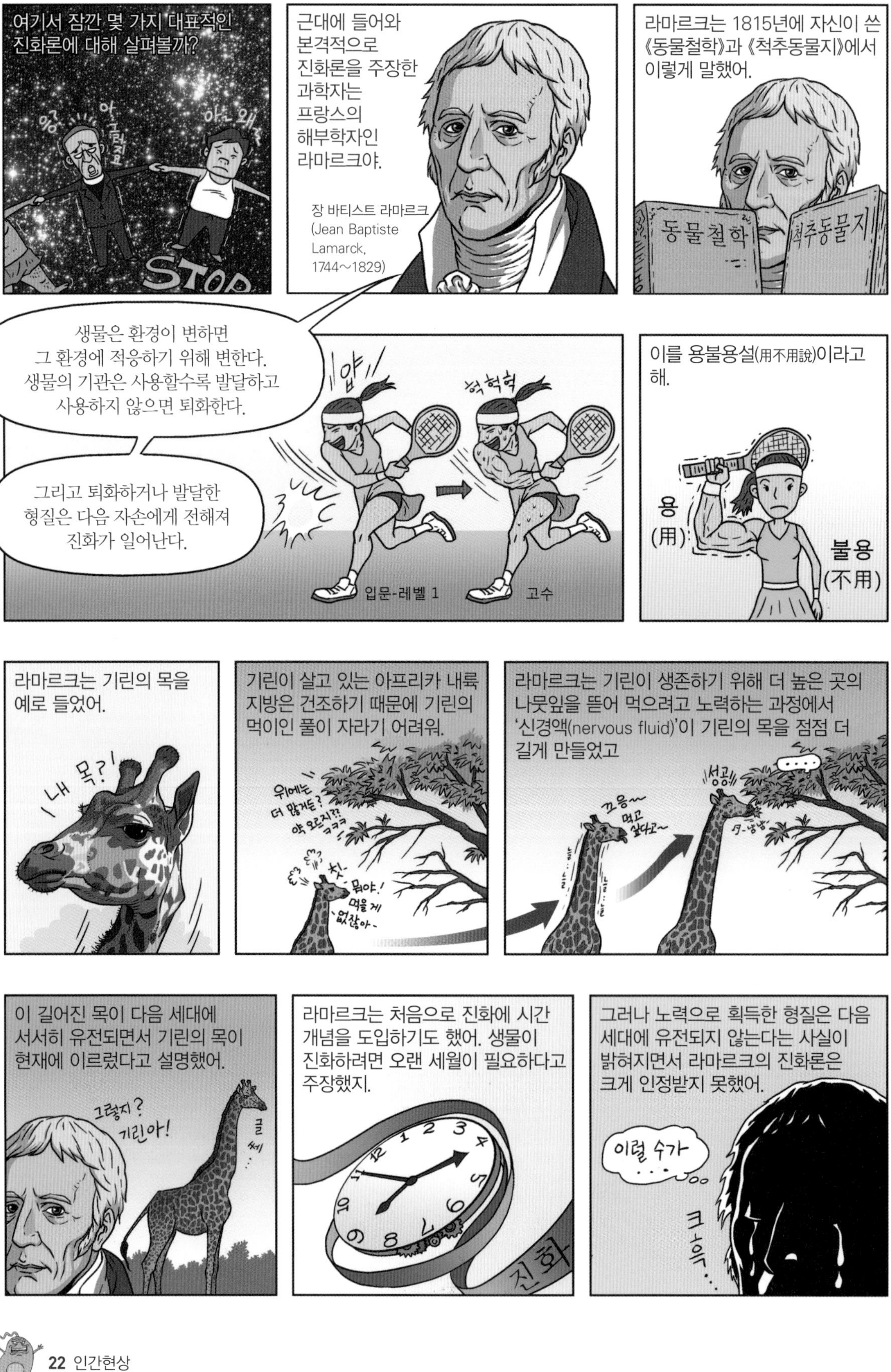
여기서 잠깐 몇 가지 대표적인 진화론에 대해 살펴볼까?
STOP
근대에 들어와 본격적으로 진화론을 주장한 과학자는 프랑스의 해부학자인 라마르크야.
장 바티스트 라마르크 (Jean Baptiste Lamarck, 1744~1829)
라마르크는 1815년에 자신이 쓴 《동물철학》과 《척추동물지》에서 이렇게 말했어.
동물철학
척추동물지
생물은 환경이 변하면 그 환경에 적응하기 위해 변한다. 생물의 기관은 사용할수록 발달하고 사용하지 않으면 퇴화한다.
그리고 퇴화하거나 발달한 형질은 다음 자손에게 전해져 진화가 일어난다.
얍
헉헉헉
입문-레벨 1
고수
이를 용불용설(用不用說)이라고 해.
용 (用)
불용 (不用)
라마르크는 기린의 목을 예로 들었어.
내 목?!
기린이 살고 있는 아프리카 내륙 지방은 건조하기 때문에 기린의 먹이인 풀이 자라기 어려워.
뭐야! 먹을 게 없잖아
라마르크는 기린이 생존하기 위해 더 높은 곳의 나뭇잎을 뜯어 먹으려고 노력하는 과정에서 '신경액(nervous fluid)'이 기린의 목을 점점 더 길게 만들었고
먹고 싶다고~
성공!
...
이 길어진 목이 다음 세대에 서서히 유전되면서 기린의 목이 현재에 이르렀다고 설명했어.
그렇지? 기린아!
글쎄...
라마르크는 처음으로 진화에 시간 개념을 도입하기도 했어. 생물이 진화하려면 오랜 세월이 필요하다고 주장했지.
진화
그러나 노력으로 획득한 형질은 다음 세대에 유전되지 않는다는 사실이 밝혀지면서 라마르크의 진화론은 크게 인정받지 못했어.
이럴 수가...
크흑...

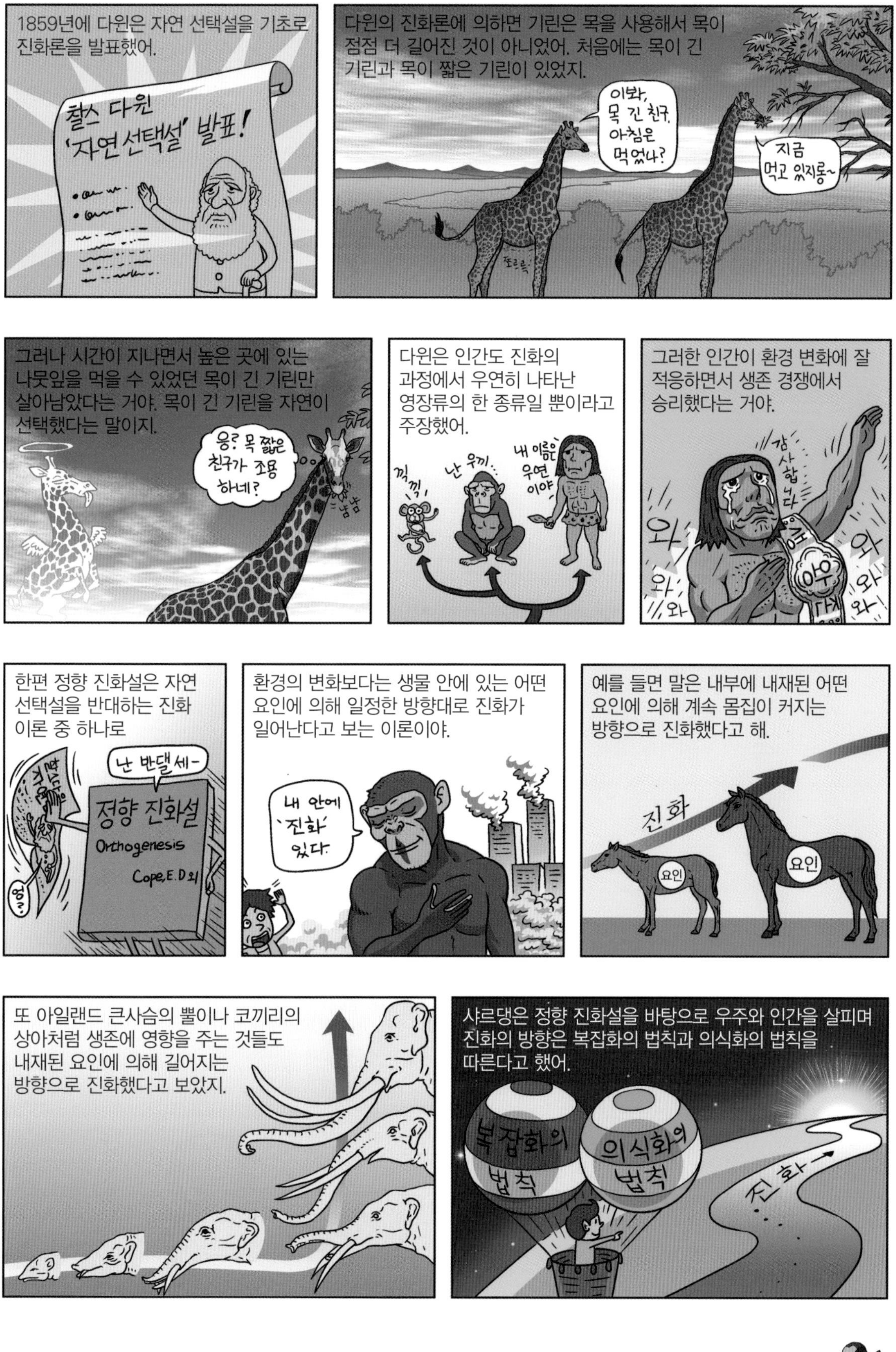
1859년에 다윈은 자연 선택설을 기초로 진화론을 발표했어.
찰스 다윈
'자연 선택설' 발표!
다윈의 진화론에 의하면 기린은 목을 사용해서 목이 점점 더 길어진 것이 아니었어. 처음에는 목이 긴 기린과 목이 짧은 기린이 있었지.
이봐, 목 긴 친구, 아침은 먹었나?
지금 먹고 있지롱~
쪼르륵
그러나 시간이 지나면서 높은 곳에 있는 나뭇잎을 먹을 수 있었던 목이 긴 기린만 살아남았다는 거야. 목이 긴 기린을 자연이 선택했다는 말이지.
응? 목 짧은 친구가 조용하네?
냠냠
다윈은 인간도 진화의 과정에서 우연히 나타난 영장류의 한 종류일 뿐이라고 주장했어.
끽끽
난 우끼…
내 이름은 우연이야
그러한 인간이 환경 변화에 잘 적응하면서 생존 경쟁에서 승리했다는 거야.
감사합니다
와 와 와
와 와 와
한편 정향 진화설은 자연 선택설을 반대하는 진화 이론 중 하나로
난 반댈세~
정향 진화설
Orthogenesis
Cope, E.D 외
헐…
환경의 변화보다는 생물 안에 있는 어떤 요인에 의해 일정한 방향대로 진화가 일어난다고 보는 이론이야.
내 안에 '진화' 있다.
예를 들면 말은 내부에 내재된 어떤 요인에 의해 계속 몸집이 커지는 방향으로 진화했다고 해.
진화
요인
요인
또 아일랜드 큰사슴의 뿔이나 코끼리의 상아처럼 생존에 영향을 주는 것들도 내재된 요인에 의해 길어지는 방향으로 진화했다고 보았지.
샤르댕은 정향 진화설을 바탕으로 우주와 인간을 살피며 진화의 방향은 복잡화의 법칙과 의식화의 법칙을 따른다고 했어.
복잡화의 법칙
의식화의 법칙
진화

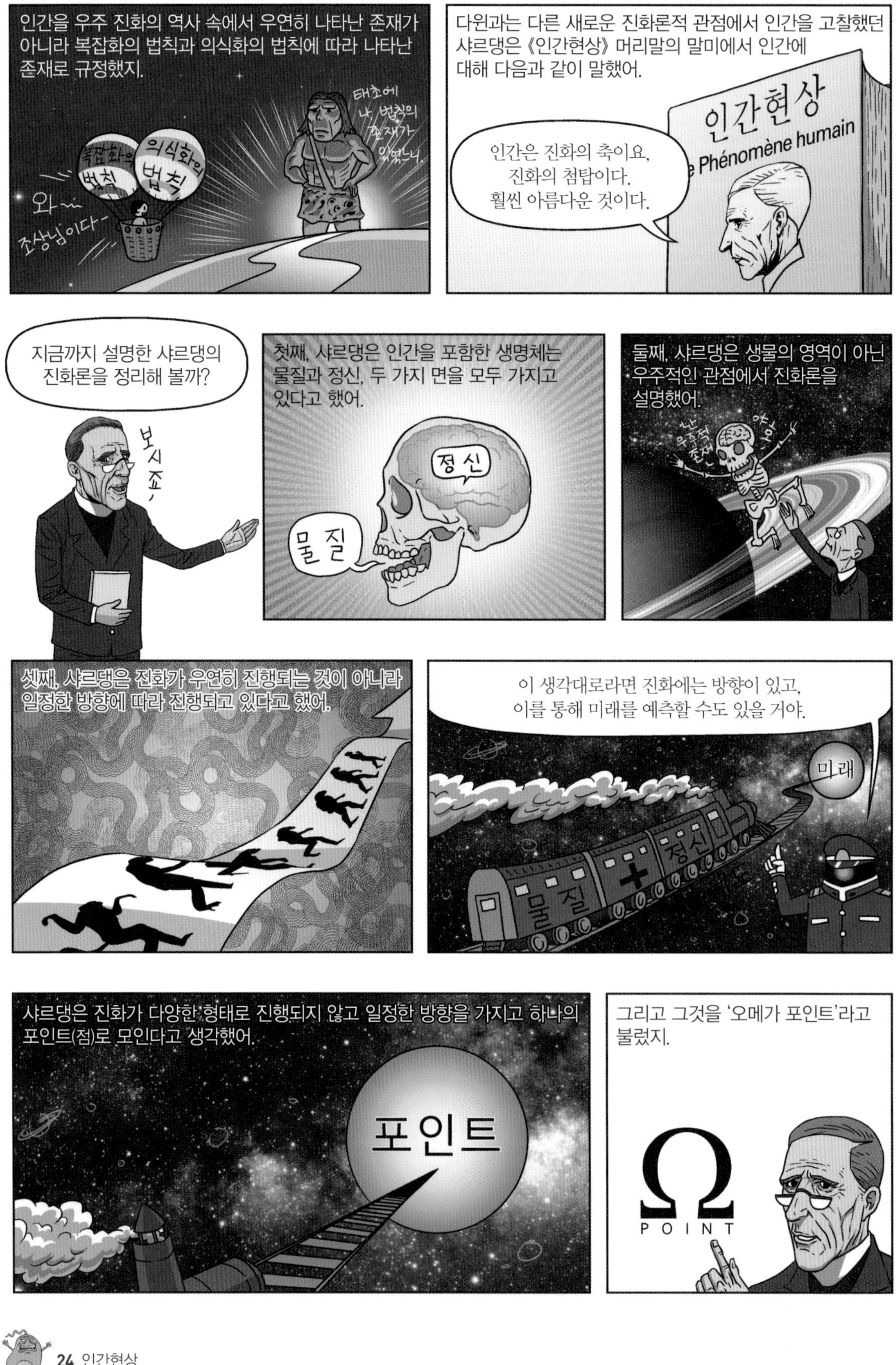

인간을 우주 진화의 역사 속에서 우연히 나타난 존재가 아니라 복잡화의 법칙과 의식화의 법칙에 따라 나타난 존재로 규정했지.
태초에 나, 법칙의 존재가 있었느니.
복잡화의 법칙
의식화의 법칙
와~ 조상님이다~
다윈과는 다른 새로운 진화론적 관점에서 인간을 고찰했던 샤르댕은 《인간현상》 머리말의 말미에서 인간에 대해 다음과 같이 말했어.
인간현상
Le Phénomène humain
인간은 진화의 축이요, 진화의 첨탑이다. 훨씬 아름다운 것이다.
지금까지 설명한 샤르댕의 진화론을 정리해 볼까?
보시죠.
첫째, 샤르댕은 인간을 포함한 생명체는 물질과 정신, 두 가지 면을 모두 가지고 있다고 했어.
정신
물질
둘째, 샤르댕은 생물의 영역이 아닌 우주적인 관점에서 진화론을 설명했어.
난 우주적 존재
야호
셋째, 샤르댕은 진화가 우연히 진행되는 것이 아니라 일정한 방향에 따라 진행되고 있다고 했어.
이 생각대로라면 진화에는 방향이 있고, 이를 통해 미래를 예측할 수도 있을 거야.
미래
물질
+
정신
샤르댕은 진화가 다양한 형태로 진행되지 않고 일정한 방향을 가지고 하나의 포인트(점)로 모인다고 생각했어.
포인트
그리고 그것을 '오메가 포인트'라고 불렀지.
Ω
POINT

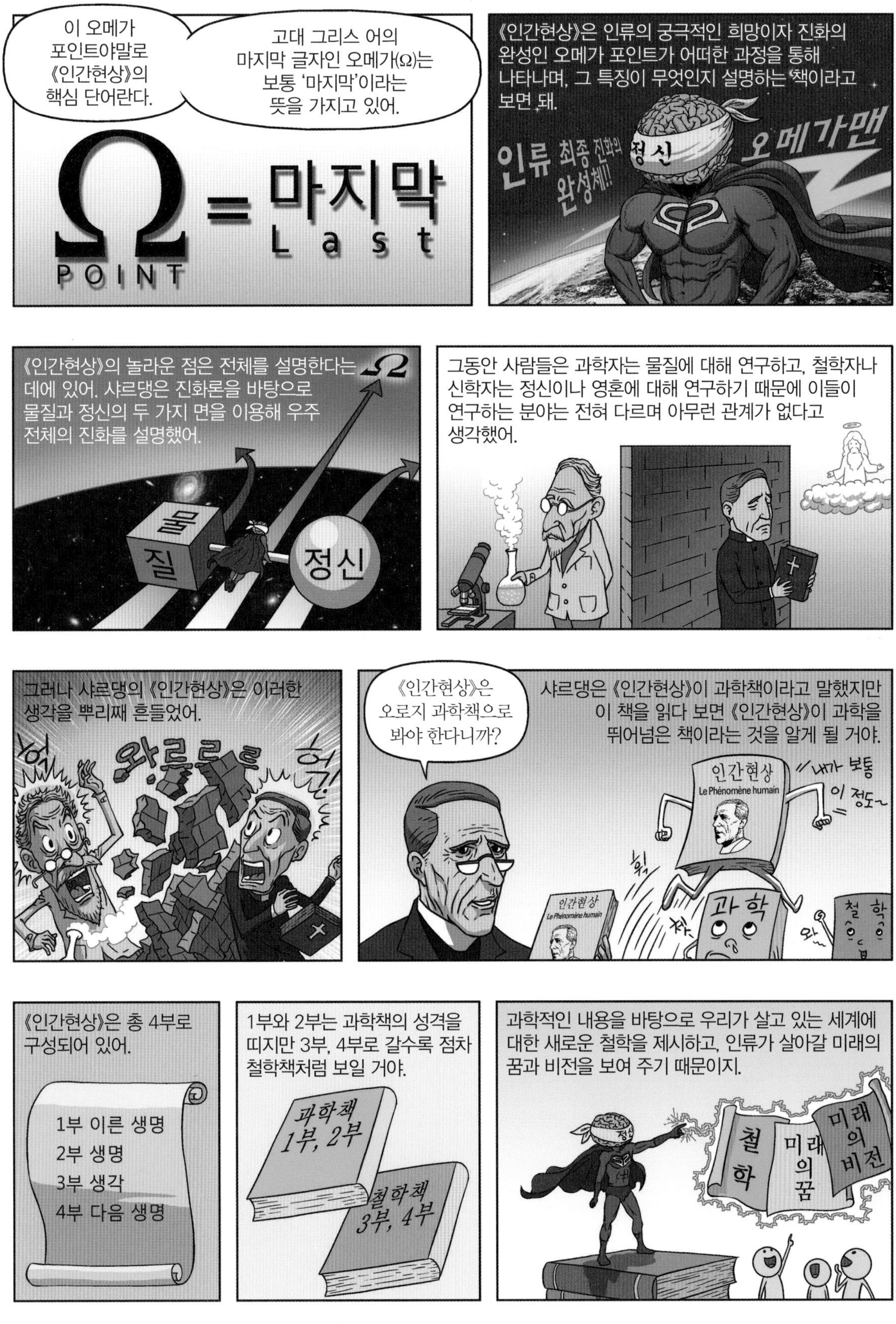
이 오메가
포인트야말로
《인간현상》의
핵심 단어란다.
고대 그리스 어의
마지막 글자인 오메가(Ω)는
보통 '마지막'이라는
뜻을 가지고 있어.
Ω POINT = 마지막 Last
《인간현상》은 인류의 궁극적인 희망이자 진화의 완성인 오메가 포인트가 어떠한 과정을 통해 나타나며, 그 특징이 무엇인지 설명하는 책이라고 보면 돼.
인류 최종 진화의 완성체!!
정신
오메가맨
《인간현상》의 놀라운 점은 전체를 설명한다는 데에 있어. 샤르댕은 진화론을 바탕으로 물질과 정신의 두 가지 면을 이용해 우주 전체의 진화를 설명했어.
Ω
물질
정신
그동안 사람들은 과학자는 물질에 대해 연구하고, 철학자나 신학자는 정신이나 영혼에 대해 연구하기 때문에 이들이 연구하는 분야는 전혀 다르며 아무런 관계가 없다고 생각했어.
그러나 샤르댕의 《인간현상》은 이러한 생각을 뿌리째 흔들었어.
헉
와르르르르
헉!
《인간현상》은
오로지 과학책으로
봐야 한다니까?
샤르댕은 《인간현상》이 과학책이라고 말했지만 이 책을 읽다 보면 《인간현상》이 과학을 뛰어넘은 책이라는 것을 알게 될 거야.
인간현상
Le Phénomène humain
내가 보통 이 정도~
인간현상
Le Phénomène humain
휙
과학
철학
《인간현상》은 총 4부로 구성되어 있어.
1부 이른 생명
2부 생명
3부 생각
4부 다음 생명
1부와 2부는 과학책의 성격을 띠지만 3부, 4부로 갈수록 점차 철학책처럼 보일 거야.
과학책 1부, 2부
철학책 3부, 4부
과학적인 내용을 바탕으로 우리가 살고 있는 세계에 대한 새로운 철학을 제시하고, 인류가 살아갈 미래의 꿈과 비전을 보여 주기 때문이지.
정신
철학
미래의 꿈
미래의 비전

2장

샤르댕은 누구인가?

테야르 드 샤르댕은
1881년 5월 1일 프랑스
오베르뉴 지방의 오르닉이라는
마을에서 태어났어.
BAY OF BISCAY
BLACK SEA
CASPIAN SEA
ADRIATIC SEA
TYRRHENIAN SEA
IONIAN SEA
ENGLISH CHANNEL
SEA OF AZOF

아버지 임마누엘과 어머니 베르트아델레 사이에서
태어난 열한 명의 자녀 중 넷째였지.
샤르댕

샤르댕의 아버지는 지질학과 같은 자연 과학에 조예가
깊은 사람이었어.

또 어머니는 프랑스의 대표적인 계몽 사상가인 볼테르의
조카 손녀로, 독실한 가톨릭 신자였지.
할아버지,
저 왔어요.
볼테르

샤르댕은 아버지에게 자연 과학에 관한 소양을 물려받는
한편 어머니에게는 종교적인 영향을 받으며 성장했어.

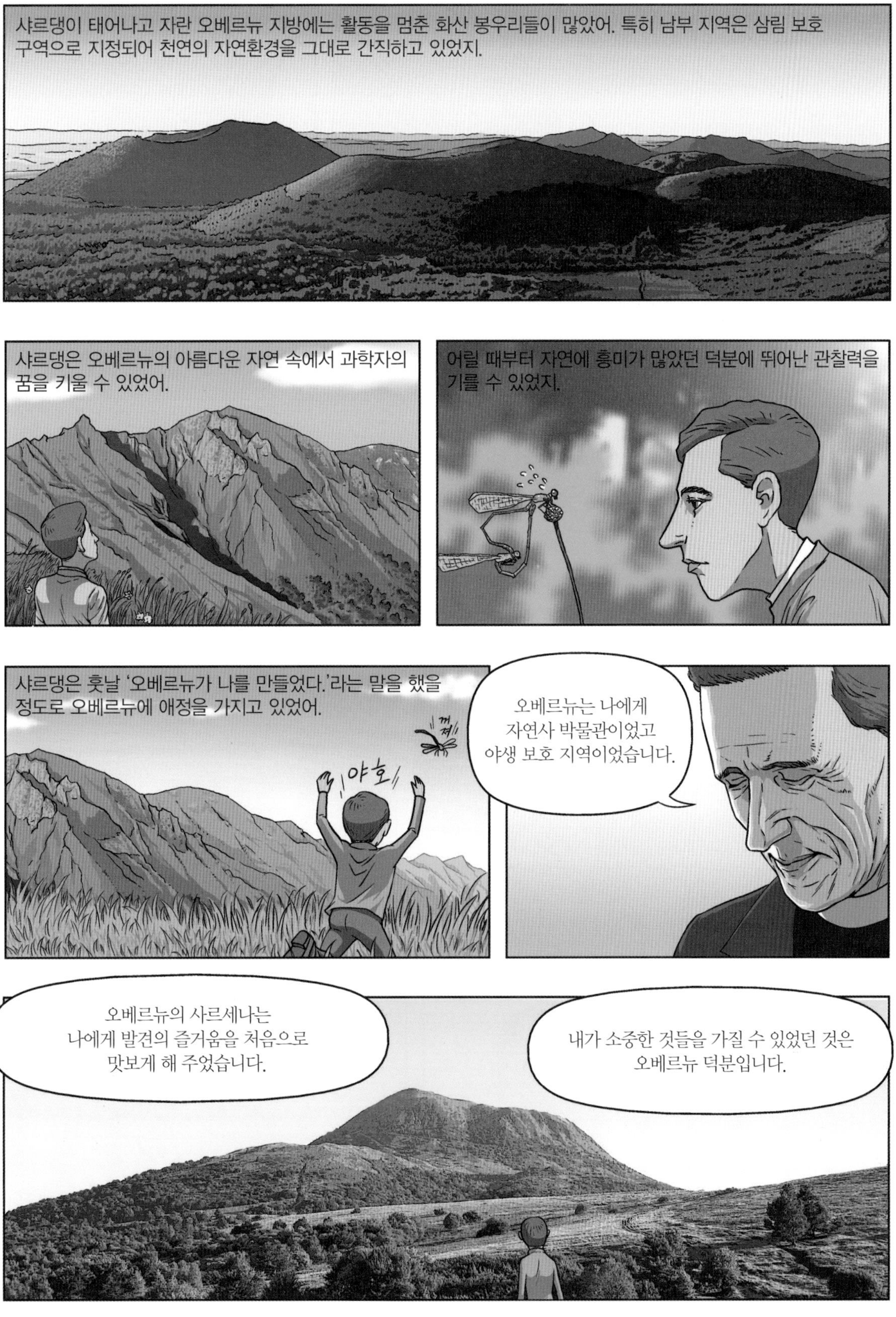
샤르댕이 태어나고 자란 오베르뉴 지방에는 활동을 멈춘 화산 봉우리들이 많았어. 특히 남부 지역은 삼림 보호 구역으로 지정되어 천연의 자연환경을 그대로 간직하고 있었지.
샤르댕은 오베르뉴의 아름다운 자연 속에서 과학자의 꿈을 키울 수 있었어.
어릴 때부터 자연에 흥미가 많았던 덕분에 뛰어난 관찰력을 기를 수 있었지.
샤르댕은 훗날 '오베르뉴가 나를 만들었다.'라는 말을 했을 정도로 오베르뉴에 애정을 가지고 있었어.
꺼져
야호
오베르뉴는 나에게 자연사 박물관이었고 야생 보호 지역이었습니다.
오베르뉴의 사르세나는 나에게 발견의 즐거움을 처음으로 맛보게 해 주었습니다.
내가 소중한 것들을 가질 수 있었던 것은 오베르뉴 덕분입니다.

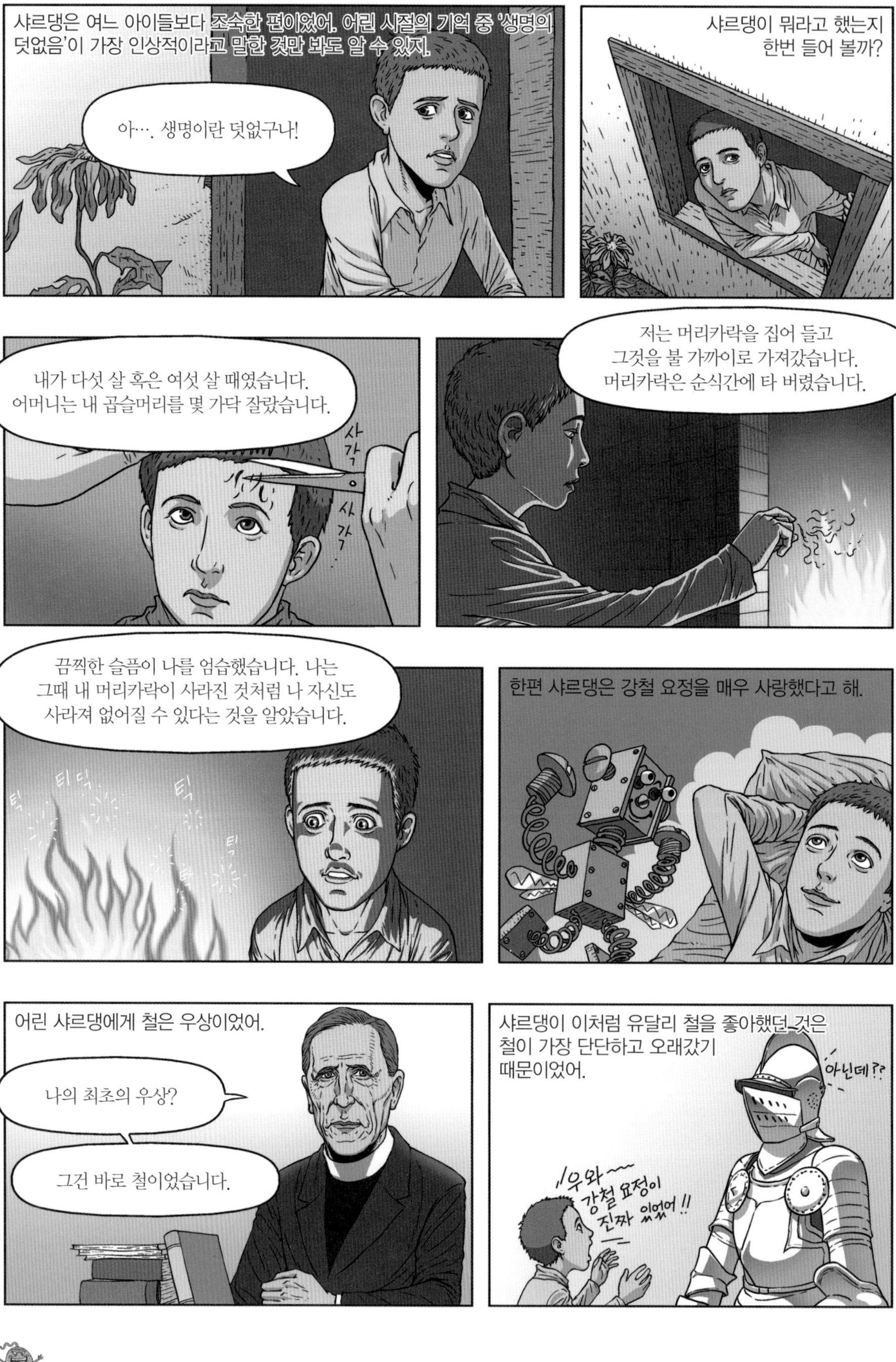

샤르댕은 여느 아이들보다 조숙한 편이었어. 어린 시절의 기억 중 '생명의 덧없음'이 가장 인상적이라고 말한 것만 봐도 알 수 있지.
아…. 생명이란 덧없구나!
샤르댕이 뭐라고 했는지 한번 들어 볼까?
내가 다섯 살 혹은 여섯 살 때였습니다. 어머니는 내 곱슬머리를 몇 가닥 잘랐습니다.
사각
사각
저는 머리카락을 집어 들고 그것을 불 가까이로 가져갔습니다. 머리카락은 순식간에 타 버렸습니다.
끔찍한 슬픔이 나를 엄습했습니다. 나는 그때 내 머리카락이 사라진 것처럼 나 자신도 사라져 없어질 수 있다는 것을 알았습니다.
틱 티딕 틱 틱 틱
한편 샤르댕은 강철 요정을 매우 사랑했다고 해.
어린 샤르댕에게 철은 우상이었어.
나의 최초의 우상?
그건 바로 철이었습니다.
샤르댕이 이처럼 유달리 철을 좋아했던 것은 철이 가장 단단하고 오래갔기 때문이었어.
아닌데??
우와~~ 강철 요정이 진짜 있었어!!

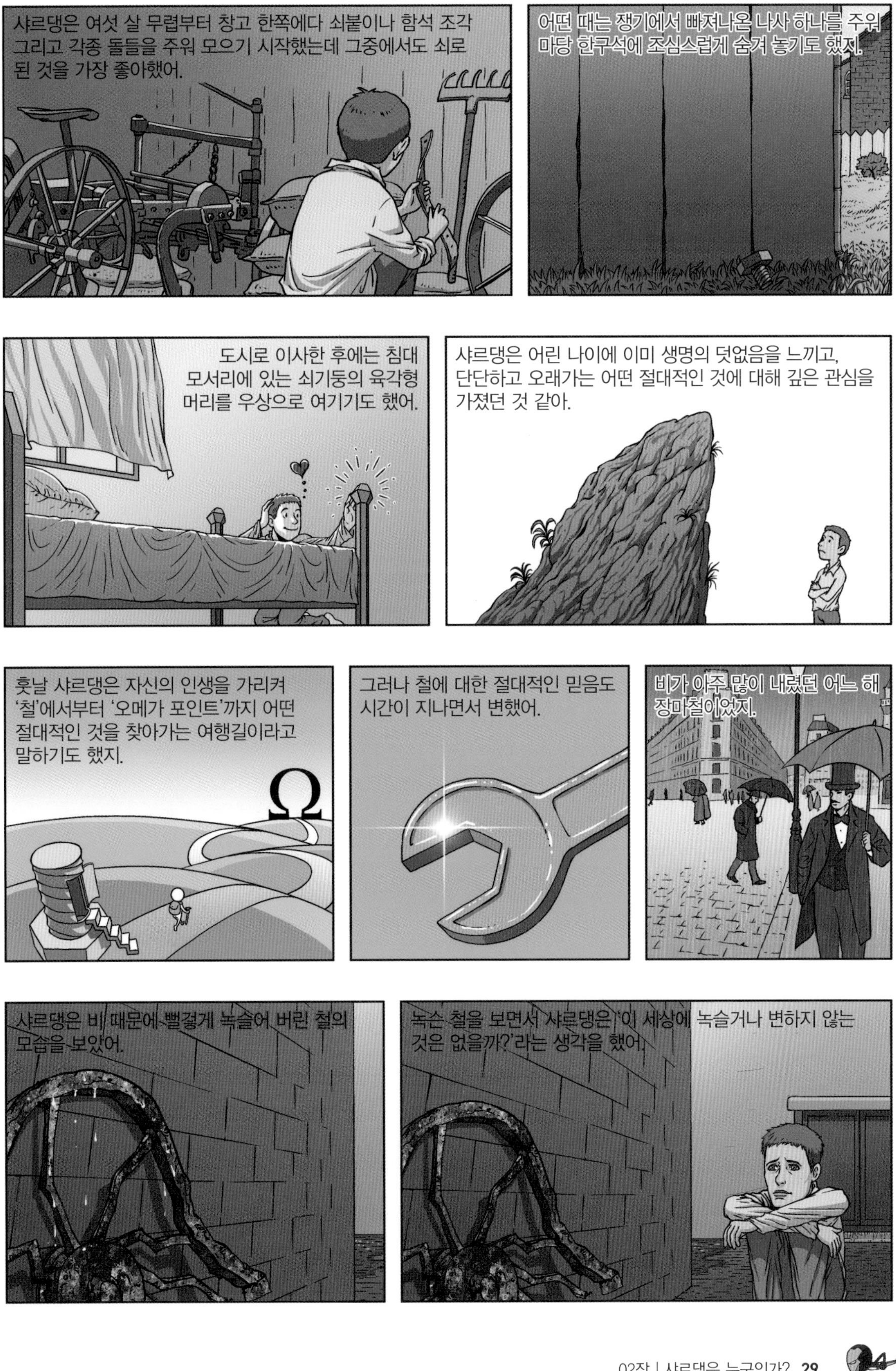
샤르댕은 여섯 살 무렵부터 창고 한쪽에다 쇠붙이나 함석 조각 그리고 각종 돌들을 주워 모으기 시작했는데 그중에서도 쇠로 된 것을 가장 좋아했어.
어떤 때는 쟁기에서 빠져나온 나사 하나를 주워 마당 한구석에 조심스럽게 숨겨 놓기도 했지.
도시로 이사한 후에는 침대 모서리에 있는 쇠기둥의 육각형 머리를 우상으로 여기기도 했어.
샤르댕은 어린 나이에 이미 생명의 덧없음을 느끼고, 단단하고 오래가는 어떤 절대적인 것에 대해 깊은 관심을 가졌던 것 같아.
훗날 샤르댕은 자신의 인생을 가리켜 '철'에서부터 '오메가 포인트'까지 어떤 절대적인 것을 찾아가는 여행길이라고 말하기도 했지.
Ω
그러나 철에 대한 절대적인 믿음도 시간이 지나면서 변했어.
비가 아주 많이 내렸던 어느 해 장마철이었지.
샤르댕은 비 때문에 뻘겋게 녹슬어 버린 철의 모습을 보았어.
녹슨 철을 보면서 샤르댕은 '이 세상에 녹슬거나 변하지 않는 것은 없을까?'라는 생각을 했어.

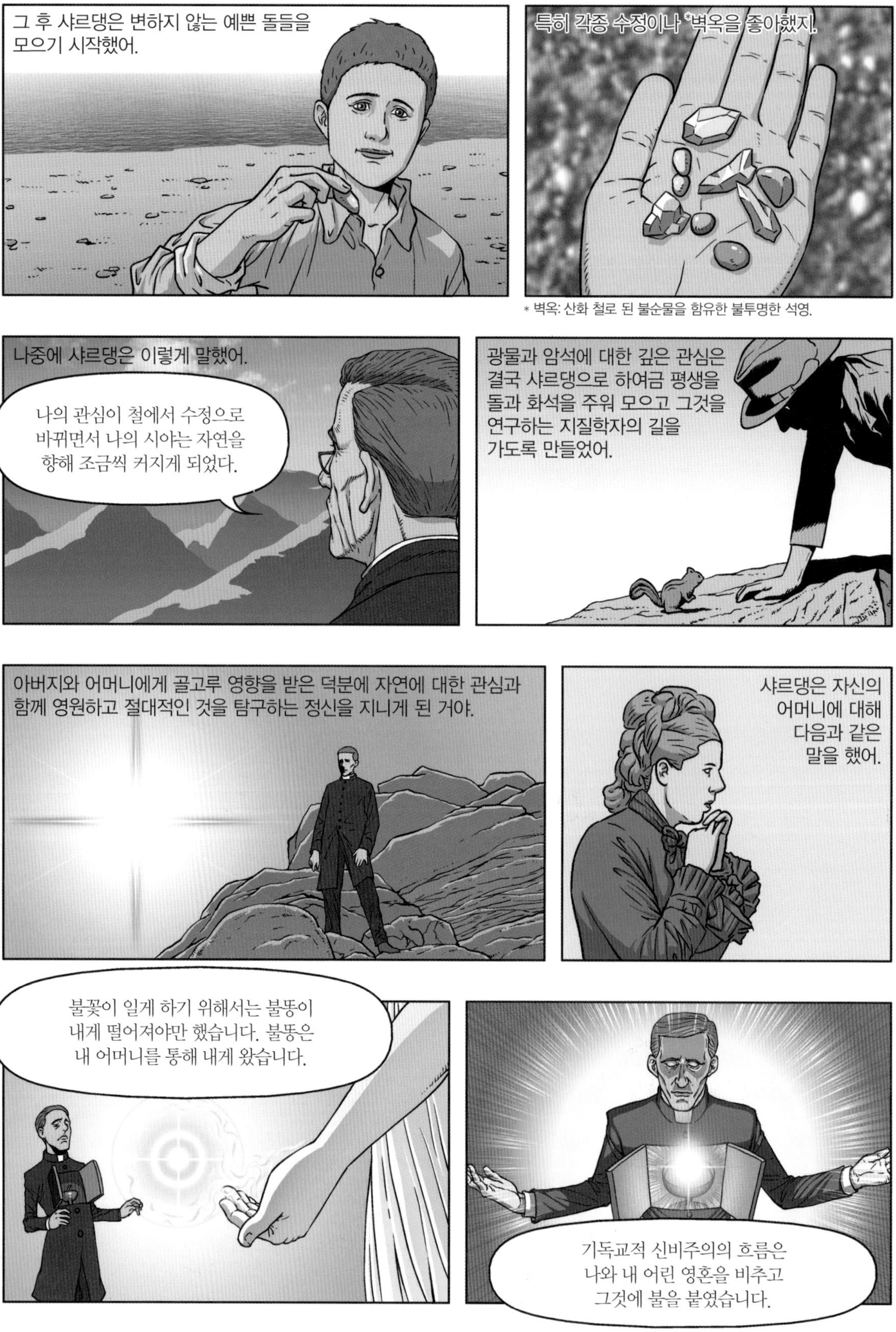
그 후 샤르댕은 변하지 않는 예쁜 돌들을 모으기 시작했어.
특히 각종 수정이나 *벽옥을 좋아했지.
나중에 샤르댕은 이렇게 말했어.
나의 관심이 철에서 수정으로 바뀌면서 나의 시야는 자연을 향해 조금씩 커지게 되었다.
광물과 암석에 대한 깊은 관심은 결국 샤르댕으로 하여금 평생을 돌과 화석을 주워 모으고 그것을 연구하는 지질학자의 길을 가도록 만들었어.
아버지와 어머니에게 골고루 영향을 받은 덕분에 자연에 대한 관심과 함께 영원하고 절대적인 것을 탐구하는 정신을 지니게 된 거야.
샤르댕은 자신의 어머니에 대해 다음과 같은 말을 했어.
불꽃이 일게 하기 위해서는 불똥이 내게 떨어져야만 했습니다. 불똥은 내 어머니를 통해 내게 왔습니다.
기독교적 신비주의의 흐름은 나와 내 어린 영혼을 비추고 그것에 불을 붙였습니다.

* 벽옥: 산화 철로 된 불순물을 함유한 불투명한 석영.

1891년, 열 살이 되던 해에 샤르댕은 가정의 신앙 전통에 따라 리옹 근처의 몽그레이 노틀담 예수회 기숙 학교에 들어갔어.

예수회는 가톨릭교회의 수도회로, 교육에 큰 관심을 가지고 기숙 학교를 설립해 학생들에게 다양한 과목을 가르쳤어.

신앙심이 깊었던 어린 샤르댕은 그곳에서 기독교의 고전인 《그리스도를 본받아》라는 책을 읽고 깊은 감명을 받았어.
그리스도를 본받아

그래서 예수회 기숙 학교에서 졸업할 무렵, 부모님께 편지를 보내 평생 독신으로 살며 신께 헌신하는 수사가 되고 싶다고 했지.

한편 샤르댕은 아버지에게 받았던 자연 과학에 대한 영향 때문인지 아니면 그 자신이 생명을 가진 존재에 흥미가 많았기 때문인지 생물에 여전히 관심이 많았어.
응? 응?

가냘픈 나비보다는 단단한 껍질을 가진 딱정벌레류를 좋아했지.
이봐 그만 쳐다 보라고!

샤르댕은 새롭고 희귀한 생물을 찾는 데 많은 시간을 투자했어. 이러한 경험은 훗날 그의 고생물학 연구에 밑거름이 되었단다.

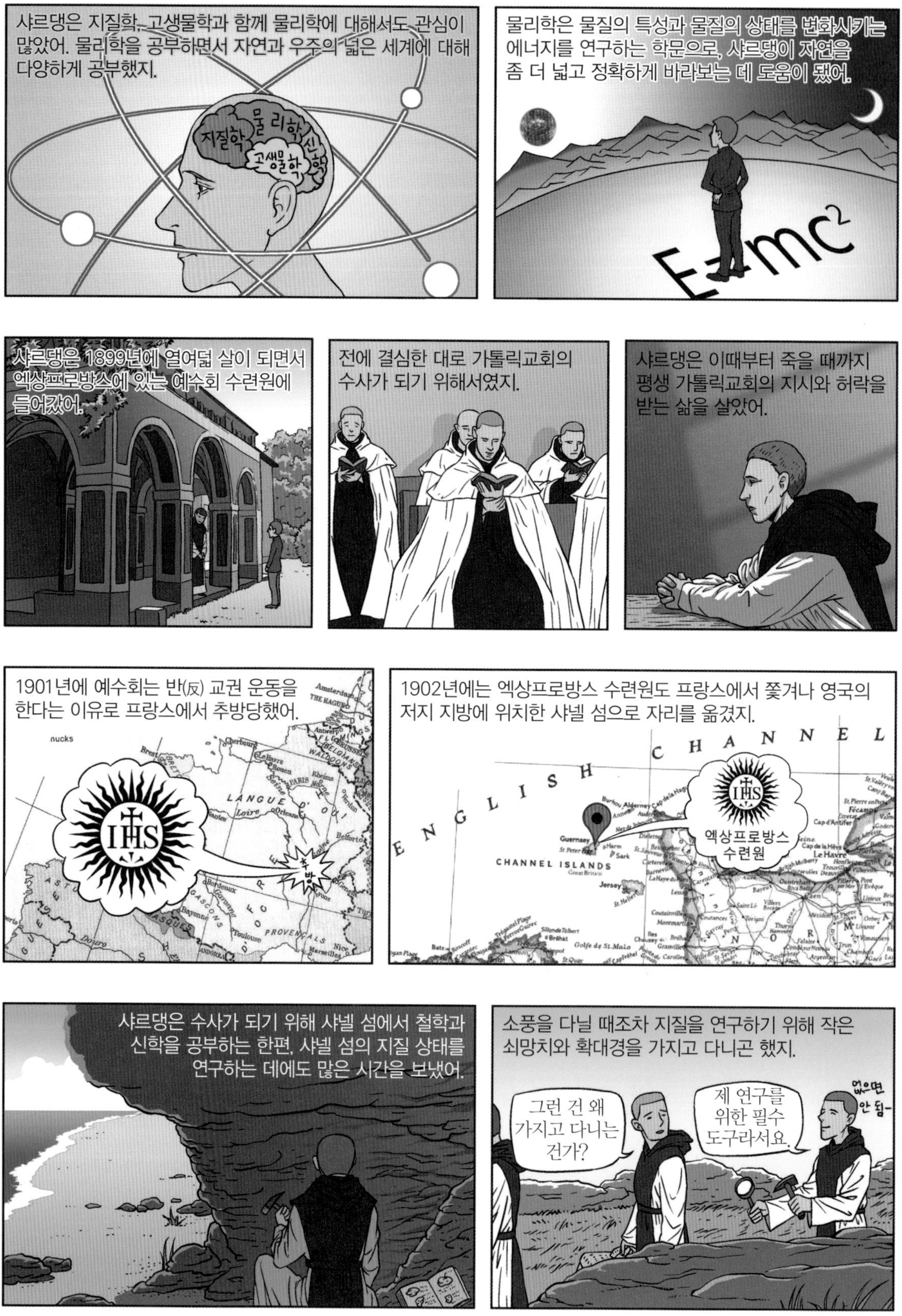
샤르댕은 지질학, 고생물학과 함께 물리학에 대해서도 관심이 많았어. 물리학을 공부하면서 자연과 우주의 넓은 세계에 대해 다양하게 공부했지.
지질학
물리학
고생물학
신학
물리학은 물질의 특성과 물질의 상태를 변화시키는 에너지를 연구하는 학문으로, 샤르댕이 자연을 좀 더 넓고 정확하게 바라보는 데 도움이 됐어.
$E=mc^2$
샤르댕은 1899년에 열여덟 살이 되면서 엑상프로방스에 있는 예수회 수련원에 들어갔어.
전에 결심한 대로 가톨릭교회의 수사가 되기 위해서였지.
샤르댕은 이때부터 죽을 때까지 평생 가톨릭교회의 지시와 허락을 받는 삶을 살았어.
1901년에 예수회는 반(反) 교권 운동을 한다는 이유로 프랑스에서 추방당했어.
IHS
LANGUE D'OÏL
추방
1902년에는 엑상프로방스 수련원도 프랑스에서 쫓겨나 영국의 저지 지방에 위치한 샤넬 섬으로 자리를 옮겼지.
ENGLISH CHANNEL
CHANNEL ISLANDS
IHS
엑상프로방스 수련원
샤르댕은 수사가 되기 위해 샤넬 섬에서 철학과 신학을 공부하는 한편, 샤넬 섬의 지질 상태를 연구하는 데에도 많은 시간을 보냈어.
소풍을 다닐 때조차 지질을 연구하기 위해 작은 쇠망치와 확대경을 가지고 다니곤 했지.
그런 건 왜 가지고 다니는 건가?
제 연구를 위한 필수 도구라서요.
없으면 안 됨~

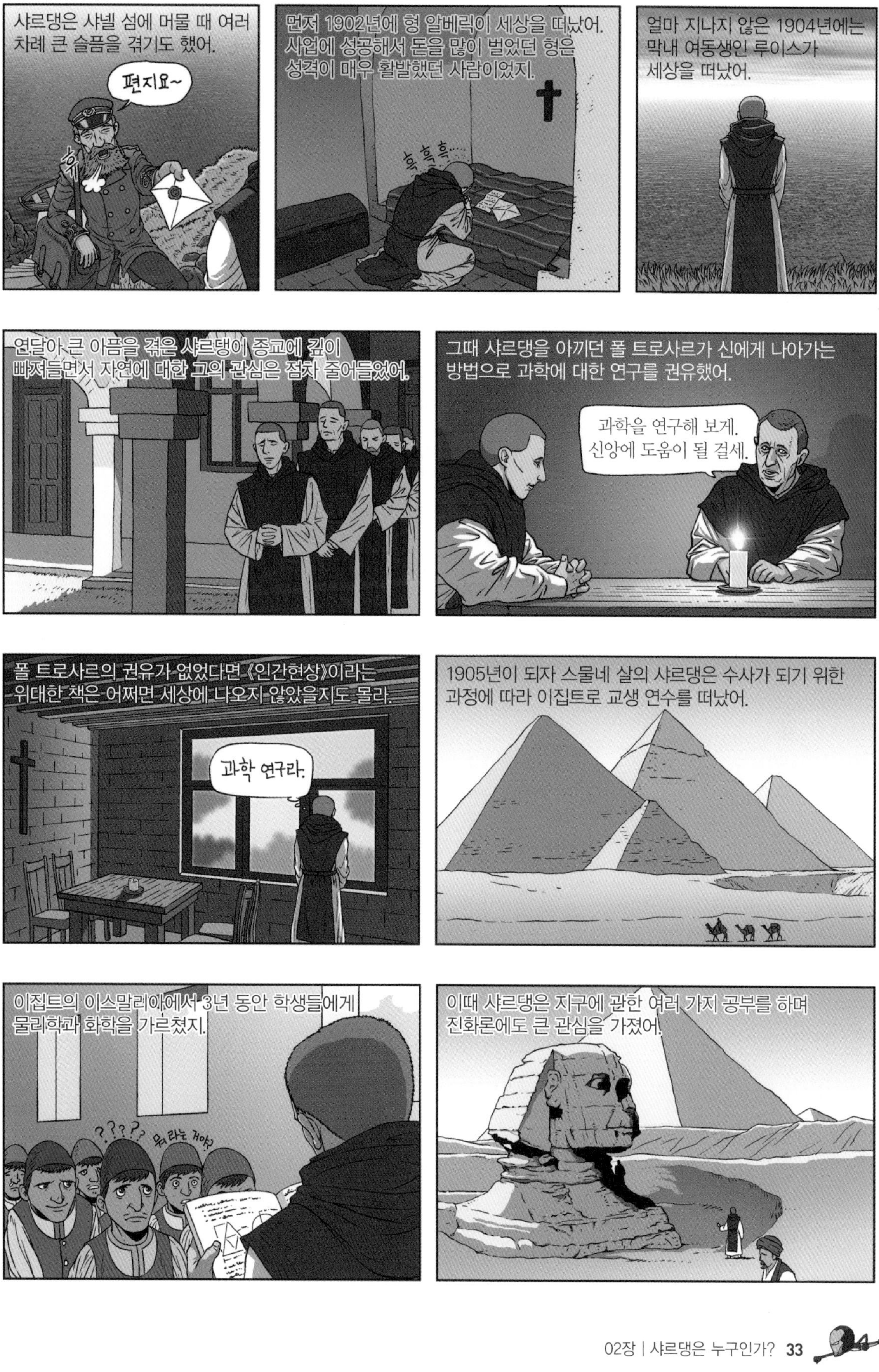
샤르댕은 샤넬 섬에 머물 때 여러 차례 큰 슬픔을 겪기도 했어.
편지요~
휴
먼저 1902년에 형 알베릭이 세상을 떠났어. 사업에 성공해서 돈을 많이 벌었던 형은 성격이 매우 활발했던 사람이었지.
흐흑흑……
얼마 지나지 않은 1904년에는 막내 여동생인 루이스가 세상을 떠났어.
연달아 큰 아픔을 겪은 샤르댕이 종교에 깊이 빠져들면서 자연에 대한 그의 관심은 점차 줄어들었어.
그때 샤르댕을 아끼던 폴 트로사르가 신에게 나아가는 방법으로 과학에 대한 연구를 권유했어.
과학을 연구해 보게. 신앙에 도움이 될 걸세.
폴 트로사르의 권유가 없었다면 《인간현상》이라는 위대한 책은 어쩌면 세상에 나오지 않았을지도 몰라.
과학 연구라.
1905년이 되자 스물네 살의 샤르댕은 수사가 되기 위한 과정에 따라 이집트로 교생 연수를 떠났어.
이집트의 이스말리아에서 3년 동안 학생들에게 물리학과 화학을 가르쳤지.
?????
뭐라는 거야?
이때 샤르댕은 지구에 관한 여러 가지 공부를 하며 진화론에도 큰 관심을 가졌어.

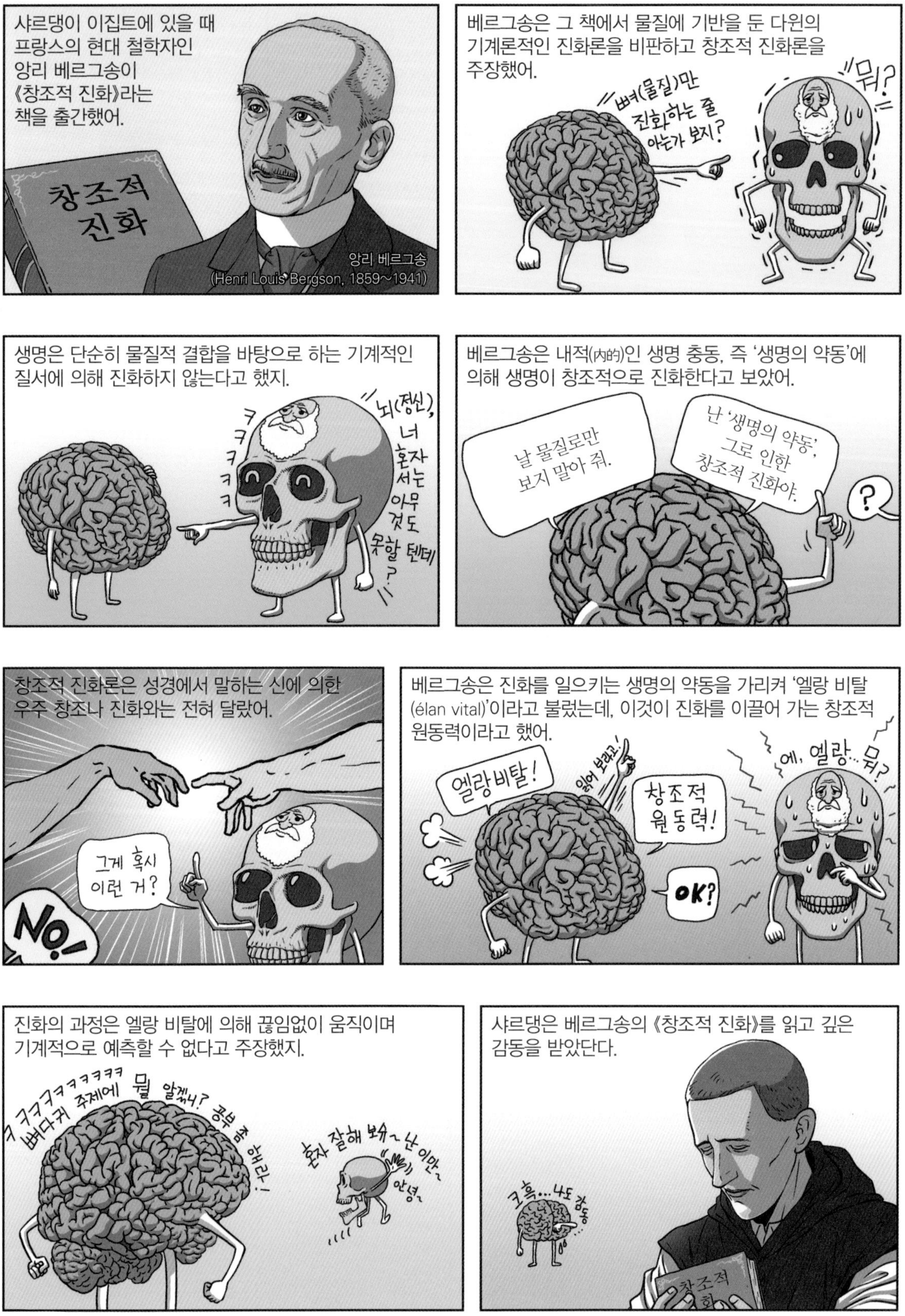

샤르댕이 이집트에 있을 때
프랑스의 현대 철학자인
앙리 베르그송이
《창조적 진화》라는
책을 출간했어.
창조적 진화
앙리 베르그송
(Henri Louis Bergson, 1859~1941)
베르그송은 그 책에서 물질에 기반을 둔 다윈의 기계론적인 진화론을 비판하고 창조적 진화론을 주장했어.
뼈(물질)만 진화하는 줄 아는가 보지?
뭐?
생명은 단순히 물질적 결합을 바탕으로 하는 기계적인 질서에 의해 진화하지 않는다고 했지.
ㅋㅋㅋㅋㅋ
뇌(정신), 너 혼자서는 아무것도 못할 텐데?
베르그송은 내적(內的)인 생명 충동, 즉 '생명의 약동'에 의해 생명이 창조적으로 진화한다고 보았어.
날 물질로만 보지 말아 줘.
난 '생명의 약동', 그로 인한 창조적 진화야.
?
창조적 진화론은 성경에서 말하는 신에 의한 우주 창조나 진화와는 전혀 달랐어.
그게 혹시 이런 거?
No!
베르그송은 진화를 일으키는 생명의 약동을 가리켜 '엘랑 비탈(élan vital)'이라고 불렀는데, 이것이 진화를 이끌어 가는 창조적 원동력이라고 했어.
엘랑비탈!
읽어 보라고!
창조적 원동력!
OK?
에, 엘랑…뭐?
진화의 과정은 엘랑 비탈에 의해 끊임없이 움직이며 기계적으로 예측할 수 없다고 주장했지.
ㅋㅋㅋㅋㅋㅋㅋㅋㅋㅋㅋ 뼈다귀 주제에 뭘 알겠니? 공부 좀 해라!
혼자 잘해 보슈~ 난 이만~ 안녕~
샤르댕은 베르그송의 《창조적 진화》를 읽고 깊은 감동을 받았단다.
크흑… 나도 감동…
창조적 진화

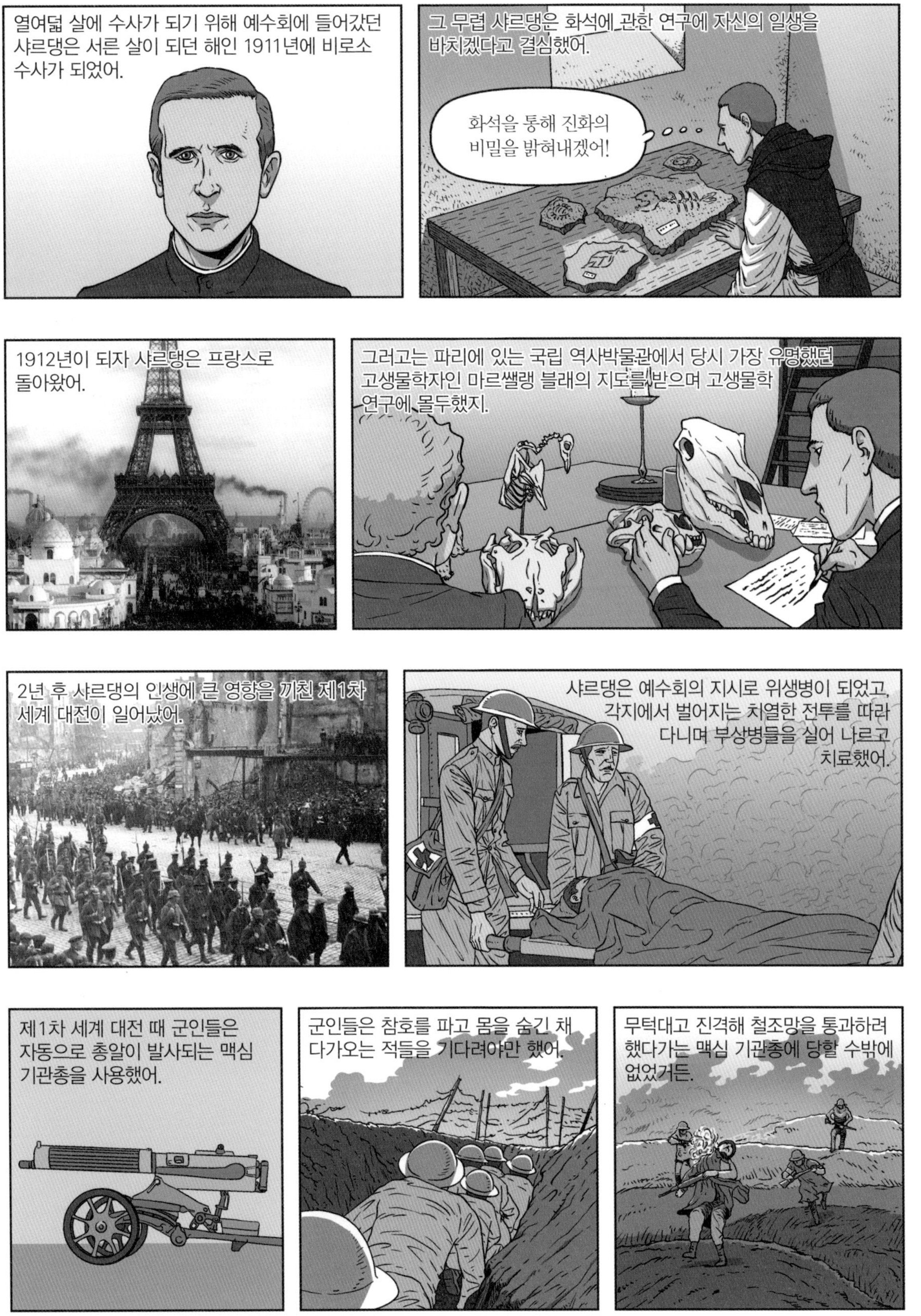
열여덟 살에 수사가 되기 위해 예수회에 들어갔던 샤르댕은 서른 살이 되던 해인 1911년에 비로소 수사가 되었어.
그 무렵 샤르댕은 화석에 관한 연구에 자신의 일생을 바치겠다고 결심했어.
화석을 통해 진화의 비밀을 밝혀내겠어!
1912년이 되자 샤르댕은 프랑스로 돌아왔어.
그러고는 파리에 있는 국립 역사박물관에서 당시 가장 유명했던 고생물학자인 마르쌜랭 블래의 지도를 받으며 고생물학 연구에 몰두했지.
2년 후 샤르댕의 인생에 큰 영향을 끼친 제1차 세계 대전이 일어났어.
샤르댕은 예수회의 지시로 위생병이 되었고, 각지에서 벌어지는 치열한 전투를 따라 다니며 부상병들을 실어 나르고 치료했어.
제1차 세계 대전 때 군인들은 자동으로 총알이 발사되는 맥심 기관총을 사용했어.
군인들은 참호를 파고 몸을 숨긴 채 다가오는 적들을 기다려야만 했어.
무턱대고 진격해 철조망을 통과하려 했다가는 맥심 기관총에 당할 수밖에 없었거든.

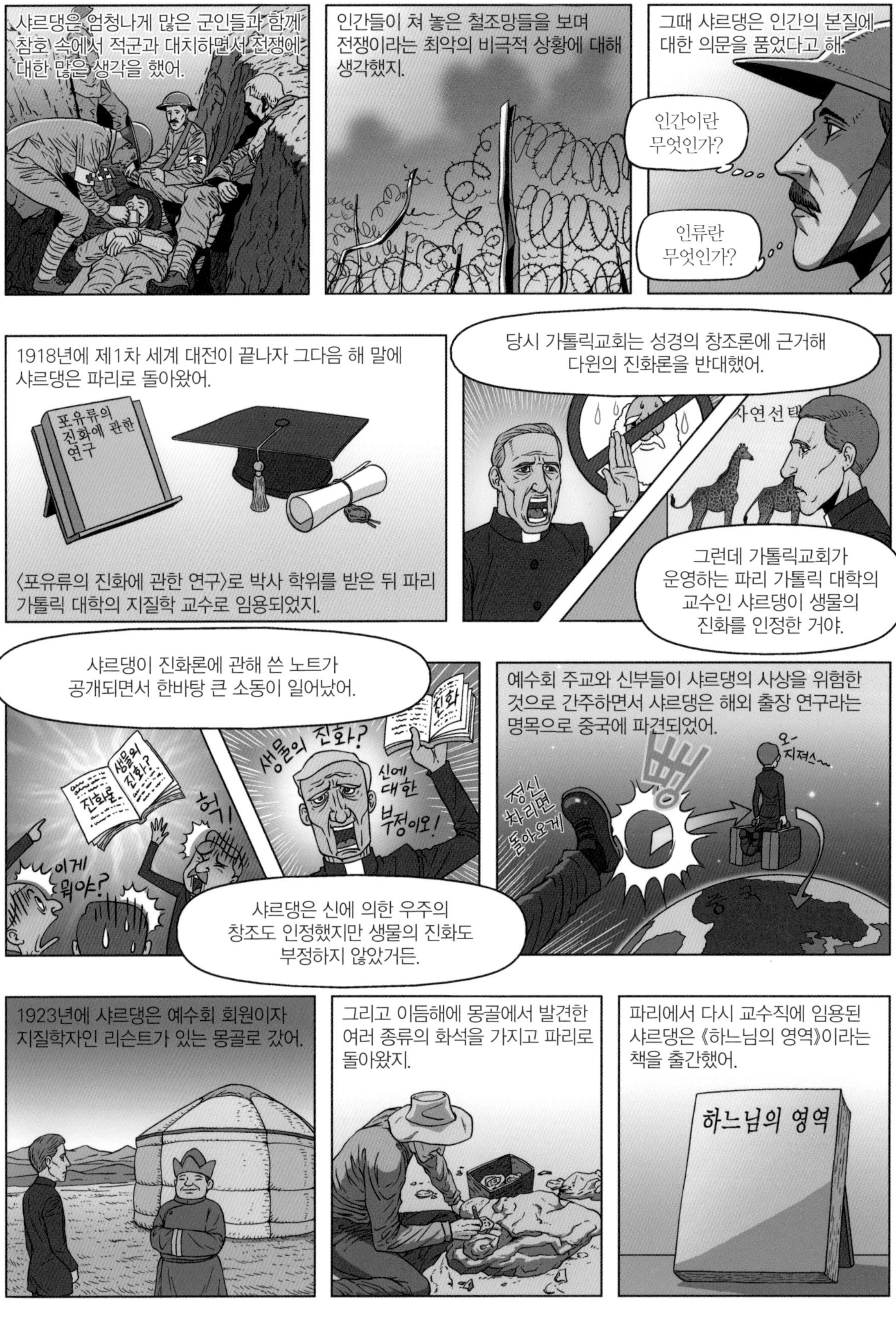
샤르댕은 엄청나게 많은 군인들과 함께 참호 속에서 적군과 대치하면서 전쟁에 대한 많은 생각을 했어.
인간들이 쳐 놓은 철조망들을 보며 전쟁이라는 최악의 비극적 상황에 대해 생각했지.
그때 샤르댕은 인간의 본질에 대한 의문을 품었다고 해.
인간이란 무엇인가?
인류란 무엇인가?
1918년에 제1차 세계 대전이 끝나자 그다음 해 말에 샤르댕은 파리로 돌아왔어.
포유류의 진화에 관한 연구
〈포유류의 진화에 관한 연구〉로 박사 학위를 받은 뒤 파리 가톨릭 대학의 지질학 교수로 임용되었지.
당시 가톨릭교회는 성경의 창조론에 근거해 다윈의 진화론을 반대했어.
자연선택
그런데 가톨릭교회가 운영하는 파리 가톨릭 대학의 교수인 샤르댕이 생물의 진화를 인정한 거야.
샤르댕이 진화론에 관해 쓴 노트가 공개되면서 한바탕 큰 소동이 일어났어.
진화론
생물의 진화?
헉!
이게 뭐야?
생물의 진화?
진화
신에 대한 부정이오!
샤르댕은 신에 의한 우주의 창조도 인정했지만 생물의 진화도 부정하지 않았거든.
예수회 주교와 신부들이 샤르댕의 사상을 위험한 것으로 간주하면서 샤르댕은 해외 출장 연구라는 명목으로 중국에 파견되었어.
빡
오~ 지져스~
정신 차리면 돌아오게
중국
1923년에 샤르댕은 예수회 회원이자 지질학자인 리슨트가 있는 몽골로 갔어.
그리고 이듬해에 몽골에서 발견한 여러 종류의 화석을 가지고 파리로 돌아왔지.
파리에서 다시 교수직에 임용된 샤르댕은 《하느님의 영역》이라는 책을 출간했어.
하느님의 영역

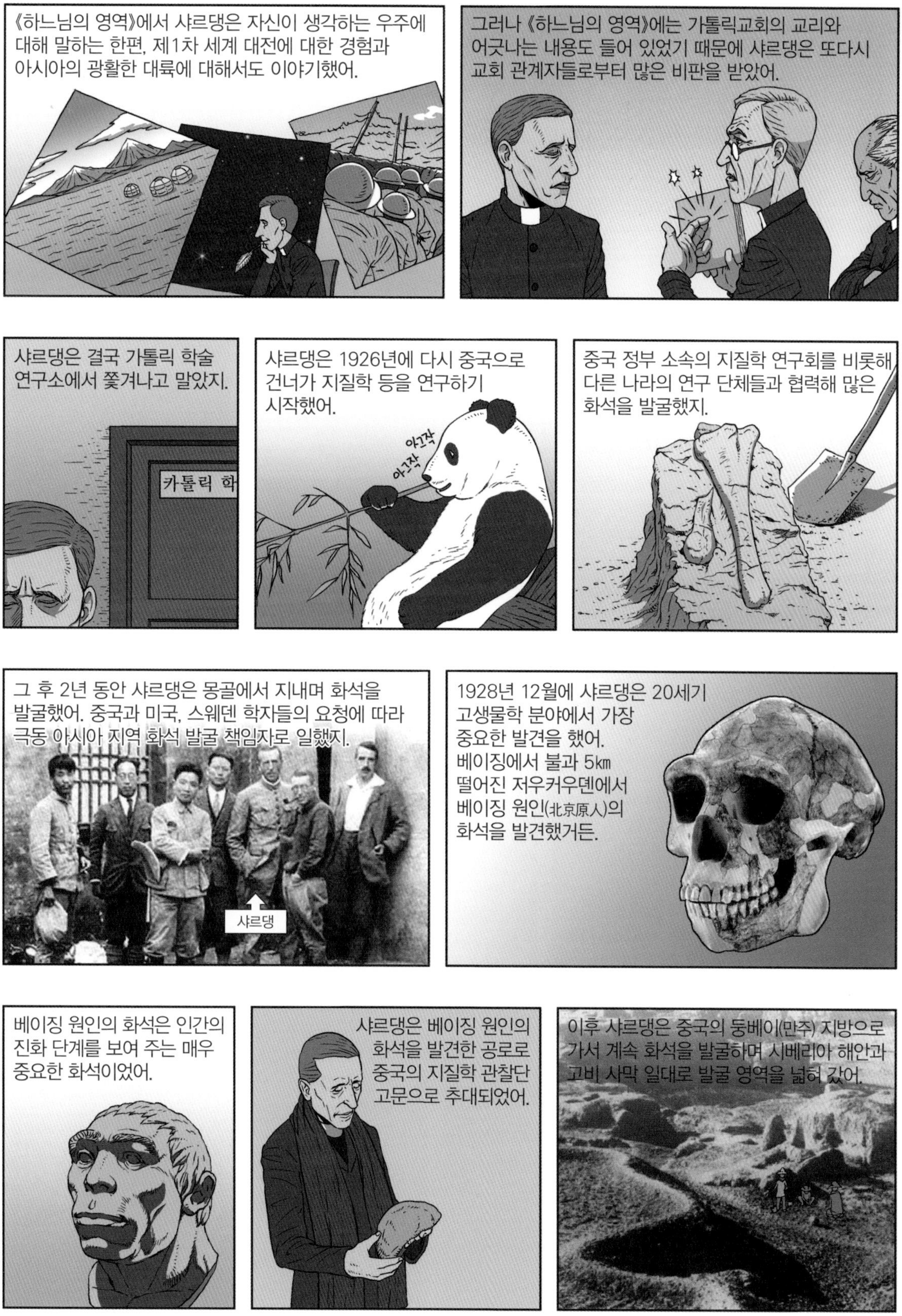
《하느님의 영역》에서 샤르댕은 자신이 생각하는 우주에 대해 말하는 한편, 제1차 세계 대전에 대한 경험과 아시아의 광활한 대륙에 대해서도 이야기했어.
그러나 《하느님의 영역》에는 가톨릭교회의 교리와 어긋나는 내용도 들어 있었기 때문에 샤르댕은 또다시 교회 관계자들로부터 많은 비판을 받았어.
샤르댕은 결국 가톨릭 학술 연구소에서 쫓겨나고 말았지.
카톨릭 학
샤르댕은 1926년에 다시 중국으로 건너가 지질학 등을 연구하기 시작했어.
아그작
아그작
중국 정부 소속의 지질학 연구회를 비롯해 다른 나라의 연구 단체들과 협력해 많은 화석을 발굴했지.
그 후 2년 동안 샤르댕은 몽골에서 지내며 화석을 발굴했어. 중국과 미국, 스웨덴 학자들의 요청에 따라 극동 아시아 지역 화석 발굴 책임자로 일했지.
샤르댕
1928년 12월에 샤르댕은 20세기 고생물학 분야에서 가장 중요한 발견을 했어. 베이징에서 불과 5㎞ 떨어진 저우커우뎬에서 베이징 원인(北京原人)의 화석을 발견했거든.
베이징 원인의 화석은 인간의 진화 단계를 보여 주는 매우 중요한 화석이었어.
샤르댕은 베이징 원인의 화석을 발견한 공로로 중국의 지질학 관찰단 고문으로 추대되었어.
이후 샤르댕은 중국의 둥베이(만주) 지방으로 가서 계속 화석을 발굴하며 시베리아 해안과 고비 사막 일대로 발굴 영역을 넓혀 갔어.

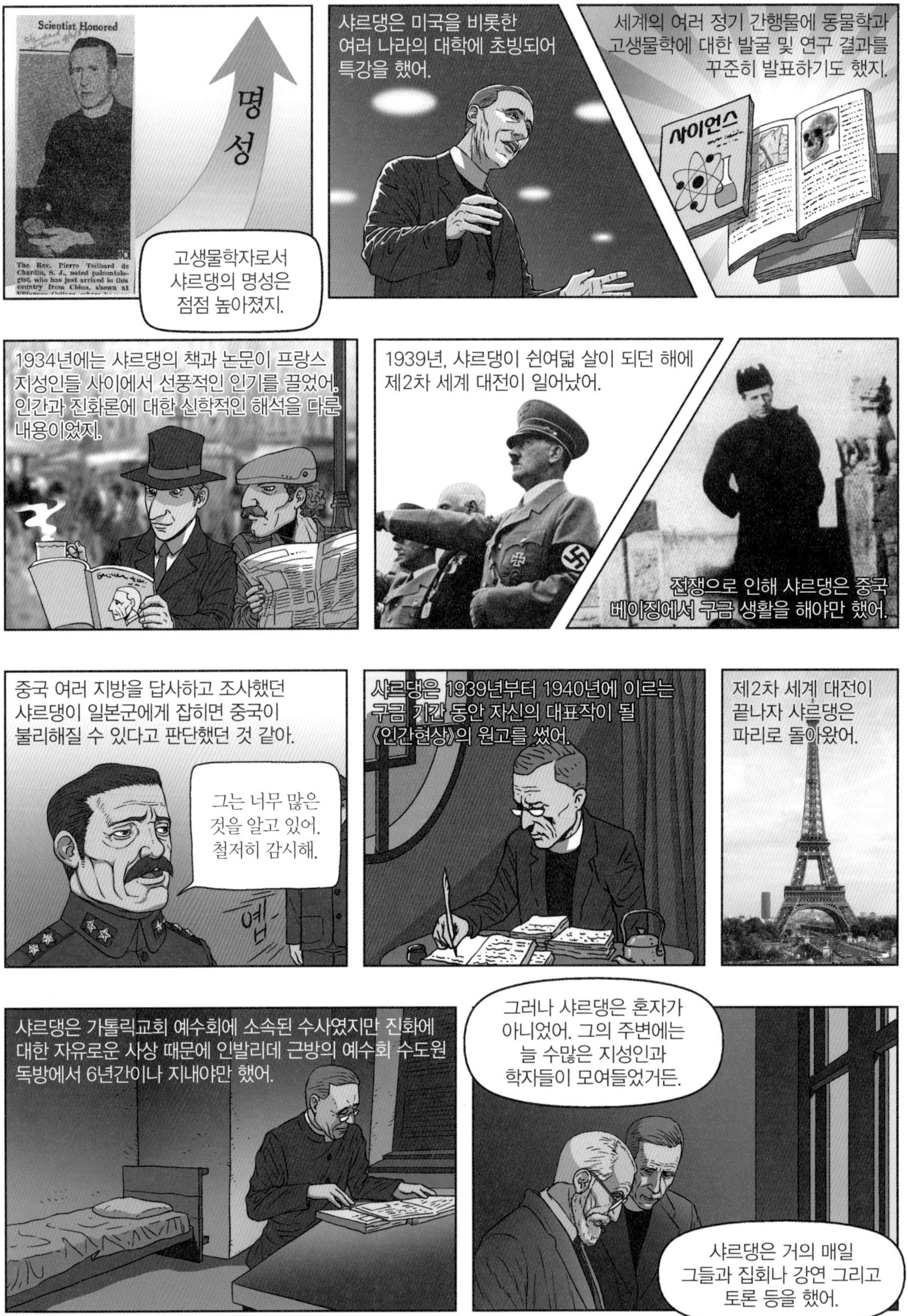
Scientist Honored
The Rev. Pierre Teilhard de Chardin, S. J., noted paleontologist, who has just arrived in this country from China, shown at
명성
고생물학자로서 샤르댕의 명성은 점점 높아졌지.
샤르댕은 미국을 비롯한 여러 나라의 대학에 초빙되어 특강을 했어.
세계의 여러 정기 간행물에 동물학과 고생물학에 대한 발굴 및 연구 결과를 꾸준히 발표하기도 했지.
사이언스
1934년에는 샤르댕의 책과 논문이 프랑스 지성인들 사이에서 선풍적인 인기를 끌었어. 인간과 진화론에 대한 신학적인 해석을 다룬 내용이었지.
1939년, 샤르댕이 쉰여덟 살이 되던 해에 제2차 세계 대전이 일어났어.
전쟁으로 인해 샤르댕은 중국 베이징에서 구금 생활을 해야만 했어.
중국 여러 지방을 답사하고 조사했던 샤르댕이 일본군에게 잡히면 중국이 불리해질 수 있다고 판단했던 것 같아.
그는 너무 많은 것을 알고 있어. 철저히 감시해.
옙-
샤르댕은 1939년부터 1940년에 이르는 구금 기간 동안 자신의 대표작이 될 《인간현상》의 원고를 썼어.
제2차 세계 대전이 끝나자 샤르댕은 파리로 돌아왔어.
샤르댕은 가톨릭교회 예수회에 소속된 수사였지만 진화에 대한 자유로운 사상 때문에 인발리데 근방의 예수회 수도원 독방에서 6년간이나 지내야만 했어.
그러나 샤르댕은 혼자가 아니었어. 그의 주변에는 늘 수많은 지성인과 학자들이 모여들었거든.
샤르댕은 거의 매일 그들과 집회나 강연 그리고 토론 등을 했어.

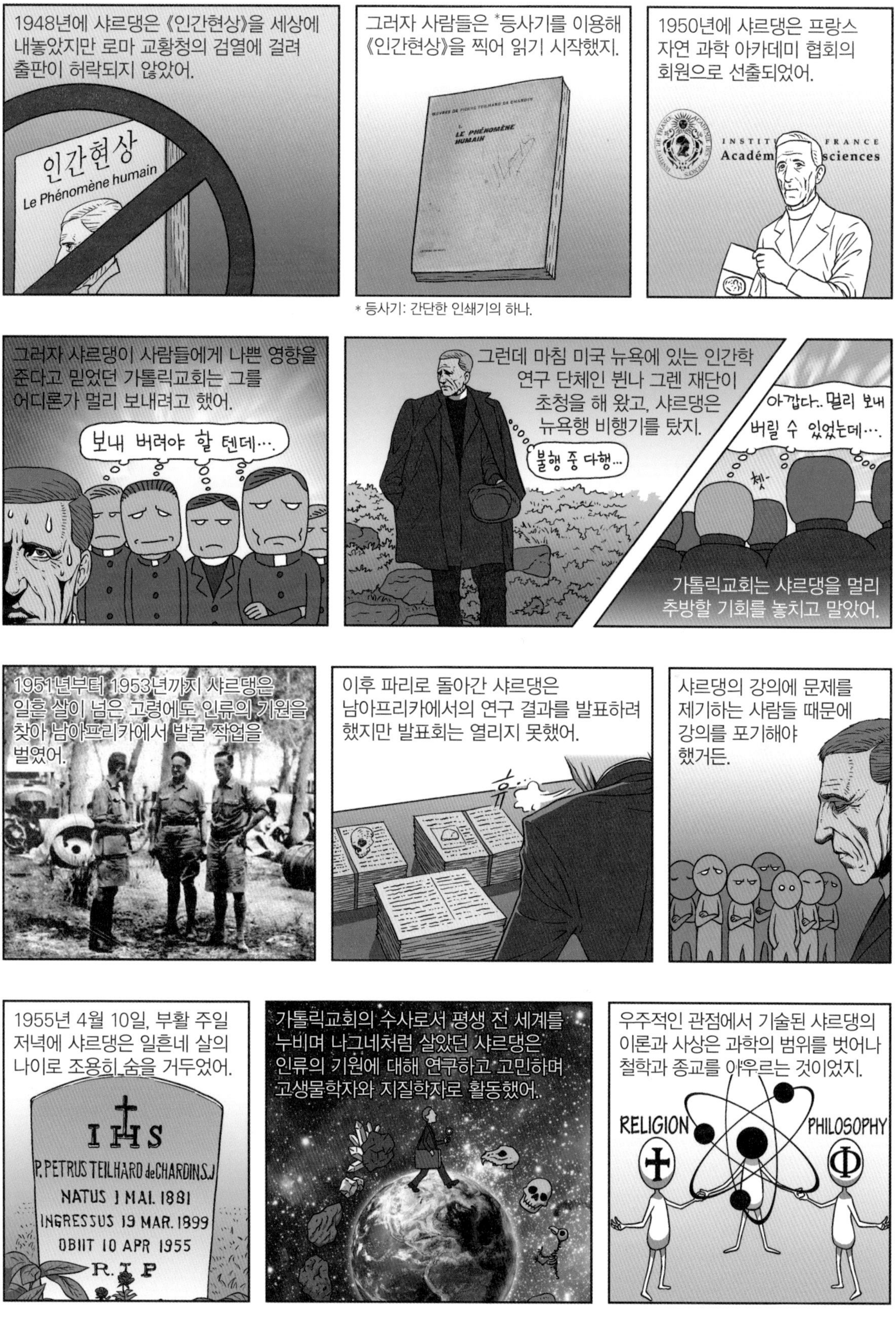
1948년에 샤르댕은 《인간현상》을 세상에 내놓았지만 로마 교황청의 검열에 걸려 출판이 허락되지 않았어.
인간현상
Le Phénomène humain
그러자 사람들은 *등사기를 이용해 《인간현상》을 찍어 읽기 시작했지.
LE PHÉNOMÈNE HUMAIN
1950년에 샤르댕은 프랑스 자연 과학 아카데미 협회의 회원으로 선출되었어.
INSTIT FRANCE
Académ sciences
그러자 샤르댕이 사람들에게 나쁜 영향을 준다고 믿었던 가톨릭교회는 그를 어디론가 멀리 보내려고 했어.
보내 버려야 할 텐데….
그런데 마침 미국 뉴욕에 있는 인간학 연구 단체인 붼나 그렌 재단이 초청을 해 왔고, 샤르댕은 뉴욕행 비행기를 탔지.
불행 중 다행…
아깝다.. 멀리 보내 버릴 수 있었는데….
쳇-
가톨릭교회는 샤르댕을 멀리 추방할 기회를 놓치고 말았어.
1951년부터 1953년까지 샤르댕은 일흔 살이 넘은 고령에도 인류의 기원을 찾아 남아프리카에서 발굴 작업을 벌였어.
이후 파리로 돌아간 샤르댕은 남아프리카에서의 연구 결과를 발표하려 했지만 발표회는 열리지 못했어.
흥
샤르댕의 강의에 문제를 제기하는 사람들 때문에 강의를 포기해야 했거든.
1955년 4월 10일, 부활 주일 저녁에 샤르댕은 일흔네 살의 나이로 조용히 숨을 거두었어.
IHS
P. PETRUS TEILHARD de CHARDIN S.J
NATUS 1 MAI. 1881
INGRESSUS 19 MAR. 1899
OBIIT 10 APR 1955
R.I.P
가톨릭교회의 수사로서 평생 전 세계를 누비며 나그네처럼 살았던 샤르댕은 인류의 기원에 대해 연구하고 고민하며 고생물학자와 지질학자로 활동했어.
우주적인 관점에서 기술된 샤르댕의 이론과 사상은 과학의 범위를 벗어나 철학과 종교를 아우르는 것이었지.
RELIGION
PHILOSOPHY
Φ

* 등사기: 간단한 인쇄기의 하나.

3장 우주의 바탕

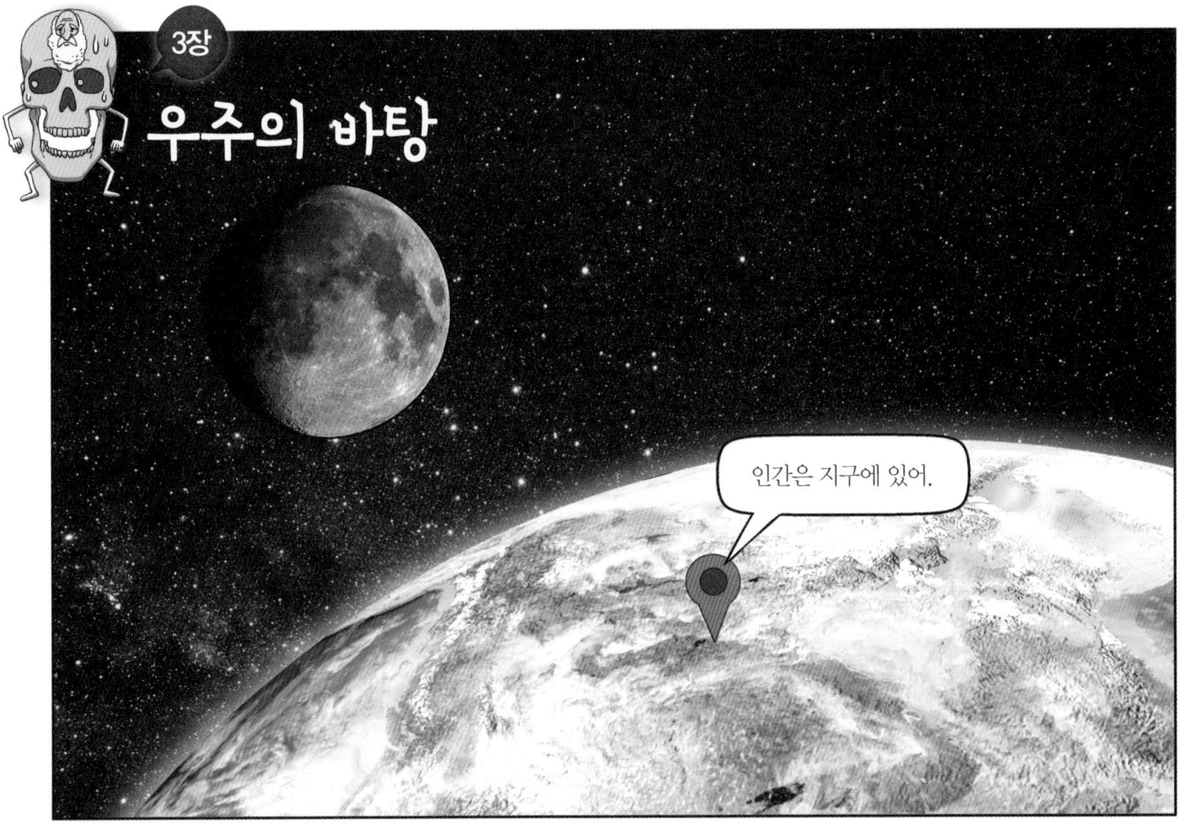

인간은 지구에 있어.

그리고 지구는 태양계 안에 있지.
태양계는 우리 은하 안에 있고, 우리 은하는 우주 안에 있어.
태양계
결국 인간은 우주 안에 있는 거야.
우리 은하

인간을 이해하기 위해서는 먼저 인간이 있는 우주가 어떤 존재인지를 알아야 해.
우주는 무엇으로 이루어졌을까?

우주 안에 있는 우리 인간을 살펴보면 우주가 무엇으로 이루어졌는지 알 수 있어. 인간은 우주의 일부이기 때문이지.

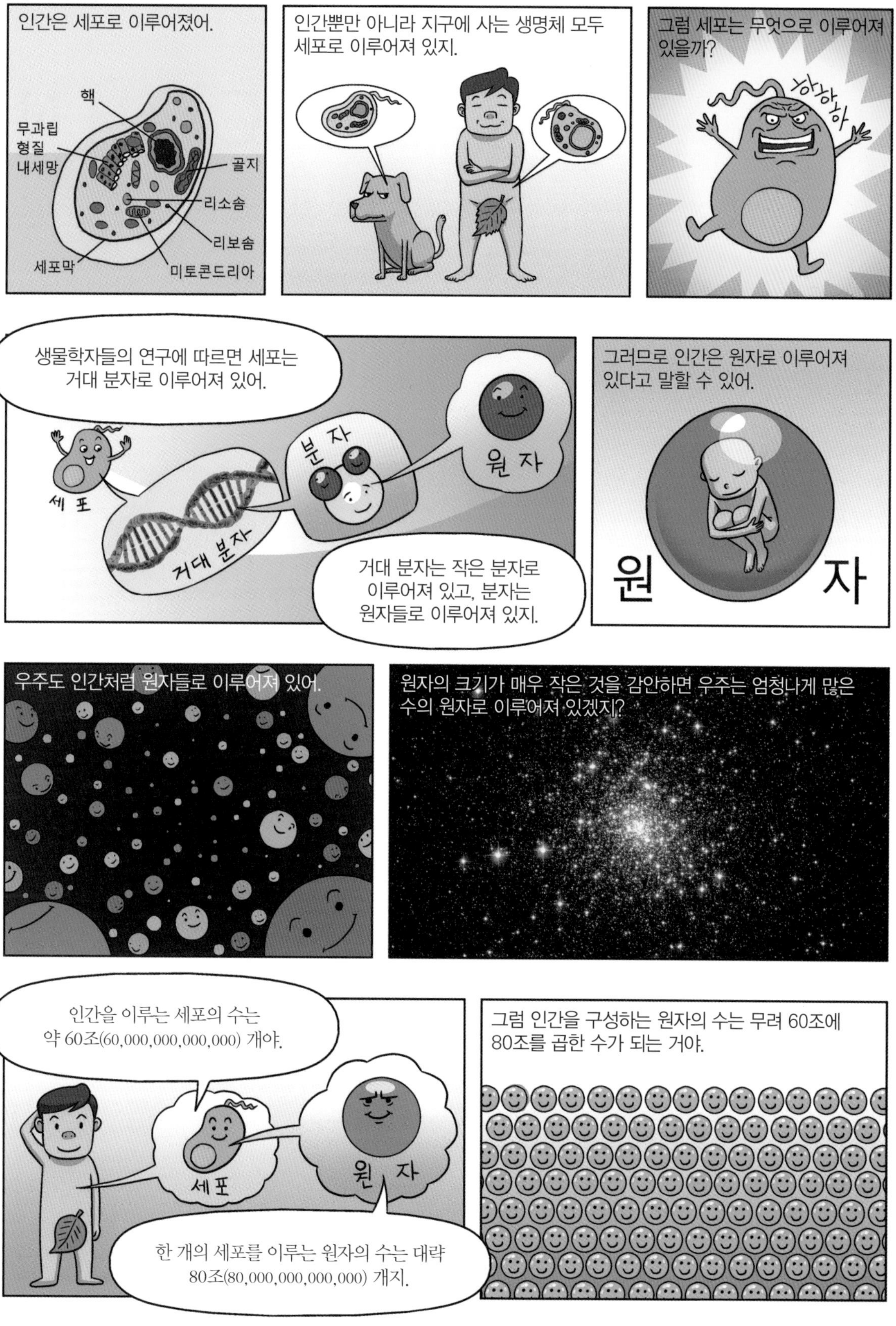
인간은 세포로 이루어졌어.
핵
무과립 형질 내세망
골지
리소솜
리보솜
세포막
미토콘드리아
인간뿐만 아니라 지구에 사는 생명체 모두 세포로 이루어져 있지.
그럼 세포는 무엇으로 이루어져 있을까?
하하하
생물학자들의 연구에 따르면 세포는 거대 분자로 이루어져 있어.
세포
거대 분자
분자
원자
거대 분자는 작은 분자로 이루어져 있고, 분자는 원자들로 이루어져 있지.
그러므로 인간은 원자로 이루어져 있다고 말할 수 있어.
원자
우주도 인간처럼 원자들로 이루어져 있어.
원자의 크기가 매우 작은 것을 감안하면 우주는 엄청나게 많은 수의 원자로 이루어져 있겠지?
인간을 이루는 세포의 수는 약 60조(60,000,000,000,000) 개야.
세포
원자
한 개의 세포를 이루는 원자의 수는 대략 80조(80,000,000,000,000) 개지.
그럼 인간을 구성하는 원자의 수는 무려 60조에 80조를 곱한 수가 되는 거야.

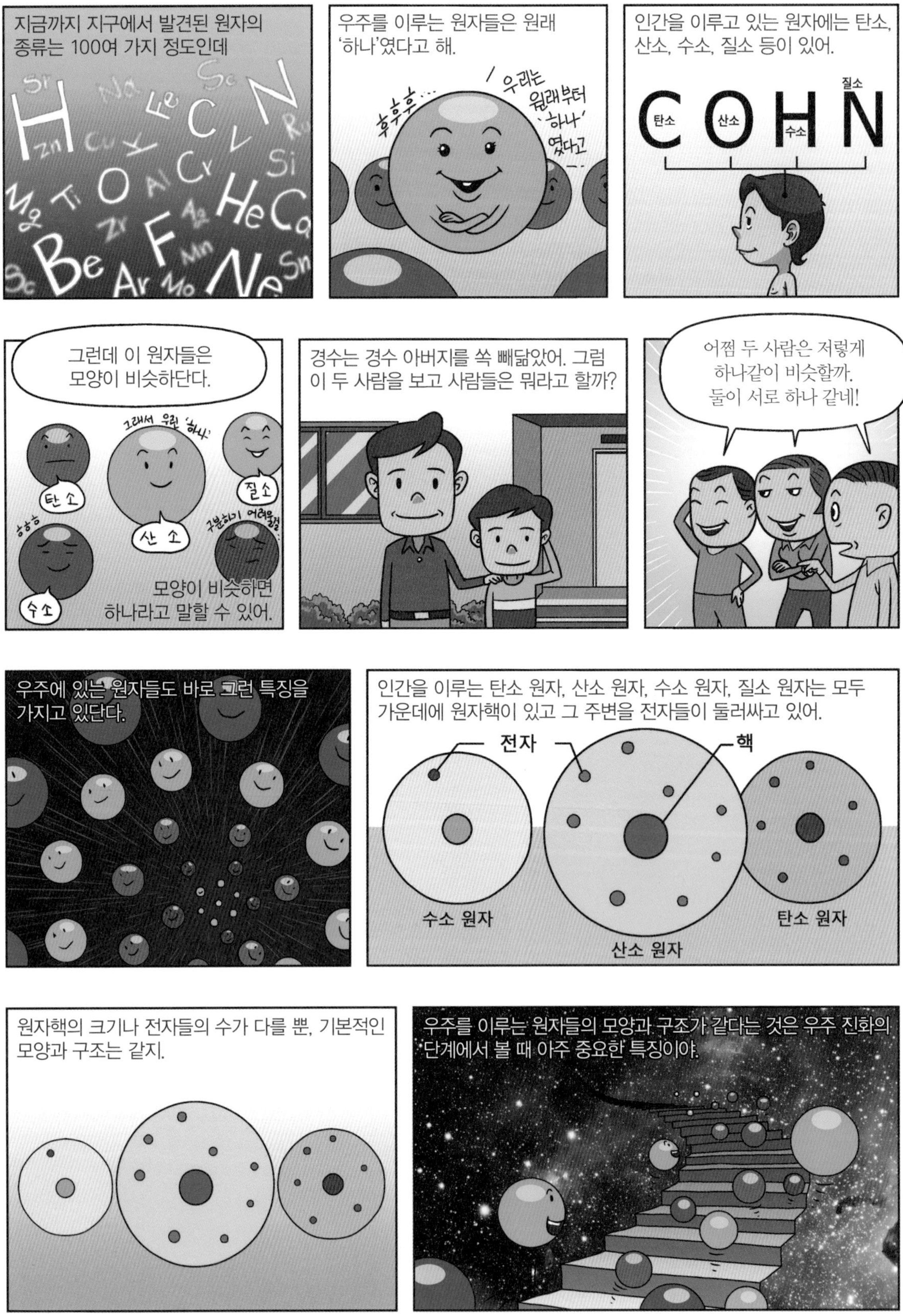
지금까지 지구에서 발견된 원자의 종류는 100여 가지 정도인데
우주를 이루는 원자들은 원래 '하나'였다고 해.
후후후…
우리는 원래부터 '하나' 였다고
인간을 이루고 있는 원자에는 탄소, 산소, 수소, 질소 등이 있어.
C O H N
탄소
산소
수소
질소
그런데 이 원자들은 모양이 비슷하단다.
그래서 우린 '하나'
탄소
질소
산소
구분하기 어려울걸
수소
모양이 비슷하면 하나라고 말할 수 있어.
경수는 경수 아버지를 쏙 빼닮았어. 그럼 이 두 사람을 보고 사람들은 뭐라고 할까?
어쩜 두 사람은 저렇게 하나같이 비슷할까. 둘이 서로 하나 같네!
우주에 있는 원자들도 바로 그런 특징을 가지고 있단다.
인간을 이루는 탄소 원자, 산소 원자, 수소 원자, 질소 원자는 모두 가운데에 원자핵이 있고 그 주변을 전자들이 둘러싸고 있어.
전자
핵
수소 원자
산소 원자
탄소 원자
원자핵의 크기나 전자들의 수가 다를 뿐, 기본적인 모양과 구조는 같지.
우주를 이루는 원자들의 모양과 구조가 같다는 것은 우주 진화의 단계에서 볼 때 아주 중요한 특징이야.

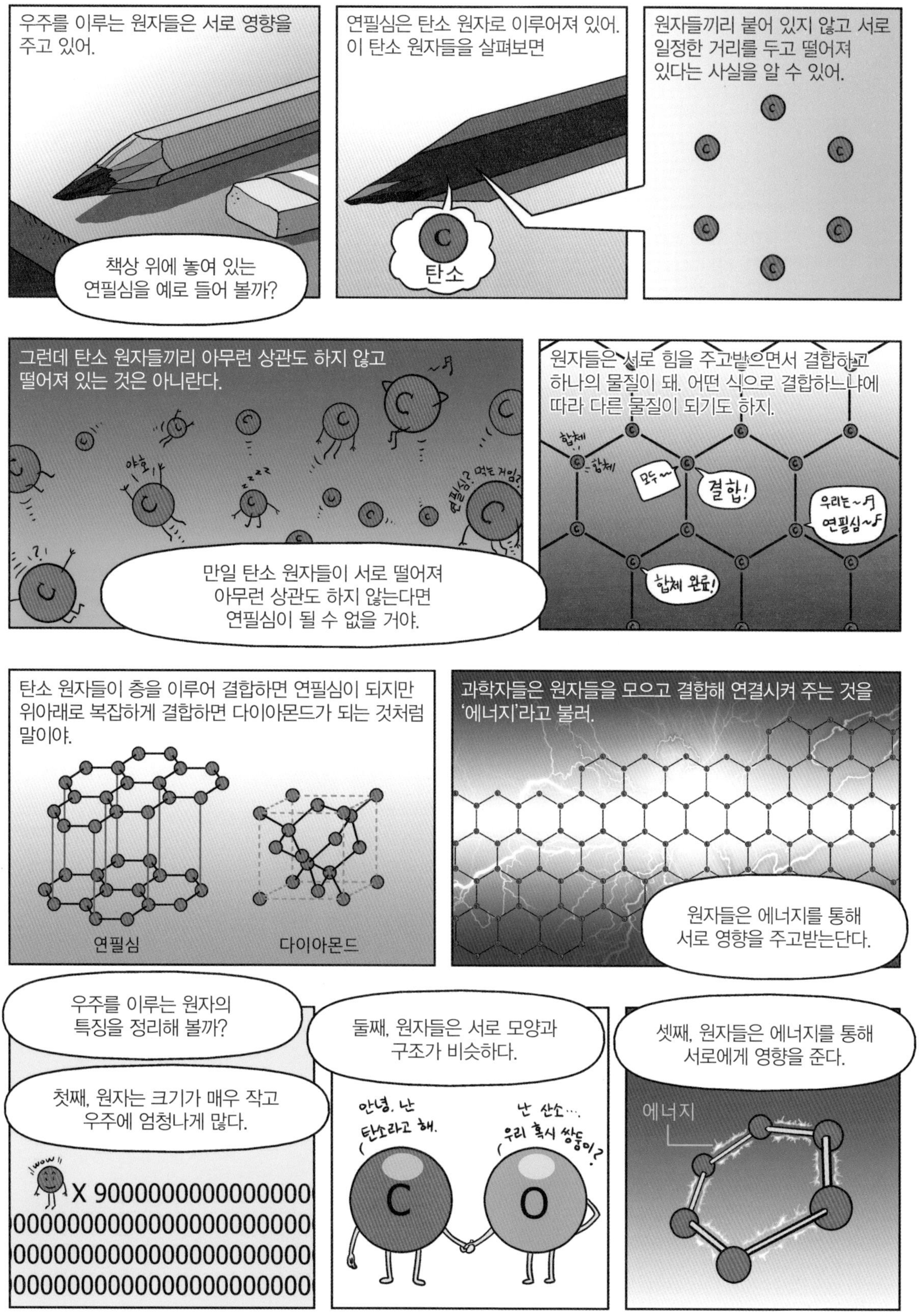
우주를 이루는 원자들은 서로 영향을 주고 있어.
책상 위에 놓여 있는 연필심을 예로 들어 볼까?
연필심은 탄소 원자로 이루어져 있어. 이 탄소 원자들을 살펴보면
탄소
원자들끼리 붙어 있지 않고 서로 일정한 거리를 두고 떨어져 있다는 사실을 알 수 있어.
그런데 탄소 원자들끼리 아무런 상관도 하지 않고 떨어져 있는 것은 아니란다.
야호
연필심? 먹는 거임?
만일 탄소 원자들이 서로 떨어져 아무런 상관도 하지 않는다면 연필심이 될 수 없을 거야.
원자들은 서로 힘을 주고받으면서 결합하고 하나의 물질이 돼. 어떤 식으로 결합하느냐에 따라 다른 물질이 되기도 하지.
합체
합체
모두~
결합!
우리는~ 연필심~
합체 완료!
탄소 원자들이 층을 이루어 결합하면 연필심이 되지만 위아래로 복잡하게 결합하면 다이아몬드가 되는 것처럼 말이야.
연필심
다이아몬드
과학자들은 원자들을 모으고 결합해 연결시켜 주는 것을 '에너지'라고 불러.
원자들은 에너지를 통해 서로 영향을 주고받는단다.
우주를 이루는 원자의 특징을 정리해 볼까?
첫째, 원자는 크기가 매우 작고 우주에 엄청나게 많다.
wow
X 9000000000000000
0000000000000000000000
0000000000000000000000
0000000000000000000000
둘째, 원자들은 서로 모양과 구조가 비슷하다.
안녕. 난 탄소라고 해.
난 산소…. 우리 혹시 쌍둥이?
C
O
셋째, 원자들은 에너지를 통해 서로에게 영향을 준다.
에너지

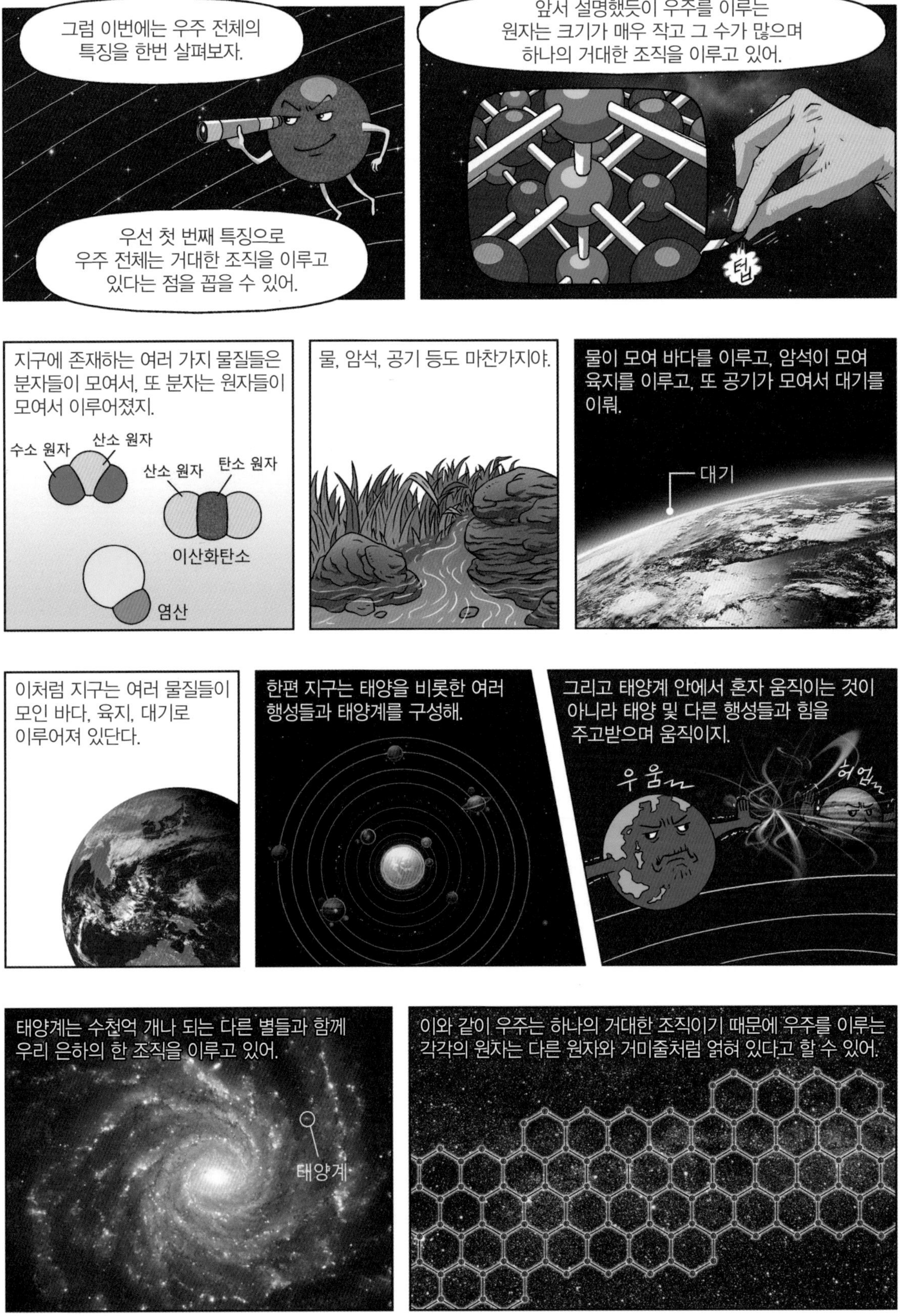

그럼 이번에는 우주 전체의
특징을 한번 살펴보자.
우선 첫 번째 특징으로
우주 전체는 거대한 조직을 이루고
있다는 점을 꼽을 수 있어.
앞서 설명했듯이 우주를 이루는
원자는 크기가 매우 작고 그 수가 많으며
하나의 거대한 조직을 이루고 있어.
지구에 존재하는 여러 가지 물질들은 분자들이 모여서, 또 분자는 원자들이 모여서 이루어졌지.
수소 원자
산소 원자
산소 원자
탄소 원자
이산화탄소
염산
물, 암석, 공기 등도 마찬가지야.
물이 모여 바다를 이루고, 암석이 모여 육지를 이루고, 또 공기가 모여서 대기를 이뤄.
대기
이처럼 지구는 여러 물질들이 모인 바다, 육지, 대기로 이루어져 있단다.
한편 지구는 태양을 비롯한 여러 행성들과 태양계를 구성해.
그리고 태양계 안에서 혼자 움직이는 것이 아니라 태양 및 다른 행성들과 힘을 주고받으며 움직이지.
우움~
허업~
태양계는 수천억 개나 되는 다른 별들과 함께 우리 은하의 한 조직을 이루고 있어.
태양계
이와 같이 우주는 하나의 거대한 조직이기 때문에 우주를 이루는 각각의 원자는 다른 원자와 거미줄처럼 얽혀 있다고 할 수 있어.

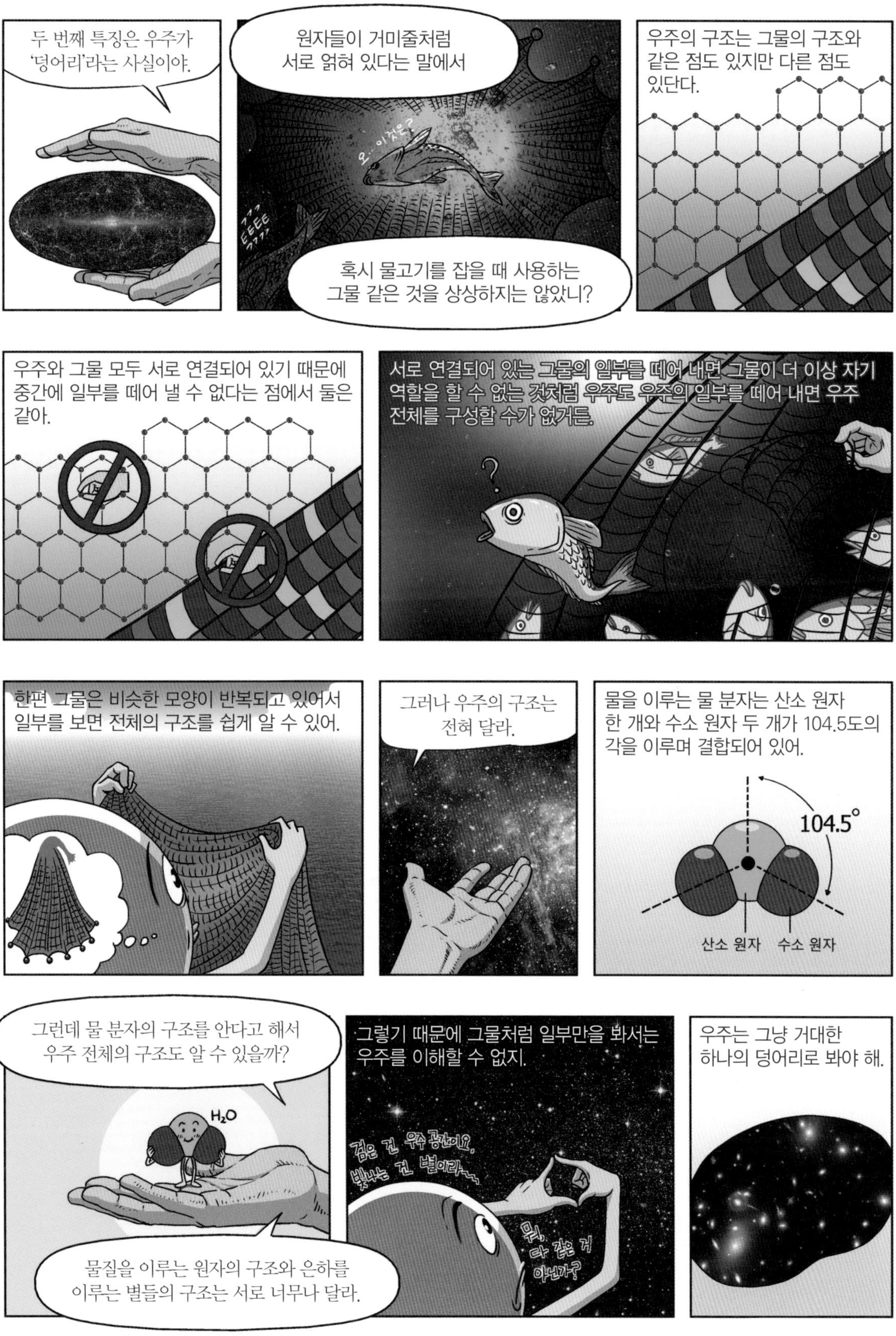
두 번째 특징은 우주가 '덩어리'라는 사실이야.
원자들이 거미줄처럼 서로 얽혀 있다는 말에서
오... 이것은?
혹시 물고기를 잡을 때 사용하는 그물 같은 것을 상상하지는 않았니?
우주의 구조는 그물의 구조와 같은 점도 있지만 다른 점도 있단다.
우주와 그물 모두 서로 연결되어 있기 때문에 중간에 일부를 떼어 낼 수 없다는 점에서 둘은 같아.
서로 연결되어 있는 그물의 일부를 떼어 내면 그물이 더 이상 자기 역할을 할 수 없는 것처럼 우주도 우주의 일부를 떼어 내면 우주 전체를 구성할 수가 없거든.
?
한편 그물은 비슷한 모양이 반복되고 있어서 일부를 보면 전체의 구조를 쉽게 알 수 있어.
그러나 우주의 구조는 전혀 달라.
물을 이루는 물 분자는 산소 원자 한 개와 수소 원자 두 개가 104.5도의 각을 이루며 결합되어 있어.
104.5°
산소 원자
수소 원자
그런데 물 분자의 구조를 안다고 해서 우주 전체의 구조도 알 수 있을까?
H₂O
물질을 이루는 원자의 구조와 은하를 이루는 별들의 구조는 서로 너무나 달라.
그렇기 때문에 그물처럼 일부만을 봐서는 우주를 이해할 수 없지.
검은 건 우주 공간이요, 빛나는 건 별이라~~
뭐, 다 같은 거 아닌가?
우주는 그냥 거대한 하나의 덩어리로 봐야 해.

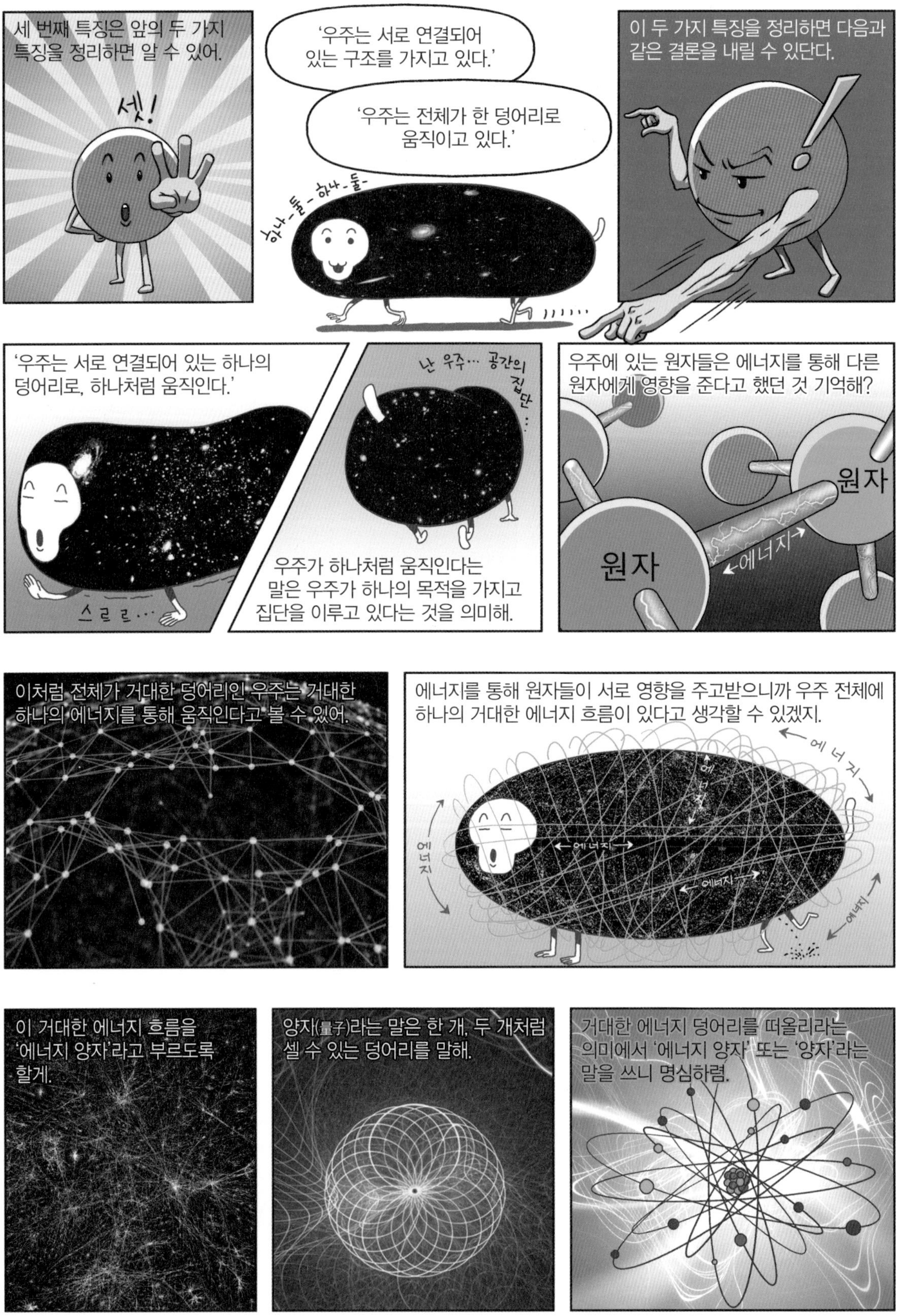
세 번째 특징은 앞의 두 가지 특징을 정리하면 알 수 있어.
셋!
'우주는 서로 연결되어 있는 구조를 가지고 있다.'
'우주는 전체가 한 덩어리로 움직이고 있다.'
하나-둘-하나-둘-
이 두 가지 특징을 정리하면 다음과 같은 결론을 내릴 수 있단다.
'우주는 서로 연결되어 있는 하나의 덩어리로, 하나처럼 움직인다.'
스르르…
난 우주… 공간의 집단…
우주가 하나처럼 움직인다는 말은 우주가 하나의 목적을 가지고 집단을 이루고 있다는 것을 의미해.
우주에 있는 원자들은 에너지를 통해 다른 원자에게 영향을 준다고 했던 것 기억해?
원자
원자
에너지
이처럼 전체가 거대한 덩어리인 우주는 거대한 하나의 에너지를 통해 움직인다고 볼 수 있어.
에너지를 통해 원자들이 서로 영향을 주고받으니까 우주 전체에 하나의 거대한 에너지 흐름이 있다고 생각할 수 있겠지.
에너지
에너지
에너지
에너지
에너지
에너지
이 거대한 에너지 흐름을 '에너지 양자'라고 부르도록 할게.
양자(量子)라는 말은 한 개, 두 개처럼 셀 수 있는 덩어리를 말해.
거대한 에너지 덩어리를 떠올리라는 의미에서 '에너지 양자' 또는 '양자'라는 말을 쓰니 명심하렴.

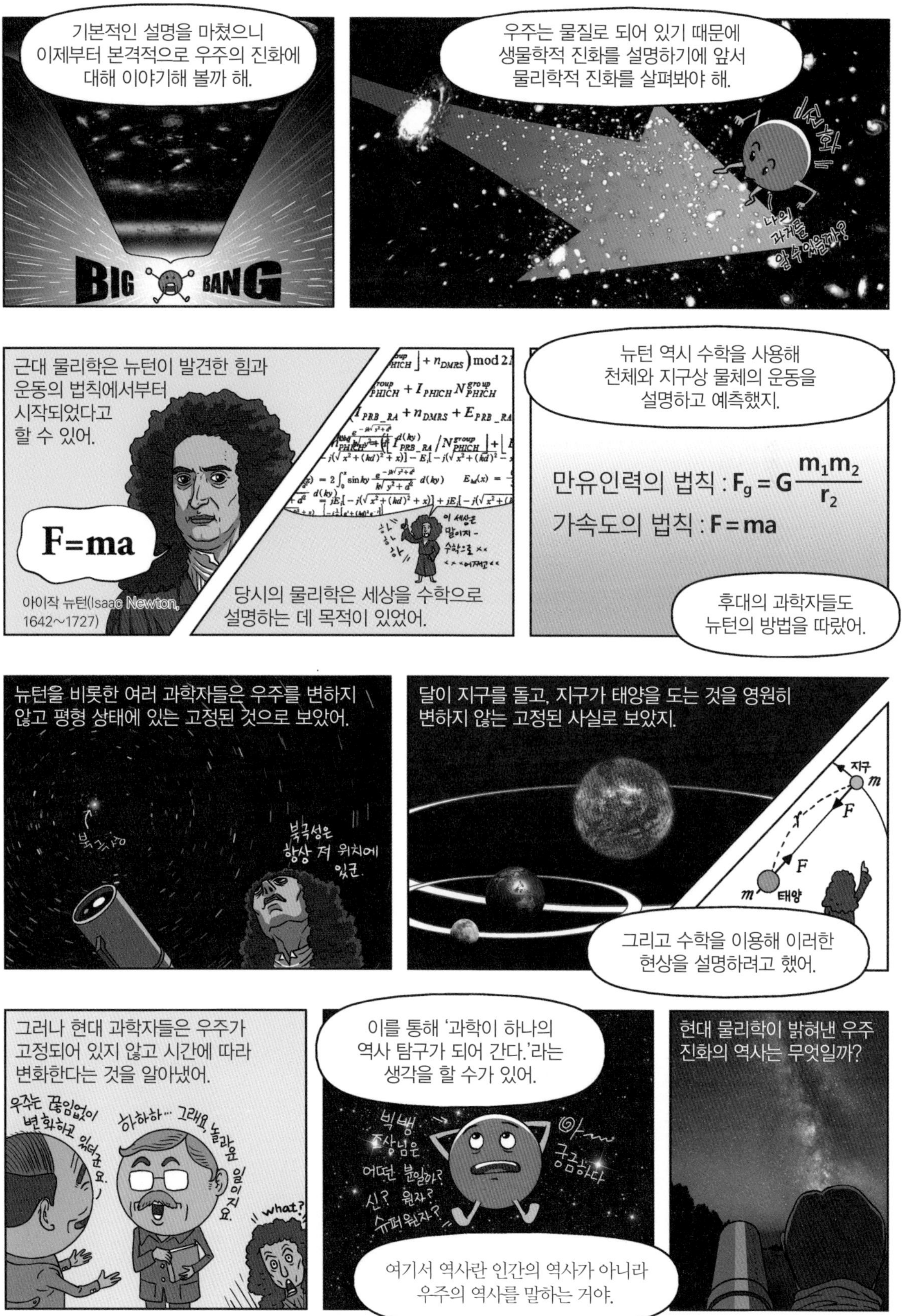
기본적인 설명을 마쳤으니 이제부터 본격적으로 우주의 진화에 대해 이야기해 볼까 해.
BIG BANG
우주는 물질로 되어 있기 때문에 생물학적 진화를 설명하기에 앞서 물리학적 진화를 살펴봐야 해.
진화
나의 과거를 알 수 있을까?
근대 물리학은 뉴턴이 발견한 힘과 운동의 법칙에서부터 시작되었다고 할 수 있어.
F=ma
아이작 뉴턴(Isaac Newton, 1642~1727)
이 세상은 말이지 - 수학으로 ×× <×<어쩌고<<
하하하
당시의 물리학은 세상을 수학으로 설명하는 데 목적이 있었어.
뉴턴 역시 수학을 사용해 천체와 지구상 물체의 운동을 설명하고 예측했지.
만유인력의 법칙 : $F_g = G\frac{m_1m_2}{r_2}$
가속도의 법칙 : F = ma
후대의 과학자들도 뉴턴의 방법을 따랐어.
뉴턴을 비롯한 여러 과학자들은 우주를 변하지 않고 평형 상태에 있는 고정된 것으로 보았어.
북극성
북극성은 항상 저 위치에 있군.
달이 지구를 돌고, 지구가 태양을 도는 것을 영원히 변하지 않는 고정된 사실로 보았지.
지구
m
F
r
F
m
태양
그리고 수학을 이용해 이러한 현상을 설명하려고 했어.
그러나 현대 과학자들은 우주가 고정되어 있지 않고 시간에 따라 변화한다는 것을 알아냈어.
우주는 끊임없이 변화하고 있더군요.
하하하… 그래요, 놀라운 일이지요.
what?
이를 통해 '과학이 하나의 역사 탐구가 되어 간다.'라는 생각을 할 수가 있어.
빅뱅 조상님은 어떤 분일까? 신? 원자? 슈퍼원자?
아~ 궁금하다
여기서 역사란 인간의 역사가 아니라 우주의 역사를 말하는 거야.
현대 물리학이 밝혀낸 우주 진화의 역사는 무엇일까?

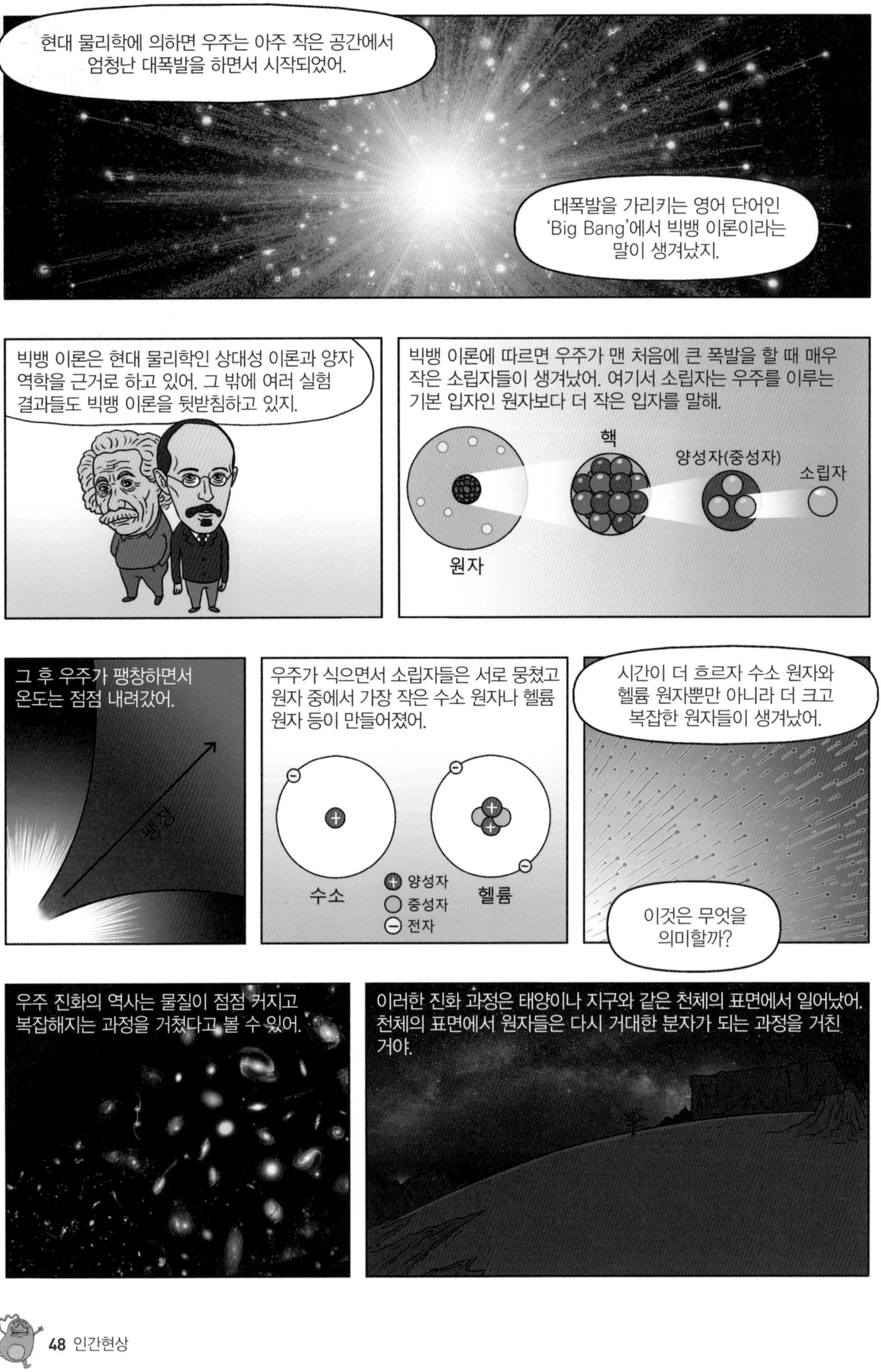
현대 물리학에 의하면 우주는 아주 작은 공간에서 엄청난 대폭발을 하면서 시작되었어.
대폭발을 가리키는 영어 단어인 'Big Bang'에서 빅뱅 이론이라는 말이 생겨났지.
빅뱅 이론은 현대 물리학인 상대성 이론과 양자 역학을 근거로 하고 있어. 그 밖에 여러 실험 결과들도 빅뱅 이론을 뒷받침하고 있지.
빅뱅 이론에 따르면 우주가 맨 처음에 큰 폭발을 할 때 매우 작은 소립자들이 생겨났어. 여기서 소립자는 우주를 이루는 기본 입자인 원자보다 더 작은 입자를 말해.
핵
양성자(중성자)
소립자
원자
그 후 우주가 팽창하면서 온도는 점점 내려갔어.
우주가 식으면서 소립자들은 서로 뭉쳤고 원자 중에서 가장 작은 수소 원자나 헬륨 원자 등이 만들어졌어.
수소
헬륨
양성자
중성자
전자
시간이 더 흐르자 수소 원자와 헬륨 원자뿐만 아니라 더 크고 복잡한 원자들이 생겨났어.
이것은 무엇을 의미할까?
우주 진화의 역사는 물질이 점점 커지고 복잡해지는 과정을 거쳤다고 볼 수 있어.
이러한 진화 과정은 태양이나 지구와 같은 천체의 표면에서 일어났어. 천체의 표면에서 원자들은 다시 거대한 분자가 되는 과정을 거친 거야.

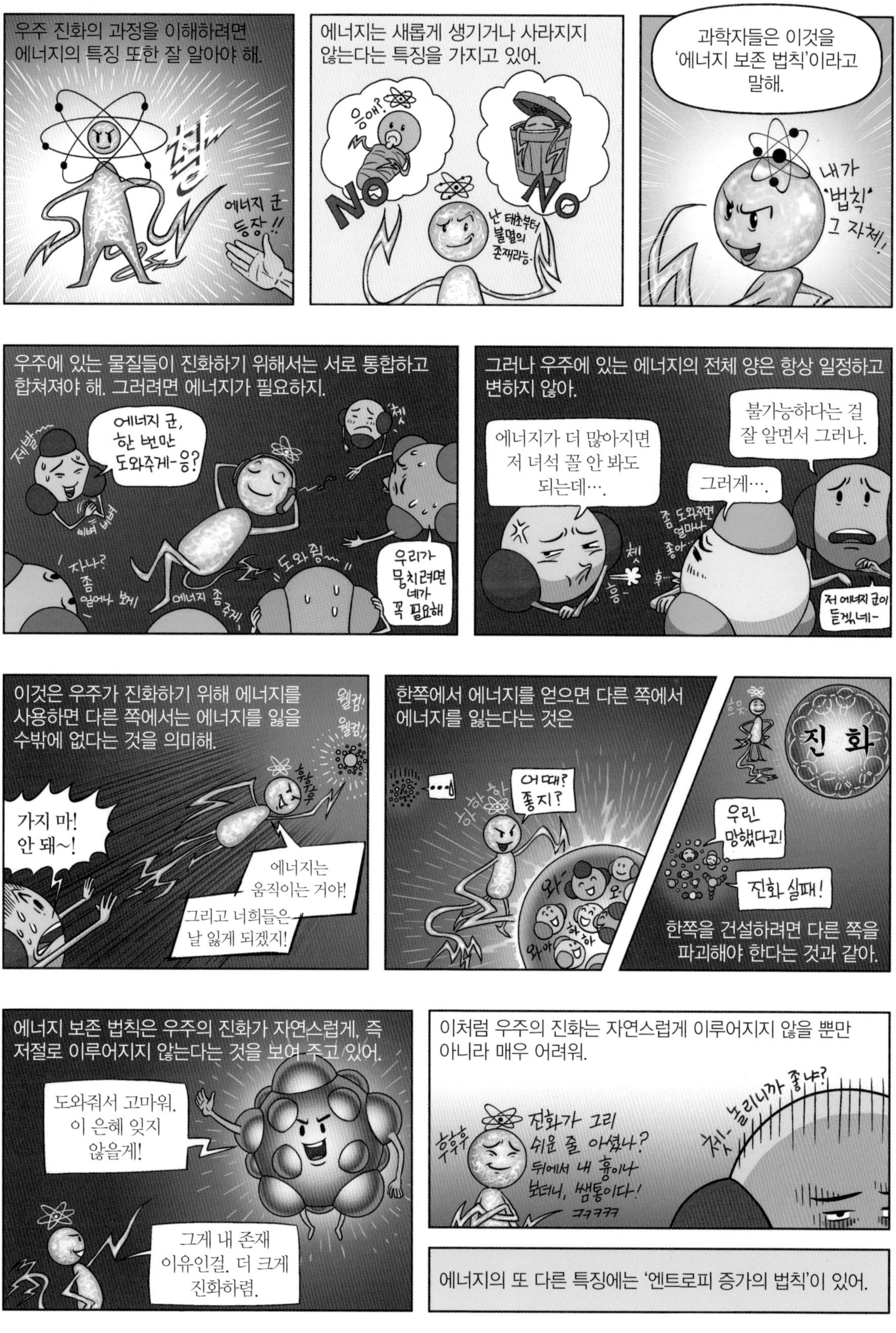

우주 진화의 과정을 이해하려면 에너지의 특징 또한 잘 알아야 해.
에너지 군 등장!!
에너지는 새롭게 생기거나 사라지지 않는다는 특징을 가지고 있어.
응애?
NO
NO
난 태초부터 불멸의 존재라능.
과학자들은 이것을 '에너지 보존 법칙'이라고 말해.
내가 '법칙' 그 자체!
우주에 있는 물질들이 진화하기 위해서는 서로 통합하고 합쳐져야 해. 그러려면 에너지가 필요하지.
제발~
에너지 군, 한 번만 도와주게-응?
칫
자냐? 좀 일어나 보게
에너지 좀 주게
도와줘~
우리가 뭉치려면 네가 꼭 필요해
그러나 우주에 있는 에너지의 전체 양은 항상 일정하고 변하지 않아.
에너지가 더 많아지면 저 녀석 꼴 안 봐도 되는데….
불가능하다는 걸 잘 알면서 그러나.
그러게….
좀 도와주면 얼마나 좋아.
칫
흥
저 에너지 군이 듣겠네-
이것은 우주가 진화하기 위해 에너지를 사용하면 다른 쪽에서는 에너지를 잃을 수밖에 없다는 것을 의미해.
웰컴!
웰컴!
가지 마! 안 돼~!
에너지는 움직이는 거야!
그리고 너희들은 날 잃게 되겠지!
한쪽에서 에너지를 얻으면 다른 쪽에서 에너지를 잃는다는 것은
어때? 좋지?
하하하
진화
우린 망했다고!
진화 실패!
한쪽을 건설하려면 다른 쪽을 파괴해야 한다는 것과 같아.
에너지 보존 법칙은 우주의 진화가 자연스럽게, 즉 저절로 이루어지지 않는다는 것을 보여 주고 있어.
도와줘서 고마워. 이 은혜 잊지 않을게!
그게 내 존재 이유인걸. 더 크게 진화하렴.
이처럼 우주의 진화는 자연스럽게 이루어지지 않을 뿐만 아니라 매우 어려워.
후후후
진화가 그리 쉬운 줄 아셨나? 뒤에서 내 흉이나 보더니, 쌤통이다!
ㅋㅋㅋㅋ
칫- 놀리니까 좋냐?
에너지의 또 다른 특징에는 '엔트로피 증가의 법칙'이 있어.

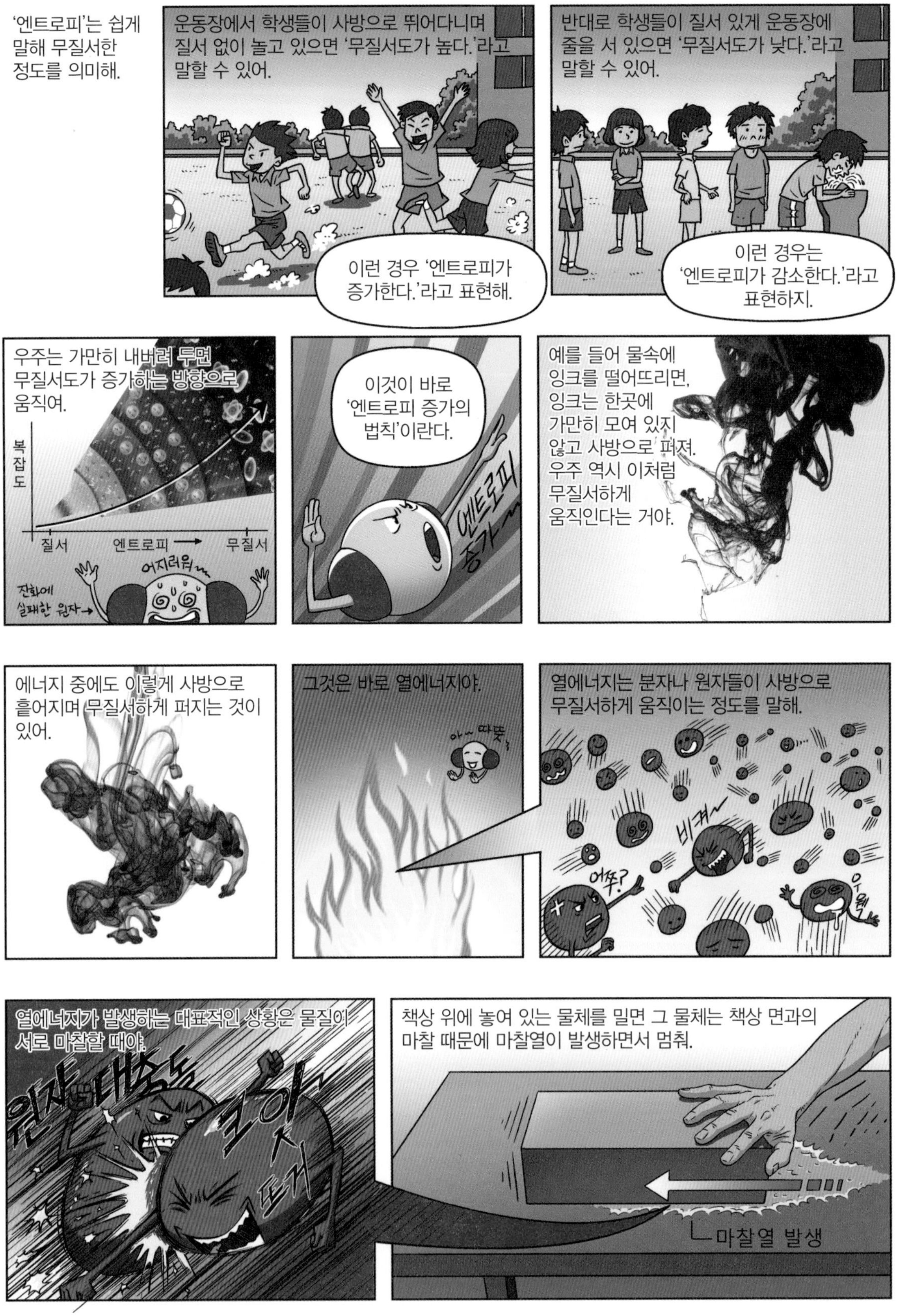
'엔트로피'는 쉽게 말해 무질서한 정도를 의미해.
운동장에서 학생들이 사방으로 뛰어다니며 질서 없이 놀고 있으면 '무질서도가 높다.'라고 말할 수 있어.
이런 경우 '엔트로피가 증가한다.'라고 표현해.
반대로 학생들이 질서 있게 운동장에 줄을 서 있으면 '무질서도가 낮다.'라고 말할 수 있어.
이런 경우는 '엔트로피가 감소한다.'라고 표현하지.
우주는 가만히 내버려 두면 무질서도가 증가하는 방향으로 움직여.
복잡도
질서
엔트로피
무질서
어지러워~
진화에 실패한 원자
이것이 바로 '엔트로피 증가의 법칙'이란다.
엔트로피 증가~
예를 들어 물속에 잉크를 떨어뜨리면, 잉크는 한곳에 가만히 모여 있지 않고 사방으로 퍼져. 우주 역시 이처럼 무질서하게 움직인다는 거야.
에너지 중에도 이렇게 사방으로 흩어지며 무질서하게 퍼지는 것이 있어.
그것은 바로 열에너지야.
아~ 따뜻
열에너지는 분자나 원자들이 사방으로 무질서하게 움직이는 정도를 말해.
비켜~
어쭈?
우웩
열에너지가 발생하는 대표적인 상황은 물질이 서로 마찰할 때야.
책상 위에 놓여 있는 물체를 밀면 그 물체는 책상 면과의 마찰 때문에 마찰열이 발생하면서 멈춰.
마찰열 발생

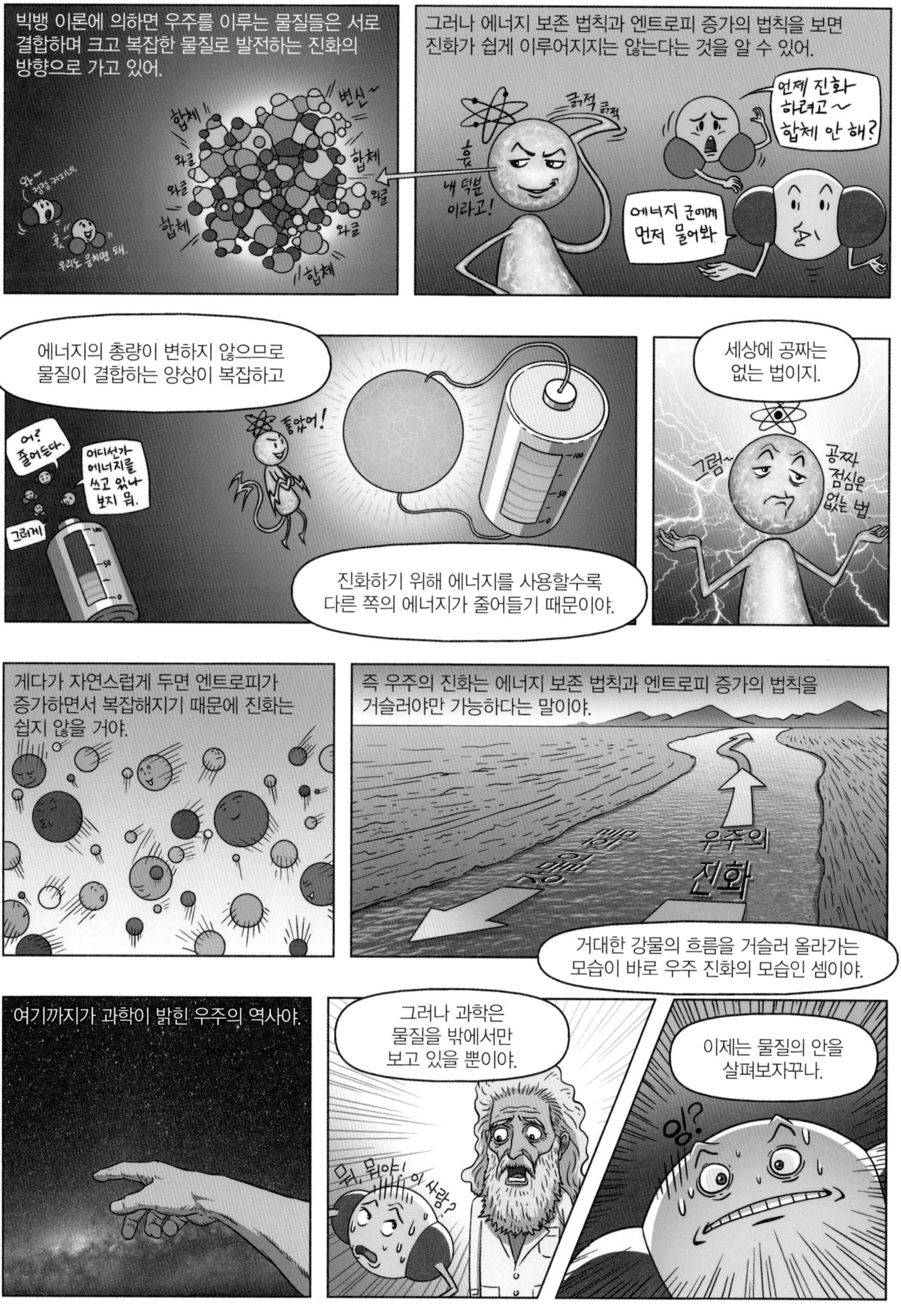

빅뱅 이론에 의하면 우주를 이루는 물질들은 서로 결합하며 크고 복잡한 물질로 발전하는 진화의 방향으로 가고 있어.
변신~
합체
합체
와글
합체
와글
합체
와글
와글
합체
우리도 뭉치면 돼.
그러나 에너지 보존 법칙과 엔트로피 증가의 법칙을 보면 진화가 쉽게 이루어지지는 않는다는 것을 알 수 있어.
흥
내 덕분이라고!
언제 진화하려고~ 합체 안 해?
에너지 군에게 먼저 물어봐.
에너지의 총량이 변하지 않으므로 물질이 결합하는 양상이 복잡하고
어? 줄어든다.
어디선가 에너지를 쓰고 있나 보지 뭐.
그러게
좋았어!
진화하기 위해 에너지를 사용할수록 다른 쪽의 에너지가 줄어들기 때문이야.
세상에 공짜는 없는 법이지.
그럼~
공짜 점심은 없는 법.
게다가 자연스럽게 두면 엔트로피가 증가하면서 복잡해지기 때문에 진화는 쉽지 않을 거야.
즉 우주의 진화는 에너지 보존 법칙과 엔트로피 증가의 법칙을 거슬러야만 가능하다는 말이야.
우주의 진화
거대한 강물의 흐름을 거슬러 올라가는 모습이 바로 우주 진화의 모습인 셈이야.
여기까지가 과학이 밝힌 우주의 역사야.
그러나 과학은 물질을 밖에서만 보고 있을 뿐이야.
뭐, 뭐야! 이 사람?
이제는 물질의 안을 살펴보자꾸나.
잉?

4장 물질의 안과 청년 지구

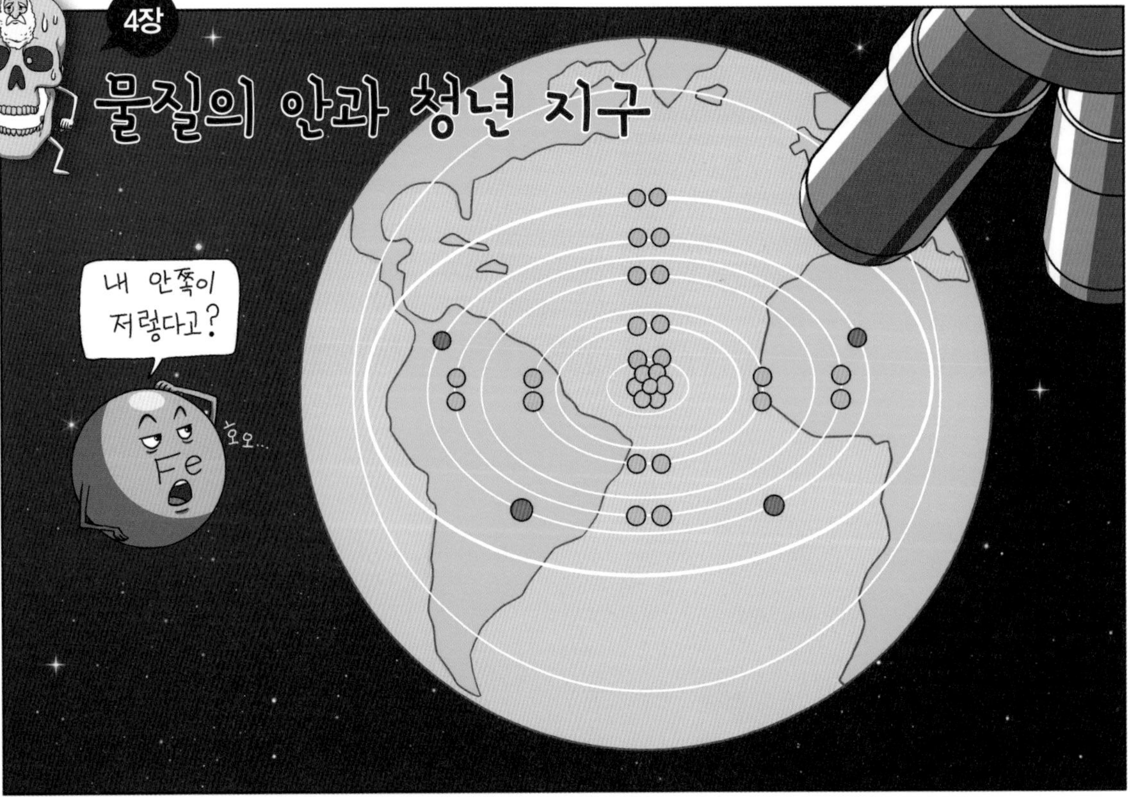
내 안쪽이 저렇다고?
호오...
Fe

물질의 안을 설명하기에 앞서 지금껏 계속되고 있는 과학의 논쟁부터 살펴볼까 해.
준비 다 됐어?
기잉...
Fe

그것은 물질주의자와 정신주의자들 사이의 논쟁이란다.
정신이 먼저지 이 사람아~
영혼 불멸
물질이 우선!!
물질 없이 영혼 있나?
슬금 슬금
맞아

물질주의자들은 유물론(唯物論)을 주장해.
우주 만물은 오직 물질뿐이라고 말하지.
나를 알아주는 사람들이군
Fe

물질주의자들은 이렇게 주장해.
물질은 실제로 존재하는 것이고, 정신과 의식은 2차적인 부산물에 불과하다!
옳소!
그럼!

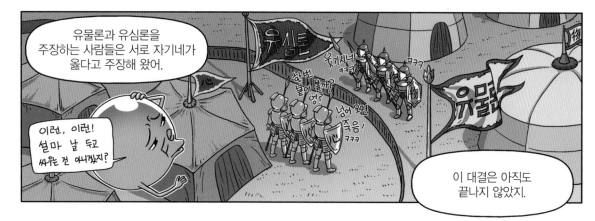

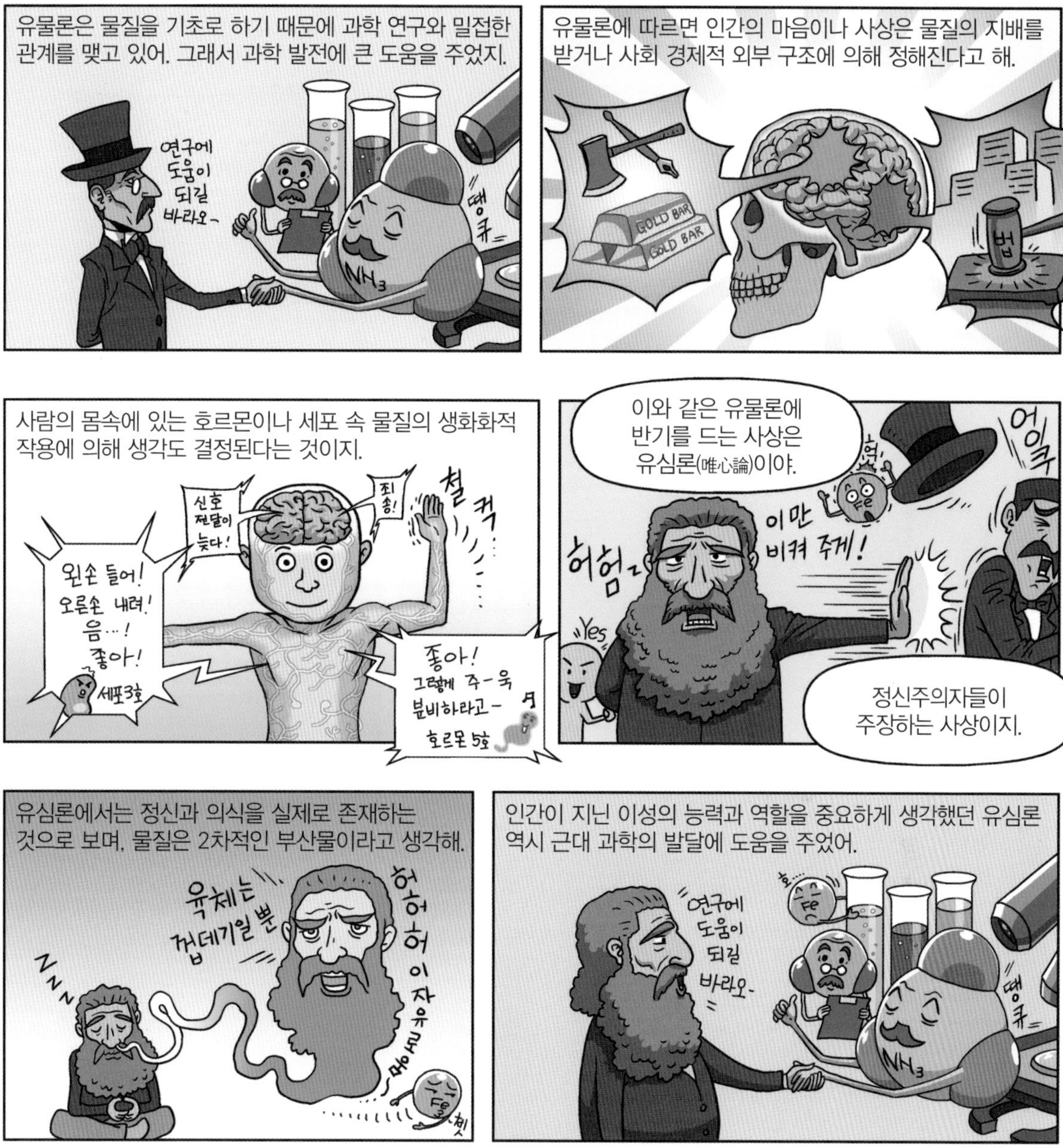
유물론은 물질을 기초로 하기 때문에 과학 연구와 밀접한 관계를 맺고 있어. 그래서 과학 발전에 큰 도움을 주었지.
연구에 도움이 되길 바라오~
땡큐
NH_3
유물론에 따르면 인간의 마음이나 사상은 물질의 지배를 받거나 사회 경제적 외부 구조에 의해 정해진다고 해.
GOLD BAR
GOLD BAR
법
사람의 몸속에 있는 호르몬이나 세포 속 물질의 생화화적 작용에 의해 생각도 결정된다는 것이지.
신호 전달이 늦다!
죄송!
철컥
왼손 들어! 오른손 내려! 음…! 좋아!
세포3호
좋아! 그럼 쭉 주-욱 분비하라고~
호르몬 5호
이와 같은 유물론에 반기를 드는 사상은 유심론(唯心論)이야.
어익쿠
허험
이만 비켜 주게!
Yes
정신주의자들이 주장하는 사상이지.
유심론에서는 정신과 의식을 실제로 존재하는 것으로 보며, 물질은 2차적인 부산물이라고 생각해.
육체는 껍데기일 뿐
허허허
이 자유로움
ZZZ
인간이 지닌 이성의 능력과 역할을 중요하게 생각했던 유심론 역시 근대 과학의 발달에 도움을 주었어.
연구에 도움이 되길 바라오~
땡큐
NH_3
유물론과 유심론을 주장하는 사람들은 서로 자기네가 옳다고 주장해 왔어.
유심론
유물론
웃기시네 ㅋㅋㅋ
ㅋㅋㅋ
한번 넘어 볼까? 엉?
넘어 오면 죽음! ㅋㅋㅋ
이런, 이런! 설마 날 두고 싸우는 건 아니겠지?
이 대결은 아직도 끝나지 않았지.

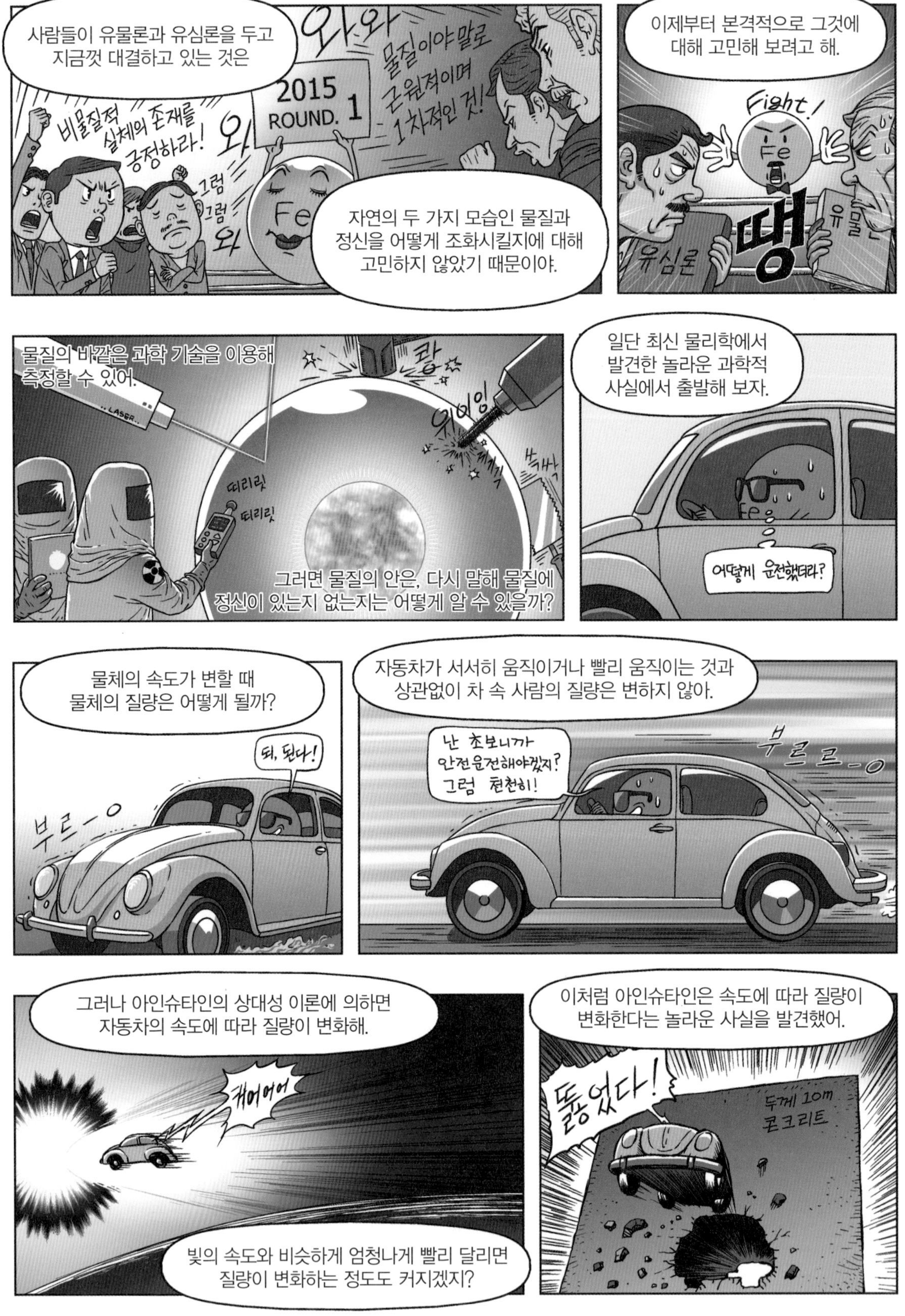

사람들이 유물론과 유심론을 두고 지금껏 대결하고 있는 것은
와와
물질이야말로 근원적이며 1차적인 것!
2015 ROUND. 1
비물질적 실체의 존재를 긍정하라!
와
그럼 그럼
와
Fe
자연의 두 가지 모습인 물질과 정신을 어떻게 조화시킬지에 대해 고민하지 않았기 때문이야.
이제부터 본격적으로 그것에 대해 고민해 보려고 해.
Fight!
Fe
유심론
땡
유물론
물질의 바깥은 과학 기술을 이용해 측정할 수 있어.
쾅
LASER
위이잉
띠리릿
띠리릿
슥삭
그러면 물질의 안은, 다시 말해 물질에 정신이 있는지 없는지는 어떻게 알 수 있을까?
일단 최신 물리학에서 발견한 놀라운 과학적 사실에서 출발해 보자.
Fe
어떻게 운전했더라?
물체의 속도가 변할 때 물체의 질량은 어떻게 될까?
되, 된다!
부르-ㅇ
자동차가 서서히 움직이거나 빨리 움직이는 것과 상관없이 차 속 사람의 질량은 변하지 않아.
난 초보니까 안전운전해야겠지? 그럼 천천히!
부르르-ㅇ
그러나 아인슈타인의 상대성 이론에 의하면 자동차의 속도에 따라 질량이 변화해.
빛의 속도와 비슷하게 엄청나게 빨리 달리면 질량이 변화하는 정도도 커지겠지?
이처럼 아인슈타인은 속도에 따라 질량이 변화한다는 놀라운 사실을 발견했어.
뚫었다!
두께 10m 콘크리트

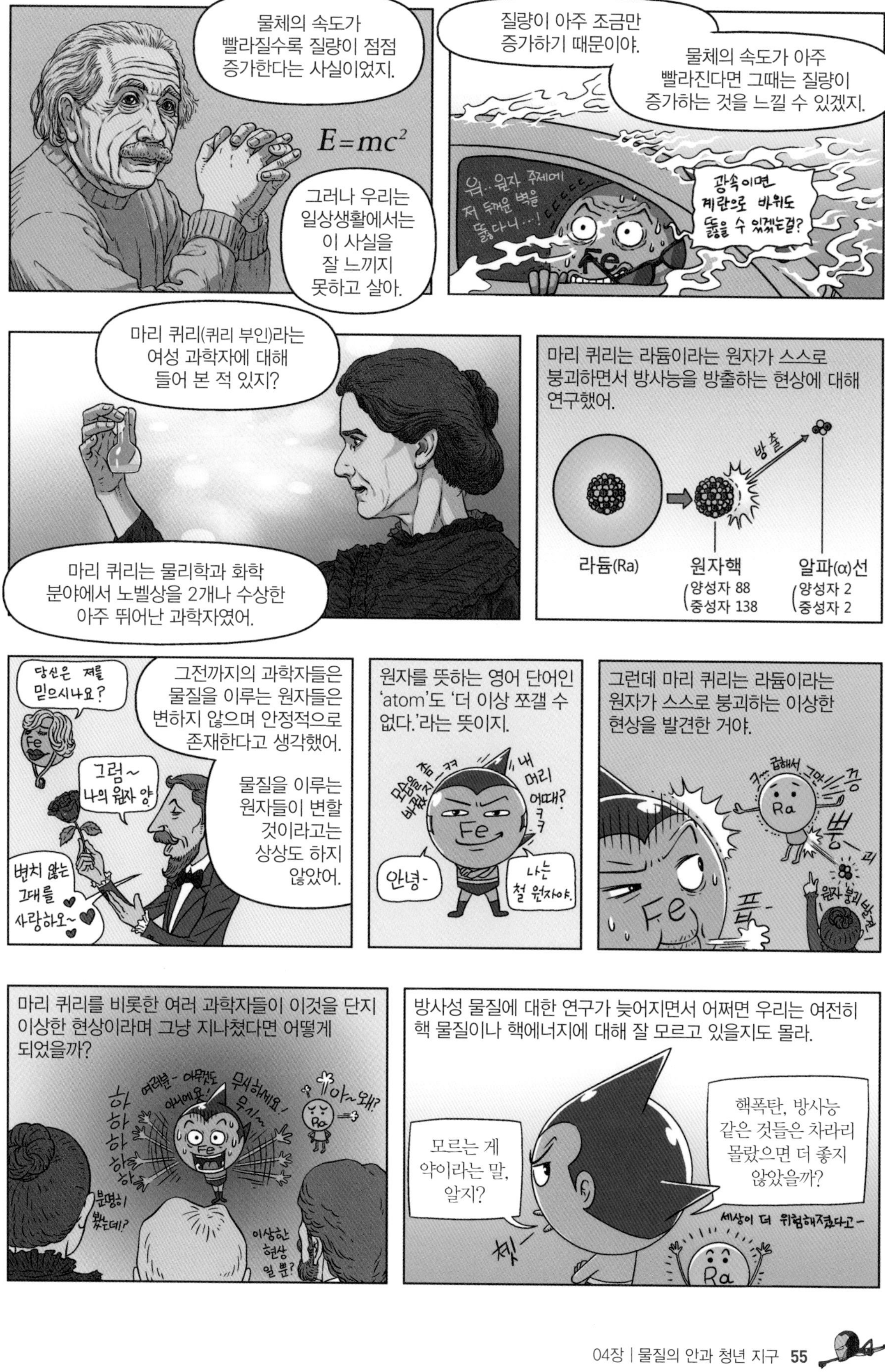

물체의 속도가 빨라질수록 질량이 점점 증가한다는 사실이었지.
$E=mc^2$
그러나 우리는 일상생활에서는 이 사실을 잘 느끼지 못하고 살아.
질량이 아주 조금만 증가하기 때문이야.
물체의 속도가 아주 빨라진다면 그때는 질량이 증가하는 것을 느낄 수 있겠지.
윽.. 원자 주제에 저 두꺼운 벽을 뚫다니…!
광속이면 계란으로 바위도 뚫을 수 있겠는걸?
Fe
마리 퀴리(퀴리 부인)라는 여성 과학자에 대해 들어 본 적 있지?
마리 퀴리는 물리학과 화학 분야에서 노벨상을 2개나 수상한 아주 뛰어난 과학자였어.
마리 퀴리는 라듐이라는 원자가 스스로 붕괴하면서 방사능을 방출하는 현상에 대해 연구했어.
방출
라듐(Ra)
원자핵
양성자 88
중성자 138
알파(α)선
양성자 2
중성자 2
당신은 저를 믿으시나요?
그전까지의 과학자들은 물질을 이루는 원자들은 변하지 않으며 안정적으로 존재한다고 생각했어.
그럼~ 나의 원자 양.
변치 않는 그대를 사랑하오~
물질을 이루는 원자들이 변할 것이라고는 상상도 하지 않았어.
원자를 뜻하는 영어 단어인 'atom'도 '더 이상 쪼갤 수 없다.'라는 뜻이지.
모습은 좀 바뀌었지 ㅋㅋ
내 머리 어때? ㅋㅋ
안녕-
나는 철 원자야.
그런데 마리 퀴리는 라듐이라는 원자가 스스로 붕괴하는 이상한 현상을 발견한 거야.
ㅋ… 급해서 그만…
끙
뿡
원자 붕괴 발견!
마리 퀴리를 비롯한 여러 과학자들이 이것을 단지 이상한 현상이라며 그냥 지나쳤다면 어떻게 되었을까?
하하하하하
여러분~ 아무것도 아니에요!
무시하세요! 무시~
아~ 왜?
분명히 봤는데?
이상한 현상일 뿐?
방사성 물질에 대한 연구가 늦어지면서 어쩌면 우리는 여전히 핵 물질이나 핵에너지에 대해 잘 모르고 있을지도 몰라.
모르는 게 약이라는 말, 알지?
핵폭탄, 방사능 같은 것들은 차라리 몰랐으면 더 좋지 않았을까?
칫-
세상이 더 위험해졌다고-
Ra

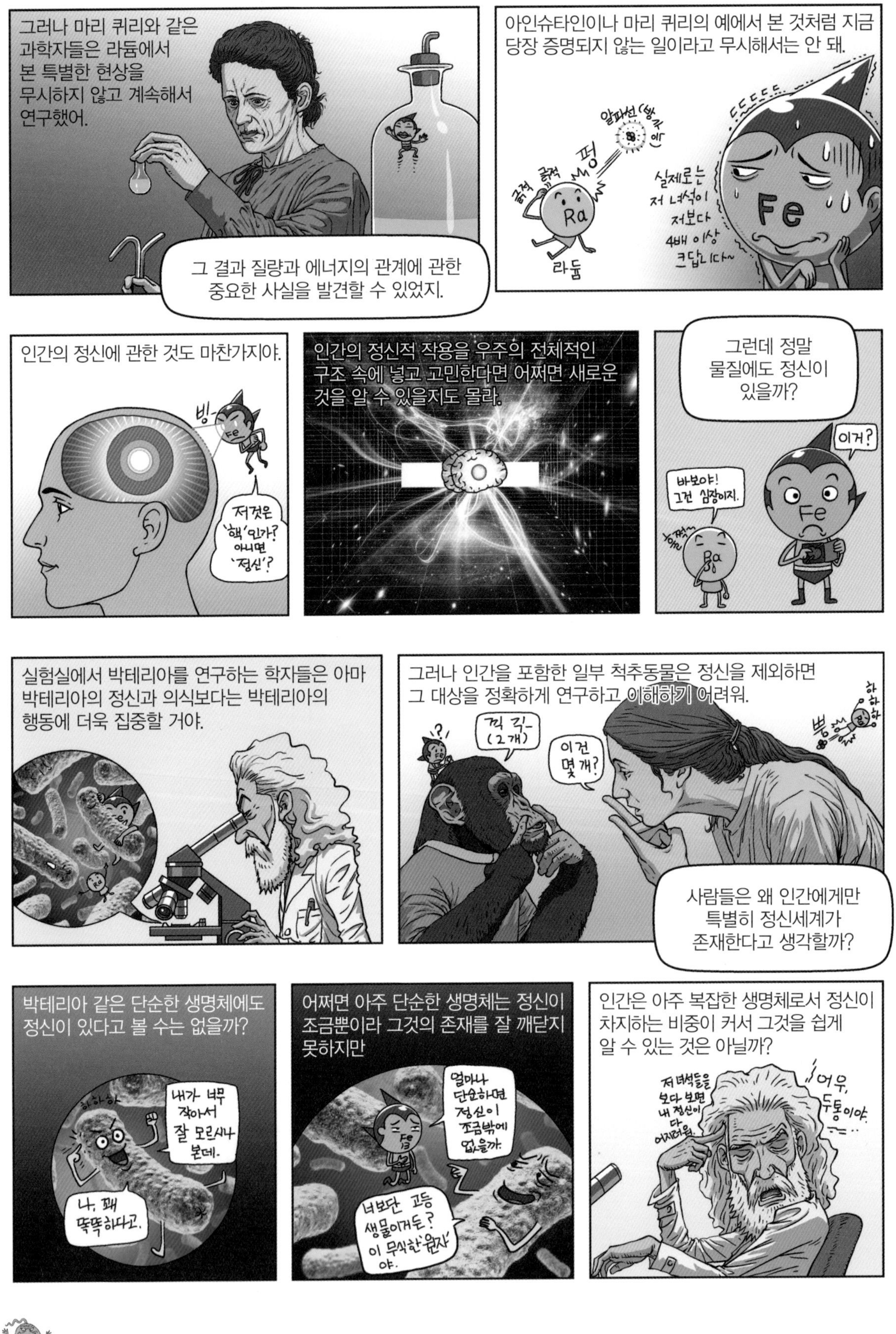

그러나 마리 퀴리와 같은 과학자들은 라듐에서 본 특별한 현상을 무시하지 않고 계속해서 연구했어.
그 결과 질량과 에너지의 관계에 관한 중요한 사실을 발견할 수 있었지.
아인슈타인이나 마리 퀴리의 예에서 본 것처럼 지금 당장 증명되지 않는 일이라고 무시해서는 안 돼.
알파선(방출)
펑
긁적 긁적
Ra
라듐
실제로는 저 녀석이 저보다 4배 이상 크답니다~
Fe
인간의 정신에 관한 것도 마찬가지야.
빙~
저것은 '핵'인가? 아니면 '정신'?
인간의 정신적 작용을 우주의 전체적인 구조 속에 넣고 고민한다면 어쩌면 새로운 것을 알 수 있을지도 몰라.
그런데 정말 물질에도 정신이 있을까?
이거?
바보야! 그건 심장이지.
훌쩍~
실험실에서 박테리아를 연구하는 학자들은 아마 박테리아의 정신과 의식보다는 박테리아의 행동에 더욱 집중할 거야.
그러나 인간을 포함한 일부 척추동물은 정신을 제외하면 그 대상을 정확하게 연구하고 이해하기 어려워.
끽 끽~ (2개)
이건 몇 개?
뿅
하하하
사람들은 왜 인간에게만 특별히 정신세계가 존재한다고 생각할까?
박테리아 같은 단순한 생명체에도 정신이 있다고 볼 수는 없을까?
하하하
내가 너무 작아서 잘 모르시나 본데.
나, 꽤 똑똑하다고.
어쩌면 아주 단순한 생명체는 정신이 조금뿐이라 그것의 존재를 잘 깨닫지 못하지만
얼마나 단순하면 정신이 조금밖에 없을까.
너보단 고등 생물이거든? 이 무식한 '원자'야.
인간은 아주 복잡한 생명체로서 정신이 차지하는 비중이 커서 그것을 쉽게 알 수 있는 것은 아닐까?
저 녀석들을 보다 보면 내 정신이 다 어지러워.
어우, 두통이야.

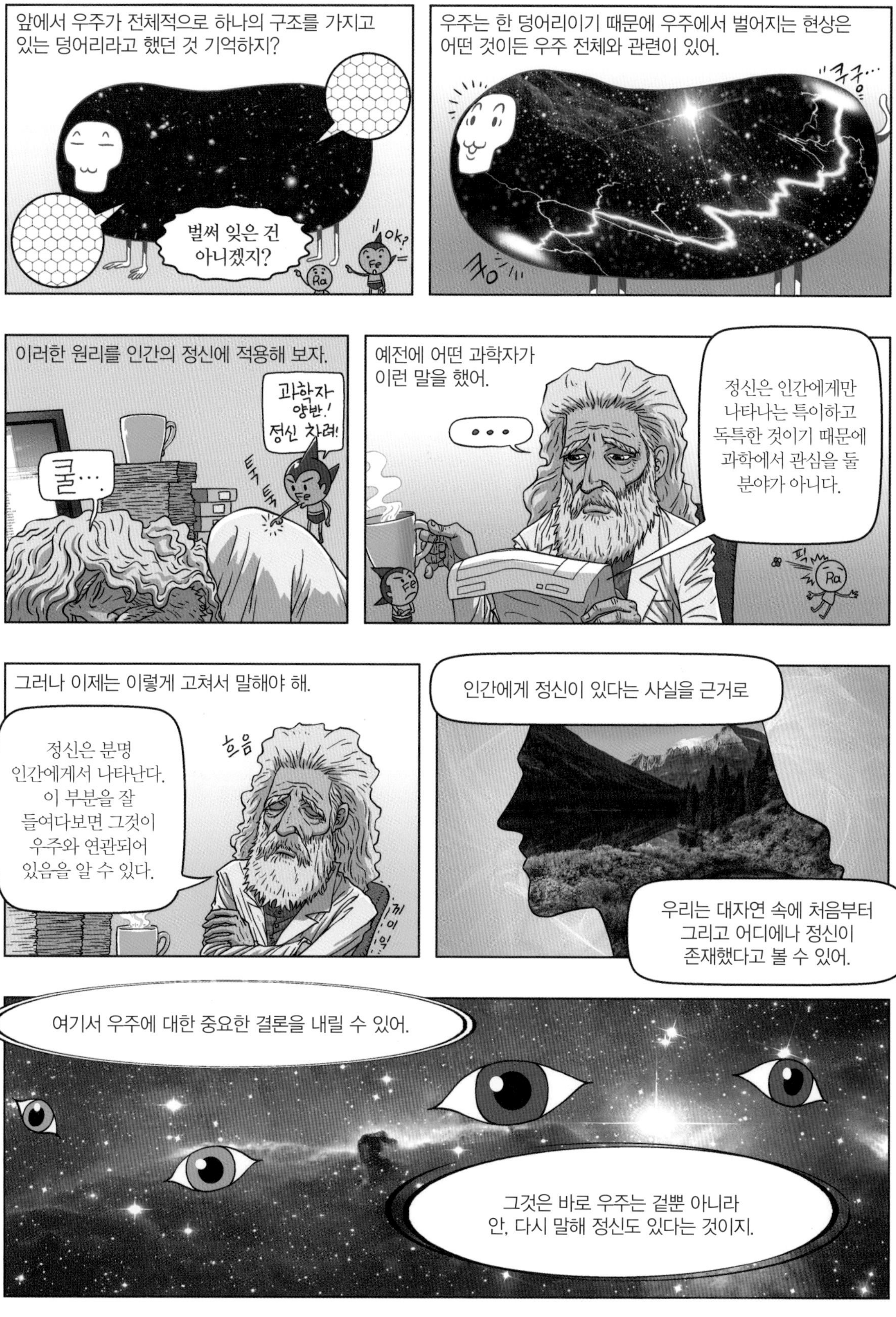

앞에서 우주가 전체적으로 하나의 구조를 가지고 있는 덩어리라고 했던 것 기억하지?
벌써 잊은 건 아니겠지?
OK?
우주는 한 덩어리이기 때문에 우주에서 벌어지는 현상은 어떤 것이든 우주 전체와 관련이 있어.
쿠구궁…
쿵
이러한 원리를 인간의 정신에 적용해 보자.
과학자 양반! 정신 차려!
쿨…
툭 툭
예전에 어떤 과학자가 이런 말을 했어.
...
정신은 인간에게만 나타나는 특이하고 독특한 것이기 때문에 과학에서 관심을 둘 분야가 아니다.
픽
그러나 이제는 이렇게 고쳐서 말해야 해.
흐음
정신은 분명 인간에게서 나타난다. 이 부분을 잘 들여다보면 그것이 우주와 연관되어 있음을 알 수 있다.
끼이익
인간에게 정신이 있다는 사실을 근거로
우리는 대자연 속에 처음부터 그리고 어디에나 정신이 존재했다고 볼 수 있어.
여기서 우주에 대한 중요한 결론을 내릴 수 있어.
그것은 바로 우주는 겉뿐 아니라 안, 다시 말해 정신도 있다는 것이지.

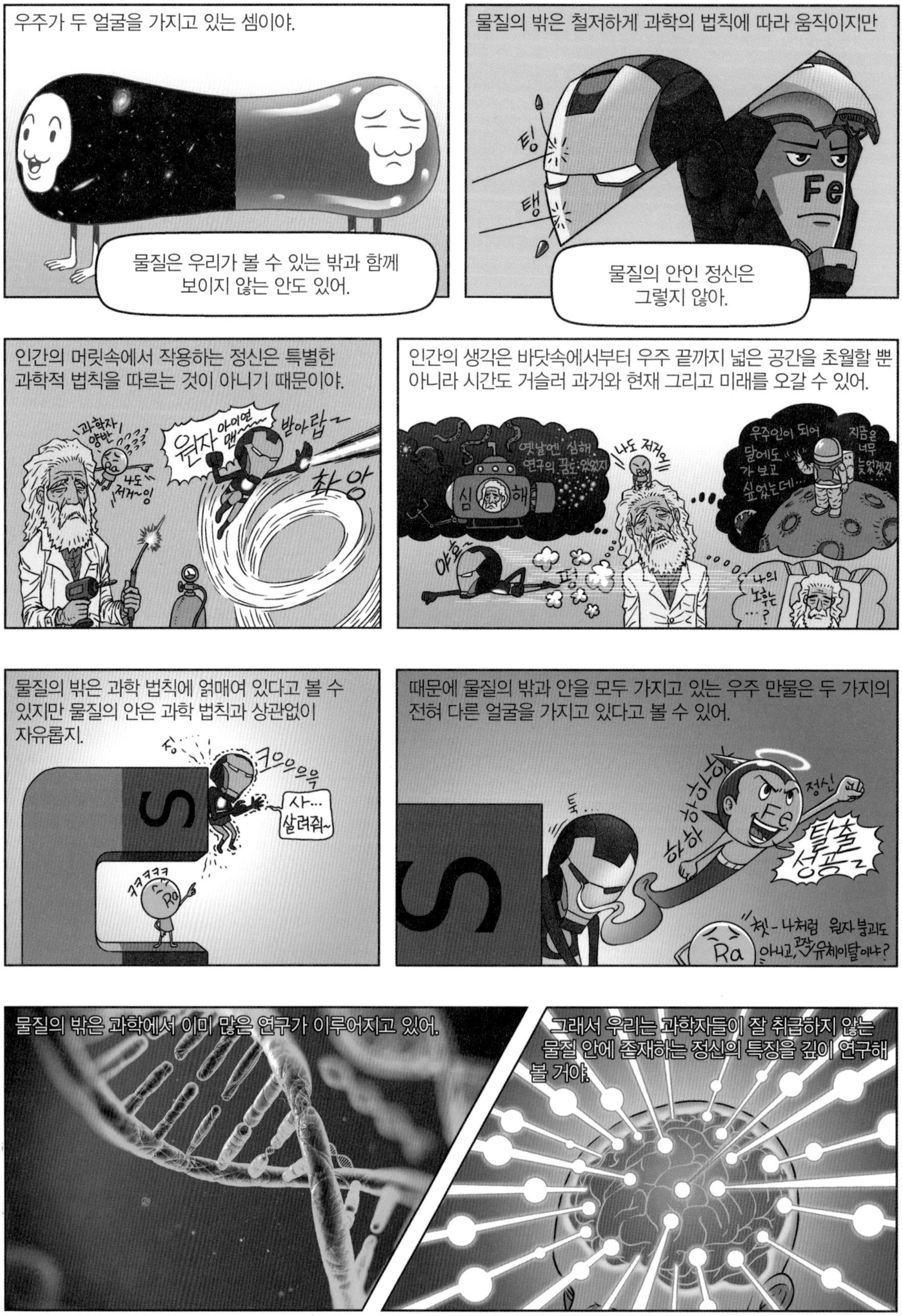
우주가 두 얼굴을 가지고 있는 셈이야.
물질은 우리가 볼 수 있는 밖과 함께 보이지 않는 안도 있어.
물질의 밖은 철저하게 과학의 법칙에 따라 움직이지만
팅
탱
Fe
물질의 안인 정신은 그렇지 않아.
인간의 머릿속에서 작용하는 정신은 특별한 과학적 법칙을 따르는 것이 아니기 때문이야.
과학자 양반
ㅋㅋㅋㅋㅋ
Ra
4도 저거~잉
원자 아이언맨~~~
발아랍~
콰앙
인간의 생각은 바닷속에서부터 우주 끝까지 넓은 공간을 초월할 뿐 아니라 시간도 거슬러 과거와 현재 그리고 미래를 오갈 수 있어.
옛날엔 심해 연구의 꿈도 있었지
심해
나도 저거요
우주인이 되어 달에도 가 보고 싶었는데…
지금은 너무 늦었겠지…
야호~
펑!
나의 노후는 …?
물질의 밖은 과학 법칙에 얽매여 있다고 볼 수 있지만 물질의 안은 과학 법칙과 상관없이 자유롭지.
징…
S
크으으으윽
사… 살려줘~
ㅋㅋㅋㅋㅋ
Ra
때문에 물질의 밖과 안을 모두 가지고 있는 우주 만물은 두 가지의 전혀 다른 얼굴을 가지고 있다고 볼 수 있어.
툭…
S
하하하하하
정신!
Fe
탈출 성공~
췟- 나처럼 원자 붕괴도 아니고, 고작 유체이탈이냐?
Ra
물질의 밖은 과학에서 이미 많은 연구가 이루어지고 있어.
그래서 우리는 과학자들이 잘 취급하지 않는 물질 안에 존재하는 정신의 특징을 깊이 연구해 볼 거야.

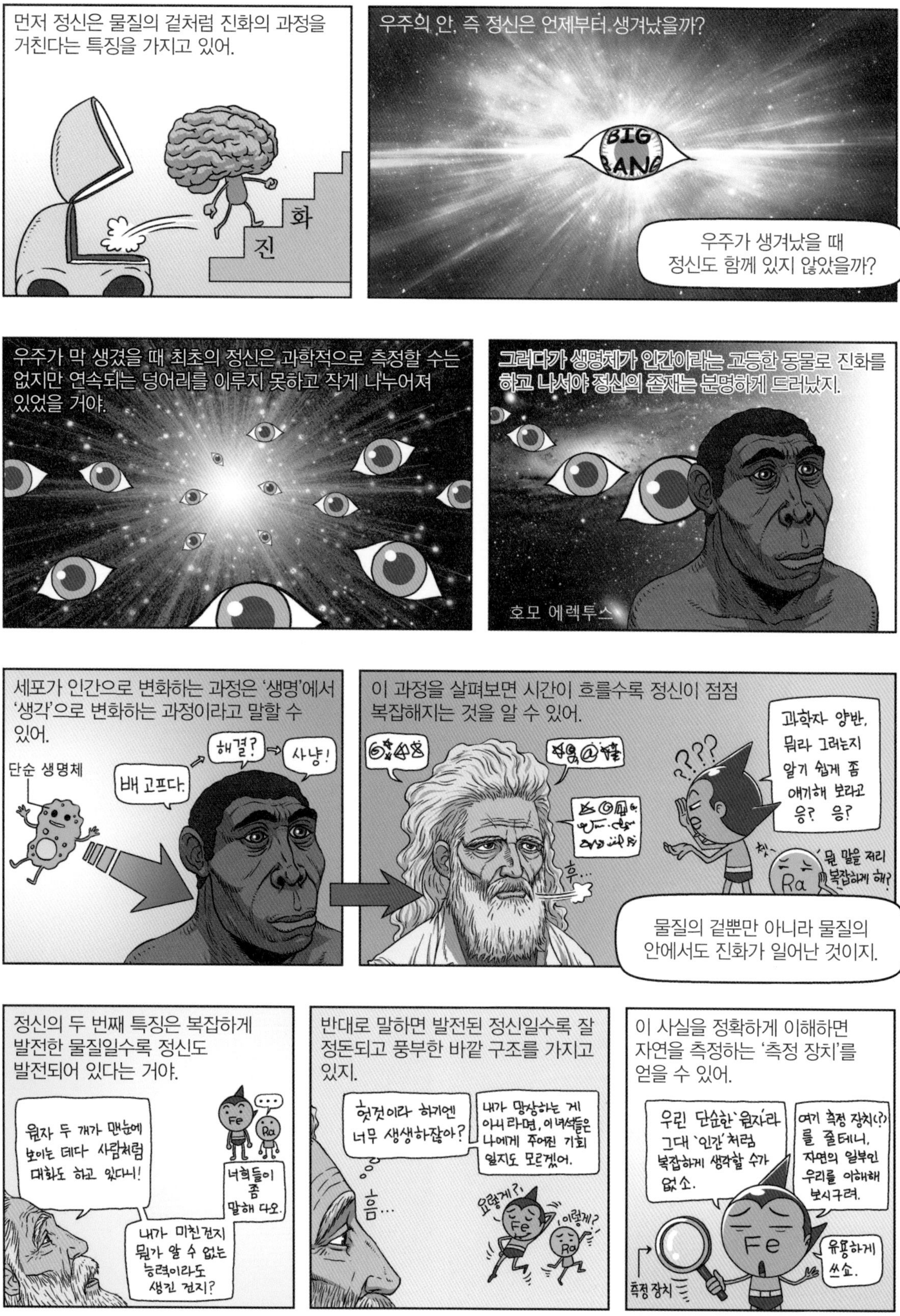
먼저 정신은 물질의 겉처럼 진화의 과정을 거친다는 특징을 가지고 있어.
진
화
우주의 안, 즉 정신은 언제부터 생겨났을까?
BIG BANG
우주가 생겨났을 때 정신도 함께 있지 않았을까?
우주가 막 생겼을 때 최초의 정신은 과학적으로 측정할 수는 없지만 연속되는 덩어리를 이루지 못하고 작게 나누어져 있었을 거야.
그러다가 생명체가 인간이라는 고등한 동물로 진화를 하고 나서야 정신의 존재는 분명하게 드러났지.
호모 에렉투스
세포가 인간으로 변화하는 과정은 '생명'에서 '생각'으로 변화하는 과정이라고 말할 수 있어.
단순 생명체
배 고프다.
해결?
사냥!
이 과정을 살펴보면 시간이 흐를수록 정신이 점점 복잡해지는 것을 알 수 있어.
후…
과학자 양반, 뭐라 그러는지 알기 쉽게 좀 얘기해 보라고 응? 응?
칫
뭔 말을 저리 복잡하게 해?
물질의 겉뿐만 아니라 물질의 안에서도 진화가 일어난 것이지.
정신의 두 번째 특징은 복잡하게 발전한 물질일수록 정신도 발전되어 있다는 거야.
원자 두 개가 맨눈에 보이는 데다 사람처럼 대화도 하고 있다니!
내가 미친 건지 뭔가 알 수 없는 능력이라도 생긴 건지?
너희들이 좀 말해 다오.
…
반대로 말하면 발전된 정신일수록 잘 정돈되고 풍부한 바깥 구조를 가지고 있지.
헛것이라 하기엔 너무 생생하잖아?
내가 망상하는 게 아니라면, 이 녀석들은 나에게 주어진 기회일지도 모르겠어.
흠…
요렇게?
이렇게?
이 사실을 정확하게 이해하면 자연을 측정하는 '측정 장치'를 얻을 수 있어.
우린 단순한 '원자'라 그대 '인간'처럼 복잡하게 생각할 수가 없소.
여기 측정 장치(?)를 줄 테니, 자연의 일부인 우리를 이해해 보시구려.
유용하게 쓰쇼.
측정 장치

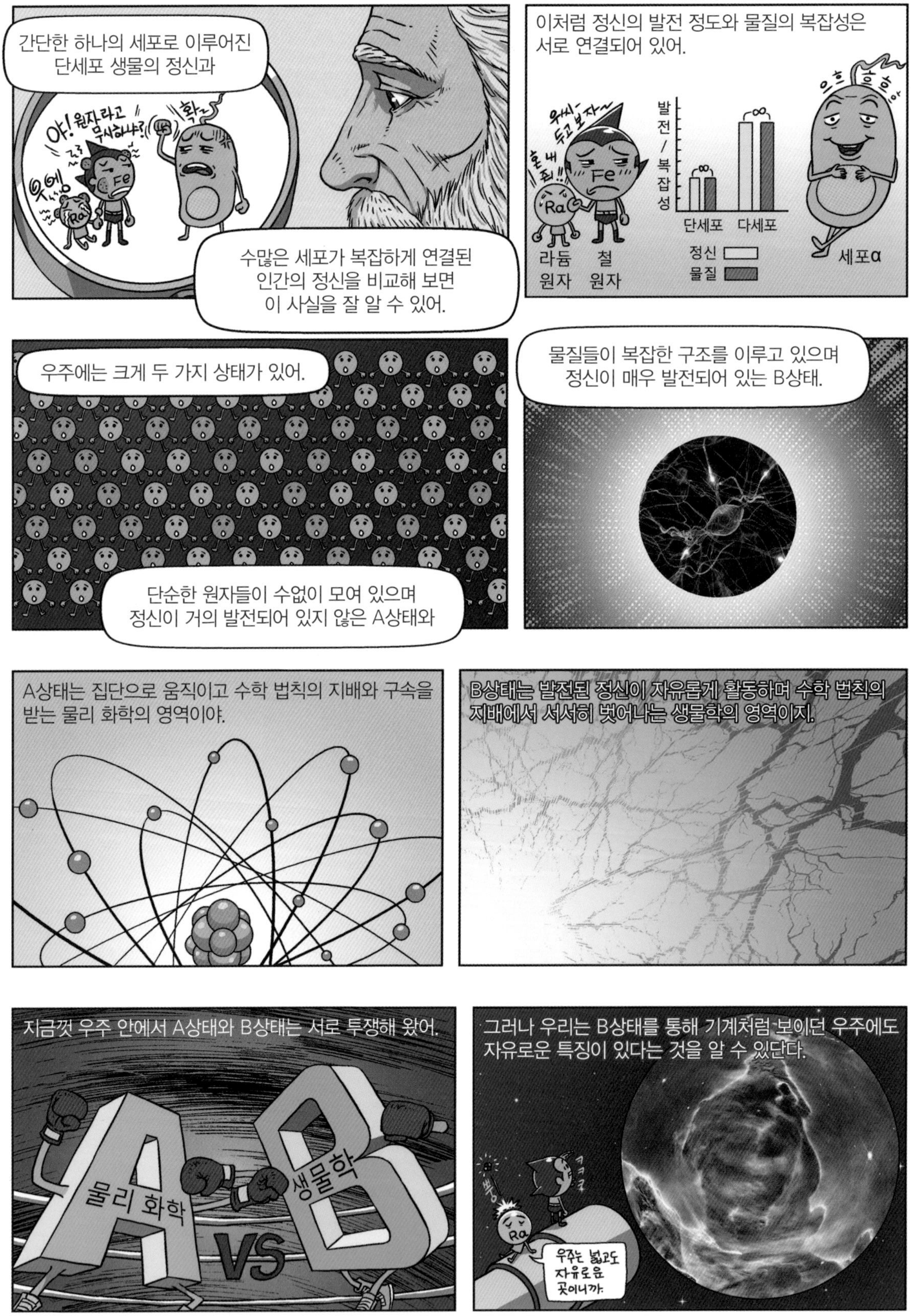
간단한 하나의 세포로 이루어진 단세포 생물의 정신과
야! 원자라고 무시하냐?!
확~
우엥
Fe
Ra
수많은 세포가 복잡하게 연결된 인간의 정신을 비교해 보면 이 사실을 잘 알 수 있어.
이처럼 정신의 발전 정도와 물질의 복잡성은 서로 연결되어 있어.
우씨~ 두고 보자~
혼내 줘!!
발전/복잡성
∞
단세포
다세포
정신
물질
라듐 원자
철 원자
세포α
우주에는 크게 두 가지 상태가 있어.
단순한 원자들이 수없이 모여 있으며 정신이 거의 발전되어 있지 않은 A상태와
물질들이 복잡한 구조를 이루고 있으며 정신이 매우 발전되어 있는 B상태.
A상태는 집단으로 움직이고 수학 법칙의 지배와 구속을 받는 물리 화학의 영역이야.
B상태는 발전된 정신이 자유롭게 활동하며 수학 법칙의 지배에서 서서히 벗어나는 생물학의 영역이지.
지금껏 우주 안에서 A상태와 B상태는 서로 투쟁해 왔어.
A
물리 화학
VS
B
생물학
그러나 우리는 B상태를 통해 기계처럼 보이던 우주에도 자유로운 특징이 있다는 것을 알 수 있단다.
뿅
ㅋㅋㅋ
우주는 넓고도 자유로운 곳이니까.

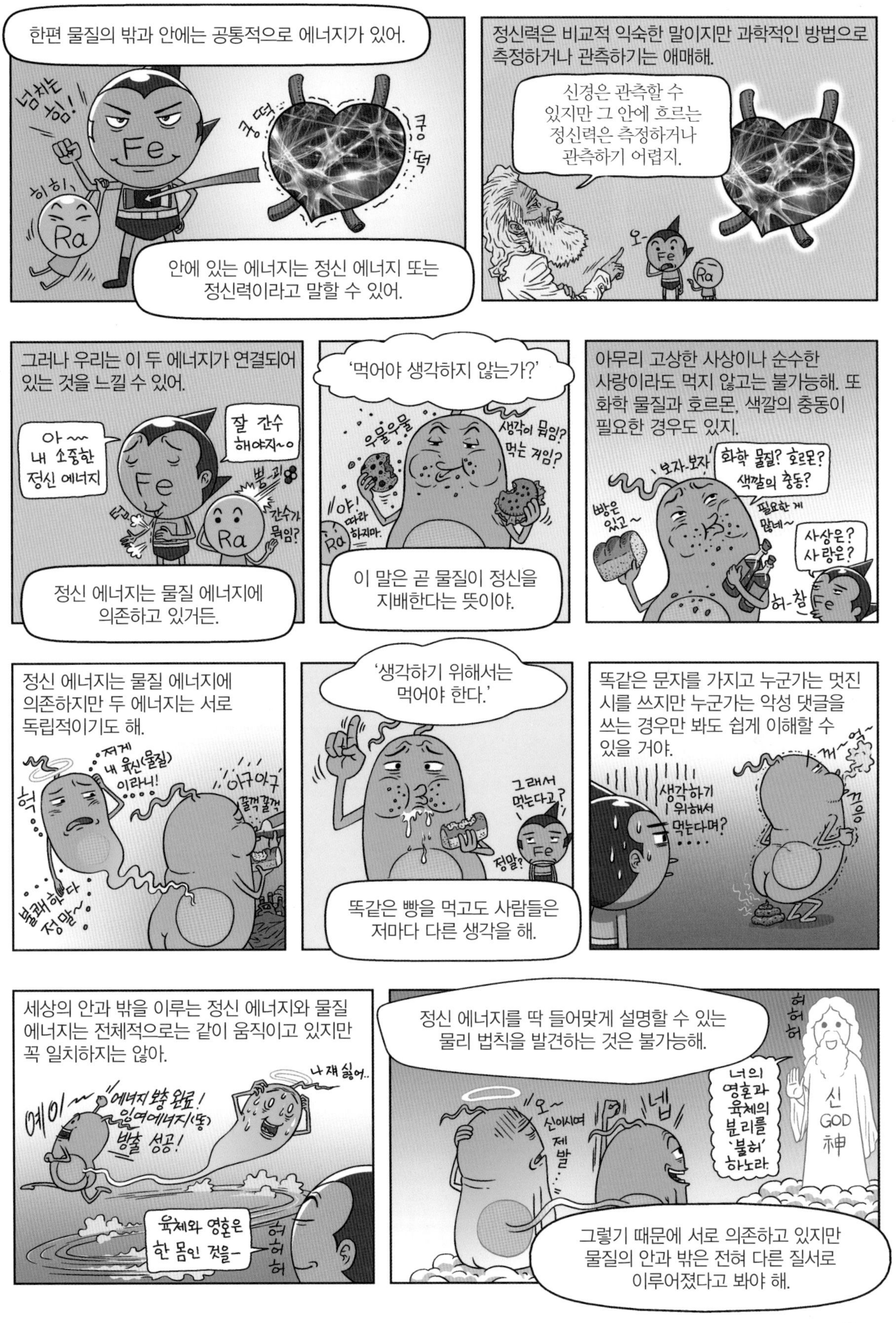

한편 물질의 밖과 안에는 공통적으로 에너지가 있어.
넘치는 힘!
Fe
히히,
Ra
쿵 떡
쿵 떡
안에 있는 에너지는 정신 에너지 또는 정신력이라고 말할 수 있어.
정신력은 비교적 익숙한 말이지만 과학적인 방법으로 측정하거나 관측하기는 애매해.
신경은 관측할 수 있지만 그 안에 흐르는 정신력은 측정하거나 관측하기 어렵지.
오-
Fe
Ra
그러나 우리는 이 두 에너지가 연결되어 있는 것을 느낄 수 있어.
아~~ 내 소중한 정신 에너지
잘 간수 해야지~
Fe
Ra
간수가 뭐임?
정신 에너지는 물질 에너지에 의존하고 있거든.
'먹어야 생각하지 않는가?'
우물우물
생각이 뭐임? 먹는 거임?
야! 따라 하지마.
Ra
이 말은 곧 물질이 정신을 지배한다는 뜻이야.
아무리 고상한 사상이나 순수한 사랑이라도 먹지 않고는 불가능해. 또 화학 물질과 호르몬, 색깔의 충동이 필요한 경우도 있지.
보자-보자
화학 물질? 호르몬? 색깔의 충동?
빵은 있고~
필요한 게 많네~
사상은? 사랑은?
허-참
Fe
정신 에너지는 물질 에너지에 의존하지만 두 에너지는 서로 독립적이기도 해.
헉
저게 내 육신(물질) 이라니!
아구아구 꿀꺽꿀꺽
불쾌하다 정말~
'생각하기 위해서는 먹어야 한다.'
그래서 먹는다고?
Fe
정말?
똑같은 빵을 먹고도 사람들은 저마다 다른 생각을 해.
똑같은 문자를 가지고 누군가는 멋진 시를 쓰지만 누군가는 악성 댓글을 쓰는 경우만 봐도 쉽게 이해할 수 있을 거야.
생각하기 위해서 먹는다며?
꺼~억
끄응
세상의 안과 밖을 이루는 정신 에너지와 물질 에너지는 전체적으로는 같이 움직이고 있지만 꼭 일치하지는 않아.
예이~
에너지 보충 완료! 잉여에너지(똥) 방출 성공!
나 재 싫어..
육체와 영혼은 한 몸인 것을-
허허허
정신 에너지를 딱 들어맞게 설명할 수 있는 물리 법칙을 발견하는 것은 불가능해.
허허허
너의 영혼과 육체의 분리를 '불허' 하노라.
신 GOD 神
오~ 신이시여 제발
넵
그렇기 때문에 서로 의존하고 있지만 물질의 안과 밖은 전혀 다른 질서로 이루어졌다고 봐야 해.

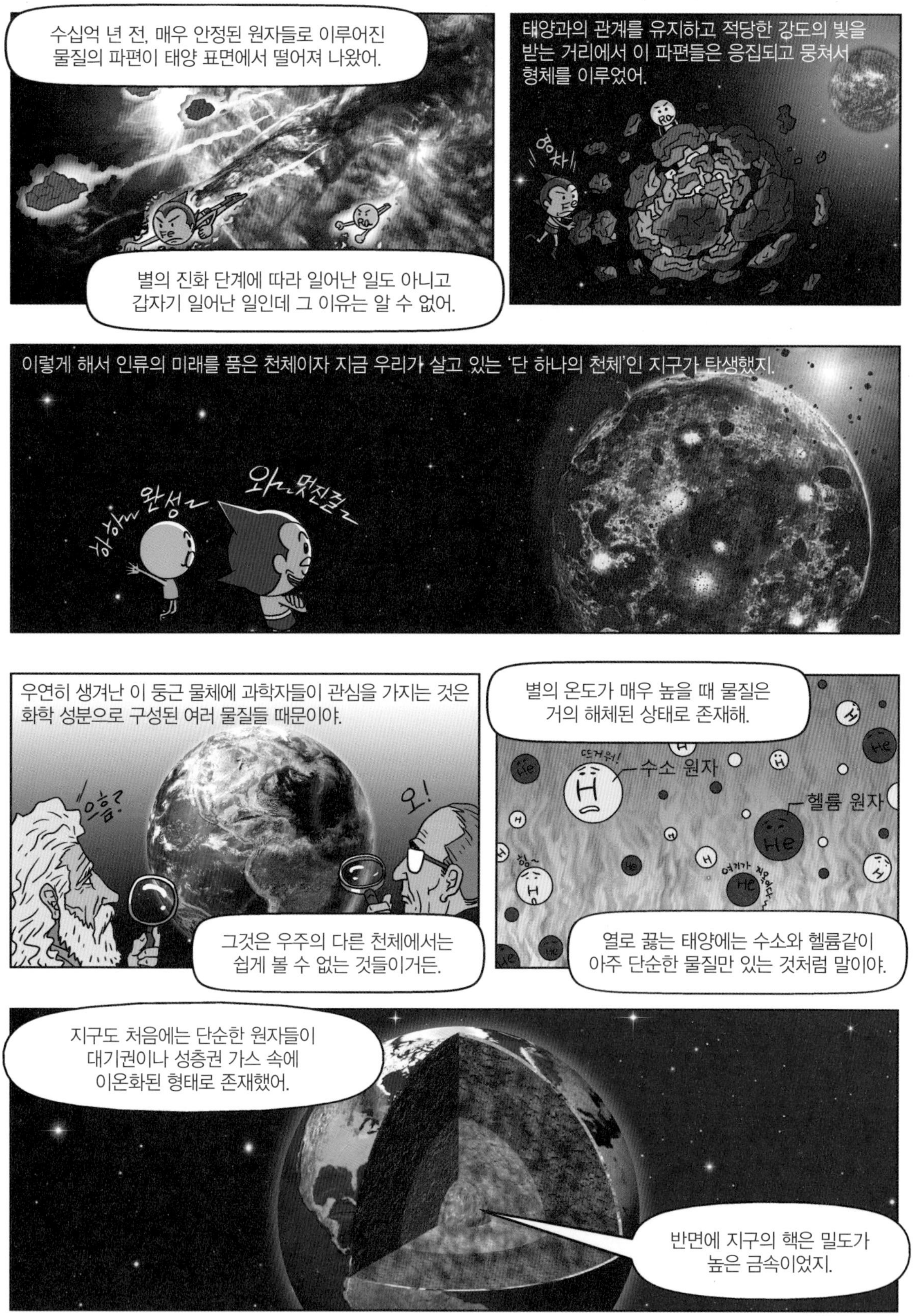
수십억 년 전, 매우 안정된 원자들로 이루어진 물질의 파편이 태양 표면에서 떨어져 나왔어.
별의 진화 단계에 따라 일어난 일도 아니고 갑자기 일어난 일인데 그 이유는 알 수 없어.
태양과의 관계를 유지하고 적당한 강도의 빛을 받는 거리에서 이 파편들은 응집되고 뭉쳐서 형체를 이루었어.
영차!
이렇게 해서 인류의 미래를 품은 천체이자 지금 우리가 살고 있는 '단 하나의 천체'인 지구가 탄생했지.
하하~ 완성~
와~ 멋진걸~
우연히 생겨난 이 둥근 물체에 과학자들이 관심을 가지는 것은 화학 성분으로 구성된 여러 물질들 때문이야.
으음?
오!
그것은 우주의 다른 천체에서는 쉽게 볼 수 없는 것들이거든.
별의 온도가 매우 높을 때 물질은 거의 해체된 상태로 존재해.
뜨거워!
수소 원자
헬륨 원자
열로 끓는 태양에는 수소와 헬륨같이 아주 단순한 물질만 있는 것처럼 말이야.
지구도 처음에는 단순한 원자들이 대기권이나 성층권 가스 속에 이온화된 형태로 존재했어.
반면에 지구의 핵은 밀도가 높은 금속이었지.

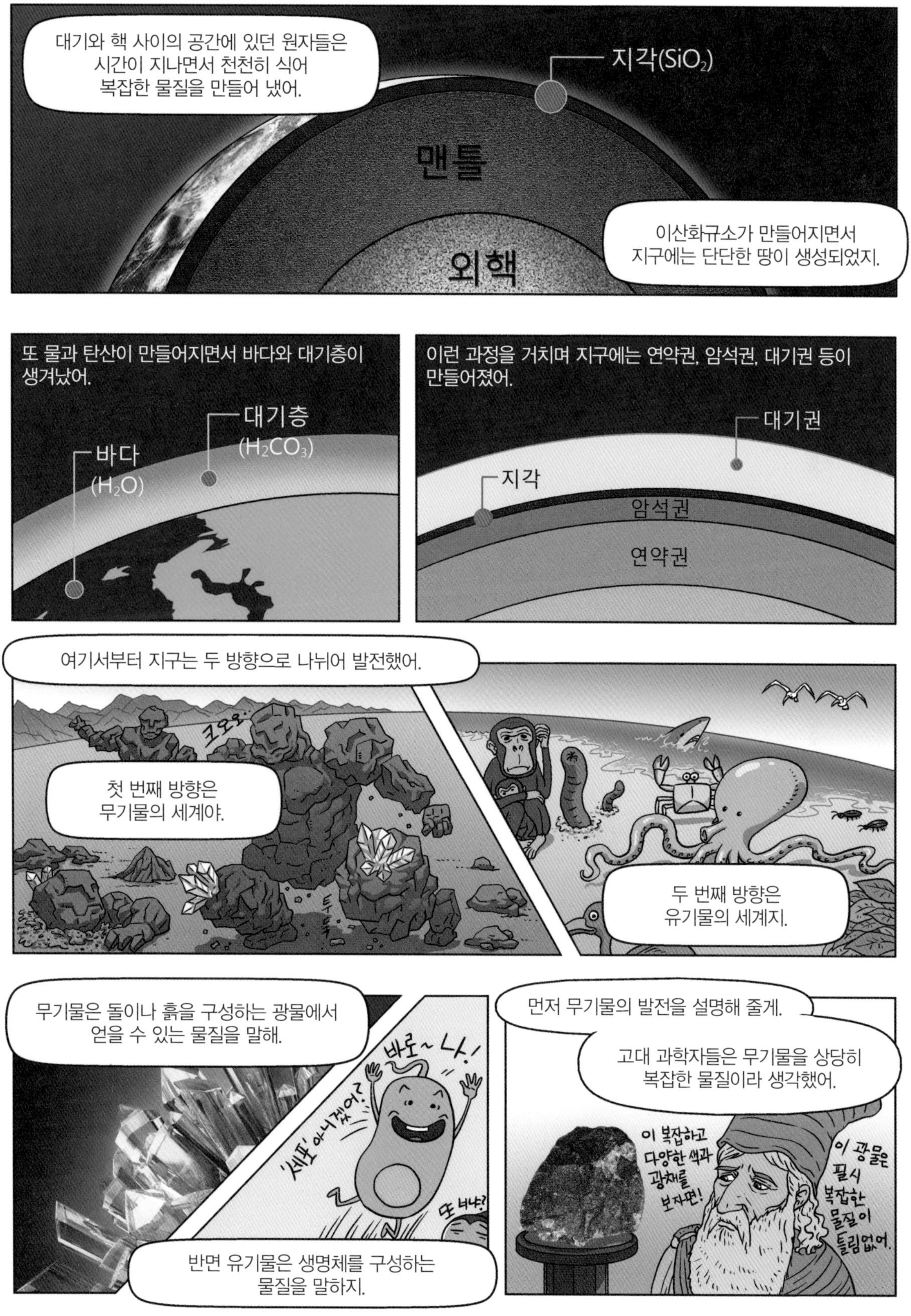
대기와 핵 사이의 공간에 있던 원자들은 시간이 지나면서 천천히 식어 복잡한 물질을 만들어 냈어.
지각(SiO_2)
맨틀
외핵
이산화규소가 만들어지면서 지구에는 단단한 땅이 생성되었지.
또 물과 탄산이 만들어지면서 바다와 대기층이 생겨났어.
대기층 (H_2CO_3)
바다 (H_2O)
이런 과정을 거치며 지구에는 연약권, 암석권, 대기권 등이 만들어졌어.
대기권
지각
암석권
연약권
여기서부터 지구는 두 방향으로 나뉘어 발전했어.
크오오...
첫 번째 방향은 무기물의 세계야.
두 번째 방향은 유기물의 세계지.
무기물은 돌이나 흙을 구성하는 광물에서 얻을 수 있는 물질을 말해.
바로~ 나!
'세포' 아니겠어?
또 너냐?
반면 유기물은 생명체를 구성하는 물질을 말하지.
먼저 무기물의 발전을 설명해 줄게.
고대 과학자들은 무기물을 상당히 복잡한 물질이라 생각했어.
이 복잡하고 다양한 색과 광채를 보자면!
이 광물은 필시 복잡한 물질이 틀림없어.

어떤 과학자는 단단한 바위에서 일어나는 무기물의 변화를 마치 생물체의 변화로 보기도 했지.
미세하지만, 생물처럼 자라나고 있어.

석영이라는 광물은 환경에 따라 생물처럼 크기가 점점 커지기도 하거든.
성장

그러나 무기물은 내부 구성력이 약하고, 구조가 엉성해 분자들이 더 크게 자라지 못해.
누가 이렇게 엉성하게 공사한 거야?!
확장공사는 어렵겠군!
콰아
터진다

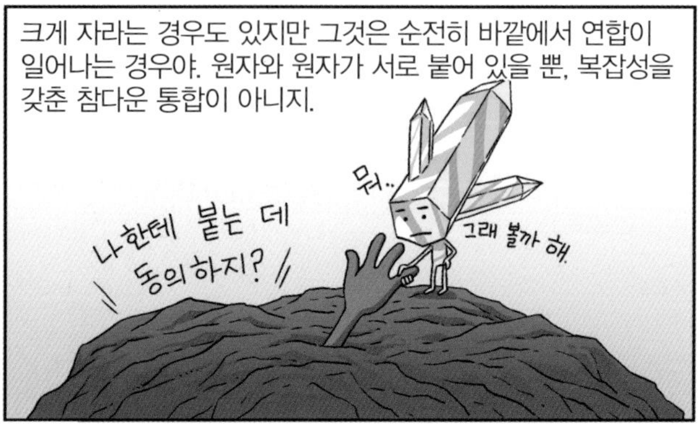
크게 자라는 경우도 있지만 그것은 순전히 바깥에서 연합이 일어나는 경우야. 원자와 원자가 서로 붙어 있을 뿐, 복잡성을 갖춘 참다운 통합이 아니지.
나한테 붙는 데 동의하지?
뭐..
그래 볼까 해.

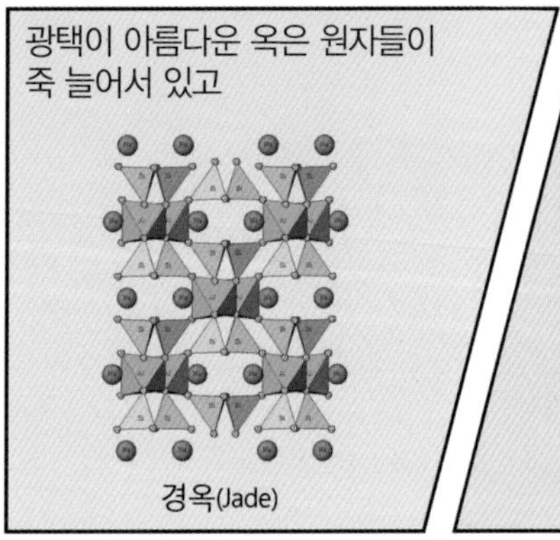
광택이 아름다운 옥은 원자들이 죽 늘어서 있고
경옥(Jade)

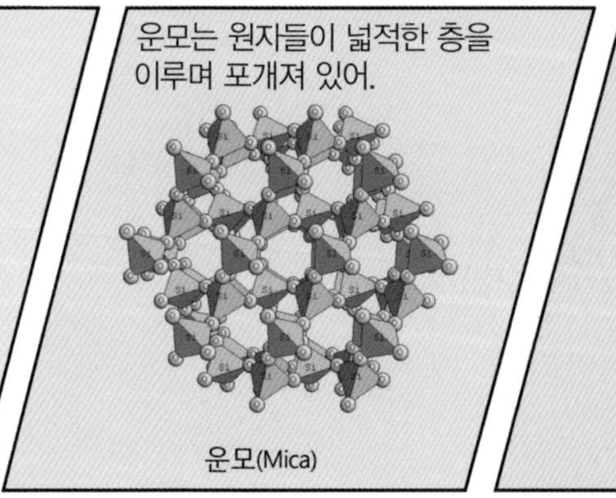
운모는 원자들이 넓적한 층을 이루며 포개져 있어.
운모(Mica)

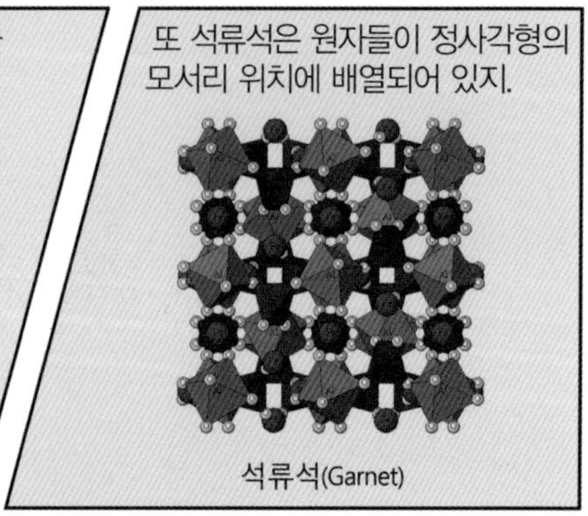
또 석류석은 원자들이 정사각형의 모서리 위치에 배열되어 있지.
석류석(Garnet)

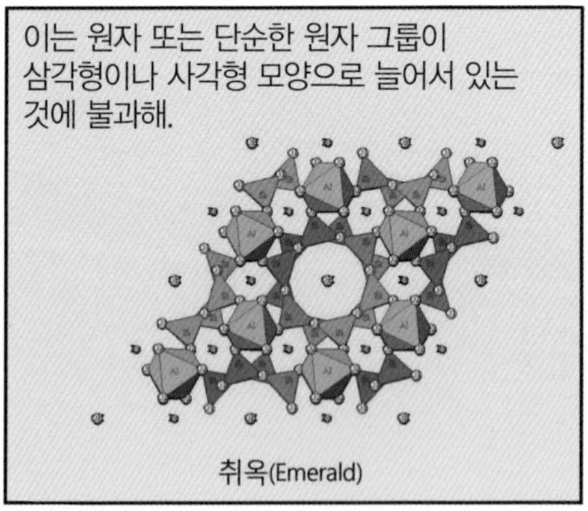
이는 원자 또는 단순한 원자 그룹이 삼각형이나 사각형 모양으로 늘어서 있는 것에 불과해.
취옥(Emerald)

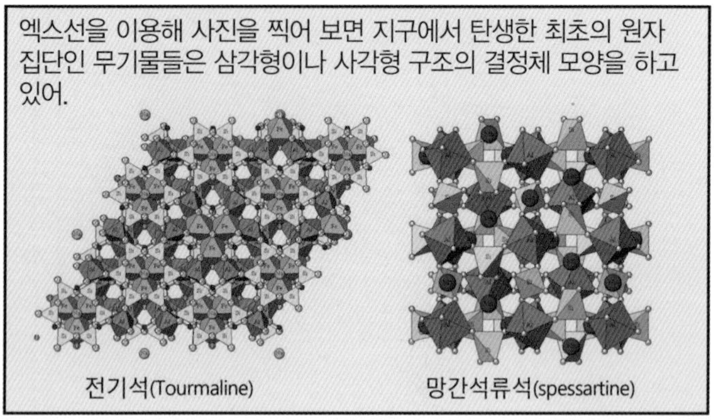
엑스선을 이용해 사진을 찍어 보면 지구에서 탄생한 최초의 원자 집단인 무기물들은 삼각형이나 사각형 구조의 결정체 모양을 하고 있어.
전기석(Tourmaline) 망간석류석(spessartine)

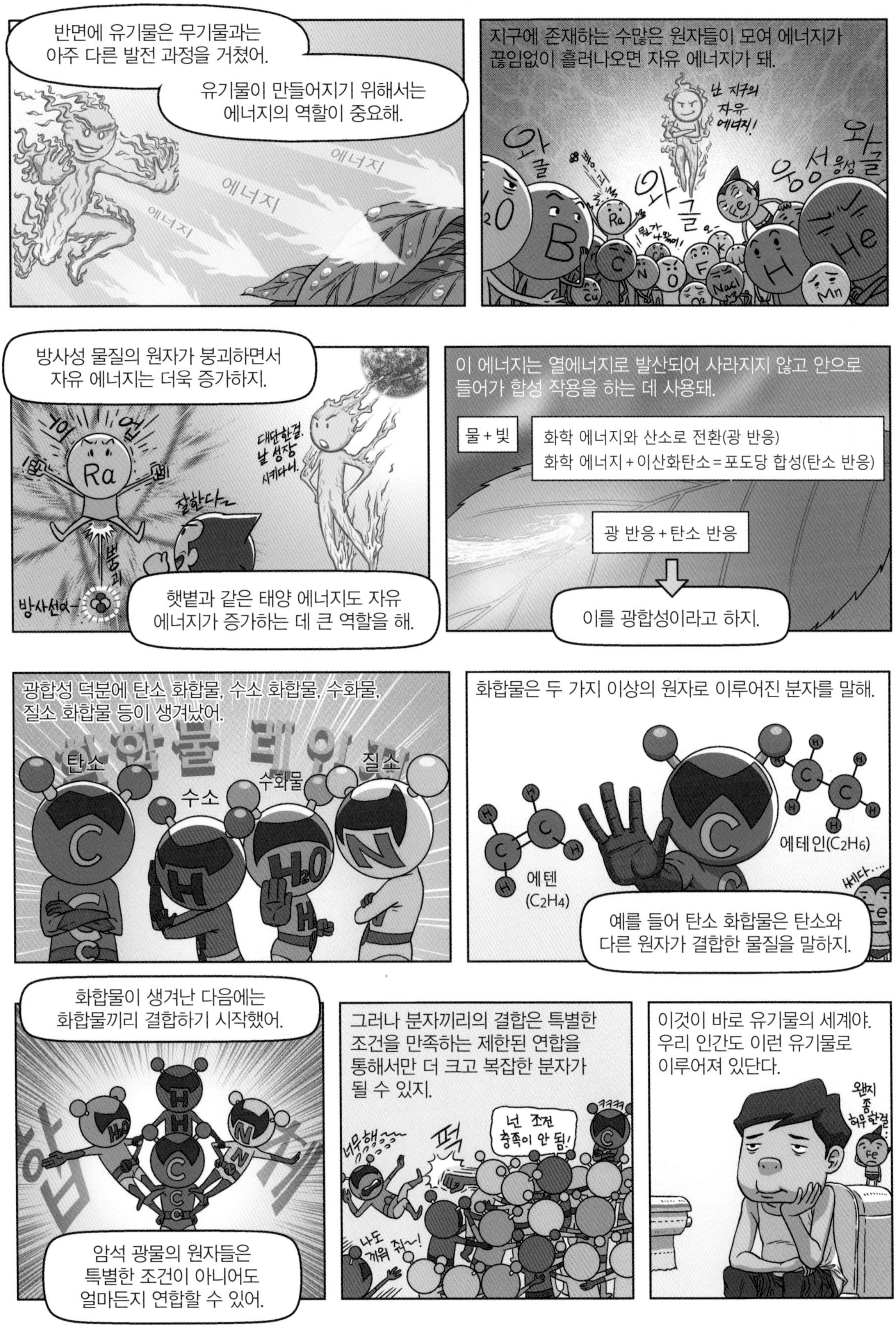
반면에 유기물은 무기물과는
아주 다른 발전 과정을 거쳤어.
유기물이 만들어지기 위해서는
에너지의 역할이 중요해.
에너지
에너지
에너지
지구에 존재하는 수많은 원자들이 모여 에너지가
끊임없이 흘러나오면 자유 에너지가 돼.
난 지구의 자유 에너지!
와글
와글
와글
웅성
웅성
B
Ra
C
N
O
F
H
He
Mn
방사성 물질의 원자가 붕괴하면서
자유 에너지는 더욱 증가하지.
Ra
대단한걸. 날 성장 시키다니.
잘한다~
붕괴
방사선
햇볕과 같은 태양 에너지도 자유
에너지가 증가하는 데 큰 역할을 해.
이 에너지는 열에너지로 발산되어 사라지지 않고 안으로
들어가 합성 작용을 하는 데 사용돼.
물 + 빛
화학 에너지와 산소로 전환(광 반응)
화학 에너지 + 이산화탄소 = 포도당 합성(탄소 반응)
광 반응 + 탄소 반응
이를 광합성이라고 하지.
광합성 덕분에 탄소 화합물, 수소 화합물, 수화물,
질소 화합물 등이 생겨났어.
탄소
수소
수화물
질소
화합물은 두 가지 이상의 원자로 이루어진 분자를 말해.
에테인(C_2H_6)
에텐
(C_2H_4)
예를 들어 탄소 화합물은 탄소와
다른 원자가 결합한 물질을 말하지.
화합물이 생겨난 다음에는
화합물끼리 결합하기 시작했어.
합체
암석 광물의 원자들은
특별한 조건이 아니어도
얼마든지 연합할 수 있어.
그러나 분자끼리의 결합은 특별한
조건을 만족하는 제한된 연합을
통해서만 더 크고 복잡한 분자가
될 수 있지.
너무해~
퍽
넌 조건 충족이 안 됨!
ㅋㅋㅋㅋ
나도 끼워 줘~!
이것이 바로 유기물의 세계야.
우리 인간도 이런 유기물로
이루어져 있단다.
왠지 좀 허무한걸...

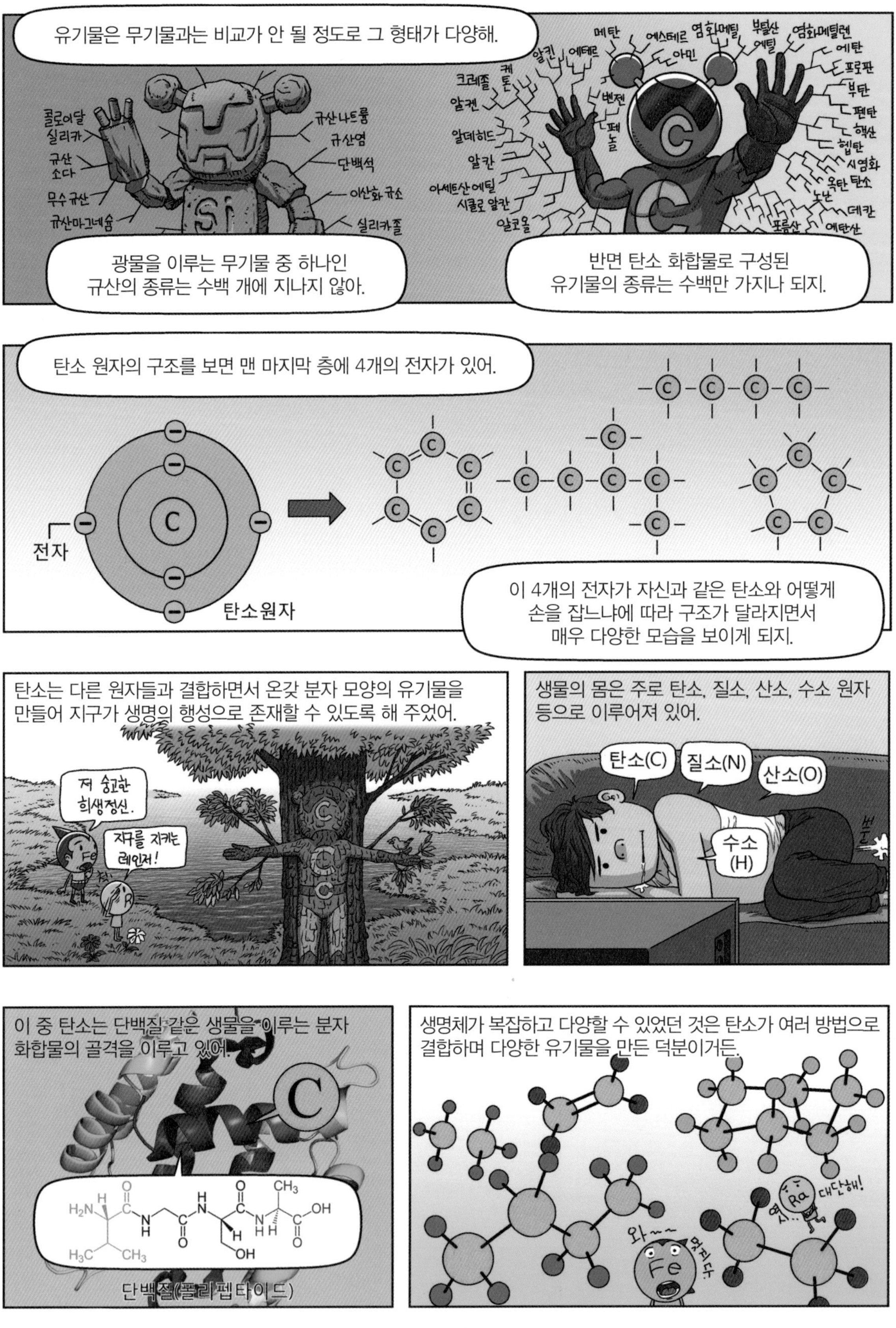
유기물은 무기물과는 비교가 안 될 정도로 그 형태가 다양해.
콜로이달 실리카
규산 소다
무수 규산
규산마그네슘
규산나트륨
규산염
단백석
이산화 규소
실리카졸
Si
메탄
에스테르
염화메틸
부틸산 에틸
염화메틸렌
알킨
에테르
아민
크레졸
케톤
알켄
벤젠
페놀
알데히드
알칸
아세트산 에틸
시클로 알칸
알코올
에탄
프로판
부탄
펜탄
헥산
헵탄
옥탄
노난
데칸
포름산
에탄산
광물을 이루는 무기물 중 하나인 규산의 종류는 수백 개에 지나지 않아.
반면 탄소 화합물로 구성된 유기물의 종류는 수백만 가지나 되지.
탄소 원자의 구조를 보면 맨 마지막 층에 4개의 전자가 있어.
전자
탄소원자
이 4개의 전자가 자신과 같은 탄소와 어떻게 손을 잡느냐에 따라 구조가 달라지면서 매우 다양한 모습을 보이게 되지.
탄소는 다른 원자들과 결합하면서 온갖 분자 모양의 유기물을 만들어 지구가 생명의 행성으로 존재할 수 있도록 해 주었어.
저 숭고한 희생정신.
지구를 지키는 레인저!
생물의 몸은 주로 탄소, 질소, 산소, 수소 원자 등으로 이루어져 있어.
탄소(C)
질소(N)
산소(O)
수소(H)
이 중 탄소는 단백질 같은 생물을 이루는 분자 화합물의 골격을 이루고 있어.
단백질(폴리펩타이드)
생명체가 복잡하고 다양할 수 있었던 것은 탄소가 여러 방법으로 결합하며 다양한 유기물을 만든 덕분이거든.
와~~
대단해!

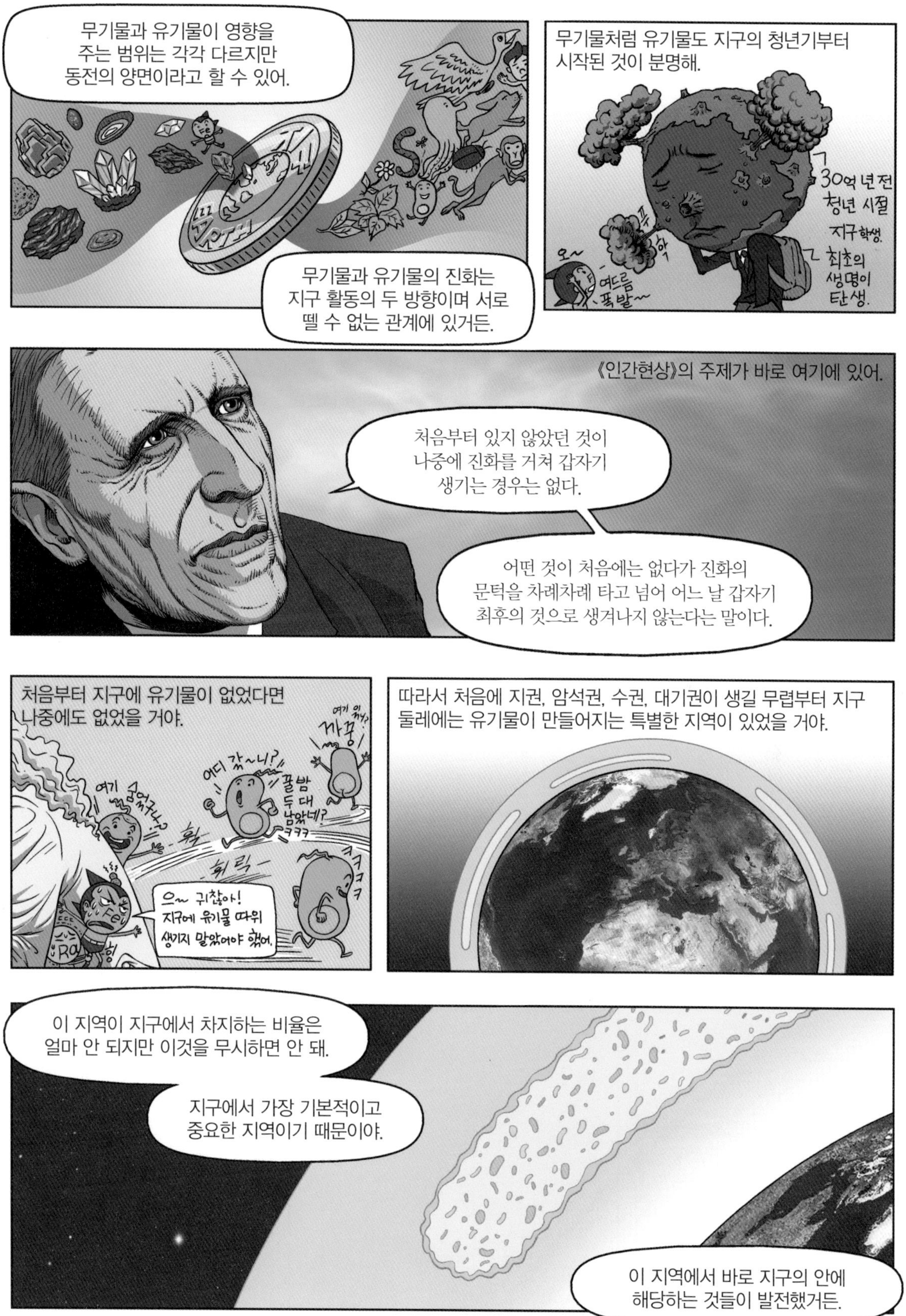
무기물과 유기물이 영향을 주는 범위는 각각 다르지만 동전의 양면이라고 할 수 있어.
무기물과 유기물의 진화는 지구 활동의 두 방향이며 서로 뗄 수 없는 관계에 있거든.
무기물처럼 유기물도 지구의 청년기부터 시작된 것이 분명해.
30억 년 전 청년 시절 지구 학생.
최초의 생명이 탄생.
푸
학
오~
여드름 폭발~~
《인간현상》의 주제가 바로 여기에 있어.
처음부터 있지 않았던 것이 나중에 진화를 거쳐 갑자기 생기는 경우는 없다.
어떤 것이 처음에는 없다가 진화의 문턱을 차례차례 타고 넘어 어느 날 갑자기 최후의 것으로 생겨나지 않는다는 말이다.
처음부터 지구에 유기물이 없었다면 나중에도 없었을 거야.
여기 숨었구나?
휙
어디 갔~니?
꿀밤 두 대 남았네?
ㅋㅋㅋ
여기 있지?
까꿍
휘릭
ㅋㅋㅋㅋ
으~ 귀찮아! 지구에 유기물 따위 생기지 말았어야 했어.
흥
따라서 처음에 지권, 암석권, 수권, 대기권이 생길 무렵부터 지구 둘레에는 유기물이 만들어지는 특별한 지역이 있었을 거야.
이 지역이 지구에서 차지하는 비율은 얼마 안 되지만 이것을 무시하면 안 돼.
지구에서 가장 기본적이고 중요한 지역이기 때문이야.
이 지역에서 바로 지구의 안에 해당하는 것들이 발전했거든.

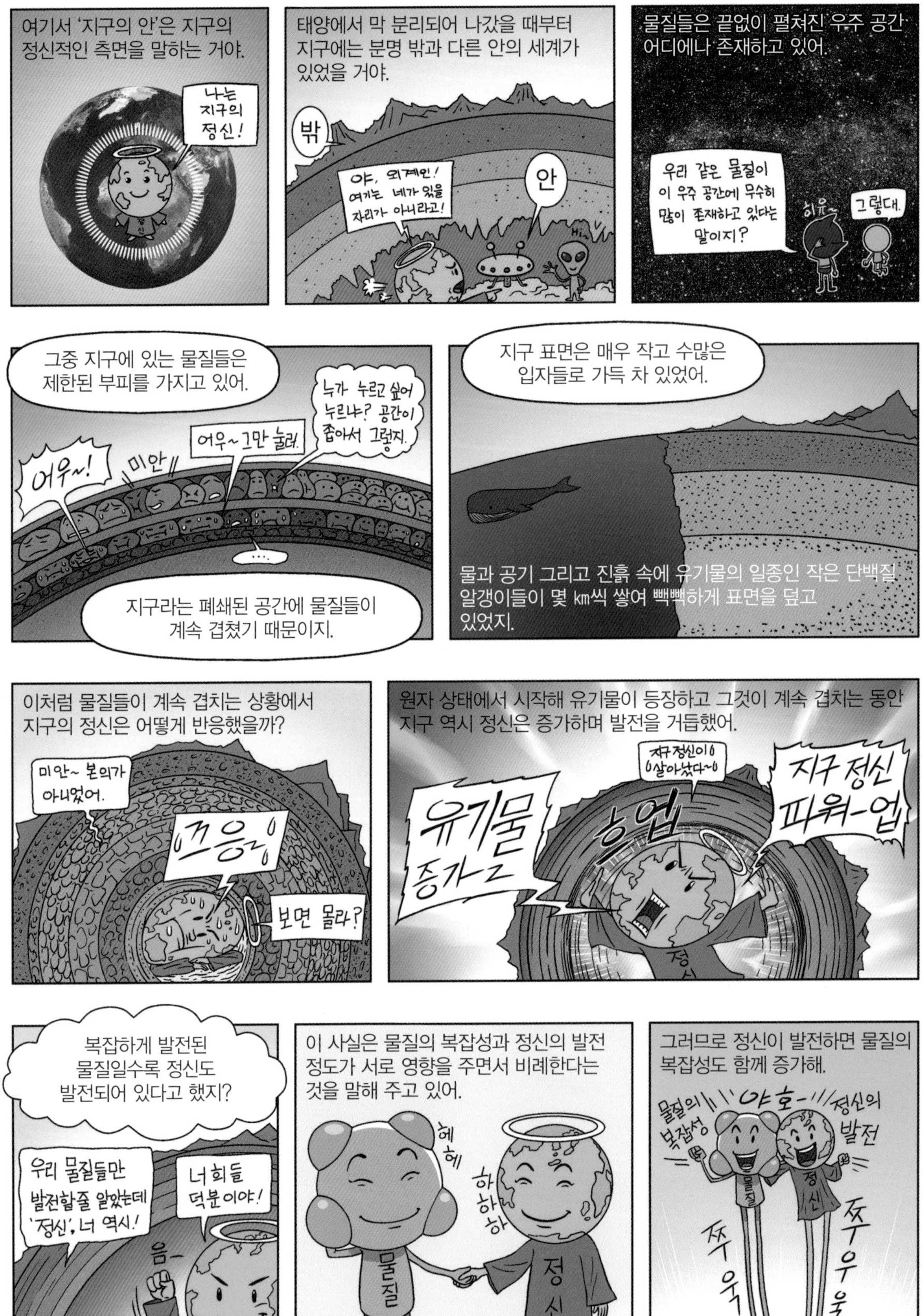
여기서 '지구의 안'은 지구의 정신적인 측면을 말하는 거야.
나는 지구의 정신!
태양에서 막 분리되어 나갔을 때부터 지구에는 분명 밖과 다른 안의 세계가 있었을 거야.
밖
야, 외계인! 여기는 네가 있을 자리가 아니라고!
안
Hi~
물질들은 끝없이 펼쳐진 우주 공간 어디에나 존재하고 있어.
우리 같은 물질이 이 우주 공간에 무수히 많이 존재하고 있다는 말이지?
히유~
그렇대.
그중 지구에 있는 물질들은 제한된 부피를 가지고 있어.
누가 누르고 싶어 누르냐? 공간이 좁아서 그렇지.
어우~ 그만 눌러.
어우~!
미안
...
지구라는 폐쇄된 공간에 물질들이 계속 겹쳤기 때문이지.
지구 표면은 매우 작고 수많은 입자들로 가득 차 있었어.
물과 공기 그리고 진흙 속에 유기물의 일종인 작은 단백질 알갱이들이 몇 ㎞씩 쌓여 빽빽하게 표면을 덮고 있었지.
이처럼 물질들이 계속 겹치는 상황에서 지구의 정신은 어떻게 반응했을까?
미안~ 본의가 아니었어.
끄응
보면 몰라?
원자 상태에서 시작해 유기물이 등장하고 그것이 계속 겹치는 동안 지구 역시 정신은 증가하며 발전을 거듭했어.
지구 정신이 살아났다~
유기물 증가~
흐업
지구 정신 파워-업
복잡하게 발전된 물질일수록 정신도 발전되어 있다고 했지?
우리 물질들만 발전할 줄 알았는데 '정신', 너 역시!
너희들 덕분이야!
음-
이 사실은 물질의 복잡성과 정신의 발전 정도가 서로 영향을 주면서 비례한다는 것을 말해 주고 있어.
헤헤
하하하
물질
정신
그러므로 정신이 발전하면 물질의 복잡성도 함께 증가해.
물질의 복잡성
야호-
정신의 발전
쭈욱
쭈우욱

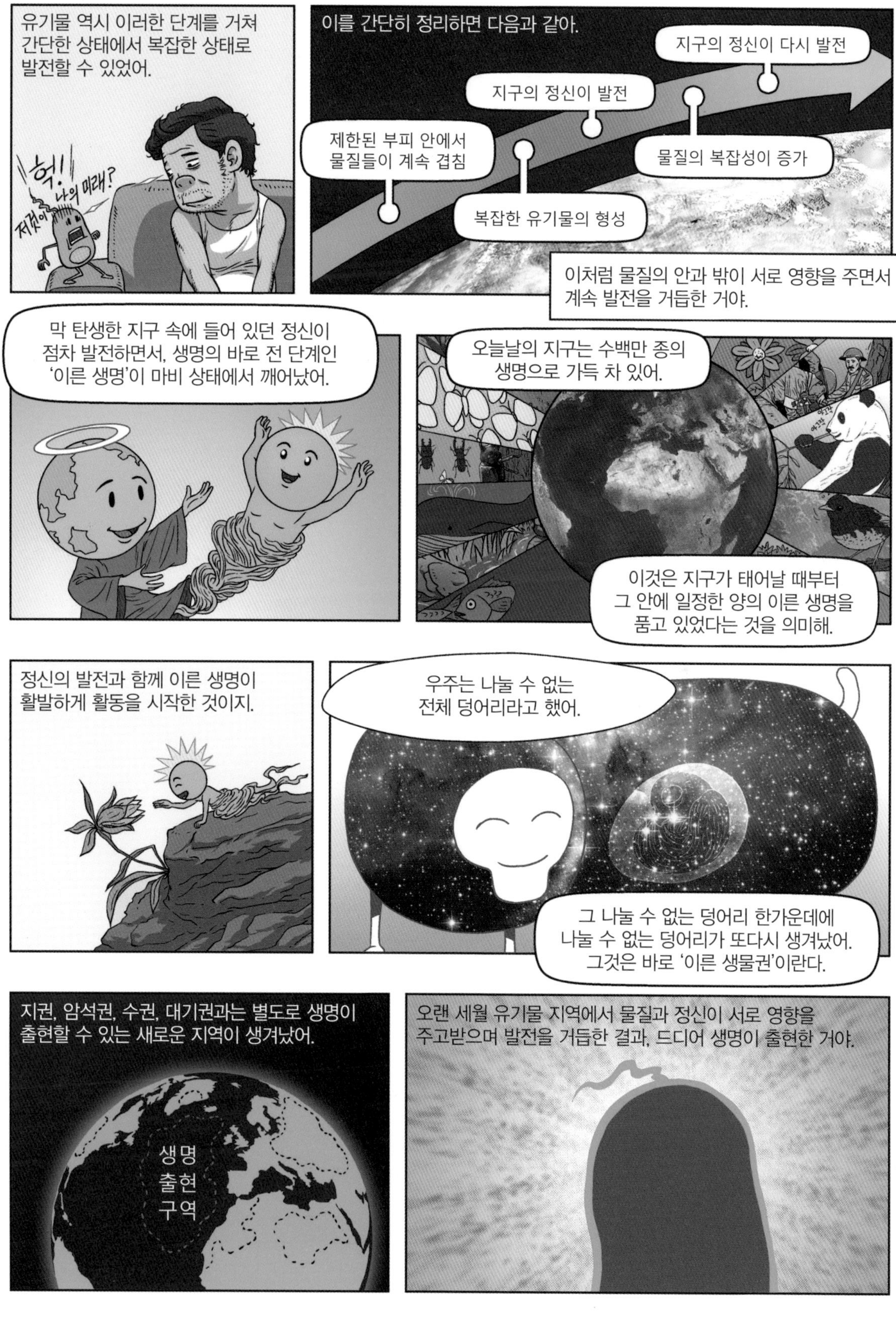
유기물 역시 이러한 단계를 거쳐
간단한 상태에서 복잡한 상태로
발전할 수 있었어.
헉!
나의 미래?
저것이
이를 간단히 정리하면 다음과 같아.
제한된 부피 안에서
물질들이 계속 겹침
복잡한 유기물의 형성
지구의 정신이 발전
물질의 복잡성이 증가
지구의 정신이 다시 발전
이처럼 물질의 안과 밖이 서로 영향을 주면서
계속 발전을 거듭한 거야.
막 탄생한 지구 속에 들어 있던 정신이
점차 발전하면서, 생명의 바로 전 단계인
'이른 생명'이 마비 상태에서 깨어났어.
오늘날의 지구는 수백만 종의
생명으로 가득 차 있어.
이것은 지구가 태어날 때부터
그 안에 일정한 양의 이른 생명을
품고 있었다는 것을 의미해.
정신의 발전과 함께 이른 생명이
활발하게 활동을 시작한 것이지.
우주는 나눌 수 없는
전체 덩어리라고 했어.
그 나눌 수 없는 덩어리 한가운데에
나눌 수 없는 덩어리가 또다시 생겨났어.
그것은 바로 '이른 생물권'이란다.
지권, 암석권, 수권, 대기권과는 별도로 생명이
출현할 수 있는 새로운 지역이 생겨났어.
생명
출현
구역
오랜 세월 유기물 지역에서 물질과 정신이 서로 영향을
주고받으며 발전을 거듭한 결과, 드디어 생명이 출현한 거야.

5장

생명의 출현

생명체의 출현은
우주 진화의
역사에서 혁명적인
사건이었어.

지구가 탄생한 후 점차 시간이 흐르면서 장차 육지가 될 부분이 나타나기 시작했어.
그때만 해도 물속에는 움직이는 입자라고는 도무지 보이지 않았지.

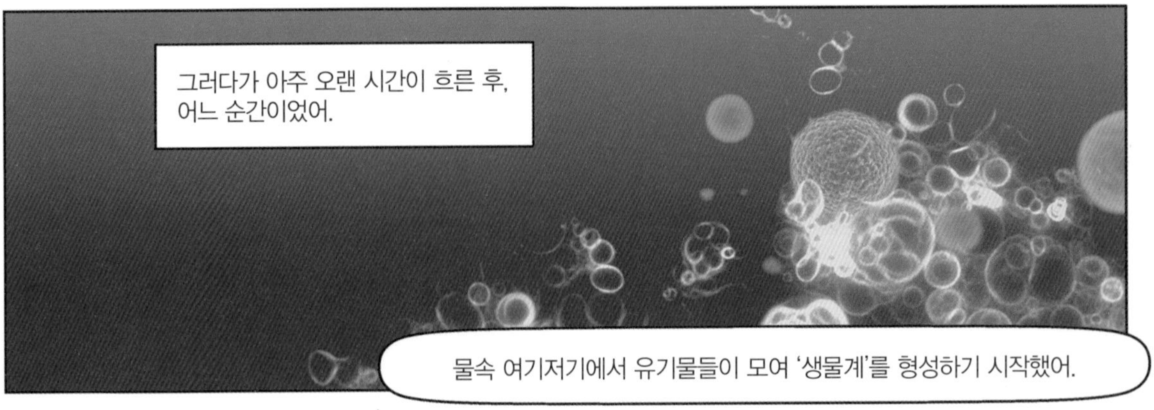
그러다가 아주 오랜 시간이 흐른 후,
어느 순간이었어.
물속 여기저기에서 유기물들이 모여 '생물계'를 형성하기 시작했어.

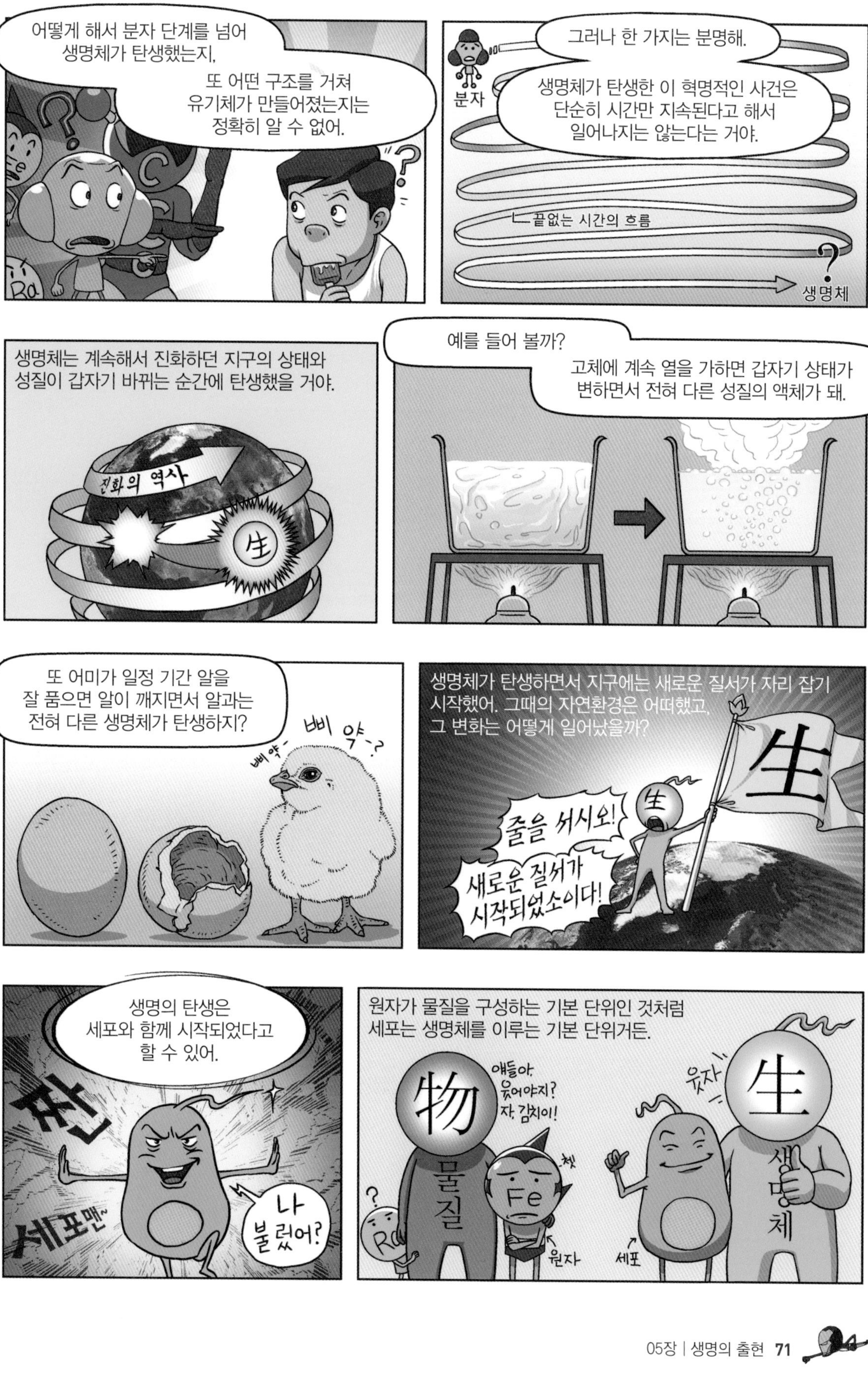
어떻게 해서 분자 단계를 넘어
생명체가 탄생했는지,
또 어떤 구조를 거쳐
유기체가 만들어졌는지는
정확히 알 수 없어.
그러나 한 가지는 분명해.
분자
생명체가 탄생한 이 혁명적인 사건은
단순히 시간만 지속된다고 해서
일어나지는 않는다는 거야.
끝없는 시간의 흐름
생명체
생명체는 계속해서 진화하던 지구의 상태와
성질이 갑자기 바뀌는 순간에 탄생했을 거야.
진화의 역사
生
예를 들어 볼까?
고체에 계속 열을 가하면 갑자기 상태가
변하면서 전혀 다른 성질의 액체가 돼.
또 어미가 일정 기간 알을
잘 품으면 알이 깨지면서 알과는
전혀 다른 생명체가 탄생하지?
삐약~
삐약~?
생명체가 탄생하면서 지구에는 새로운 질서가 자리 잡기
시작했어. 그때의 자연환경은 어떠했고,
그 변화는 어떻게 일어났을까?
生
줄을 서시오!
새로운 질서가
시작되었소이다!
생명의 탄생은
세포와 함께 시작되었다고
할 수 있어.
세포맨~
나
불렀어?
원자가 물질을 구성하는 기본 단위인 것처럼
세포는 생명체를 이루는 기본 단위거든.
物
얘들아,
웃어야지?
자, 김치이!
물질
Fe
칫
원자
웃자~
生
생명체
세포

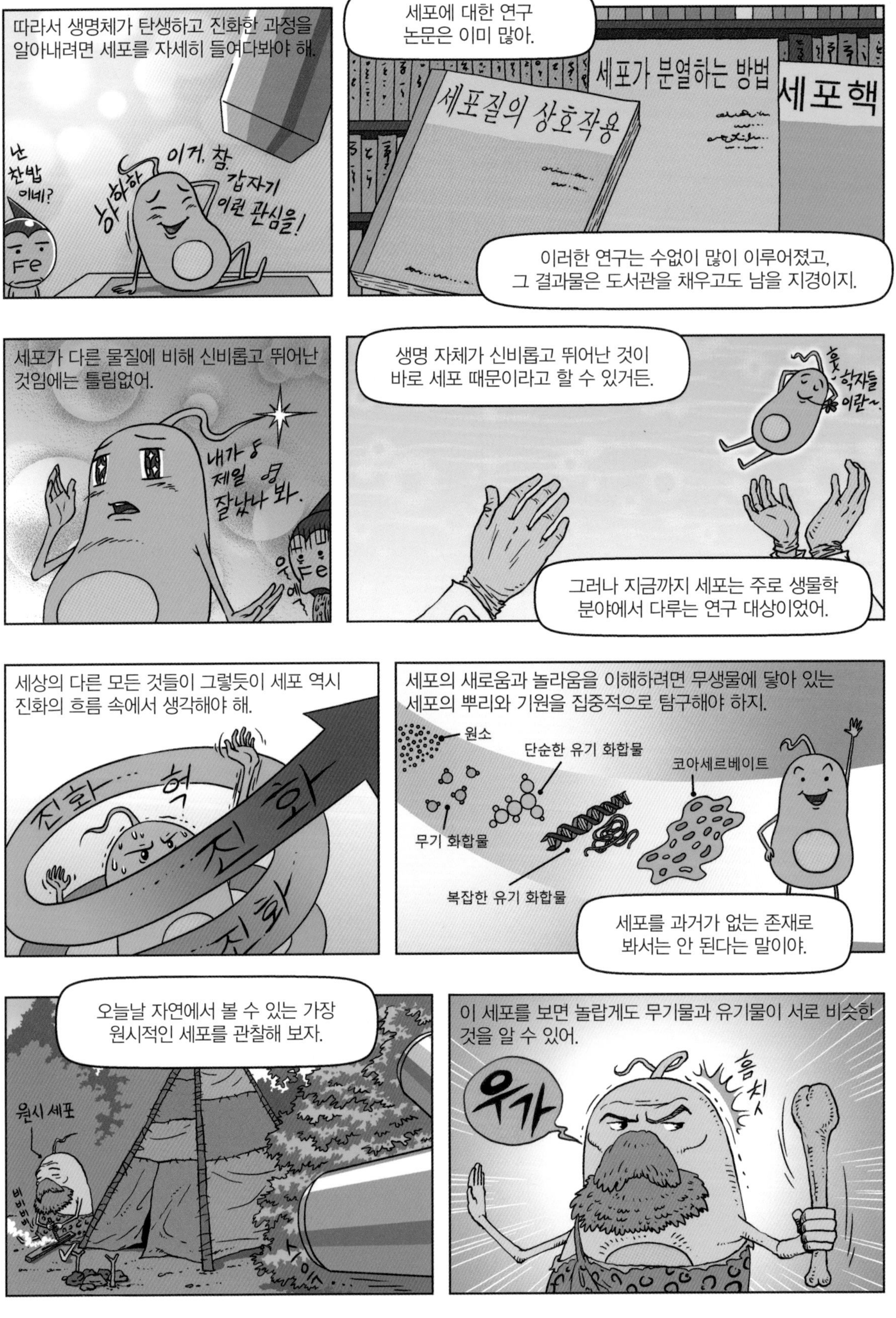

따라서 생명체가 탄생하고 진화한 과정을 알아내려면 세포를 자세히 들여다봐야 해.
난 찬밥이네?
하하하
이거, 참. 갑자기 이런 관심을!
세포에 대한 연구 논문은 이미 많아.
세포질의 상호작용
세포가 분열하는 방법
세포핵
이러한 연구는 수없이 많이 이루어졌고, 그 결과물은 도서관을 채우고도 남을 지경이지.
세포가 다른 물질에 비해 신비롭고 뛰어난 것임에는 틀림없어.
내가 제일 잘났나 봐.
우엑
생명 자체가 신비롭고 뛰어난 것이 바로 세포 때문이라고 할 수 있거든.
흥, 학자들이란~.
그러나 지금까지 세포는 주로 생물학 분야에서 다루는 연구 대상이었어.
세상의 다른 모든 것들이 그렇듯이 세포 역시 진화의 흐름 속에서 생각해야 해.
진화
헉
진화
진화
세포의 새로움과 놀라움을 이해하려면 무생물에 닿아 있는 세포의 뿌리와 기원을 집중적으로 탐구해야 하지.
원소
단순한 유기 화합물
코아세르베이트
무기 화합물
복잡한 유기 화합물
세포를 과거가 없는 존재로 봐서는 안 된다는 말이야.
오늘날 자연에서 볼 수 있는 가장 원시적인 세포를 관찰해 보자.
원시 세포
이 세포를 보면 놀랍게도 무기물과 유기물이 서로 비슷한 것을 알 수 있어.
우가
흠칫

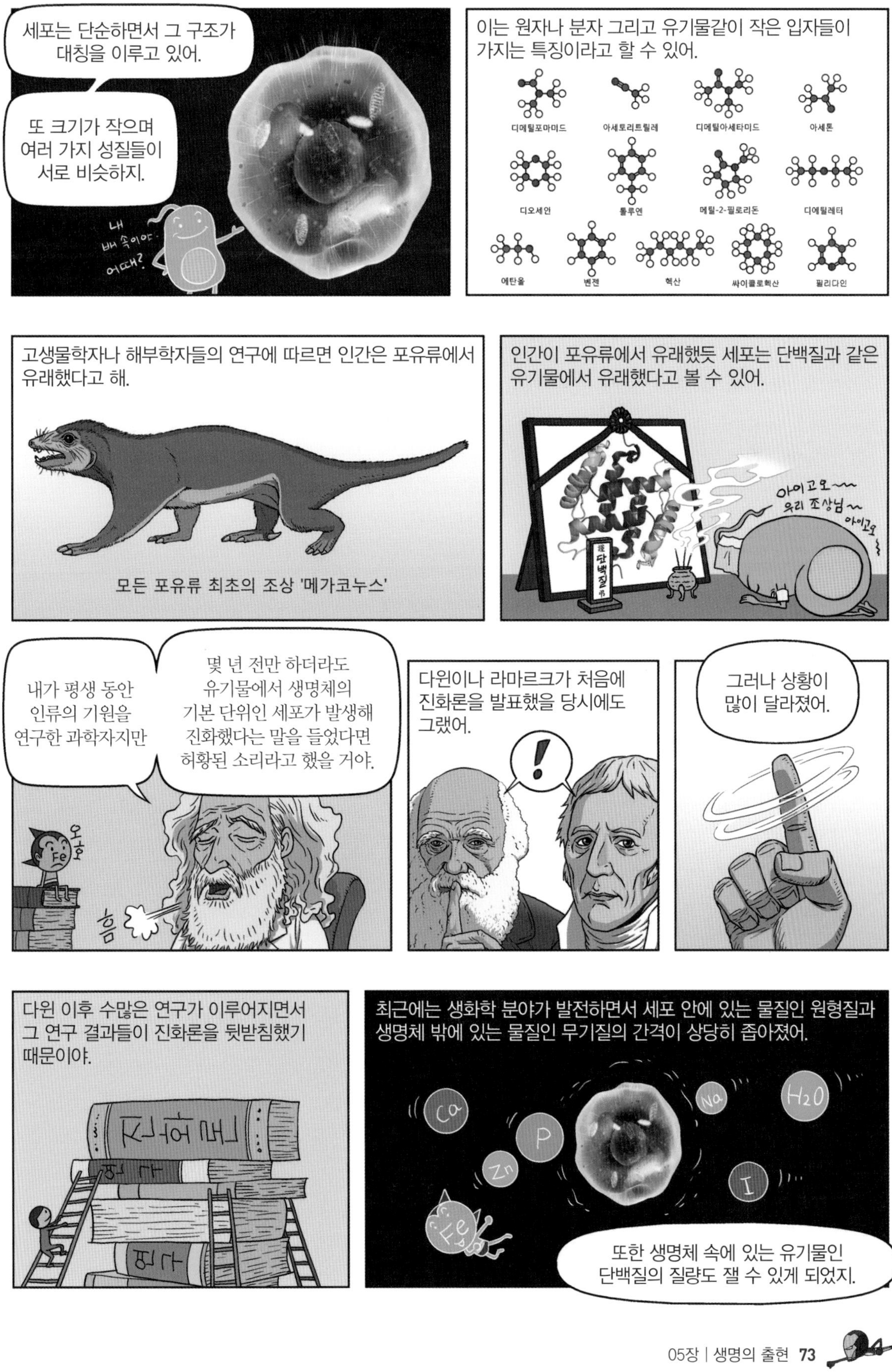
세포는 단순하면서 그 구조가 대칭을 이루고 있어.
또 크기가 작으며 여러 가지 성질들이 서로 비슷하지.
내 배 속이야. 어때?
이는 원자나 분자 그리고 유기물같이 작은 입자들이 가지는 특징이라고 할 수 있어.
디메틸포마미드
아세토리트릴레
디메틸아세타미드
아세톤
디오세인
톨루엔
메틸-2-필로리돈
디에틸레터
에탄올
벤젠
헥산
싸이클로헥산
필리다인
고생물학자나 해부학자들의 연구에 따르면 인간은 포유류에서 유래했다고 해.
모든 포유류 최초의 조상 '메가코누스'
인간이 포유류에서 유래했듯 세포는 단백질과 같은 유기물에서 유래했다고 볼 수 있어.
단백질
아이고오~~ 우리 조상님~~ 아이고오
내가 평생 동안 인류의 기원을 연구한 과학자지만
몇 년 전만 하더라도 유기물에서 생명체의 기본 단위인 세포가 발생해 진화했다는 말을 들었다면 허황된 소리라고 했을 거야.
오호
Fe
흠
다윈이나 라마르크가 처음에 진화론을 발표했을 당시에도 그랬어.
!
그러나 상황이 많이 달라졌어.
다윈 이후 수많은 연구가 이루어지면서 그 연구 결과들이 진화론을 뒷받침했기 때문이야.
진화론
최근에는 생화학 분야가 발전하면서 세포 안에 있는 물질인 원형질과 생명체 밖에 있는 물질인 무기질의 간격이 상당히 좁아졌어.
Ca
Na
H2O
P
Zn
I
Fe
또한 생명체 속에 있는 유기물인 단백질의 질량도 잴 수 있게 되었지.

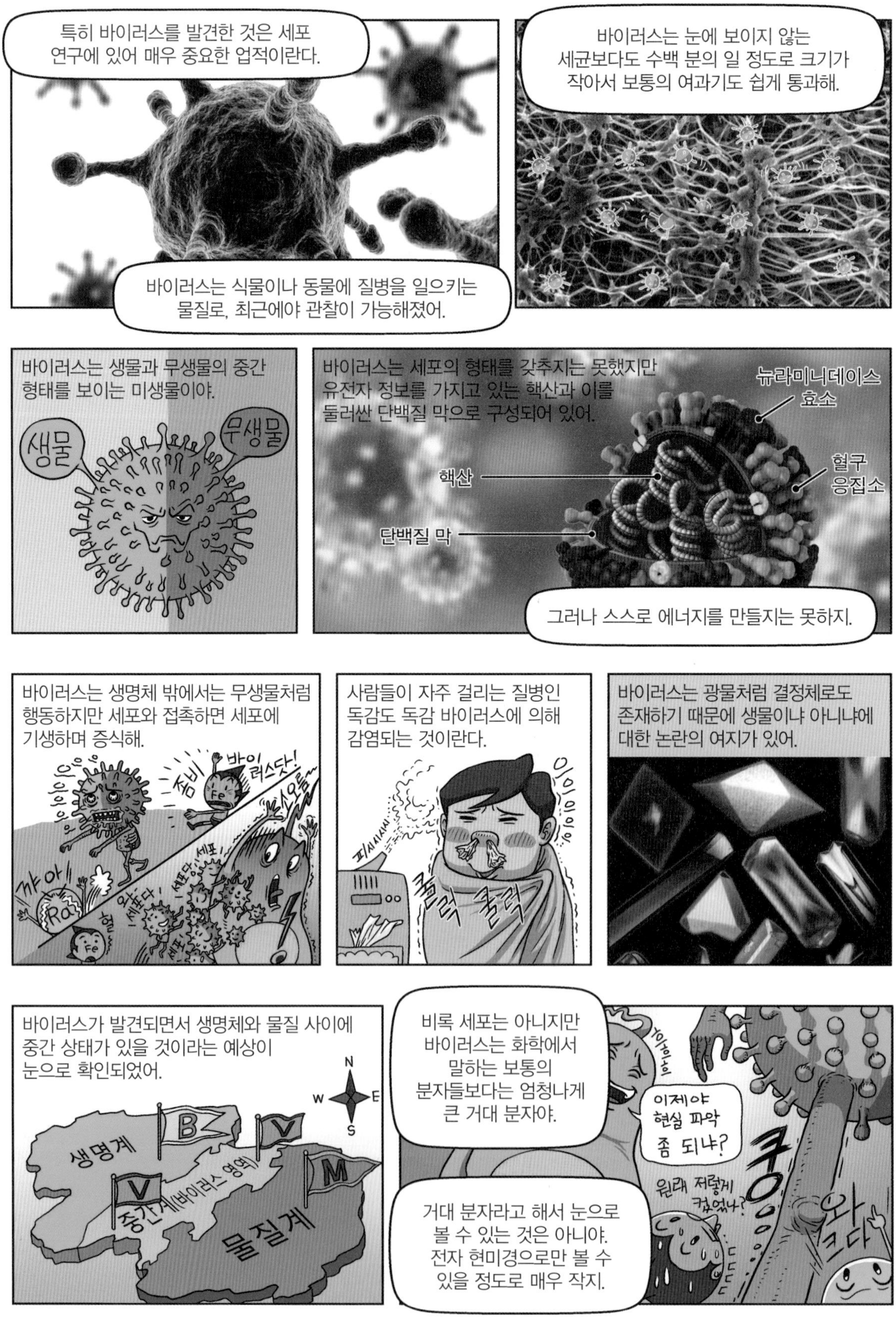
특히 바이러스를 발견한 것은 세포
연구에 있어 매우 중요한 업적이란다.
바이러스는 식물이나 동물에 질병을 일으키는
물질로, 최근에야 관찰이 가능해졌어.
바이러스는 눈에 보이지 않는
세균보다도 수백 분의 일 정도로 크기가
작아서 보통의 여과기도 쉽게 통과해.
바이러스는 생물과 무생물의 중간
형태를 보이는 미생물이야.
생물
무생물
바이러스는 세포의 형태를 갖추지는 못했지만
유전자 정보를 가지고 있는 핵산과 이를
둘러싼 단백질 막으로 구성되어 있어.
뉴라미니데이스
효소
혈구
응집소
핵산
단백질 막
그러나 스스로 에너지를 만들지는 못하지.
바이러스는 생명체 밖에서는 무생물처럼
행동하지만 세포와 접촉하면 세포에
기생하며 증식해.
좀비
바이러스닷!
까아!
사람들이 자주 걸리는 질병인
독감도 독감 바이러스에 의해
감염되는 것이란다.
바이러스는 광물처럼 결정체로도
존재하기 때문에 생물이냐 아니냐에
대한 논란의 여지가 있어.
바이러스가 발견되면서 생명체와 물질 사이에
중간 상태가 있을 것이라는 예상이
눈으로 확인되었어.
N
W
E
S
B
V
M
생명계
중간계(바이러스 영역)
물질계
비록 세포는 아니지만
바이러스는 화학에서
말하는 보통의
분자들보다는 엄청나게
큰 거대 분자야.
이제야
현실 파악
좀 되냐?
쿵
원래 저렇게
컸었나?
와 크다
거대 분자라고 해서 눈으로
볼 수 있는 것은 아니야.
전자 현미경으로만 볼 수
있을 정도로 매우 작지.

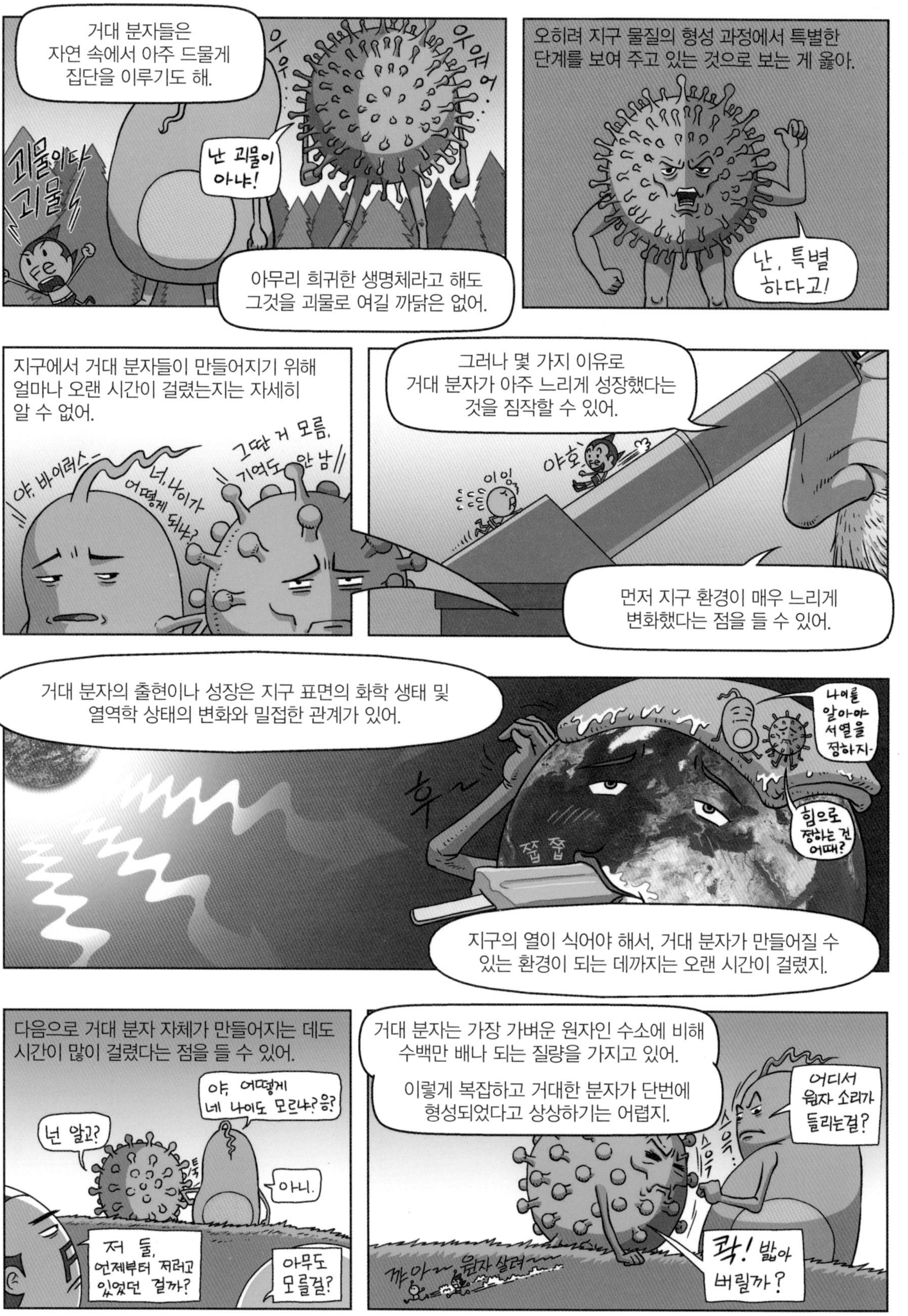
거대 분자들은 자연 속에서 아주 드물게 집단을 이루기도 해.
우우
우워어
괴물이다 괴물
난 괴물이 아냐!
아무리 희귀한 생명체라고 해도 그것을 괴물로 여길 까닭은 없어.
오히려 지구 물질의 형성 과정에서 특별한 단계를 보여 주고 있는 것으로 보는 게 옳아.
난, 특별하다고!
지구에서 거대 분자들이 만들어지기 위해 얼마나 오랜 시간이 걸렸는지는 자세히 알 수 없어.
야, 바이러스
너, 나이가 어떻게 되냐?
그딴 거 모름. 기억도 안 남
그러나 몇 가지 이유로 거대 분자가 아주 느리게 성장했다는 것을 짐작할 수 있어.
야호
이잉
먼저 지구 환경이 매우 느리게 변화했다는 점을 들 수 있어.
거대 분자의 출현이나 성장은 지구 표면의 화학 생태 및 열역학 상태의 변화와 밀접한 관계가 있어.
나이를 알아야 서열을 정하지.
힘으로 정하는 건 어때?
후~
쩝쩝
지구의 열이 식어야 해서, 거대 분자가 만들어질 수 있는 환경이 되는 데까지는 오랜 시간이 걸렸지.
다음으로 거대 분자 자체가 만들어지는 데도 시간이 많이 걸렸다는 점을 들 수 있어.
야, 어떻게 네 나이도 모르냐? 응?
넌 알고?
아니.
저 둘, 언제부터 저러고 있었던 걸까?
아무도 모를걸?
거대 분자는 가장 가벼운 원자인 수소에 비해 수백만 배나 되는 질량을 가지고 있어.
이렇게 복잡하고 거대한 분자가 단번에 형성되었다고 상상하기는 어렵지.
어디서 원자 소리가 들리는걸?
스윽
콱! 밟아 버릴까?
꺄아 원자 살려

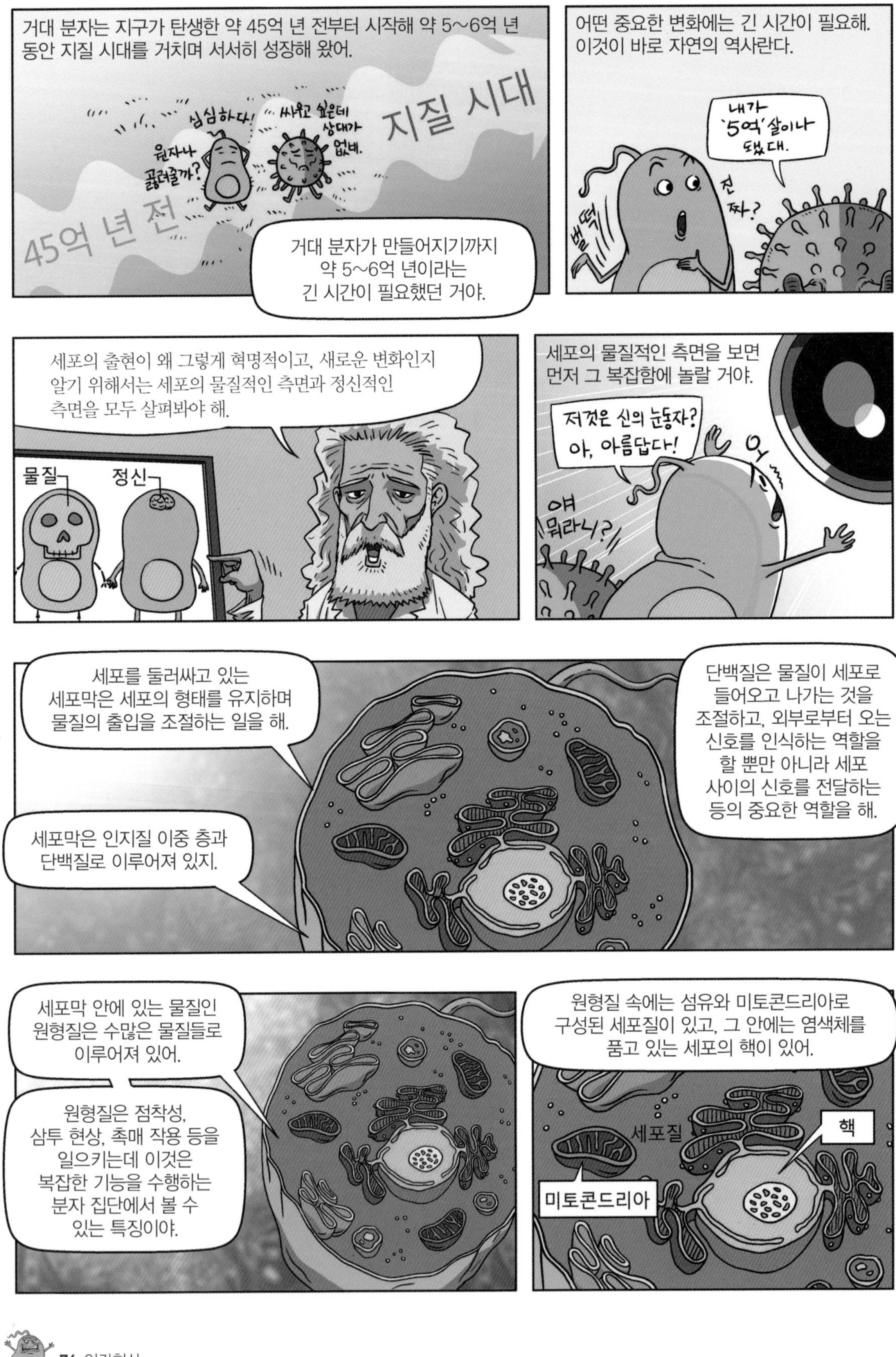
거대 분자는 지구가 탄생한 약 45억 년 전부터 시작해 약 5~6억 년 동안 지질 시대를 거치며 서서히 성장해 왔어.
지질 시대
원자나 굴려볼까?
심심하다!
싸우고 싶은데 상대가 없네.
45억 년 전
거대 분자가 만들어지기까지 약 5~6억 년이라는 긴 시간이 필요했던 거야.
어떤 중요한 변화에는 긴 시간이 필요해. 이것이 바로 자연의 역사란다.
내가 '5억' 살이나 됐대.
진짜?
벌떡
세포의 출현이 왜 그렇게 혁명적이고, 새로운 변화인지 알기 위해서는 세포의 물질적인 측면과 정신적인 측면을 모두 살펴봐야 해.
물질
정신
세포의 물질적인 측면을 보면 먼저 그 복잡함에 놀랄 거야.
저것은 신의 눈동자? 아, 아름답다!
오~
얘 뭐라니?
세포를 둘러싸고 있는 세포막은 세포의 형태를 유지하며 물질의 출입을 조절하는 일을 해.
세포막은 인지질 이중 층과 단백질로 이루어져 있지.
단백질은 물질이 세포로 들어오고 나가는 것을 조절하고, 외부로부터 오는 신호를 인식하는 역할을 할 뿐만 아니라 세포 사이의 신호를 전달하는 등의 중요한 역할을 해.
세포막 안에 있는 물질인 원형질은 수많은 물질들로 이루어져 있어.
원형질은 점착성, 삼투 현상, 촉매 작용 등을 일으키는데 이것은 복잡한 기능을 수행하는 분자 집단에서 볼 수 있는 특징이야.
원형질 속에는 섬유와 미토콘드리아로 구성된 세포질이 있고, 그 안에는 염색체를 품고 있는 세포의 핵이 있어.
세포질
핵
미토콘드리아

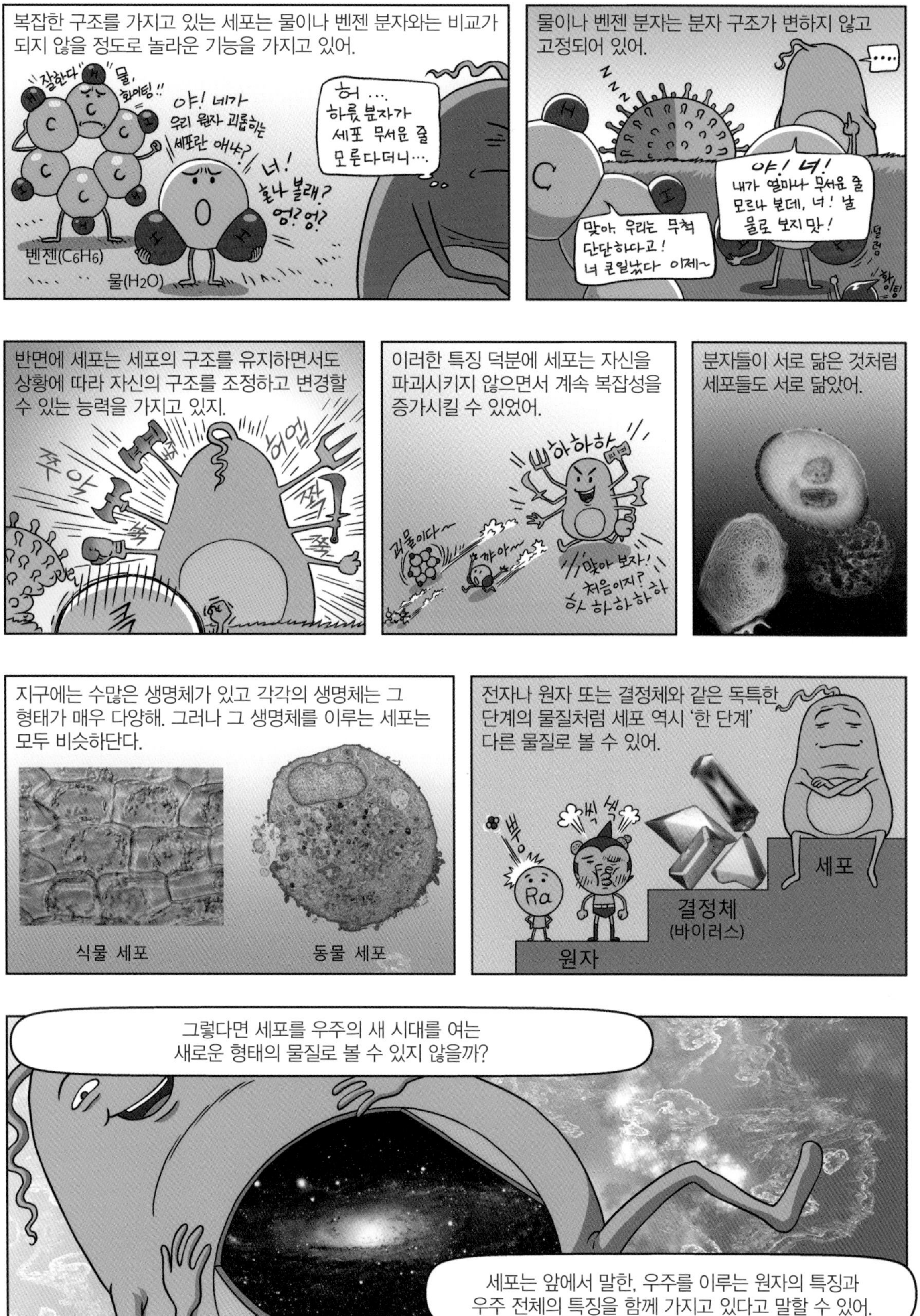

복잡한 구조를 가지고 있는 세포는 물이나 벤젠 분자와는 비교가 되지 않을 정도로 놀라운 기능을 가지고 있어.
잘한다
물, 화이팅!!
야! 네가 우리 원자 괴롭히는 세포란 애냐?
너! 혼나 볼래? 엉? 엉?
허 … 하룻 분자가 세포 무서운 줄 모른다더니….
벤젠(C_6H_6)
물(H_2O)
물이나 벤젠 분자는 분자 구조가 변하지 않고 고정되어 있어.
….
야! 너! 내가 얼마나 무서운 줄 모르나 본데, 너! 날 물로 보지 맛!
맞아! 우리는 무척 단단하다고! 너 큰일났다 이제~
덜렁
화이팅
반면에 세포는 세포의 구조를 유지하면서도 상황에 따라 자신의 구조를 조정하고 변경할 수 있는 능력을 가지고 있지.
허업
이러한 특징 덕분에 세포는 자신을 파괴시키지 않으면서 계속 복잡성을 증가시킬 수 있었어.
하하하
괴물이다~
꺄아~
맞아 보자! 처음이지? 하 하하하하
분자들이 서로 닮은 것처럼 세포들도 서로 닮았어.
지구에는 수많은 생명체가 있고 각각의 생명체는 그 형태가 매우 다양해. 그러나 그 생명체를 이루는 세포는 모두 비슷하단다.
식물 세포
동물 세포
전자나 원자 또는 결정체와 같은 독특한 단계의 물질처럼 세포 역시 '한 단계' 다른 물질로 볼 수 있어.
뿅
씩씩
Ra
결정체 (바이러스)
세포
원자
그렇다면 세포를 우주의 새 시대를 여는 새로운 형태의 물질로 볼 수 있지 않을까?
세포는 앞에서 말한, 우주를 이루는 원자의 특징과 우주 전체의 특징을 함께 가지고 있다고 말할 수 있어.

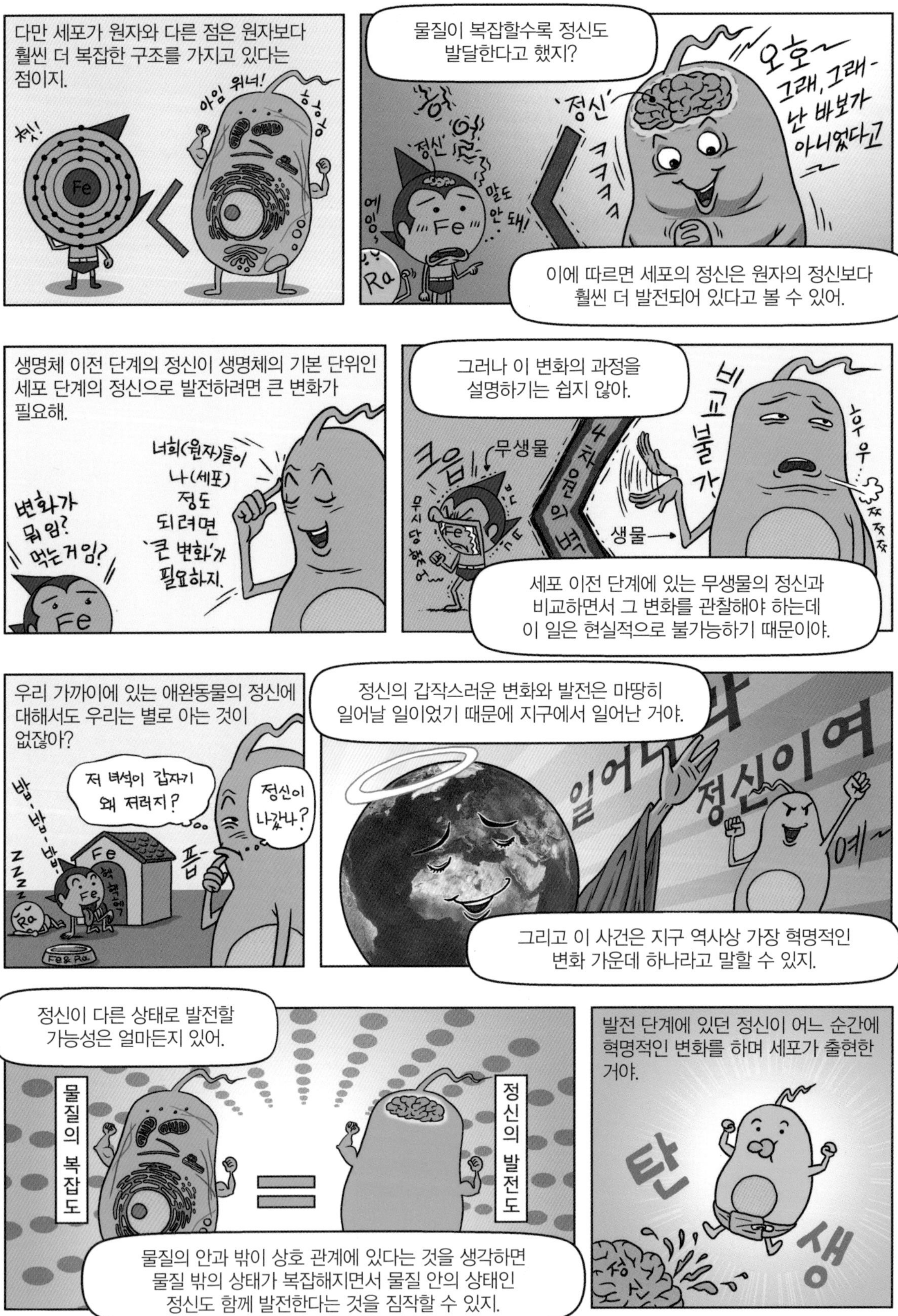

다만 세포가 원자와 다른 점은 원자보다 훨씬 더 복잡한 구조를 가지고 있다는 점이지.
척!
Fe
아임 위너!
물질이 복잡할수록 정신도 발달한다고 했지?
오호~ 그래, 그래~ 난 바보가 아니었다고
'정신'
'정신'
말도 안 돼!
Fe
Ra
이에 따르면 세포의 정신은 원자의 정신보다 훨씬 더 발전되어 있다고 볼 수 있어.
생명체 이전 단계의 정신이 생명체의 기본 단위인 세포 단계의 정신으로 발전하려면 큰 변화가 필요해.
너희(원자)들이 나(세포) 정도 되려면 '큰 변화'가 필요하지.
변화가 뭐임? 먹는거임?
Fe
그러나 이 변화의 과정을 설명하기는 쉽지 않아.
비교 불가
무생물
생물
Fe
세포 이전 단계에 있는 무생물의 정신과 비교하면서 그 변화를 관찰해야 하는데 이 일은 현실적으로 불가능하기 때문이야.
우리 가까이에 있는 애완동물의 정신에 대해서도 우리는 별로 아는 것이 없잖아?
저 녀석이 갑자기 왜 저러지?
정신이 나갔나?
Fe
Fe&Ra
정신의 갑작스러운 변화와 발전은 마땅히 일어날 일이었기 때문에 지구에서 일어난 거야.
정신이여
그리고 이 사건은 지구 역사상 가장 혁명적인 변화 가운데 하나라고 말할 수 있지.
정신이 다른 상태로 발전할 가능성은 얼마든지 있어.
물질의 복잡도
정신의 발전도
물질의 안과 밖이 상호 관계에 있다는 것을 생각하면 물질 밖의 상태가 복잡해지면서 물질 안의 상태인 정신도 함께 발전한다는 것을 짐작할 수 있지.
발전 단계에 있던 정신이 어느 순간에 혁명적인 변화를 하며 세포가 출현한 거야.
탄생

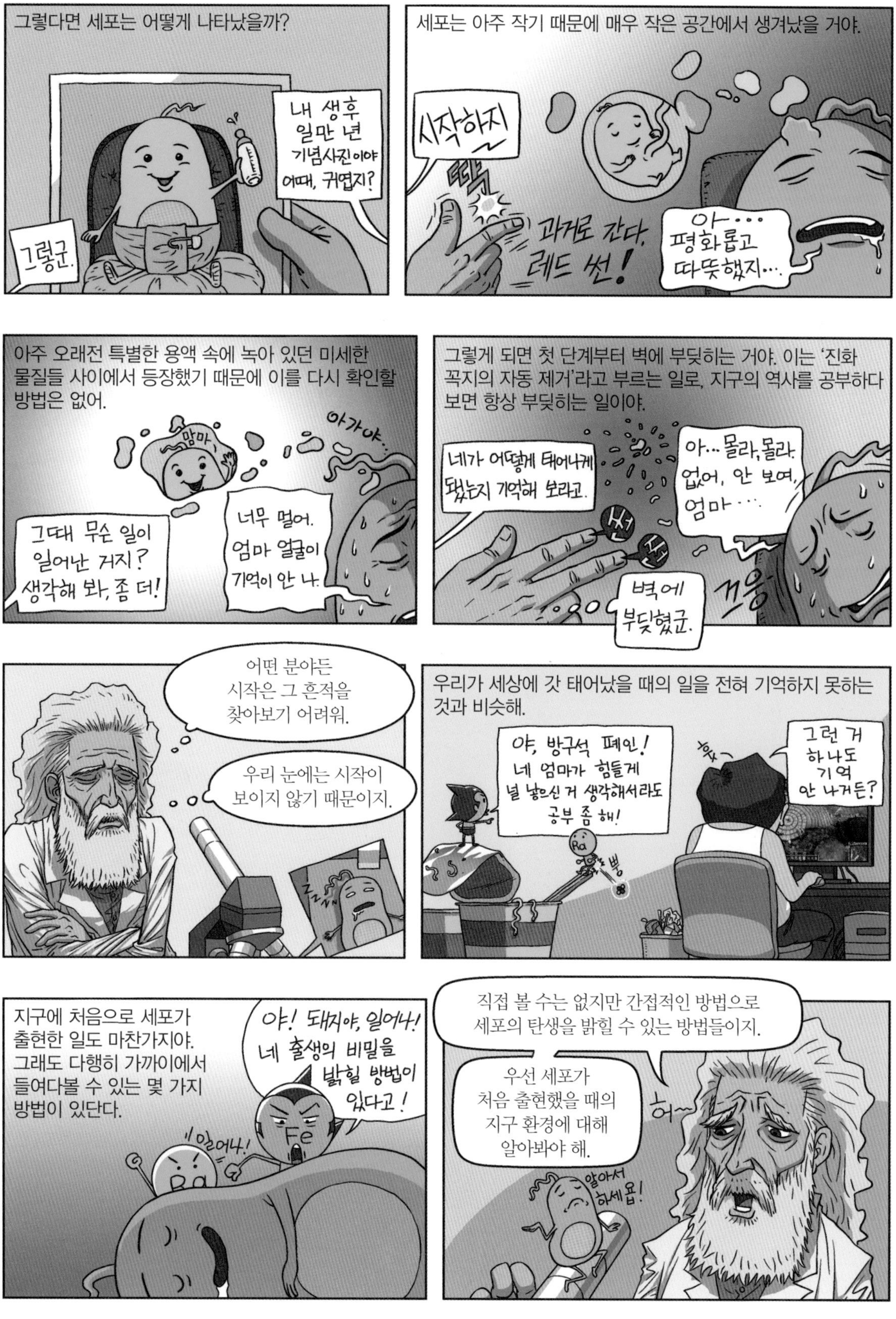
그렇다면 세포는 어떻게 나타났을까?
내 생후 일만 년 기념사진이야 어때, 귀엽지?
그렇군.
세포는 아주 작기 때문에 매우 작은 공간에서 생겨났을 거야.
시작하지
딱
과거로 간다. 레드 썬!
아… 평화롭고 따뜻했지….
아주 오래전 특별한 용액 속에 녹아 있던 미세한 물질들 사이에서 등장했기 때문에 이를 다시 확인할 방법은 없어.
맘마
아가야…
그때 무슨 일이 일어난 거지? 생각해 봐, 좀 더!
너무 멀어. 엄마 얼굴이 기억이 안 나.
그렇게 되면 첫 단계부터 벽에 부딪히는 거야. 이는 '진화 꼭지의 자동 제거'라고 부르는 일로, 지구의 역사를 공부하다 보면 항상 부딪히는 일이야.
네가 어떻게 태어나게 됐는지 기억해 보라고.
아… 몰라, 몰라. 없어, 안 보여, 엄마….
썬
썬
벽에 부딪혔군.
끄응
어떤 분야든 시작은 그 흔적을 찾아보기 어려워.
우리 눈에는 시작이 보이지 않기 때문이지.
우리가 세상에 갓 태어났을 때의 일을 전혀 기억하지 못하는 것과 비슷해.
야, 방구석 폐인! 네 엄마가 힘들게 널 낳으신 거 생각해서라도 공부 좀 해!
그런 거 하나도 기억 안 나거든?
뿅
지구에 처음으로 세포가 출현한 일도 마찬가지야. 그래도 다행히 가까이에서 들여다볼 수 있는 몇 가지 방법이 있단다.
야! 돼지야, 일어나! 네 출생의 비밀을 밝힐 방법이 있다고!
일어나!
직접 볼 수는 없지만 간접적인 방법으로 세포의 탄생을 밝힐 수 있는 방법들이지.
우선 세포가 처음 출현했을 때의 지구 환경에 대해 알아봐야 해.
허~
알아서 하세요!

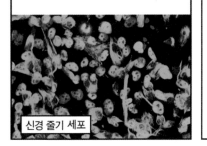

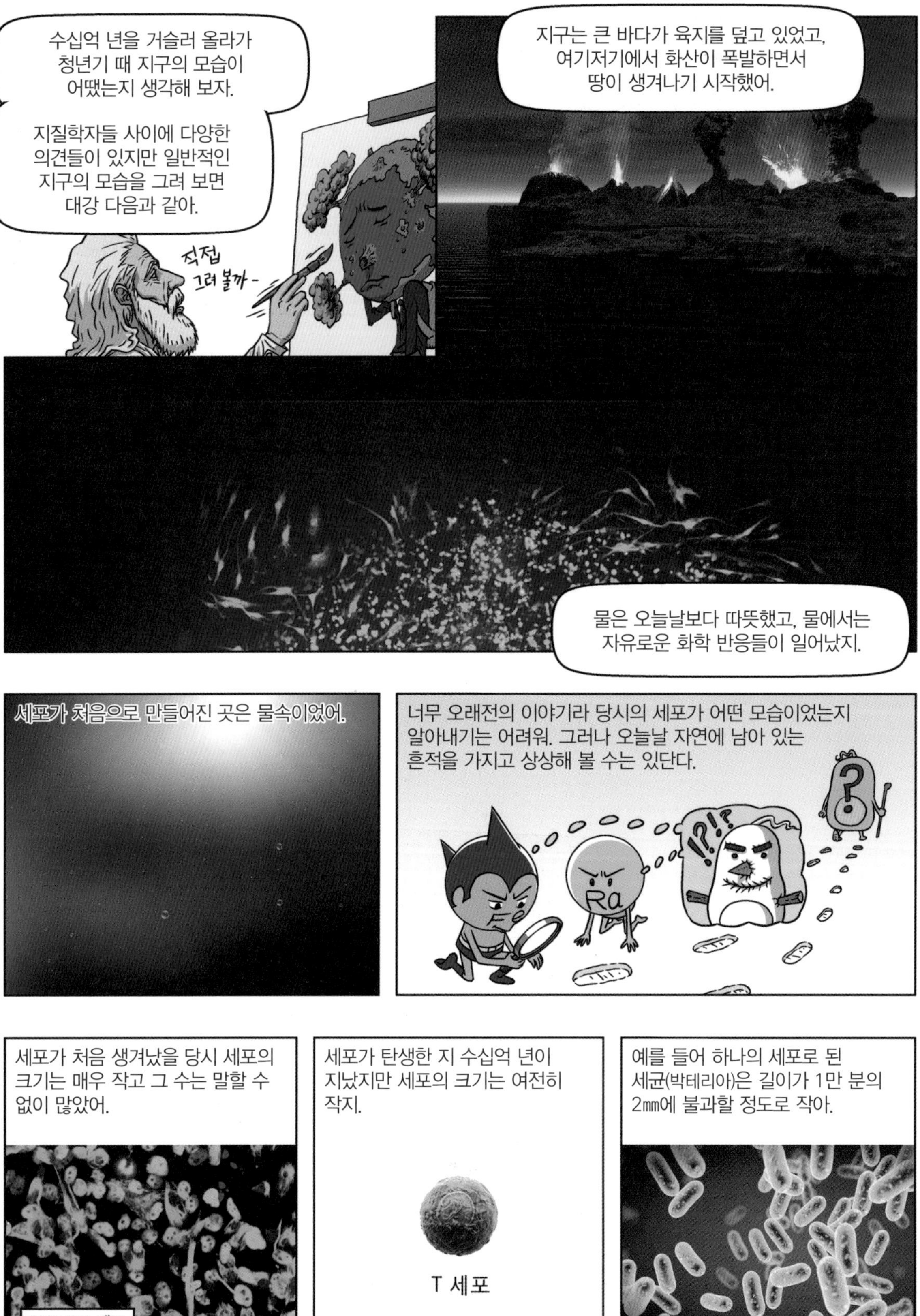
수십억 년을 거슬러 올라가 청년기 때 지구의 모습이 어땠는지 생각해 보자.
지질학자들 사이에 다양한 의견들이 있지만 일반적인 지구의 모습을 그려 보면 대강 다음과 같아.
직접 그려 볼까~
지구는 큰 바다가 육지를 덮고 있었고, 여기저기에서 화산이 폭발하면서 땅이 생겨나기 시작했어.
물은 오늘날보다 따뜻했고, 물에서는 자유로운 화학 반응들이 일어났지.
세포가 처음으로 만들어진 곳은 물속이었어.
너무 오래전의 이야기라 당시의 세포가 어떤 모습이었는지 알아내기는 어려워. 그러나 오늘날 자연에 남아 있는 흔적을 가지고 상상해 볼 수는 있단다.
!?!?
Ra
세포가 처음 생겨났을 당시 세포의 크기는 매우 작고 그 수는 말할 수 없이 많았어.
신경 줄기 세포
세포가 탄생한 지 수십억 년이 지났지만 세포의 크기는 여전히 작지.
T 세포
예를 들어 하나의 세포로 된 세균(박테리아)은 길이가 1만 분의 2㎜에 불과할 정도로 작아.

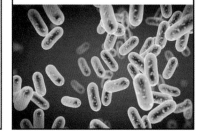

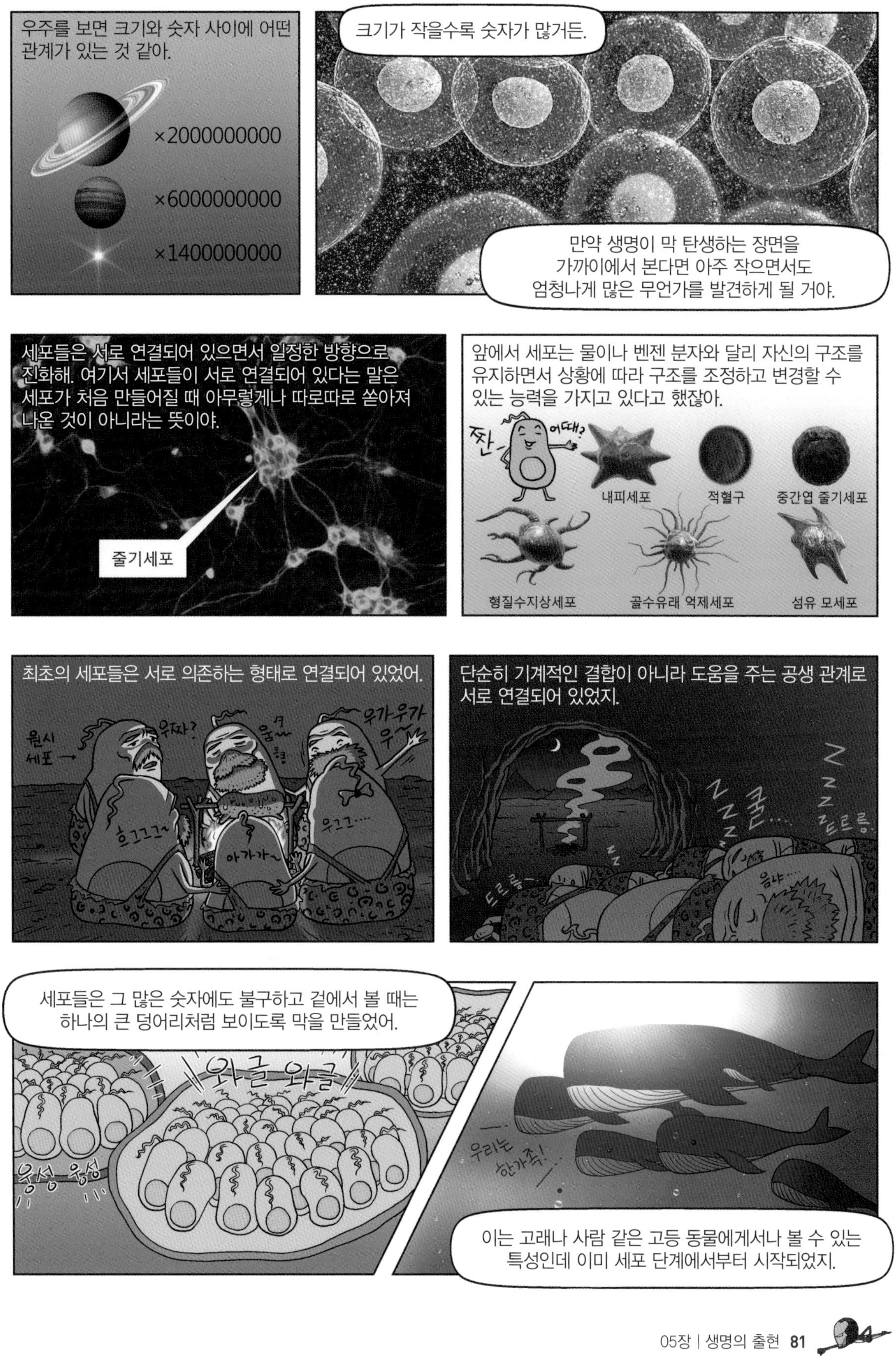
우주를 보면 크기와 숫자 사이에 어떤 관계가 있는 것 같아.
×2000000000
×6000000000
×1400000000
크기가 작을수록 숫자가 많거든.
만약 생명이 막 탄생하는 장면을 가까이에서 본다면 아주 작으면서도 엄청나게 많은 무언가를 발견하게 될 거야.
세포들은 서로 연결되어 있으면서 일정한 방향으로 진화해. 여기서 세포들이 서로 연결되어 있다는 말은 세포가 처음 만들어질 때 아무렇게나 따로따로 쏟아져 나온 것이 아니라는 뜻이야.
줄기세포
앞에서 세포는 물이나 벤젠 분자와 달리 자신의 구조를 유지하면서 상황에 따라 구조를 조정하고 변경할 수 있는 능력을 가지고 있다고 했잖아.
짠~
어때?
내피세포
적혈구
중간엽 줄기세포
형질수지상세포
골수유래 억제세포
섬유 모세포
최초의 세포들은 서로 의존하는 형태로 연결되어 있었어.
원시 세포
우짜?
우가우가 우~
흐그그그~
아가가~
우그그…
단순히 기계적인 결합이 아니라 도움을 주는 공생 관계로 서로 연결되어 있었지.
쿨…
드르릉.
드르릉~
음냐…
세포들은 그 많은 숫자에도 불구하고 겉에서 볼 때는 하나의 큰 덩어리처럼 보이도록 막을 만들었어.
와글 와글
웅성 웅성
우리는 한가족!
이는 고래나 사람 같은 고등 동물에게서나 볼 수 있는 특성인데 이미 세포 단계에서부터 시작되었지.

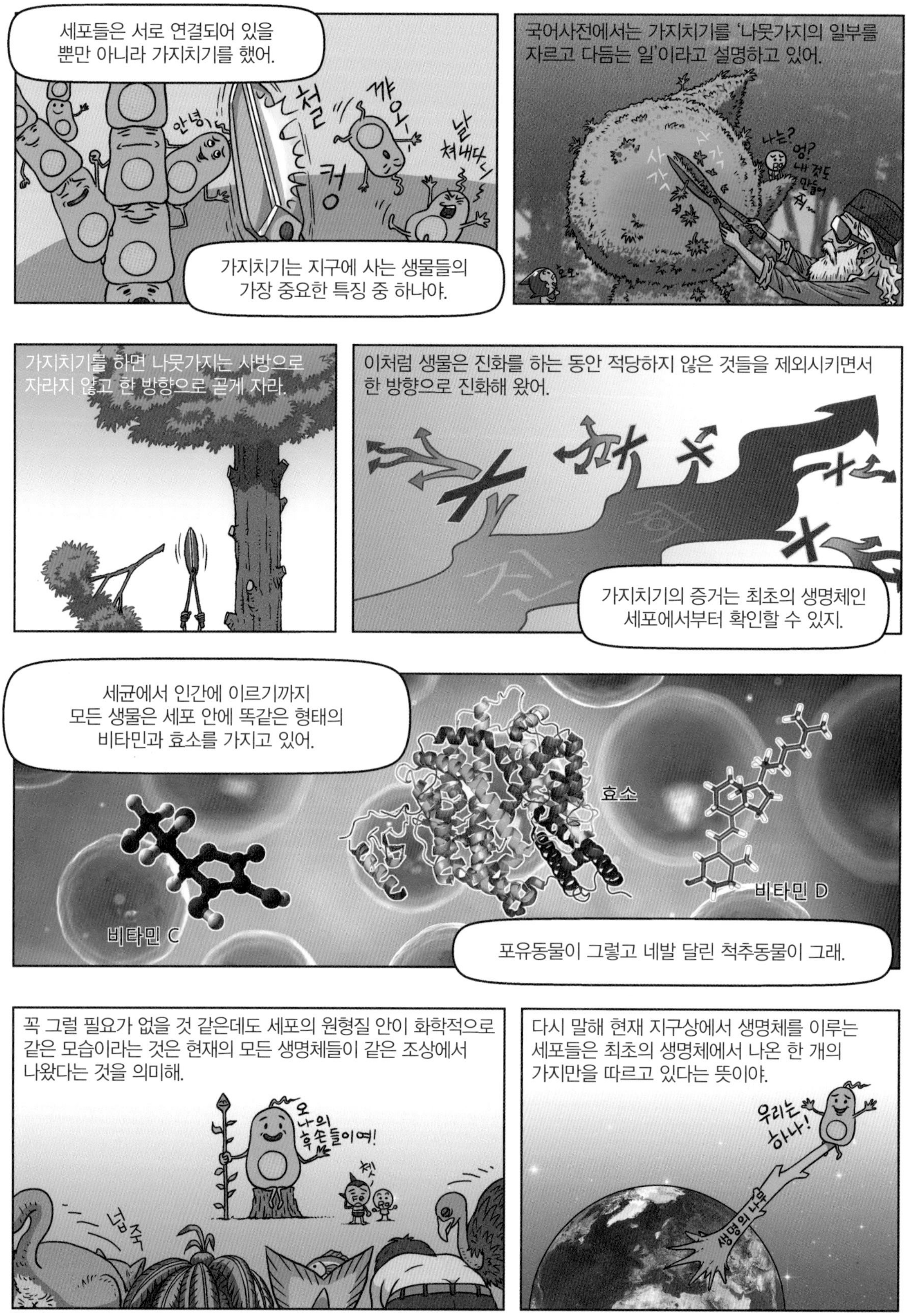

세포들은 서로 연결되어 있을 뿐만 아니라 가지치기를 했어.
안녕~
꺄오~
날 쳐내다니
가지치기는 지구에 사는 생물들의 가장 중요한 특징 중 하나야.
국어사전에서는 가지치기를 '나뭇가지의 일부를 자르고 다듬는 일'이라고 설명하고 있어.
사각 사각
나는? 엉? 내 것도 만들어 줘~
호호.
가지치기를 하면 나뭇가지는 사방으로 자라지 않고 한 방향으로 곧게 자라.
이처럼 생물은 진화를 하는 동안 적당하지 않은 것들을 제외시키면서 한 방향으로 진화해 왔어.
가지치기의 증거는 최초의 생명체인 세포에서부터 확인할 수 있지.
세균에서 인간에 이르기까지 모든 생물은 세포 안에 똑같은 형태의 비타민과 효소를 가지고 있어.
효소
비타민 D
비타민 C
포유동물이 그렇고 네발 달린 척추동물이 그래.
꼭 그럴 필요가 없을 것 같은데도 세포의 원형질 안이 화학적으로 같은 모습이라는 것은 현재의 모든 생명체들이 같은 조상에서 나왔다는 것을 의미해.
오 나의 후손들이여!
첫
넙죽
다시 말해 현재 지구상에서 생명체를 이루는 세포들은 최초의 생명체에서 나온 한 개의 가지만을 따르고 있다는 뜻이야.
우리는 하나!
생명의 나무

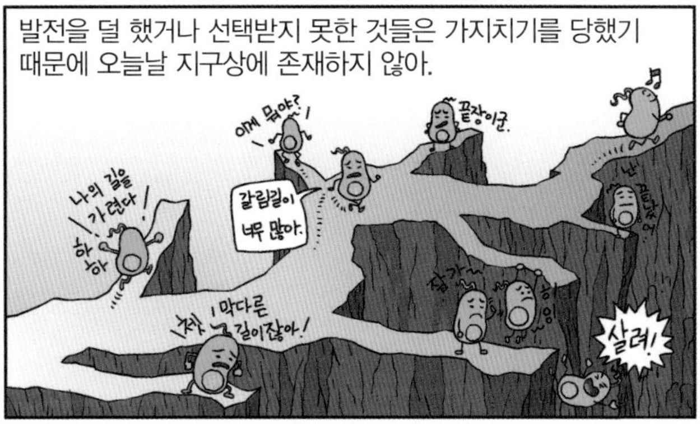
발전을 덜 했거나 선택받지 못한 것들은 가지치기를 당했기 때문에 오늘날 지구상에 존재하지 않아.
나의 길을 가련다!
하하
이게 뭐야?!
갈림길이 너무 많아.
끝장이군.
막다른 길이잖아!
살려!

바꾸어 말하면 현재 지구에 존재하는 세포만이 가지치기를 통해 살아남아 전 지구에 퍼진 것이지.
내가 최후의 생존자!
우하하 하하하 하하하
같이 가자고

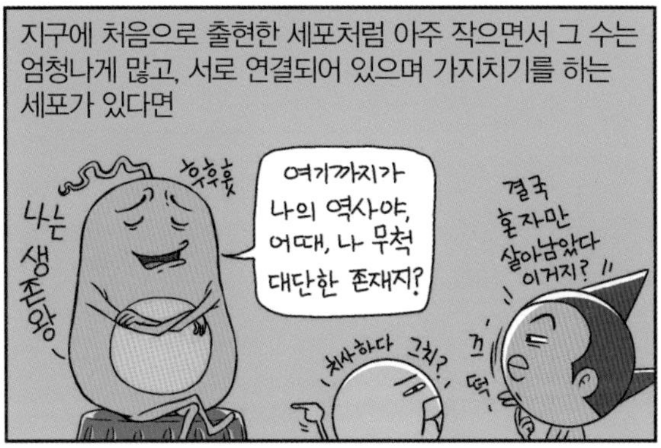
지구에 처음으로 출현한 세포처럼 아주 작으면서 그 수는 엄청나게 많고, 서로 연결되어 있으며 가지치기를 하는 세포가 있다면
나는 생존왕~
후후훗
여기까지가 나의 역사야, 어때, 나 무척 대단한 존재지?
결국 혼자만 살아남았다 이거지?
치사하다 그치?
끄떡

또 지구 어디에선가 이런 세포가 계속 탄생하고 있다면, 우리는 세포의 출현에 대해 좀 더 분명하게 이해할 수 있을 거야.
귀가 가렵네?
후비적
멍청한데다, 힘밖에 쓸 줄 모르는 바보 이면서 이기적이기까지 하다니, 뭐 저런 애가 다 있냐?
아톰, 재랑 놀면 안 돼.
소곤 소곤

어쩌면 지금도 우리 주변 어디에선가 계속해서 세포가 탄생하고 있을지도 몰라.
우헤헤헤
네에?
저런 녀석이 계속 생겨나고 있다고요?
난 반댈세.

생명의 발생을 놓고 벌어진 유명한 논쟁에 대해 잠깐 소개해 줄게.
1858년에 푸셰가 자연 발생설을 주장했어.
펠릭스 푸셰 (Felix Pouchet, 1800~1872)

자연 발생설은 약 2,000년 전에 아리스토텔레스가 주장한 이론으로, 부모가 없어도 생명체 스스로 생길 수 있다는 이론이야.

그러나 현미경이 만들어지고 미생물에 대한 체계적인 연구가 이루어지면서 자연 발생에 대한 많은 논쟁이 벌어졌단다.
현미경을 발명한 얀센
최초의 현미경

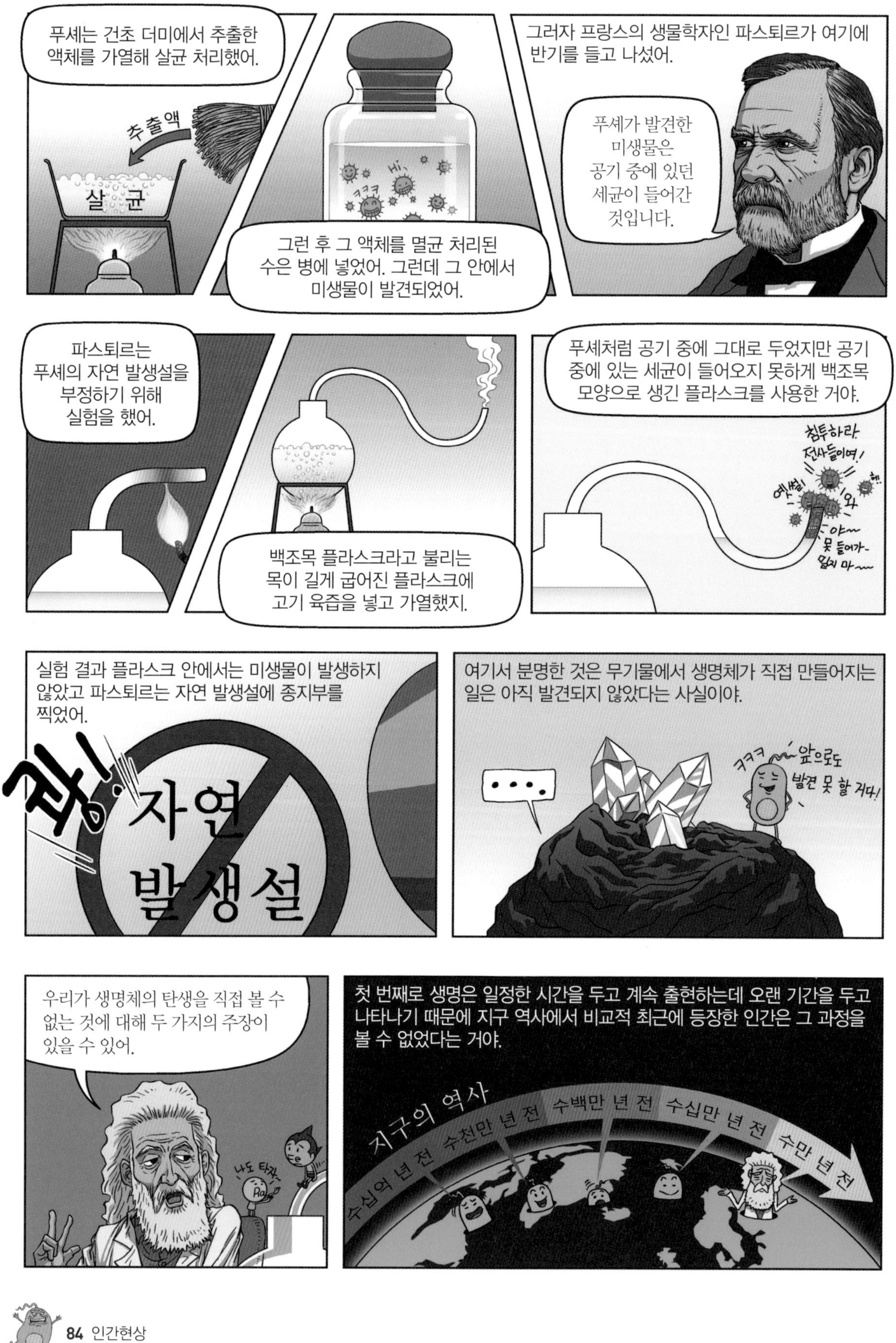
푸셰는 건초 더미에서 추출한 액체를 가열해 살균 처리했어.
추출액
살균
ㅋㅋㅋ
Hi,
그런 후 그 액체를 멸균 처리된 수은 병에 넣었어. 그런데 그 안에서 미생물이 발견되었어.
그러자 프랑스의 생물학자인 파스퇴르가 여기에 반기를 들고 나섰어.
푸셰가 발견한 미생물은 공기 중에 있던 세균이 들어간 것입니다.
파스퇴르는 푸셰의 자연 발생설을 부정하기 위해 실험을 했어.
백조목 플라스크라고 불리는 목이 길게 굽어진 플라스크에 고기 육즙을 넣고 가열했지.
푸셰처럼 공기 중에 그대로 두었지만 공기 중에 있는 세균이 들어오지 못하게 백조목 모양으로 생긴 플라스크를 사용한 거야.
침투하라. 전사들이여!
헤!
와
야~ 못 들어가- 밀지 마~~
실험 결과 플라스크 안에서는 미생물이 발생하지 않았고 파스퇴르는 자연 발생설에 종지부를 찍었어.
쾅!
자연 발생설
여기서 분명한 것은 무기물에서 생명체가 직접 만들어지는 일은 아직 발견되지 않았다는 사실이야.
...
ㅋㅋㅋ
앞으로도 발견 못 할 거다!
우리가 생명체의 탄생을 직접 볼 수 없는 것에 대해 두 가지의 주장이 있을 수 있어.
첫 번째로 생명은 일정한 시간을 두고 계속 출현하는데 오랜 기간을 두고 나타나기 때문에 지구 역사에서 비교적 최근에 등장한 인간은 그 과정을 볼 수 없었다는 거야.
지구의 역사
수십억 년 전
수천만 년 전
수백만 년 전
수십만 년 전
수만 년 전

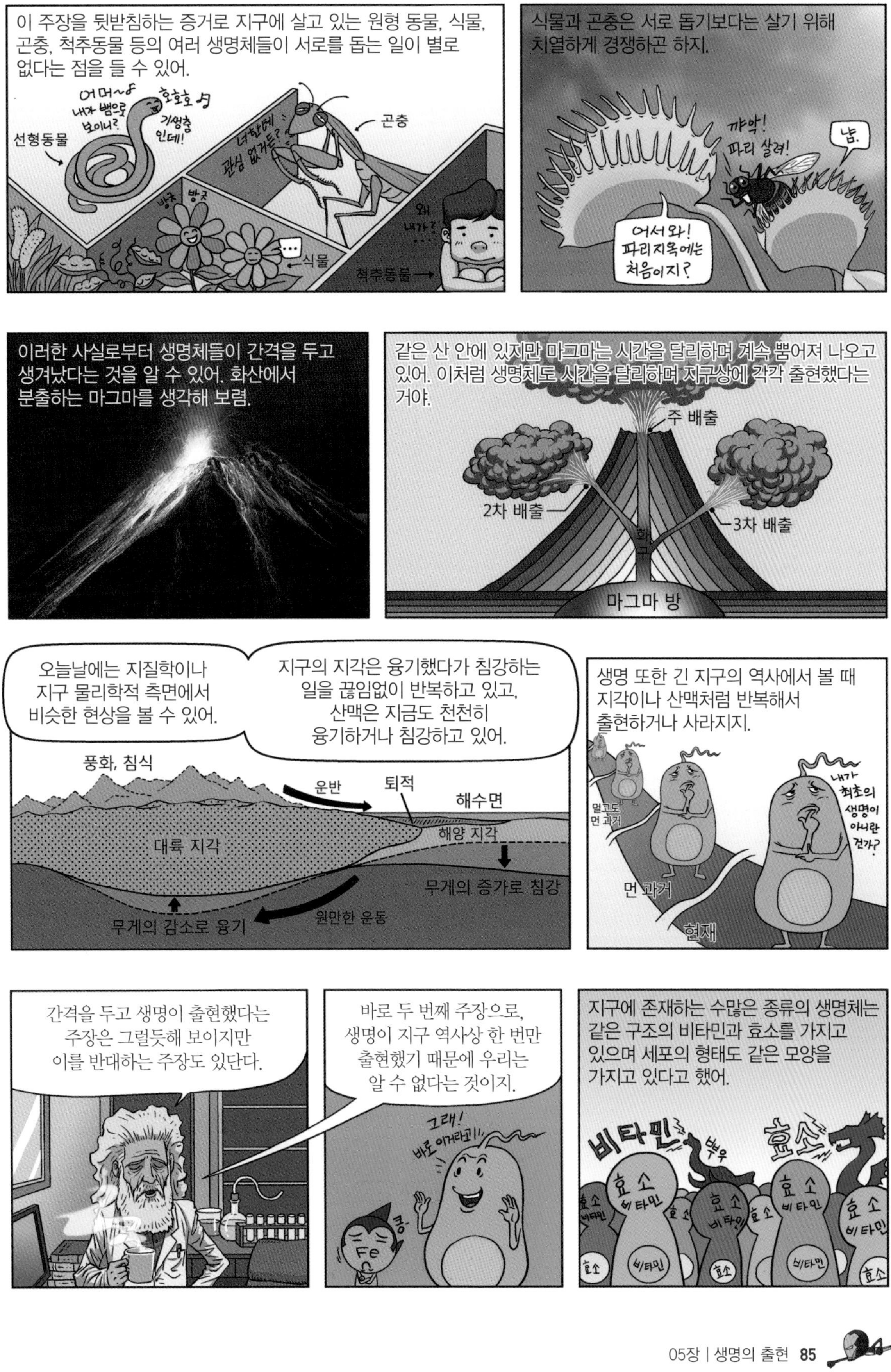
이 주장을 뒷받침하는 증거로 지구에 살고 있는 원형 동물, 식물, 곤충, 척추동물 등의 여러 생명체들이 서로를 돕는 일이 별로 없다는 점을 들 수 있어.
어머~ 내가 뱀으로 보이니?
호호호 기생충 인데!
선형동물
너한테 관심 없거든?
곤충
방긋 방긋
…
식물
왜 내가?
척추동물
식물과 곤충은 서로 돕기보다는 살기 위해 치열하게 경쟁하곤 하지.
까악! 파리 살려!
냠.
어서와! 파리지옥에는 처음이지?
이러한 사실로부터 생명체들이 간격을 두고 생겨났다는 것을 알 수 있어. 화산에서 분출하는 마그마를 생각해 보렴.
같은 산 안에 있지만 마그마는 시간을 달리하며 계속 뿜어져 나오고 있어. 이처럼 생명체도 시간을 달리하며 지구상에 각각 출현했다는 거야.
주 배출
2차 배출
3차 배출
화구
마그마 방
오늘날에는 지질학이나 지구 물리학적 측면에서 비슷한 현상을 볼 수 있어.
지구의 지각은 융기했다가 침강하는 일을 끊임없이 반복하고 있고, 산맥은 지금도 천천히 융기하거나 침강하고 있어.
풍화, 침식
운반
퇴적
해수면
대륙 지각
해양 지각
무게의 증가로 침강
원만한 운동
무게의 감소로 융기
생명 또한 긴 지구의 역사에서 볼 때 지각이나 산맥처럼 반복해서 출현하거나 사라지지.
멀고도 먼 과거
먼 과거
현재
내가 최초의 생명이 아니란 건가?
간격을 두고 생명이 출현했다는 주장은 그럴듯해 보이지만 이를 반대하는 주장도 있단다.
바로 두 번째 주장으로, 생명이 지구 역사상 한 번만 출현했기 때문에 우리는 알 수 없다는 것이지.
그래! 바로 이거라고!
Fe
쿵
지구에 존재하는 수많은 종류의 생명체는 같은 구조의 비타민과 효소를 가지고 있으며 세포의 형태도 같은 모양을 가지고 있다고 했어.
비타민
뿌우
효소
효소 비타민
효소
비타민

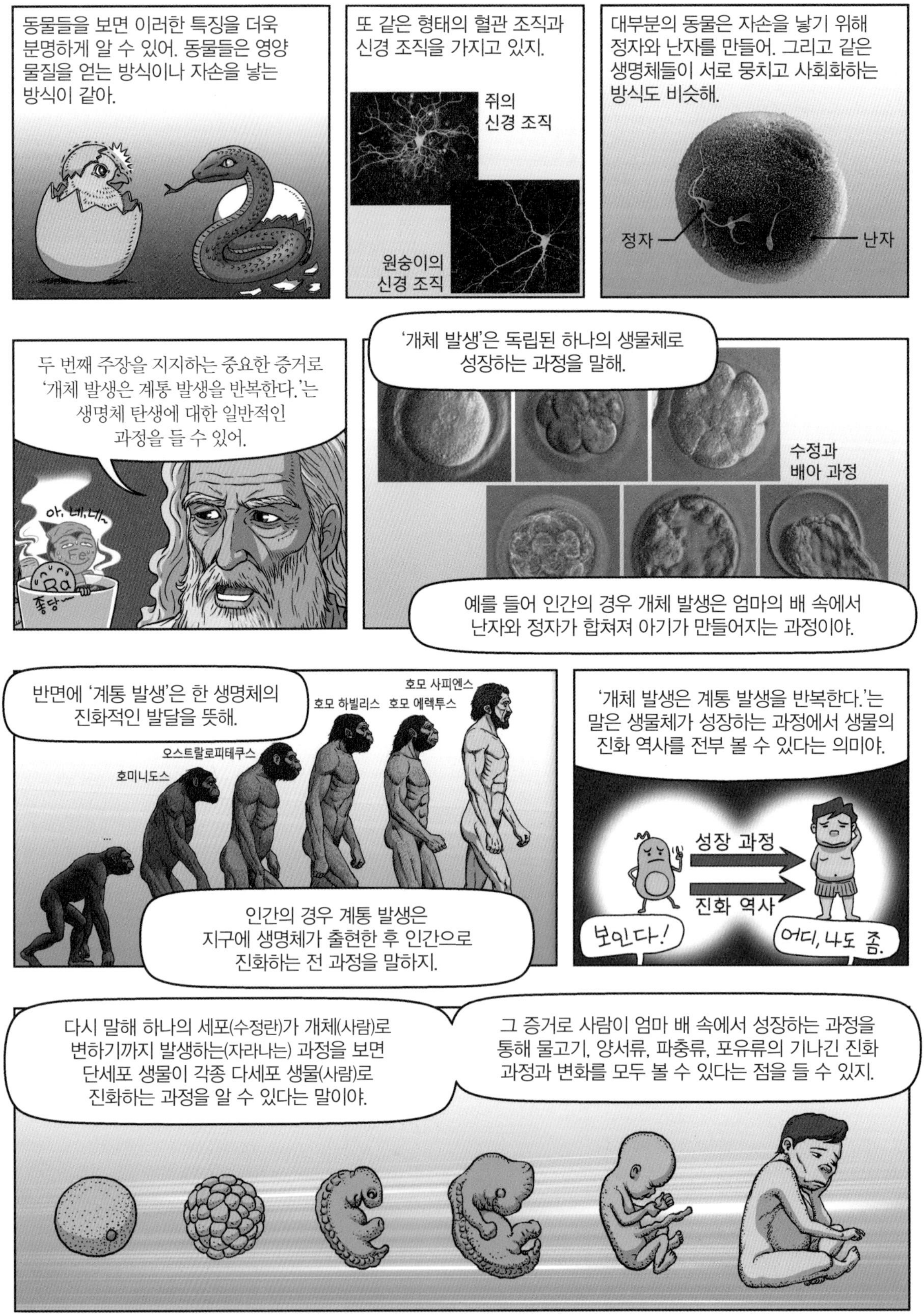
동물들을 보면 이러한 특징을 더욱 분명하게 알 수 있어. 동물들은 영양 물질을 얻는 방식이나 자손을 낳는 방식이 같아.
또 같은 형태의 혈관 조직과 신경 조직을 가지고 있지.
쥐의 신경 조직
원숭이의 신경 조직
대부분의 동물은 자손을 낳기 위해 정자와 난자를 만들어. 그리고 같은 생명체들이 서로 뭉치고 사회화하는 방식도 비슷해.
정자
난자
두 번째 주장을 지지하는 중요한 증거로 '개체 발생은 계통 발생을 반복한다.'는 생명체 탄생에 대한 일반적인 과정을 들 수 있어.
아, 네,네~
좋당~
'개체 발생'은 독립된 하나의 생물체로 성장하는 과정을 말해.
수정과 배아 과정
예를 들어 인간의 경우 개체 발생은 엄마의 배 속에서 난자와 정자가 합쳐져 아기가 만들어지는 과정이야.
반면에 '계통 발생'은 한 생명체의 진화적인 발달을 뜻해.
호모 사피엔스
호모 하빌리스
호모 에렉투스
오스트랄로피테쿠스
호미니도스
인간의 경우 계통 발생은 지구에 생명체가 출현한 후 인간으로 진화하는 전 과정을 말하지.
'개체 발생은 계통 발생을 반복한다.'는 말은 생물체가 성장하는 과정에서 생물의 진화 역사를 전부 볼 수 있다는 의미야.
성장 과정
진화 역사
보인다!
어디, 나도 좀.
다시 말해 하나의 세포(수정란)가 개체(사람)로 변하기까지 발생하는(자라나는) 과정을 보면 단세포 생물이 각종 다세포 생물(사람)로 진화하는 과정을 알 수 있다는 말이야.
그 증거로 사람이 엄마 배 속에서 성장하는 과정을 통해 물고기, 양서류, 파충류, 포유류의 기나긴 진화 과정과 변화를 모두 볼 수 있다는 점을 들 수 있지.

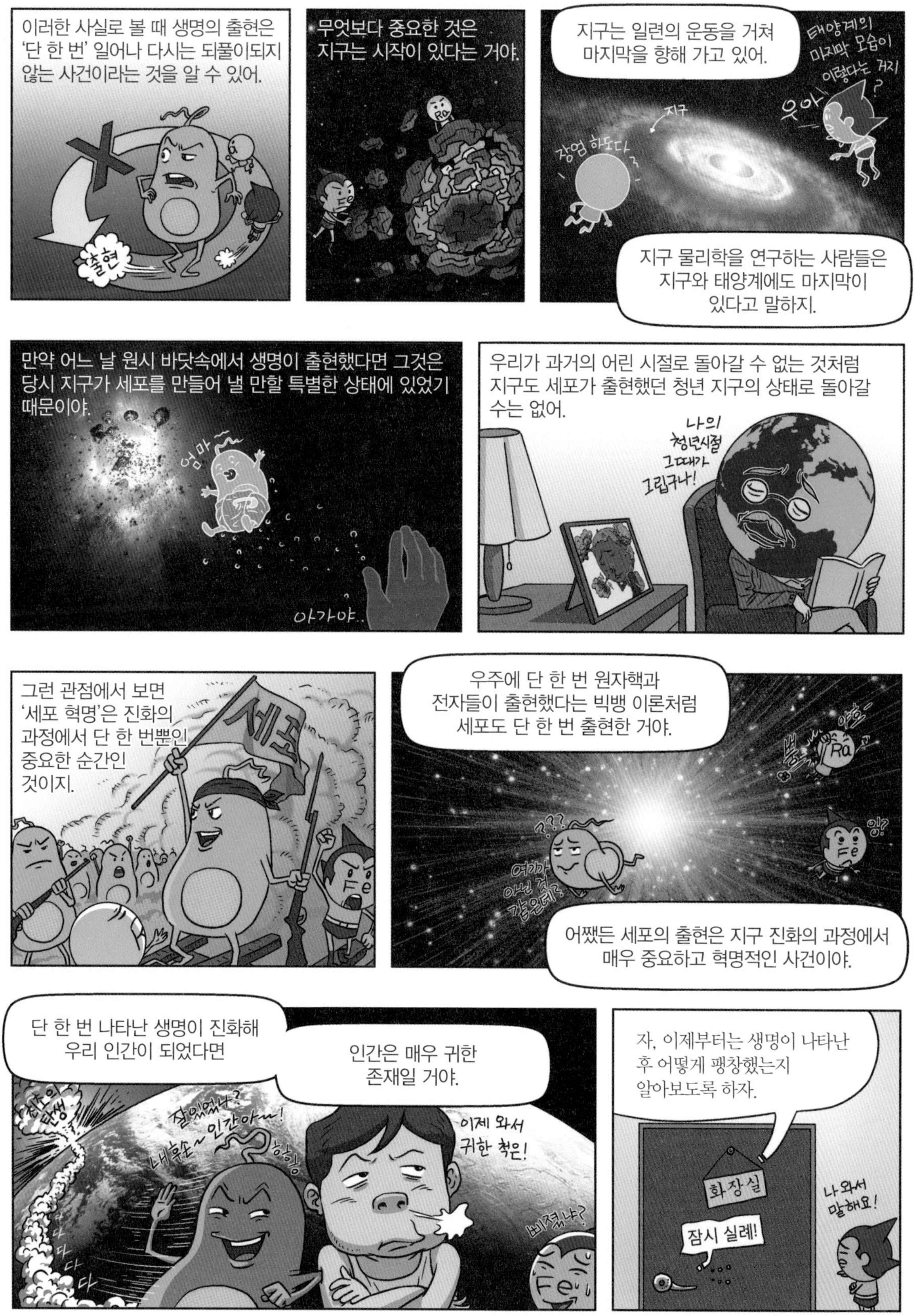

이러한 사실로 볼 때 생명의 출현은 '단 한 번' 일어나 다시는 되풀이되지 않는 사건이라는 것을 알 수 있어.
출현
무엇보다 중요한 것은 지구는 시작이 있다는 거야.
지구는 일련의 운동을 거쳐 마지막을 향해 가고 있어.
태양계의 마지막 모습이 이렇다는 거지?
우아
지구
장엄 하도다
지구 물리학을 연구하는 사람들은 지구와 태양계에도 마지막이 있다고 말하지.
만약 어느 날 원시 바닷속에서 생명이 출현했다면 그것은 당시 지구가 세포를 만들어 낼 만할 특별한 상태에 있었기 때문이야.
엄마~
아가야..
우리가 과거의 어린 시절로 돌아갈 수 없는 것처럼 지구도 세포가 출현했던 청년 지구의 상태로 돌아갈 수는 없어.
나의 청년시절 그때가 그립구나!
그런 관점에서 보면 '세포 혁명'은 진화의 과정에서 단 한 번뿐인 중요한 순간인 것이지.
세포
우주에 단 한 번 원자핵과 전자들이 출현했다는 빅뱅 이론처럼 세포도 단 한 번 출현한 거야.
야호~
Ra
잉?
???
여기가 아닌 것 같은데?
어쨌든 세포의 출현은 지구 진화의 과정에서 매우 중요하고 혁명적인 사건이야.
단 한 번 나타난 생명이 진화해 우리 인간이 되었다면
인간은 매우 귀한 존재일 거야.
지구의 탄생
잘 있었나? 내 후손~ 인간아~!
이제 와서 귀한 척은!
삐졌냐?
자, 이제부터는 생명이 나타난 후 어떻게 팽창했는지 알아보도록 하자.
화장실
잠시 실례!
나 와서 말해요!

6장

생명의 팽창

지구에 존재하는 수많은 생물들이 태어나고 자라 변화하는 진화의 과정은 아주 복잡해.

생물의 복잡한 진화 과정을 이해하기 위해서는 세 가지를 잘 알아야 해.
뿅

첫째는 생명의 기본 운동과 그 특징이고, 둘째는 생물 집단이 스스로 하는 가지치기야. 그리고 셋째는 생물의 계통수지.
1. 생명의 기본 운동과 그 특징
2. 생물 집단이 스스로 하는 가지치기
3. 생물의 계통수
톡-톡-톡-

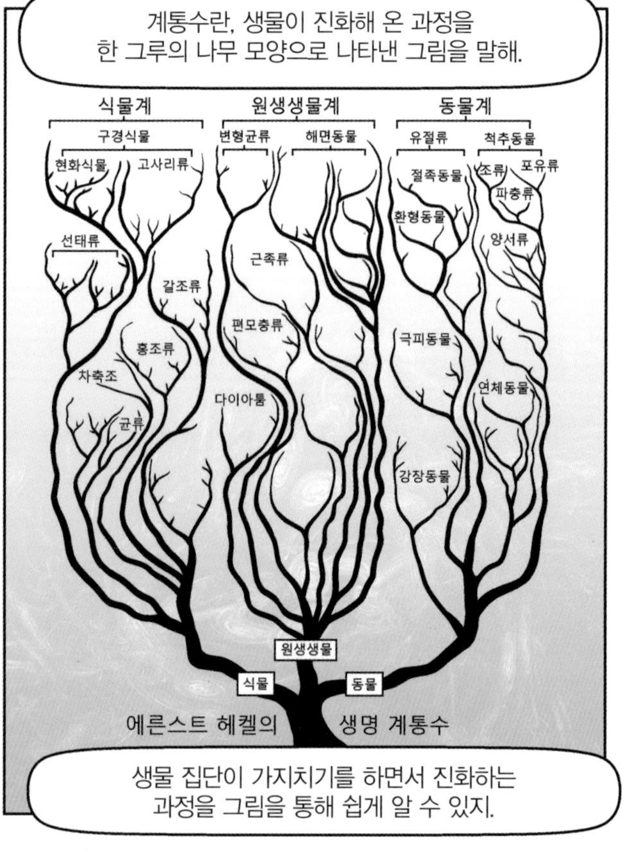
계통수란, 생물이 진화해 온 과정을 한 그루의 나무 모양으로 나타낸 그림을 말해.
식물계
원생생물계
동물계
구경식물
변형균류
해면동물
유절류
척추동물
현화식물
고사리류
절족동물
조류
포유류
파충류
환형동물
선태류
양서류
근족류
갈조류
편모충류
극피동물
홍조류
차축조
다이아툼
연체동물
균류
강장동물
원생생물
식물
동물
에른스트 헤켈의 생명 계통수
생물 집단이 가지치기를 하면서 진화하는 과정을 그림을 통해 쉽게 알 수 있지.

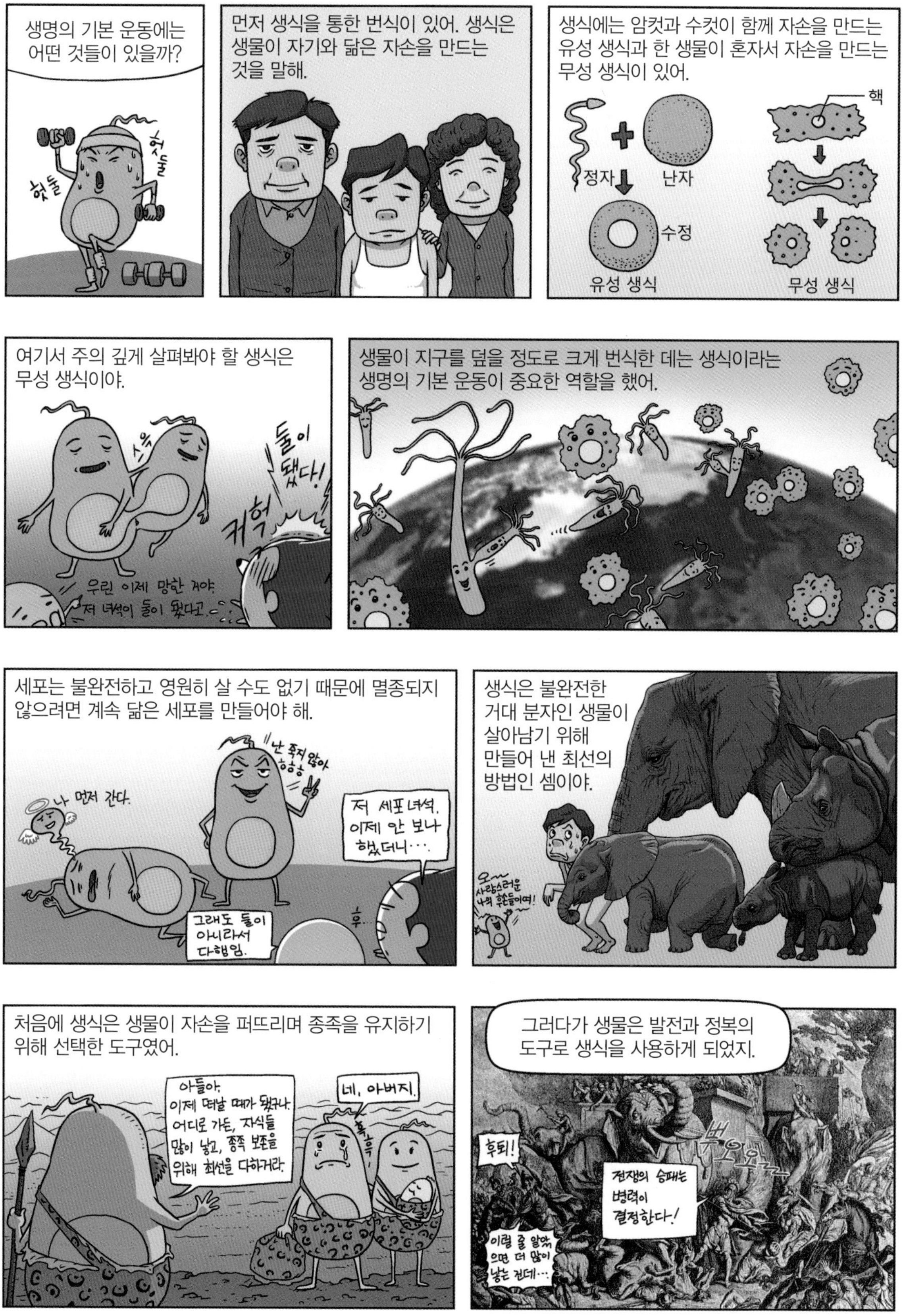

생명의 기본 운동에는 어떤 것들이 있을까?
헛둘
헛둘
먼저 생식을 통한 번식이 있어. 생식은 생물이 자기와 닮은 자손을 만드는 것을 말해.
생식에는 암컷과 수컷이 함께 자손을 만드는 유성 생식과 한 생물이 혼자서 자손을 만드는 무성 생식이 있어.
정자
난자
수정
유성 생식
핵
무성 생식
여기서 주의 깊게 살펴봐야 할 생식은 무성 생식이야.
스윽
둘이 됐다!
커헉
우린 이제 망한 거야. 저 녀석이 둘이 됐다고.
생물이 지구를 덮을 정도로 크게 번식한 데는 생식이라는 생명의 기본 운동이 중요한 역할을 했어.
세포는 불완전하고 영원히 살 수도 없기 때문에 멸종되지 않으려면 계속 닮은 세포를 만들어야 해.
나 먼저 간다.
난 죽지 않아
저 세포 녀석, 이제 안 보나 했더니….
그래도 둘이 아니라서 다행임.
후…
생식은 불완전한 거대 분자인 생물이 살아남기 위해 만들어 낸 최선의 방법인 셈이야.
오~ 사랑스러운 나의 후손들이여!
처음에 생식은 생물이 자손을 퍼뜨리며 종족을 유지하기 위해 선택한 도구였어.
아들아, 이제 떠날 때가 됐구나. 어디로 가든, 자식들 많이 낳고, 종족 보존을 위해 최선을 다하거라.
네, 아버지.
흑흑
그러다가 생물은 발전과 정복의 도구로 생식을 사용하게 되었지.
후퇴!
뿌오오오
전쟁의 승패는 병력이 결정한다!
이럴 줄 알았으면 더 많이 낳는 건데….

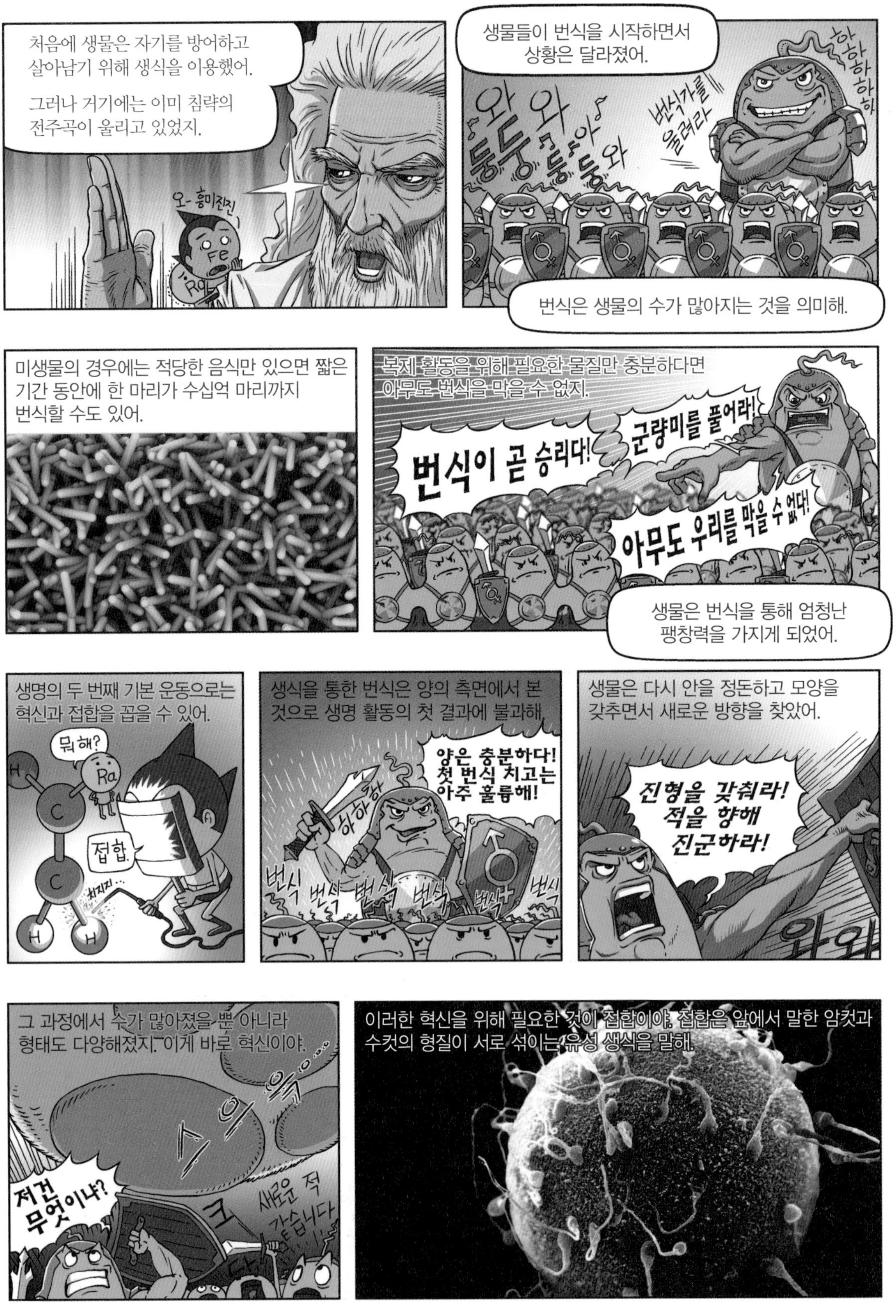
처음에 생물은 자기를 방어하고 살아남기 위해 생식을 이용했어.
그러나 거기에는 이미 침략의 전주곡이 울리고 있었지.
오~ 흥미진진
Fe
Ra
생물들이 번식을 시작하면서 상황은 달라졌어.
번식가를 울려라
하하하하하
번식은 생물의 수가 많아지는 것을 의미해.
미생물의 경우에는 적당한 음식만 있으면 짧은 기간 동안에 한 마리가 수십억 마리까지 번식할 수도 있어.
복제 활동을 위해 필요한 물질만 충분하다면 아무도 번식을 막을 수 없지.
번식이 곧 승리다!
군량미를 풀어라!
아무도 우리를 막을 수 없다!
생물은 번식을 통해 엄청난 팽창력을 가지게 되었어.
생명의 두 번째 기본 운동으로는 혁신과 접합을 꼽을 수 있어.
뭐 해?
Ra
접합.
치지지~
생식을 통한 번식은 양의 측면에서 본 것으로 생명 활동의 첫 결과에 불과해.
양은 충분하다! 첫 번식 치고는 아주 훌륭해!
하하하
번식 번식 번식 번식 번식 번식
생물은 다시 안을 정돈하고 모양을 갖추면서 새로운 방향을 찾았어.
진형을 갖춰라! 적을 향해 진군하라!
와와
그 과정에서 수가 많아졌을 뿐 아니라 형태도 다양해졌지. 이게 바로 혁신이야.
저건 무엇이냐?
새로운 적 같습니다
이러한 혁신을 위해 필요한 것이 접합이야. 접합은 앞에서 말한 암컷과 수컷의 형질이 서로 섞이는 유성 생식을 말해.

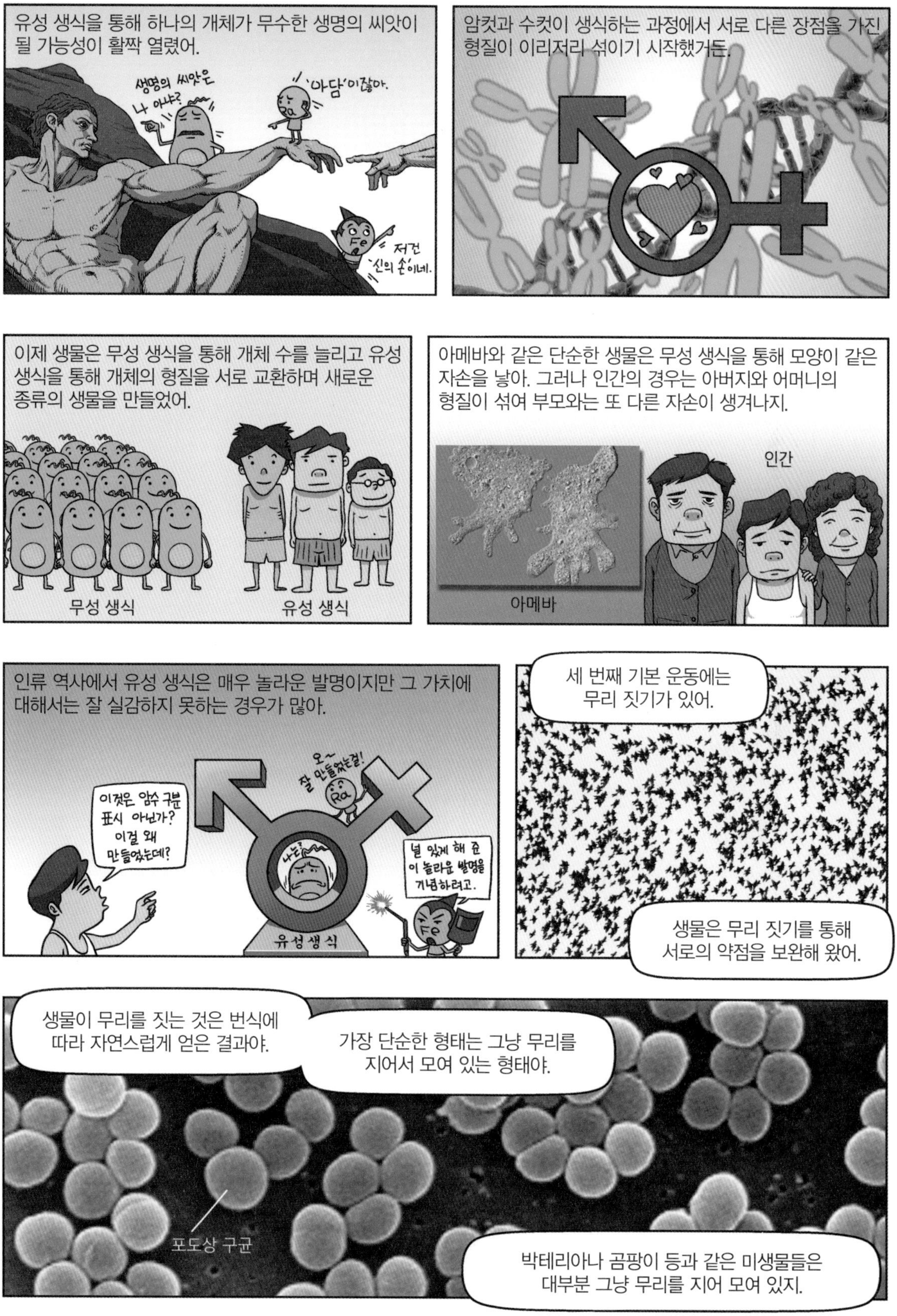
유성 생식을 통해 하나의 개체가 무수한 생명의 씨앗이 될 가능성이 활짝 열렸어.
생명의 씨앗은 나 아냐?
'아담'이잖아.
저건 '신의 손'이네.
암컷과 수컷이 생식하는 과정에서 서로 다른 장점을 가진 형질이 이리저리 섞이기 시작했거든.
이제 생물은 무성 생식을 통해 개체 수를 늘리고 유성 생식을 통해 개체의 형질을 서로 교환하며 새로운 종류의 생물을 만들었어.
무성 생식
유성 생식
아메바와 같은 단순한 생물은 무성 생식을 통해 모양이 같은 자손을 낳아. 그러나 인간의 경우는 아버지와 어머니의 형질이 섞여 부모와는 또 다른 자손이 생겨나지.
인간
아메바
인류 역사에서 유성 생식은 매우 놀라운 발명이지만 그 가치에 대해서는 잘 실감하지 못하는 경우가 많아.
이것은 암수 구분 표시 아닌가? 이걸 왜 만들었는데?
오~ 잘 만들었는걸!
나는?
널 있게 해 준 이 놀라운 발명을 기념하려고.
유성생식
세 번째 기본 운동에는 무리 짓기가 있어.
생물은 무리 짓기를 통해 서로의 약점을 보완해 왔어.
생물이 무리를 짓는 것은 번식에 따라 자연스럽게 얻은 결과야.
가장 단순한 형태는 그냥 무리를 지어서 모여 있는 형태야.
포도상 구균
박테리아나 곰팡이 등과 같은 미생물들은 대부분 그냥 무리를 지어 모여 있지.

미생물보다 높은 단계에 있는 생물들은 좀 더 전문화되어 있을 뿐 아니라 더 단단히 결합되어 있어.
야! 너희들이 뭐라고!
날 무시해? 엉?
단단하다!
쿵
얘들아 무시해
무시
단결
우리는 고등 생물!
뻥

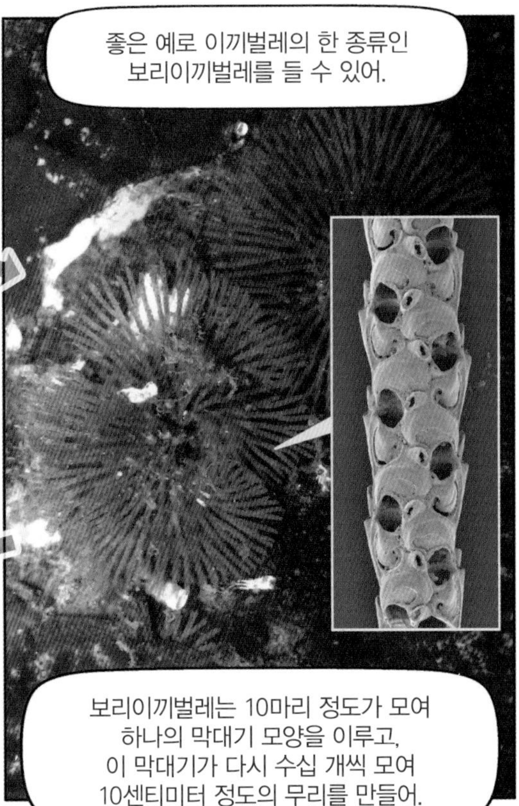
좋은 예로 이끼벌레의 한 종류인 보리이끼벌레를 들 수 있어.
보리이끼벌레는 10마리 정도가 모여 하나의 막대기 모양을 이루고, 이 막대기가 다시 수십 개씩 모여 10센티미터 정도의 무리를 만들어.

이끼벌레 무리보다 높은 단계에 있는 생물의 무리 짓기는 생명 활동을 자율적으로 조절하는 장치를 가지고 있지.
고래의 모습으로 위장한 정어리 군집

그리고 여기에서 더 단계가 높아지면 최고 단계인 사회를 형성해.
개미처럼 일해 봤자 뭐해?
우리가 개미거든?
사회는 생물 집단의 조직이 절정에 이르렀을 때 볼 수 있는 형태야.

무리 짓기는 일어날 수도 있고 일어나지 않을 수도 있는 우연한 일이 아니라 생물의 자기 팽창을 위한, 중요한 생명의 기본 운동이야.

무리 짓기를 하면 얻을 수 있는 좋은 점들이 많기 때문이지.
흐흐흐흐
우리도 무리 짓기 어때?
NO
힉

무리 짓기를 하면 외부의 위협으로부터 더 안전할 수 있고, 내부적으로도 여러 가지 역할을 분담할 수 있어 효율적인 생명 활동을 할 수가 있어.
경계!
경계!
적이 어딨지?
방심하지 마라.
경계!
아… 화장실 가야 하는데…
아직 없어요.

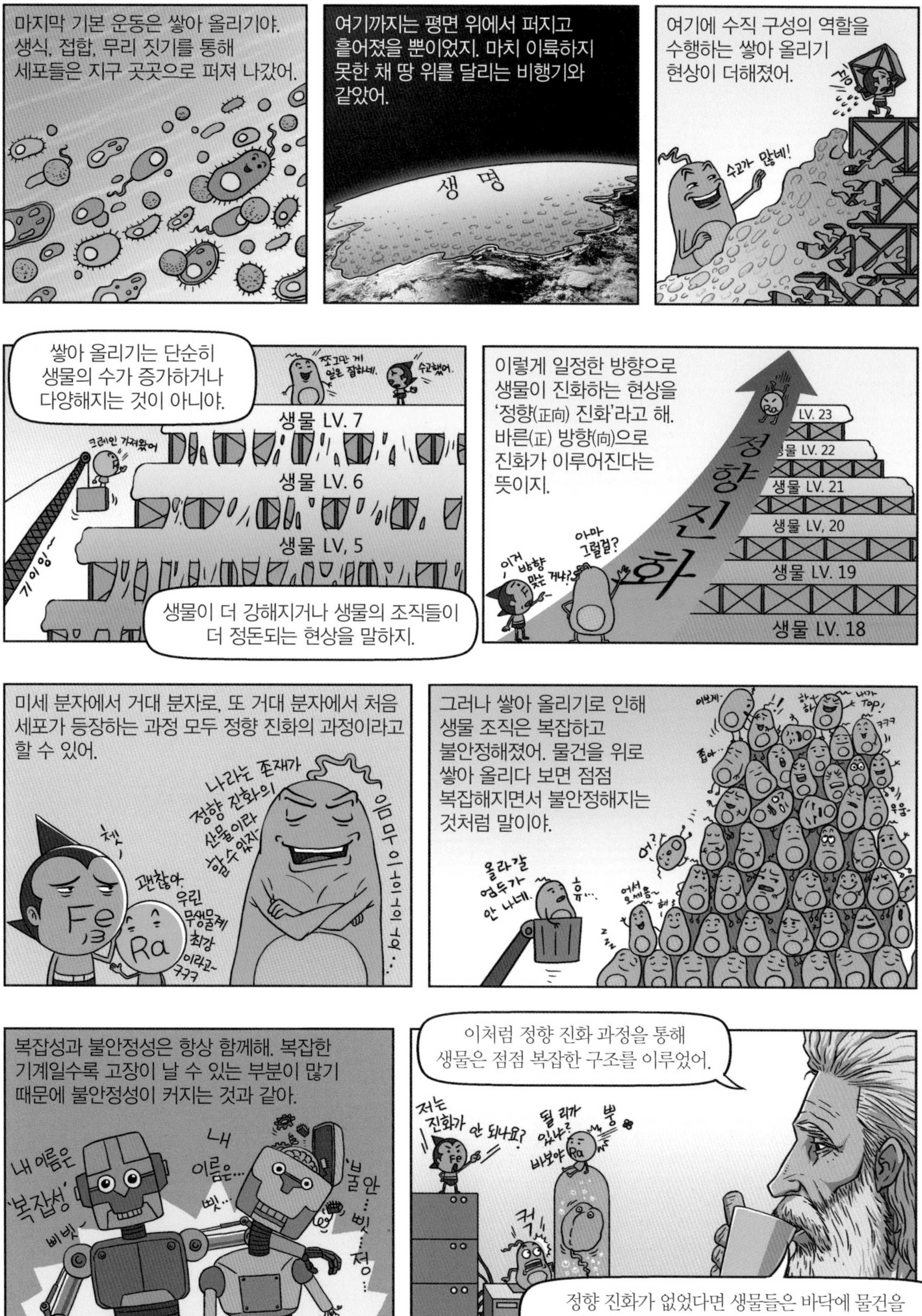
마지막 기본 운동은 쌓아 올리기야. 생식, 접합, 무리 짓기를 통해 세포들은 지구 곳곳으로 퍼져 나갔어.
여기까지는 평면 위에서 퍼지고 흩어졌을 뿐이었지. 마치 이륙하지 못한 채 땅 위를 달리는 비행기와 같았어.
생 명
여기에 수직 구성의 역할을 수행하는 쌓아 올리기 현상이 더해졌어.
수고가 많네!
쌓아 올리기는 단순히 생물의 수가 증가하거나 다양해지는 것이 아니야.
수고했어.
생물 LV. 7
크레인 가져왔어
생물 LV. 6
생물 LV, 5
기이잉~
생물이 더 강해지거나 생물의 조직들이 더 정돈되는 현상을 말하지.
이렇게 일정한 방향으로 생물이 진화하는 현상을 '정향(正向) 진화'라고 해. 바른(正) 방향(向)으로 진화가 이루어진다는 뜻이지.
정향 진화
LV. 23
생물 LV. 22
생물 LV. 21
생물 LV, 20
생물 LV. 19
생물 LV. 18
이거 방향 맞는 거냐?
아마 그럴걸?
미세 분자에서 거대 분자로, 또 거대 분자에서 처음 세포가 등장하는 과정 모두 정향 진화의 과정이라고 할 수 있어.
나라는 존재가 정향 진화의 산물이라 할 수 있지.
음무하하하하...
첫,
괜찮아. 우린 무생물계 최강 이라고~ ㅋㅋㅋ
Fe
Ra
그러나 쌓아 올리기로 인해 생물 조직은 복잡하고 불안정해졌어. 물건을 위로 쌓아 올리다 보면 점점 복잡해지면서 불안정해지는 것처럼 말이야.
내가 TOP!
ㅋㅋㅋ
좁아..
올라갈 엄두가 안 나네.
휴...
어?
어서 오세용~
복잡성과 불안정성은 항상 함께해. 복잡한 기계일수록 고장이 날 수 있는 부분이 많기 때문에 불안정성이 커지는 것과 같아.
내 이름은 '복잡성'
삐빗~
내 이름은... 삣...
'불안... 삣... 정...
이처럼 정향 진화 과정을 통해 생물은 점점 복잡한 구조를 이루었어.
저는 진화가 안 되나요?
될 리가 있냐? 바보야
뿅
컥
정향 진화가 없었다면 생물들은 바닥에 물건을 늘어놓은 것처럼 단순하게 나열되어 있었을 거야.

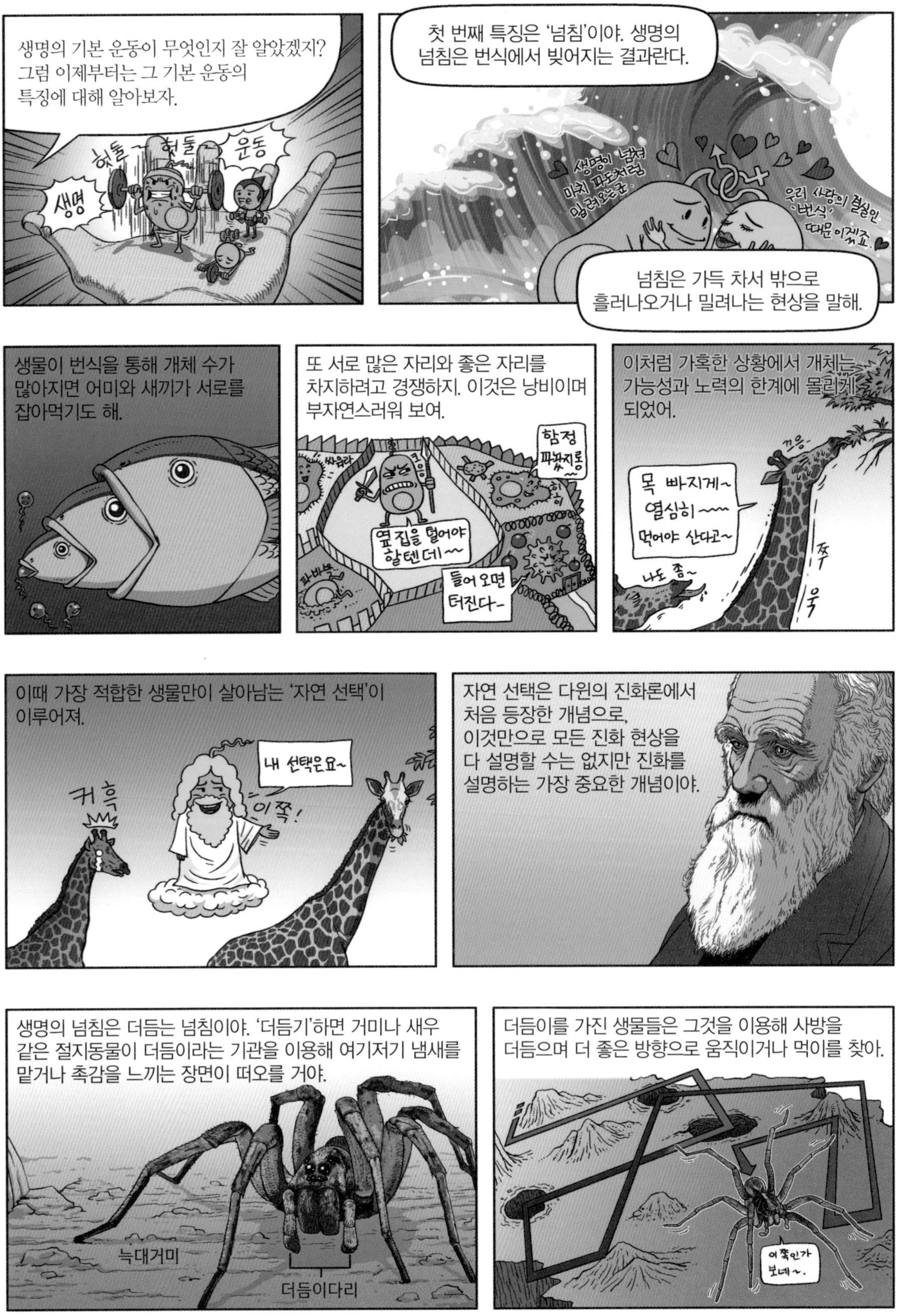
생명의 기본 운동이 무엇인지 잘 알았겠지? 그럼 이제부터는 그 기본 운동의 특징에 대해 알아보자.
헛둘~ 헛둘 운동
생명
첫 번째 특징은 '넘침'이야. 생명의 넘침은 번식에서 빚어지는 결과란다.
생명이 넘쳐 마치 파도처럼 밀려오는군.
우리 사랑의 결실인 '번식' 때문이겠죠.
넘침은 가득 차서 밖으로 흘러나오거나 밀려나는 현상을 말해.
생물이 번식을 통해 개체 수가 많아지면 어미와 새끼가 서로를 잡아먹기도 해.
또 서로 많은 자리와 좋은 자리를 차지하려고 경쟁하지. 이것은 낭비이며 부자연스러워 보여.
함정 파놨지롱~
옆 집을 털어야 할텐데~
들어오면 터진다~
이처럼 가혹한 상황에서 개체는 가능성과 노력의 한계에 몰리게 되었어.
끄응
목 빠지게~ 열심히~~~ 먹어야 산다고~
나도 좀~
쭈욱
이때 가장 적합한 생물만이 살아남는 '자연 선택'이 이루어져.
커흑
내 선택은요~
이쪽!
자연 선택은 다윈의 진화론에서 처음 등장한 개념으로, 이것만으로 모든 진화 현상을 다 설명할 수는 없지만 진화를 설명하는 가장 중요한 개념이야.
생명의 넘침은 더듬는 넘침이야. '더듬기'하면 거미나 새우 같은 절지동물이 더듬이라는 기관을 이용해 여기저기 냄새를 맡거나 촉감을 느끼는 장면이 떠오를 거야.
늑대거미
더듬이다리
더듬이를 가진 생물들은 그것을 이용해 사방을 더듬으며 더 좋은 방향으로 움직이거나 먹이를 찾아.
이 쪽인가 보네~.

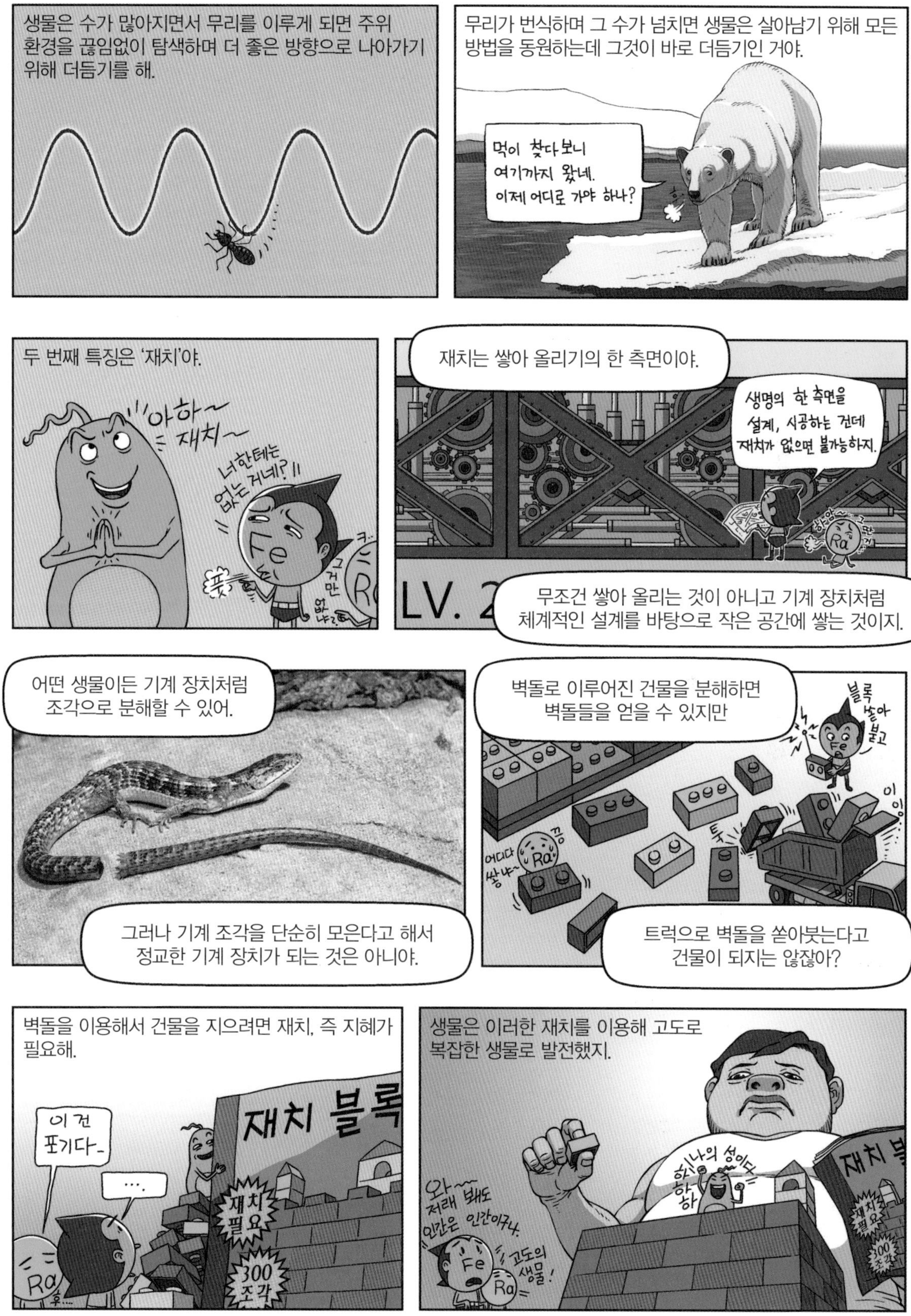

생물은 수가 많아지면서 무리를 이루게 되면 주위 환경을 끊임없이 탐색하며 더 좋은 방향으로 나아가기 위해 더듬기를 해.
무리가 번식하며 그 수가 넘치면 생물은 살아남기 위해 모든 방법을 동원하는데 그것이 바로 더듬기인 거야.
먹이 찾다 보니 여기까지 왔네. 이제 어디로 가야 하나?
두 번째 특징은 '재치'야.
아하~ 재치~
너한테는 없는 거네?
그거만 없냐?
재치는 쌓아 올리기의 한 측면이야.
생명의 한 측면을 설계, 시공하는 건데 재치가 없으면 불가능하지.
LV. 2
무조건 쌓아 올리는 것이 아니고 기계 장치처럼 체계적인 설계를 바탕으로 작은 공간에 쌓는 것이지.
어떤 생물이든 기계 장치처럼 조각으로 분해할 수 있어.
그러나 기계 조각을 단순히 모은다고 해서 정교한 기계 장치가 되는 것은 아니야.
벽돌로 이루어진 건물을 분해하면 벽돌들을 얻을 수 있지만
블록 쌓아 볼고
어디다 쌓냐~
끙
툭
이잉
트럭으로 벽돌을 쏟아붓는다고 건물이 되지는 않잖아?
벽돌을 이용해서 건물을 지으려면 재치, 즉 지혜가 필요해.
이건 포기다_
….
재치 블록
재치 필요
300 조각
생물은 이러한 재치를 이용해 고도로 복잡한 생물로 발전했지.
와~ 저래 봐도 인간은 인간이구나.
고도의 생물!
하나의 성이다
하하
재치 블
재치 필요
300 조각

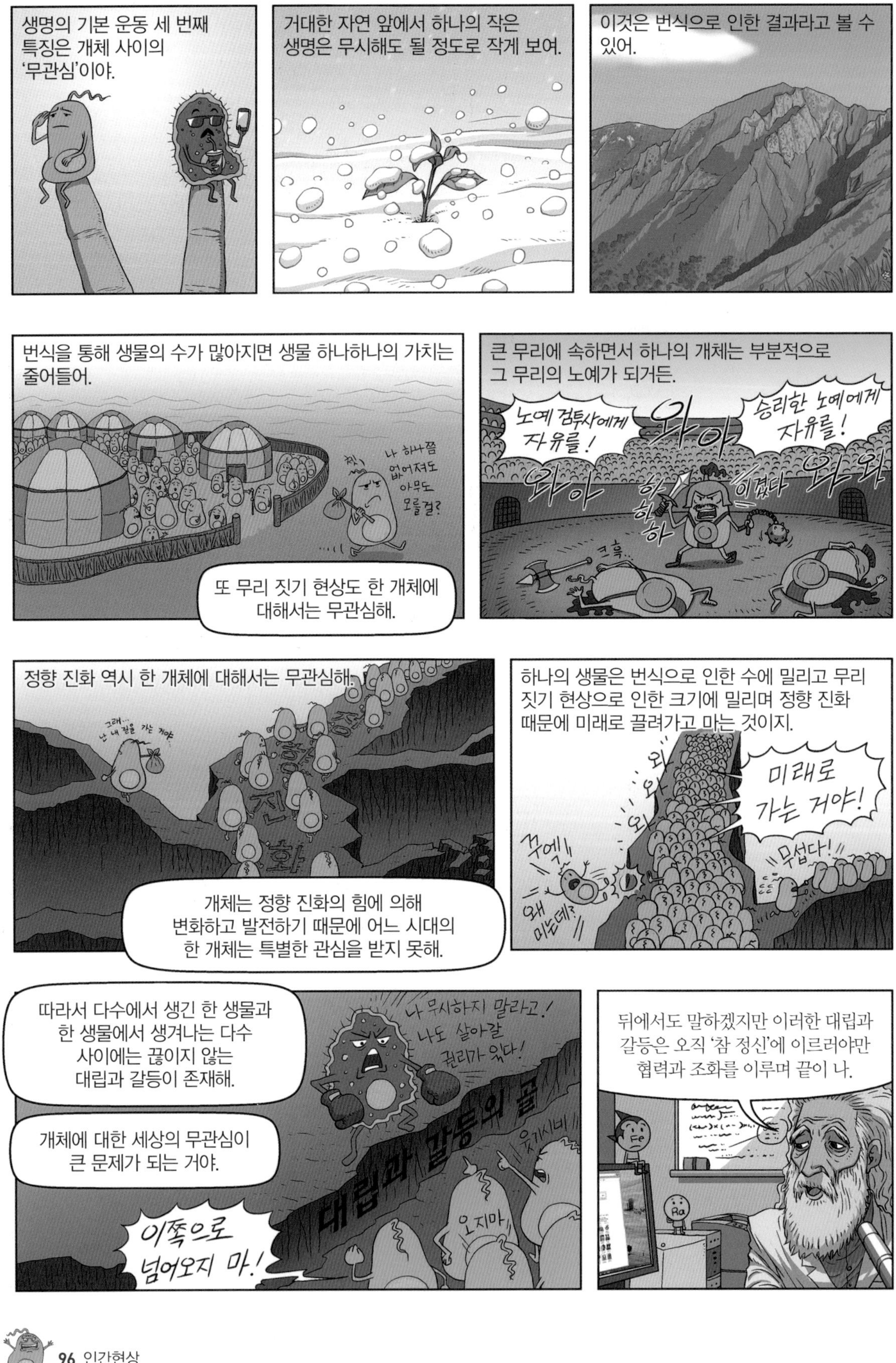
생명의 기본 운동 세 번째 특징은 개체 사이의 '무관심'이야.
거대한 자연 앞에서 하나의 작은 생명은 무시해도 될 정도로 작게 보여.
이것은 번식으로 인한 결과라고 볼 수 있어.
번식을 통해 생물의 수가 많아지면 생물 하나하나의 가치는 줄어들어.
나 하나쯤 없어져도 아무도 모를걸?
또 무리 짓기 현상도 한 개체에 대해서는 무관심해.
큰 무리에 속하면서 하나의 개체는 부분적으로 그 무리의 노예가 되거든.
노예 검투사에게 자유를!
와아
승리한 노예에게 자유를!
와아
하하하
이겼다
와와
크흑..
정향 진화 역시 한 개체에 대해서는 무관심해.
그래... 난 내 길을 가는 거야.
정향 진화
개체는 정향 진화의 힘에 의해 변화하고 발전하기 때문에 어느 시대의 한 개체는 특별한 관심을 받지 못해.
하나의 생물은 번식으로 인한 수에 밀리고 무리 짓기 현상으로 인한 크기에 밀리며 정향 진화 때문에 미래로 끌려가고 마는 것이지.
미래로 가는 거야!
꾸엑!
왜 미는데?
무섭다!
따라서 다수에서 생긴 한 생물과 한 생물에서 생겨나는 다수 사이에는 끊이지 않는 대립과 갈등이 존재해.
나 무시하지 말라고! 나도 살아갈 권리가 있다!
대립과 갈등의 골
개체에 대한 세상의 무관심이 큰 문제가 되는 거야.
오지마
이쪽으로 넘어오지 마!
뒤에서도 말하겠지만 이러한 대립과 갈등은 오직 '참 정신'에 이르러야만 협력과 조화를 이루며 끝이 나.

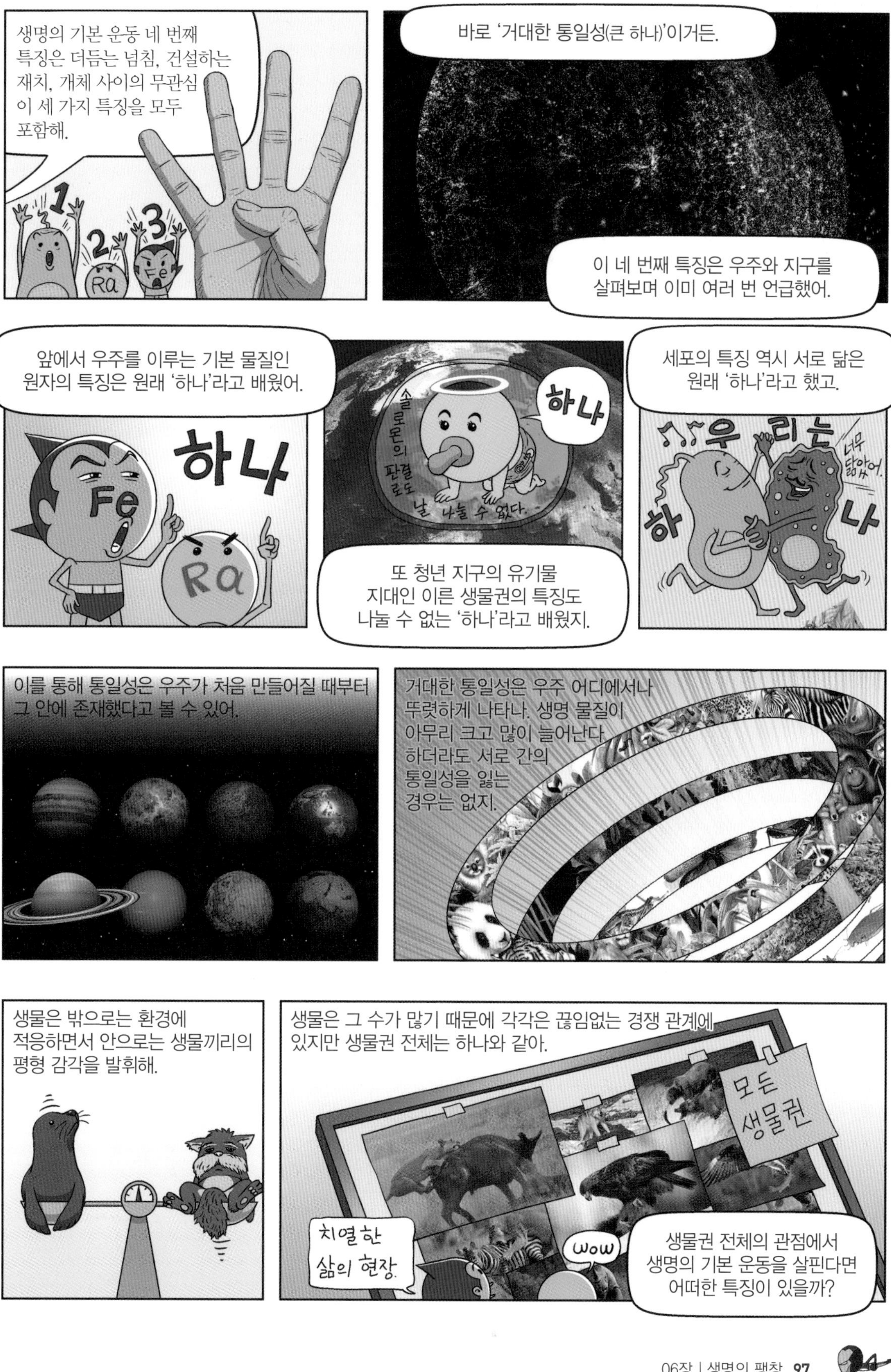
생명의 기본 운동 네 번째 특징은 더듬는 넘침, 건설하는 재치, 개체 사이의 무관심 이 세 가지 특징을 모두 포함해.
1
2
3
Ra
Fe
바로 '거대한 통일성(큰 하나)'이거든.
이 네 번째 특징은 우주와 지구를 살펴보며 이미 여러 번 언급했어.
앞에서 우주를 이루는 기본 물질인 원자의 특징은 원래 '하나'라고 배웠어.
하나
Fe
Ra
하나
솔로몬의 판결로도 날 나눌 수 없다.
또 청년 지구의 유기물 지대인 이른 생물권의 특징도 나눌 수 없는 '하나'라고 배웠지.
세포의 특징 역시 서로 닮은 원래 '하나'라고 했고.
우리는 하나
너무 닮았어.
이를 통해 통일성은 우주가 처음 만들어질 때부터 그 안에 존재했다고 볼 수 있어.
거대한 통일성은 우주 어디에서나 뚜렷하게 나타나. 생명 물질이 아무리 크고 많이 늘어난다 하더라도 서로 간의 통일성을 잃는 경우는 없지.
생물은 밖으로는 환경에 적응하면서 안으로는 생물끼리의 평형 감각을 발휘해.
생물은 그 수가 많기 때문에 각각은 끊임없는 경쟁 관계에 있지만 생물권 전체는 하나와 같아.
모든 생물권
치열한 삶의 현장.
wow
생물권 전체의 관점에서 생명의 기본 운동을 살핀다면 어떠한 특징이 있을까?

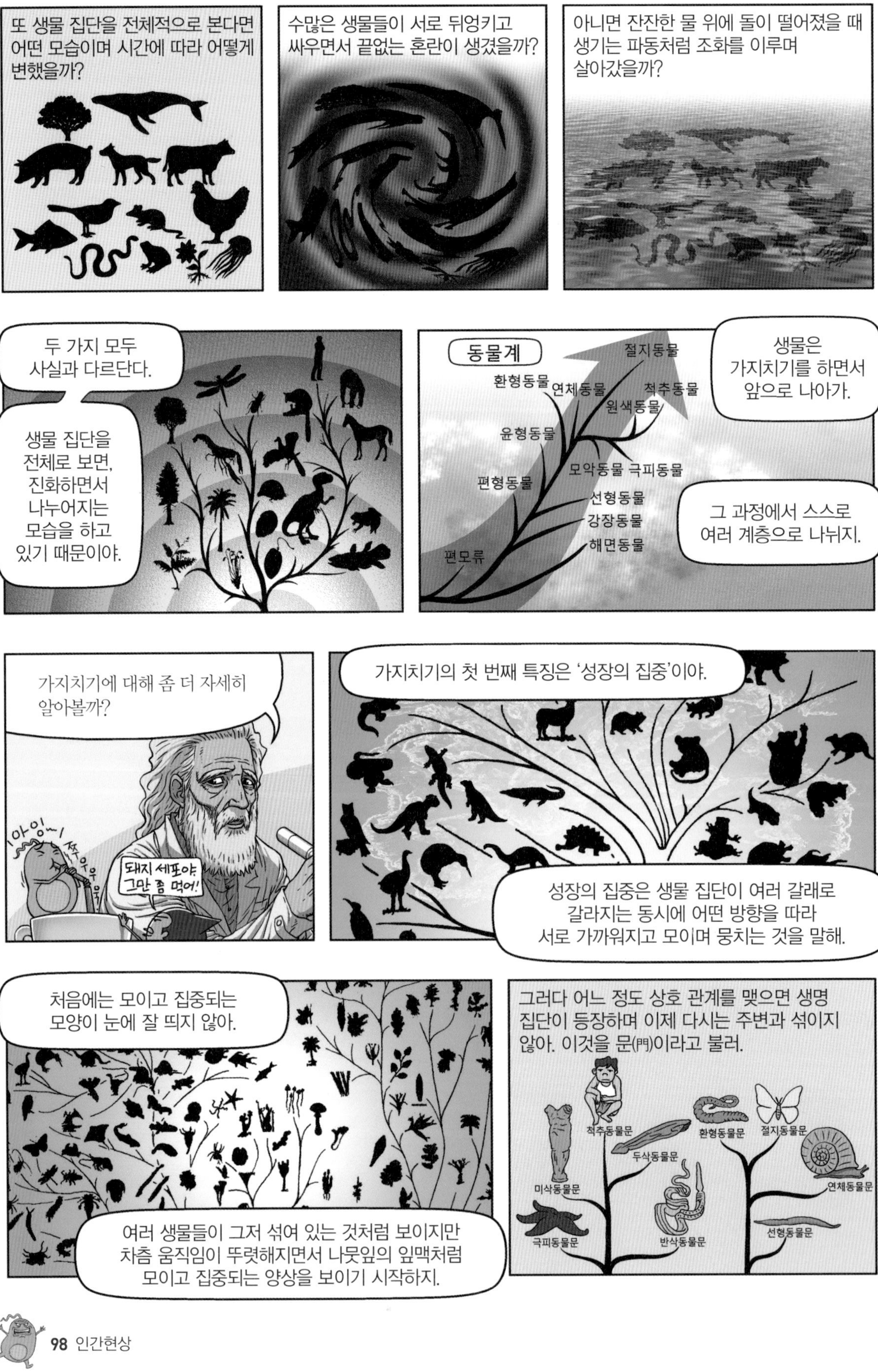
또 생물 집단을 전체적으로 본다면 어떤 모습이며 시간에 따라 어떻게 변했을까?
수많은 생물들이 서로 뒤엉키고 싸우면서 끝없는 혼란이 생겼을까?
아니면 잔잔한 물 위에 돌이 떨어졌을 때 생기는 파동처럼 조화를 이루며 살아갔을까?
두 가지 모두 사실과 다르단다.
생물 집단을 전체로 보면, 진화하면서 나누어지는 모습을 하고 있기 때문이야.
동물계
절지동물
환형동물
연체동물
척추동물
원색동물
윤형동물
모악동물
극피동물
편형동물
선형동물
강장동물
해면동물
편모류
생물은 가지치기를 하면서 앞으로 나아가.
그 과정에서 스스로 여러 계층으로 나뉘지.
가지치기에 대해 좀 더 자세히 알아볼까?
아잉~!
쪼우우욱
돼지 세포야! 그만 좀 먹어!
가지치기의 첫 번째 특징은 '성장의 집중'이야.
성장의 집중은 생물 집단이 여러 갈래로 갈라지는 동시에 어떤 방향을 따라 서로 가까워지고 모이며 뭉치는 것을 말해.
처음에는 모이고 집중되는 모양이 눈에 잘 띄지 않아.
여러 생물들이 그저 섞여 있는 것처럼 보이지만 차츰 움직임이 뚜렷해지면서 나뭇잎의 잎맥처럼 모이고 집중되는 양상을 보이기 시작하지.
그러다 어느 정도 상호 관계를 맺으면 생명 집단이 등장하며 이제 다시는 주변과 섞이지 않아. 이것을 문(門)이라고 불러.
척추동물문
환형동물문
절지동물문
두삭동물문
미삭동물문
연체동물문
극피동물문
반삭동물문
선형동물문

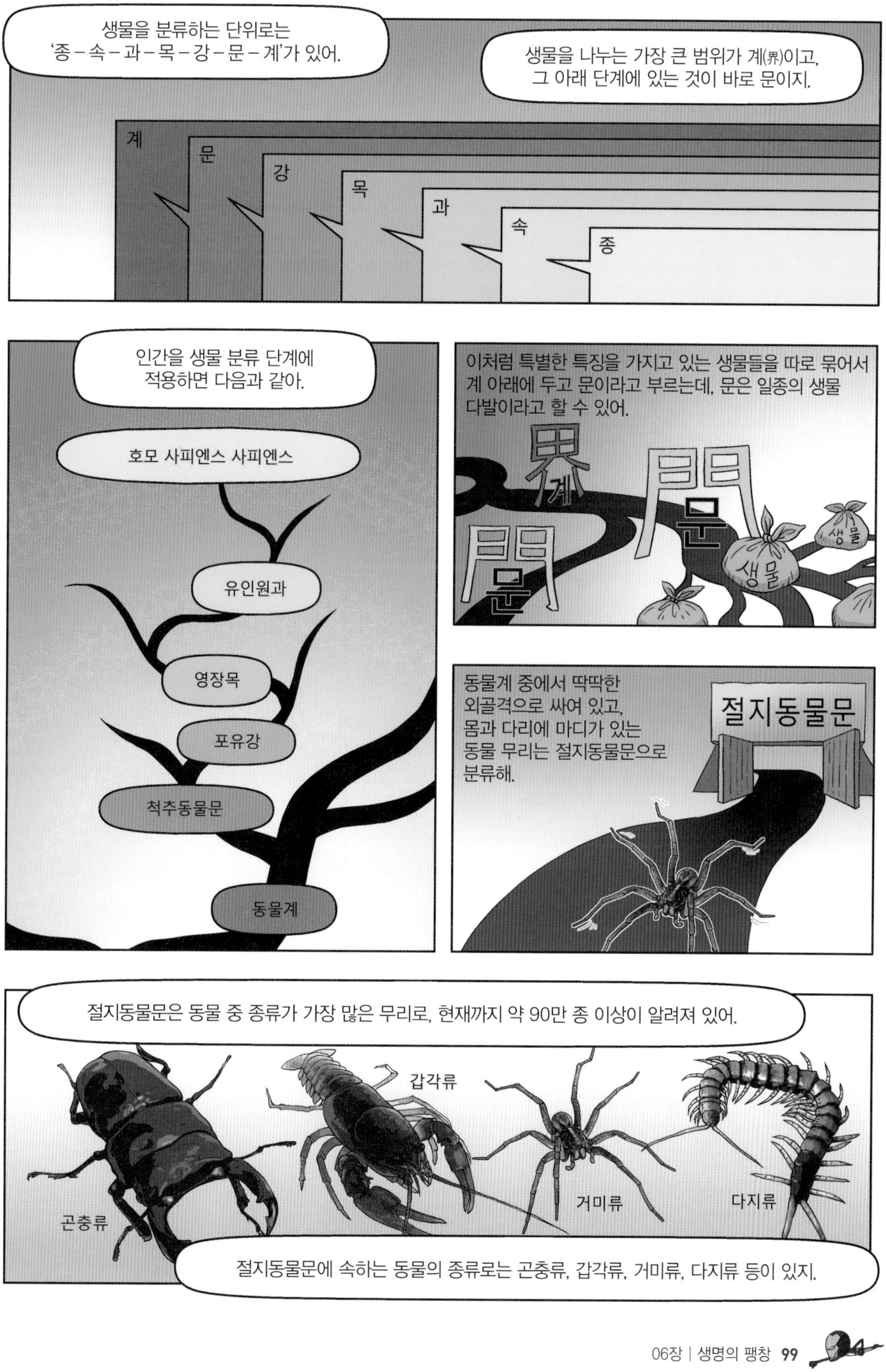
생물을 분류하는 단위로는
'종 - 속 - 과 - 목 - 강 - 문 - 계'가 있어.
생물을 나누는 가장 큰 범위가 계(界)이고,
그 아래 단계에 있는 것이 바로 문이지.
계
문
강
목
과
속
종
인간을 생물 분류 단계에
적용하면 다음과 같아.
호모 사피엔스 사피엔스
유인원과
영장목
포유강
척추동물문
동물계
이처럼 특별한 특징을 가지고 있는 생물들을 따로 묶어서 계 아래에 두고 문이라고 부르는데, 문은 일종의 생물 다발이라고 할 수 있어.
界
계
門
문
門
문
생물
생물
동물계 중에서 딱딱한
외골격으로 싸여 있고,
몸과 다리에 마디가 있는
동물 무리는 절지동물문으로
분류해.
절지동물문
절지동물문은 동물 중 종류가 가장 많은 무리로, 현재까지 약 90만 종 이상이 알려져 있어.
갑각류
곤충류
거미류
다지류
절지동물문에 속하는 동물의 종류로는 곤충류, 갑각류, 거미류, 다지류 등이 있지.

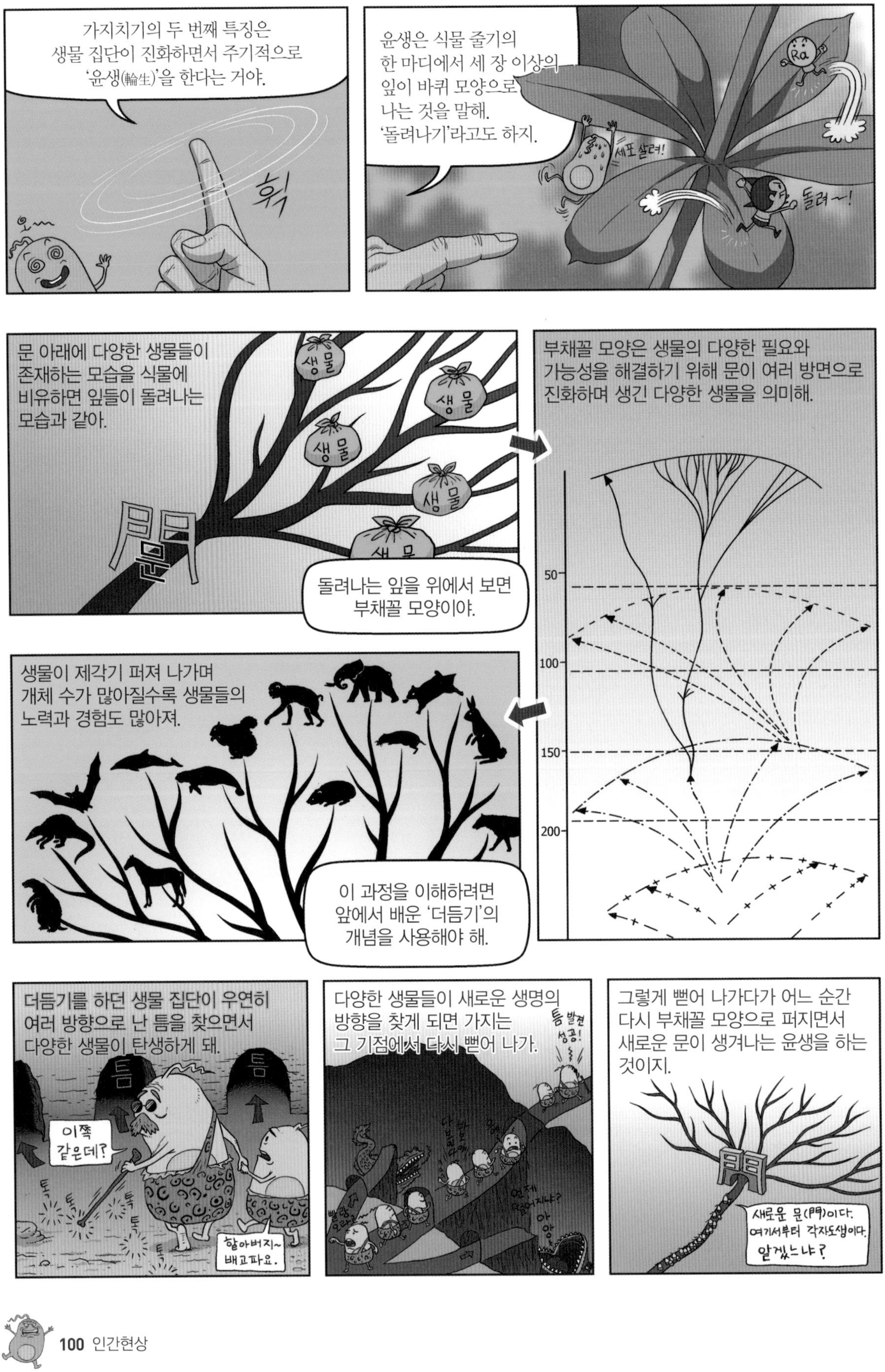

가지치기의 두 번째 특징은 생물 집단이 진화하면서 주기적으로 '윤생(輪生)'을 한다는 거야.
휙
윤생은 식물 줄기의 한 마디에서 세 장 이상의 잎이 바퀴 모양으로 나는 것을 말해. '돌려나기'라고도 하지.
Ra
세포 살려!
돌려~!
문 아래에 다양한 생물들이 존재하는 모습을 식물에 비유하면 잎들이 돌려나는 모습과 같아.
생물
생물
생물
생물
門 문
돌려나는 잎을 위에서 보면 부채꼴 모양이야.
부채꼴 모양은 생물의 다양한 필요와 가능성을 해결하기 위해 문이 여러 방면으로 진화하며 생긴 다양한 생물을 의미해.
50
100
150
200
생물이 제각기 퍼져 나가며 개체 수가 많아질수록 생물들의 노력과 경험도 많아져.
이 과정을 이해하려면 앞에서 배운 '더듬기'의 개념을 사용해야 해.
더듬기를 하던 생물 집단이 우연히 여러 방향으로 난 틈을 찾으면서 다양한 생물이 탄생하게 돼.
틈
틈
이쪽 같은데?
톡
톡
톡
톡
할아버지~ 배고파요.
다양한 생물들이 새로운 생명의 방향을 찾게 되면 가지는 그 기점에서 다시 뻗어 나가.
틈 발견 성공!
그렇게 뻗어 나가다가 어느 순간 다시 부채꼴 모양으로 퍼지면서 새로운 문이 생겨나는 윤생을 하는 것이지.
새로운 문(門)이다. 여기서부터 각자도생이다. 알겠느냐?

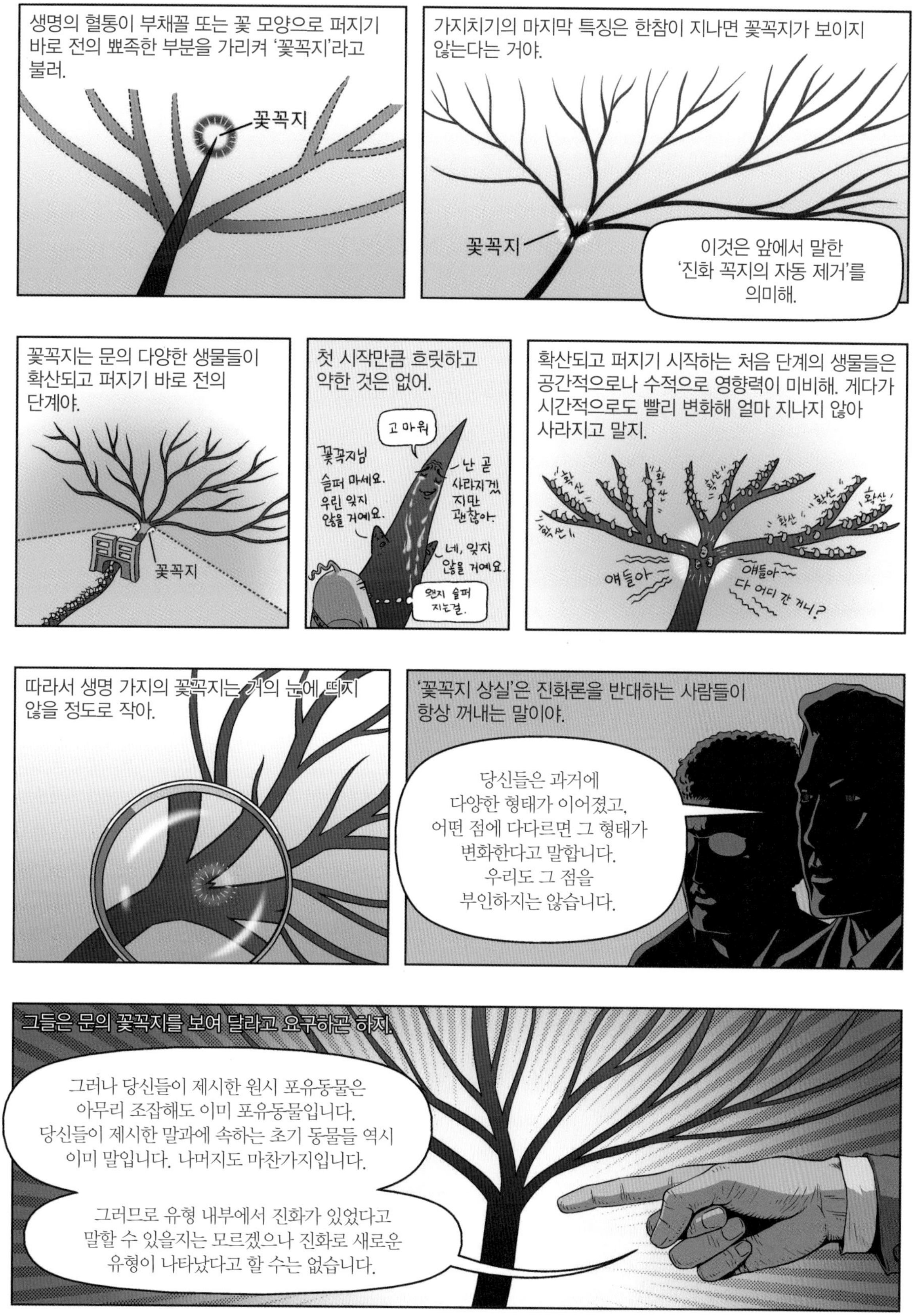
생명의 혈통이 부채꼴 또는 꽃 모양으로 퍼지기 바로 전의 뾰족한 부분을 가리켜 '꽃꼭지'라고 불러.
꽃꼭지
가지치기의 마지막 특징은 한참이 지나면 꽃꼭지가 보이지 않는다는 거야.
꽃꼭지
이것은 앞에서 말한 '진화 꼭지의 자동 제거'를 의미해.
꽃꼭지는 문의 다양한 생물들이 확산되고 퍼지기 바로 전의 단계야.
꽃꼭지
첫 시작만큼 흐릿하고 약한 것은 없어.
고 마 워
꽃꼭지님 슬퍼 마세요. 우린 잊지 않을 거예요.
난 곧 사라지겠지만 괜찮아.
네, 잊지 않을 거예요.
왠지 슬퍼지는걸.
확산되고 퍼지기 시작하는 처음 단계의 생물들은 공간적으로나 수적으로 영향력이 미비해. 게다가 시간적으로도 빨리 변화해 얼마 지나지 않아 사라지고 말지.
확산
확산
확산
확산
확산
확산
확산
얘들아
얘들아 다 어디 간 거니?
따라서 생명 가지의 꽃꼭지는 거의 눈에 띄지 않을 정도로 작아.
'꽃꼭지 상실'은 진화론을 반대하는 사람들이 항상 꺼내는 말이야.
당신들은 과거에 다양한 형태가 이어졌고, 어떤 점에 다다르면 그 형태가 변화한다고 말합니다. 우리도 그 점을 부인하지는 않습니다.
그들은 문의 꽃꼭지를 보여 달라고 요구하곤 하지.
그러나 당신들이 제시한 원시 포유동물은 아무리 조잡해도 이미 포유동물입니다. 당신들이 제시한 말과에 속하는 초기 동물들 역시 이미 말입니다. 나머지도 마찬가지입니다.
그러므로 유형 내부에서 진화가 있었다고 말할 수 있을지는 모르겠으나 진화로 새로운 유형이 나타났다고 할 수는 없습니다.

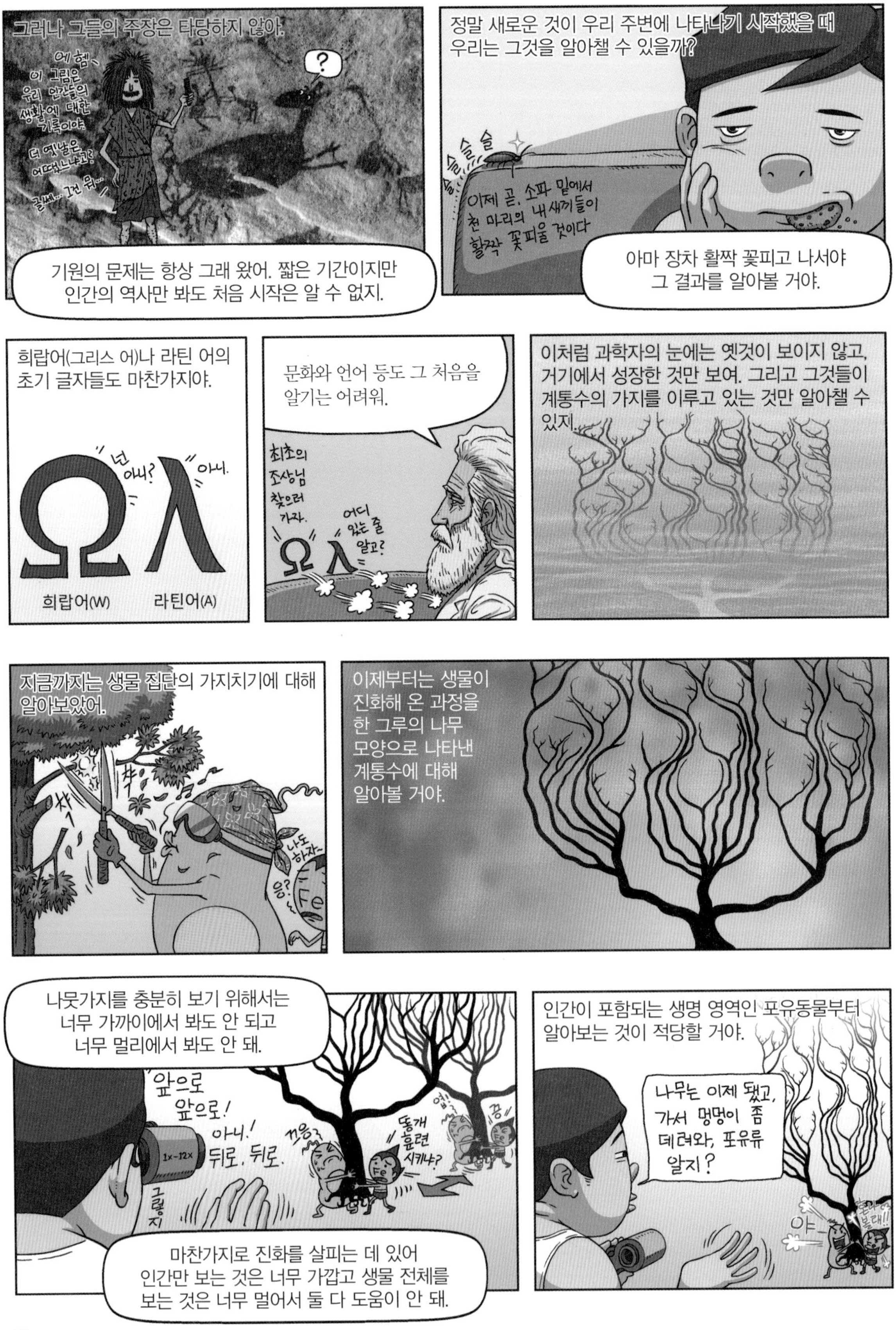
그러나 그들의 주장은 타당하지 않아.
에헴, 이 그림은 우리 인간들의 생활에 대한 기록이야.
더 옛날은 어땠느냐고? 글쎄... 그건 뭐...
?
기원의 문제는 항상 그래 왔어. 짧은 기간이지만 인간의 역사만 봐도 처음 시작은 알 수 없지.
정말 새로운 것이 우리 주변에 나타나기 시작했을 때 우리는 그것을 알아챌 수 있을까?
슬 슬 슬
이제 곧, 소파 밑에서 천 마리의 내 새끼들이 활짝 꽃피울 것이다
아마 장차 활짝 꽃피고 나서야 그 결과를 알아볼 거야.
희랍어(그리스 어)나 라틴 어의 초기 글자들도 마찬가지야.
넌 아니?
아니.
Ω λ
희랍어(W) 라틴어(A)
문화와 언어 등도 그 처음을 알기는 어려워.
최초의 조상님 찾으러 가자.
어디 있는 줄 알고?
이처럼 과학자의 눈에는 옛것이 보이지 않고, 거기에서 성장한 것만 보여. 그리고 그것들이 계통수의 가지를 이루고 있는 것만 알아챌 수 있지.
지금까지는 생물 집단의 가지치기에 대해 알아보았어.
싹
나도 하자~
응?
이제부터는 생물이 진화해 온 과정을 한 그루의 나무 모양으로 나타낸 계통수에 대해 알아볼 거야.
나뭇가지를 충분히 보기 위해서는 너무 가까이에서 봐도 안 되고 너무 멀리에서 봐도 안 돼.
앞으로 앞으로!
아니! 뒤로, 뒤로.
1x-12x
그렇지
끄응
똥개 훈련 시키냐?
마찬가지로 진화를 살피는 데 있어 인간만 보는 것은 너무 가깝고 생물 전체를 보는 것은 너무 멀어서 둘 다 도움이 안 돼.
인간이 포함되는 생명 영역인 포유동물부터 알아보는 것이 적당할 거야.
나무는 이제 됐고, 가서 멍멍이 좀 데려와, 포유류 알지?
야

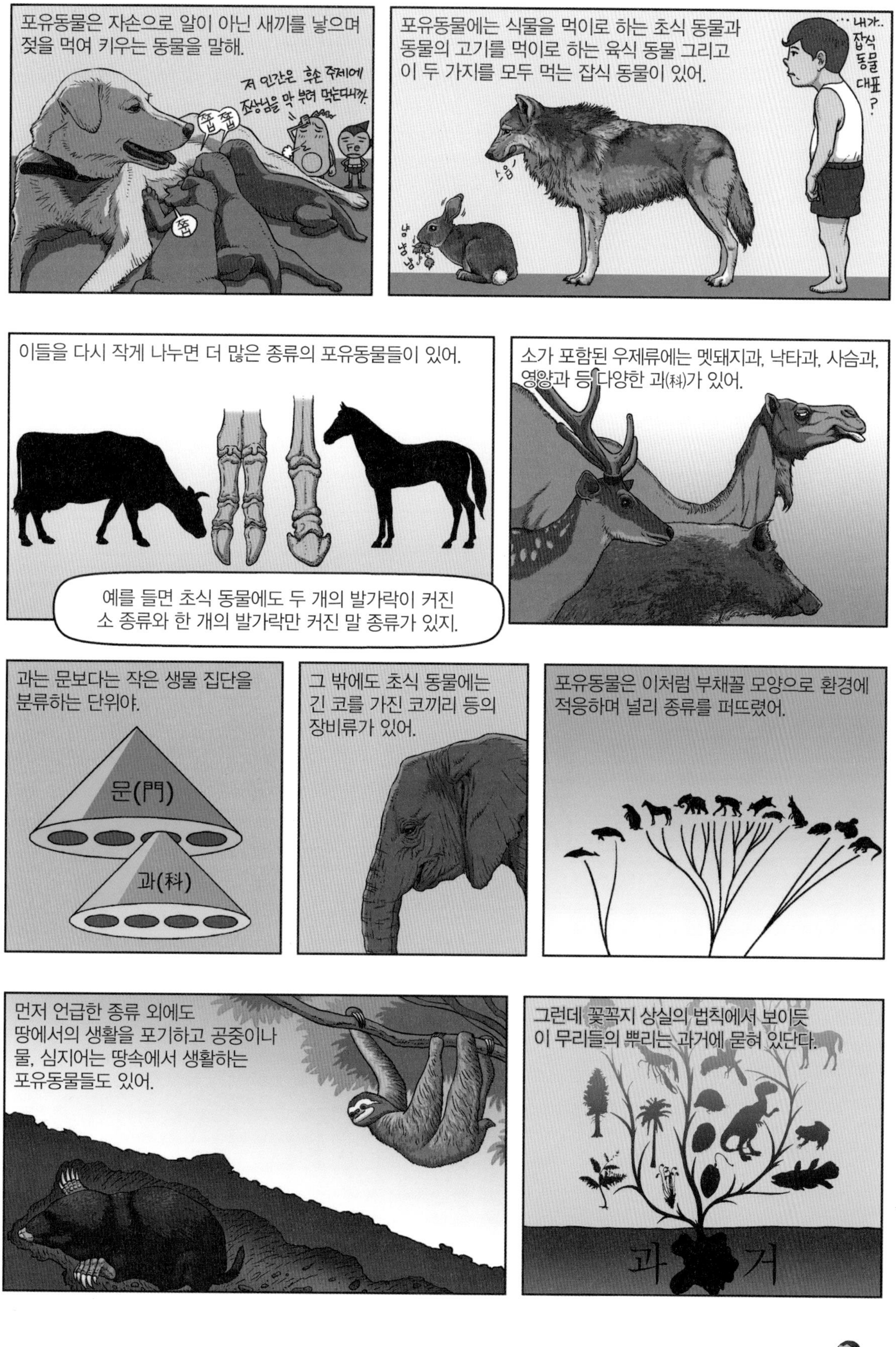
포유동물은 자손으로 알이 아닌 새끼를 낳으며
젖을 먹여 키우는 동물을 말해.
저 인간은 후손 주제에 조상님을 막 부려 먹는다니까.
쭙 쭙
쭙
포유동물에는 식물을 먹이로 하는 초식 동물과
동물의 고기를 먹이로 하는 육식 동물 그리고
이 두 가지를 모두 먹는 잡식 동물이 있어.
스읍
냠 냠 냠
…내가.. 잡식 동물 대표?
이들을 다시 작게 나누면 더 많은 종류의 포유동물들이 있어.
예를 들면 초식 동물에도 두 개의 발가락이 커진
소 종류와 한 개의 발가락만 커진 말 종류가 있지.
소가 포함된 우제류에는 멧돼지과, 낙타과, 사슴과,
영양과 등 다양한 과(科)가 있어.
과는 문보다는 작은 생물 집단을
분류하는 단위야.
문(門)
과(科)
그 밖에도 초식 동물에는
긴 코를 가진 코끼리 등의
장비류가 있어.
포유동물은 이처럼 부채꼴 모양으로 환경에
적응하며 널리 종류를 퍼뜨렸어.
먼저 언급한 종류 외에도
땅에서의 생활을 포기하고 공중이나
물, 심지어는 땅속에서 생활하는
포유동물들도 있어.
그런데 꽃꼭지 상실의 법칙에서 보이듯
이 무리들의 뿌리는 과거에 묻혀 있단다.
과 거

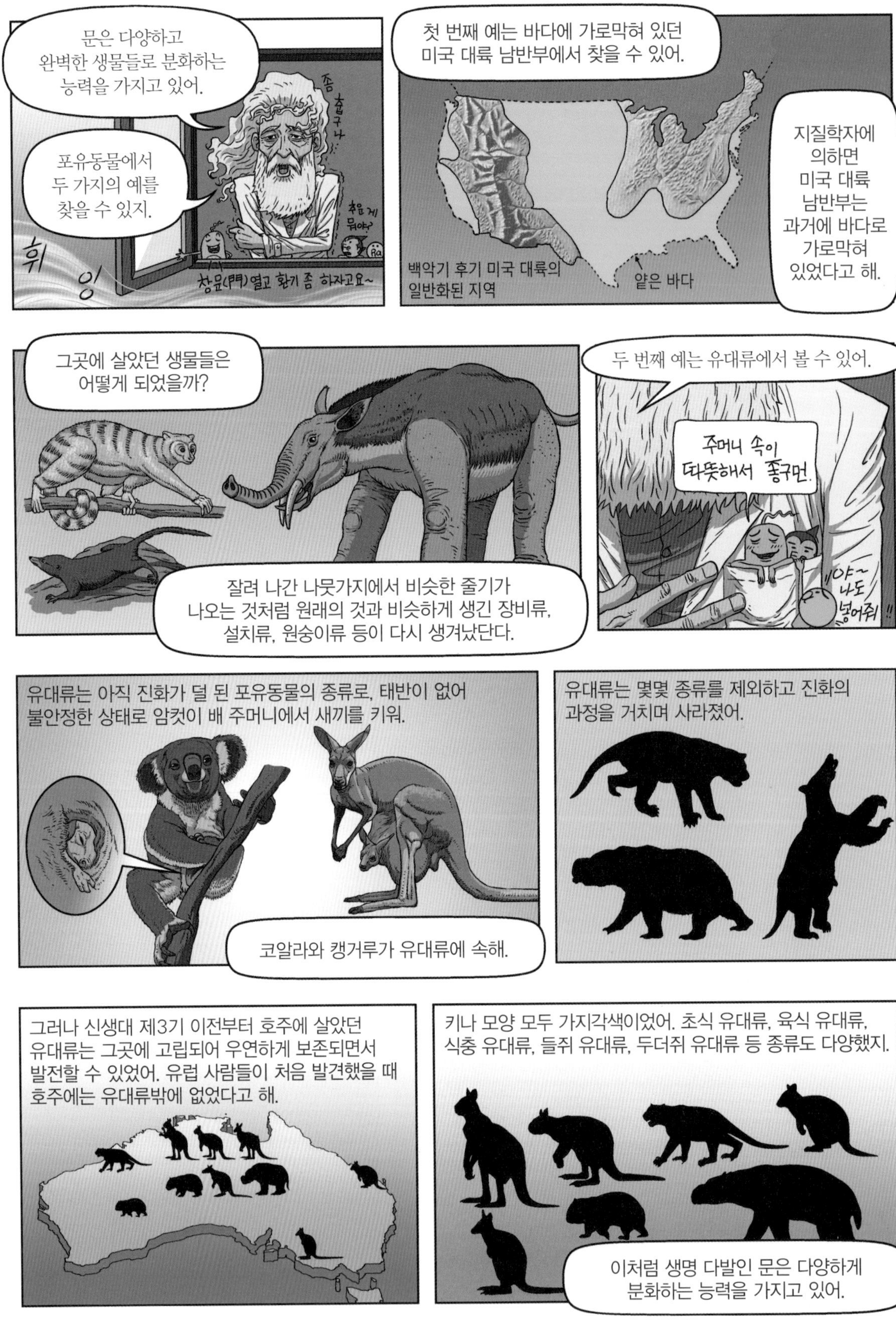
문은 다양하고
완벽한 생물들로 분화하는
능력을 가지고 있어.
좀 춥구나...
포유동물에서
두 가지의 예를
찾을 수 있지.
추운 게 뭐야?
휘잉
창문(門)열고 환기 좀 하자고요~
첫 번째 예는 바다에 가로막혀 있던
미국 대륙 남반부에서 찾을 수 있어.
백악기 후기 미국 대륙의
일반화된 지역
얕은 바다
지질학자에
의하면
미국 대륙
남반부는
과거에 바다로
가로막혀
있었다고 해.
그곳에 살았던 생물들은
어떻게 되었을까?
잘려 나간 나뭇가지에서 비슷한 줄기가
나오는 것처럼 원래의 것과 비슷하게 생긴 장비류,
설치류, 원숭이류 등이 다시 생겨났단다.
두 번째 예는 유대류에서 볼 수 있어.
주머니 속이
따뜻해서 좋구먼.
야~
나도
넣어줘!!
유대류는 아직 진화가 덜 된 포유동물의 종류로, 태반이 없어
불안정한 상태로 암컷이 배 주머니에서 새끼를 키워.
코알라와 캥거루가 유대류에 속해.
유대류는 몇몇 종류를 제외하고 진화의
과정을 거치며 사라졌어.
그러나 신생대 제3기 이전부터 호주에 살았던
유대류는 그곳에 고립되어 우연하게 보존되면서
발전할 수 있었어. 유럽 사람들이 처음 발견했을 때
호주에는 유대류밖에 없었다고 해.
키나 모양 모두 가지각색이었어. 초식 유대류, 육식 유대류,
식충 유대류, 들쥐 유대류, 두더쥐 유대류 등 종류도 다양했지.
이처럼 생명 다발인 문은 다양하게
분화하는 능력을 가지고 있어.

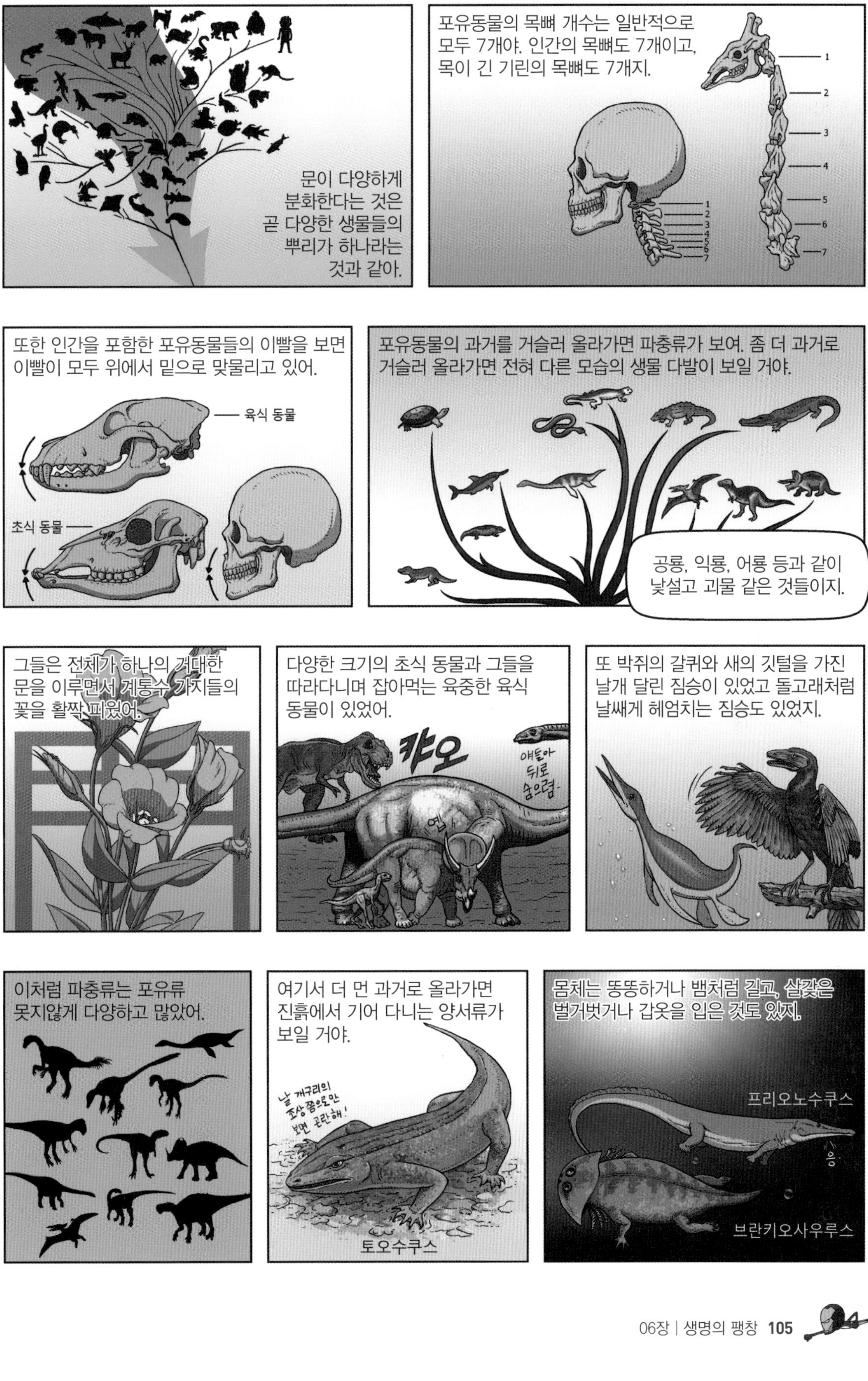

문이 다양하게 분화한다는 것은 곧 다양한 생물들의 뿌리가 하나라는 것과 같아.
포유동물의 목뼈 개수는 일반적으로 모두 7개야. 인간의 목뼈도 7개이고, 목이 긴 기린의 목뼈도 7개지.
1
2
3
4
5
6
7
또한 인간을 포함한 포유동물들의 이빨을 보면 이빨이 모두 위에서 밑으로 맞물리고 있어.
육식 동물
초식 동물
포유동물의 과거를 거슬러 올라가면 파충류가 보여. 좀 더 과거로 거슬러 올라가면 전혀 다른 모습의 생물 다발이 보일 거야.
공룡, 익룡, 어룡 등과 같이 낯설고 괴물 같은 것들이지.
그들은 전체가 하나의 거대한 문을 이루면서 계통수 가지들의 꽃을 활짝 피웠어.
다양한 크기의 초식 동물과 그들을 따라다니며 잡아먹는 육중한 육식 동물이 있었어.
캬오
애들아 뒤로 숨으렴.
엡
또 박쥐의 갈퀴와 새의 깃털을 가진 날개 달린 짐승이 있었고 돌고래처럼 날쌔게 헤엄치는 짐승도 있었지.
이처럼 파충류는 포유류 못지않게 다양하고 많았어.
여기서 더 먼 과거로 올라가면 진흙에서 기어 다니는 양서류가 보일 거야.
날 개구리의 조상 쯤으로만 보면 곤란해!
토오수쿠스
몸체는 뚱뚱하거나 뱀처럼 길고, 살갗은 벌거벗거나 갑옷을 입은 것도 있지.
프리오노수쿠스
브란키오사우루스

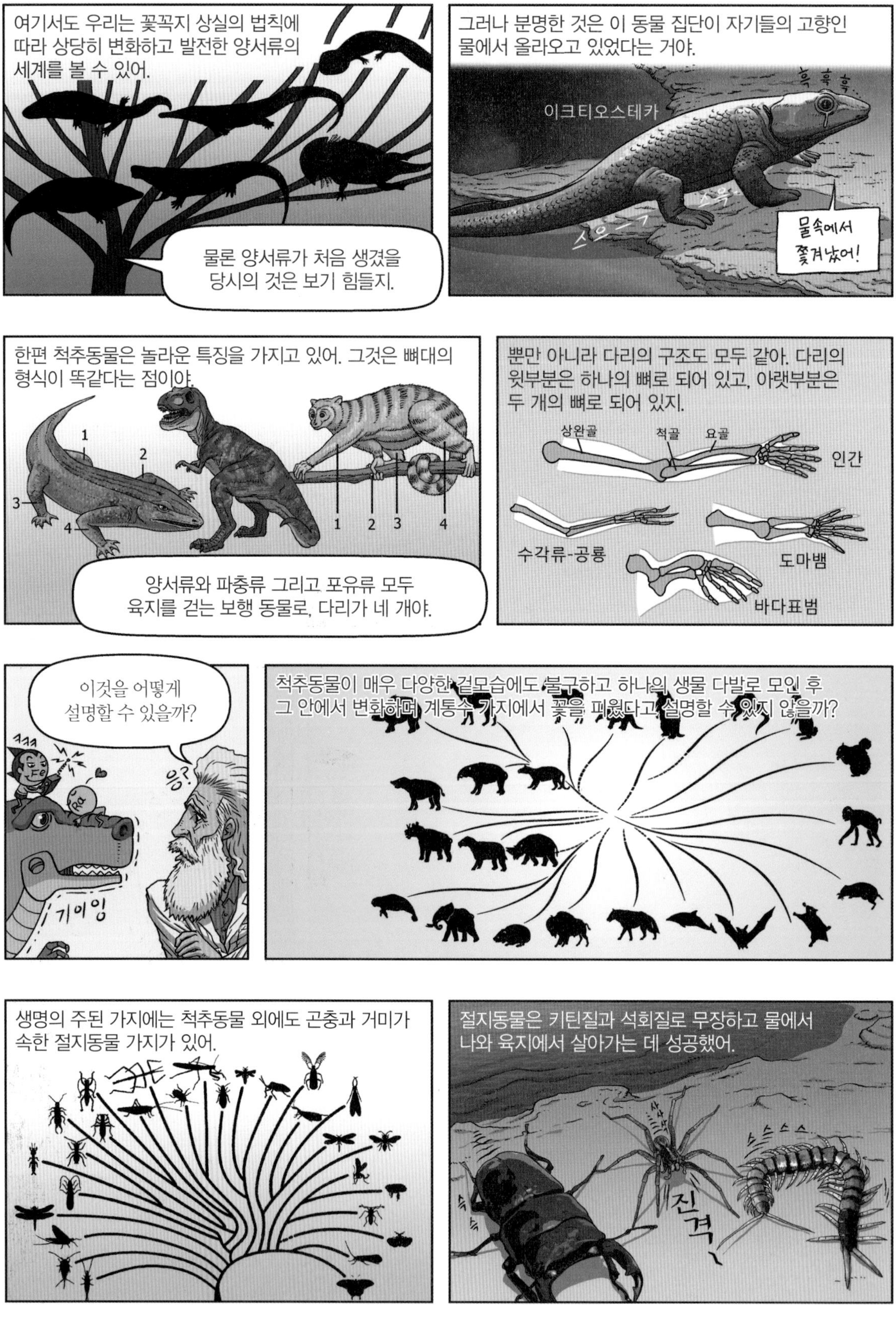

여기서도 우리는 꽃꼭지 상실의 법칙에 따라 상당히 변화하고 발전한 양서류의 세계를 볼 수 있어.
물론 양서류가 처음 생겼을 당시의 것은 보기 힘들지.
그러나 분명한 것은 이 동물 집단이 자기들의 고향인 물에서 올라오고 있었다는 거야.
이크티오스테가
흑 흑 흑...
스윽
스으ㅡ
물속에서 쫓겨났어!
한편 척추동물은 놀라운 특징을 가지고 있어. 그것은 뼈대의 형식이 똑같다는 점이야.
1 2 3 4
1 2 3 4
양서류와 파충류 그리고 포유류 모두 육지를 걷는 보행 동물로, 다리가 네 개야.
뿐만 아니라 다리의 구조도 모두 같아. 다리의 윗부분은 하나의 뼈로 되어 있고, 아랫부분은 두 개의 뼈로 되어 있지.
상완골
척골
요골
인간
수각류-공룡
도마뱀
바다표범
이것을 어떻게 설명할 수 있을까?
응?
기이잉
척추동물이 매우 다양한 겉모습에도 불구하고 하나의 생물 다발로 모인 후 그 안에서 변화하며 계통수 가지에서 꽃을 피웠다고 설명할 수 있지 않을까?
생명의 주된 가지에는 척추동물 외에도 곤충과 거미가 속한 절지동물 가지가 있어.
절지동물은 키틴질과 석회질로 무장하고 물에서 나와 육지에서 살아가는 데 성공했어.
스스스스
진격~

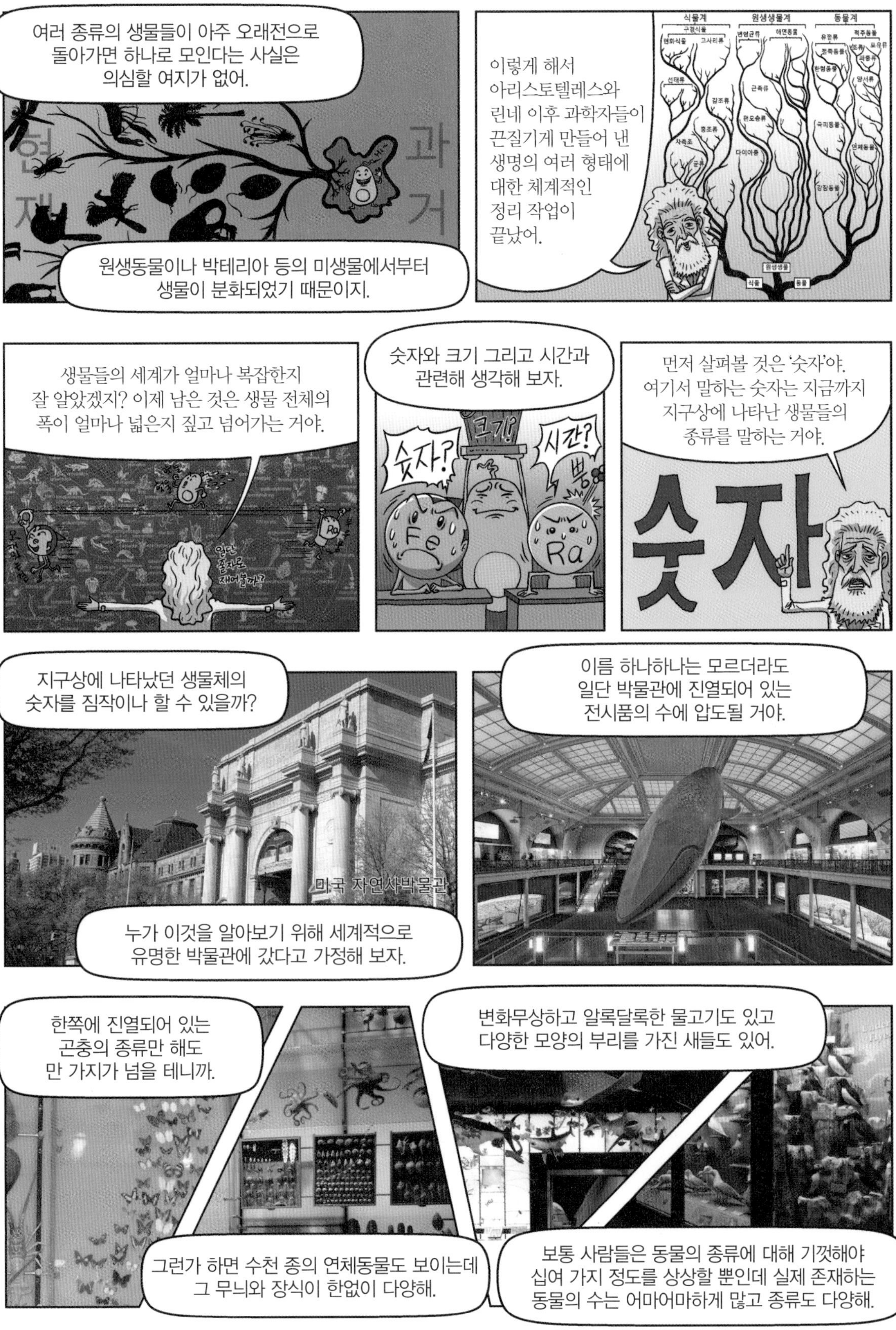
여러 종류의 생물들이 아주 오래전으로
돌아가면 하나로 모인다는 사실은
의심할 여지가 없어.
현재
과거
원생동물이나 박테리아 등의 미생물에서부터
생물이 분화되었기 때문이지.
식물계
원생생물계
동물계
이렇게 해서
아리스토텔레스와
린네 이후 과학자들이
끈질기게 만들어 낸
생명의 여러 형태에
대한 체계적인
정리 작업이
끝났어.
생물들의 세계가 얼마나 복잡한지
잘 알았겠지? 이제 남은 것은 생물 전체의
폭이 얼마나 넓은지 짚고 넘어가는 거야.
일단 줄자로 재어볼까?
숫자와 크기 그리고 시간과
관련해 생각해 보자.
숫자?
크기?
시간?
뿅
Fe
Ra
먼저 살펴볼 것은 '숫자'야.
여기서 말하는 숫자는 지금까지
지구상에 나타난 생물들의
종류를 말하는 거야.
숫자
지구상에 나타났던 생물체의
숫자를 짐작이나 할 수 있을까?
미국 자연사박물관
누가 이것을 알아보기 위해 세계적으로
유명한 박물관에 갔다고 가정해 보자.
이름 하나하나는 모르더라도
일단 박물관에 진열되어 있는
전시품의 수에 압도될 거야.
한쪽에 진열되어 있는
곤충의 종류만 해도
만 가지가 넘을 테니까.
그런가 하면 수천 종의 연체동물도 보이는데
그 무늬와 장식이 한없이 다양해.
변화무상하고 알록달록한 물고기도 있고
다양한 모양의 부리를 가진 새들도 있어.
보통 사람들은 동물의 종류에 대해 기껏해야
십여 가지 정도를 상상할 뿐인데 실제 존재하는
동물의 수는 어마어마하게 많고 종류도 다양해.

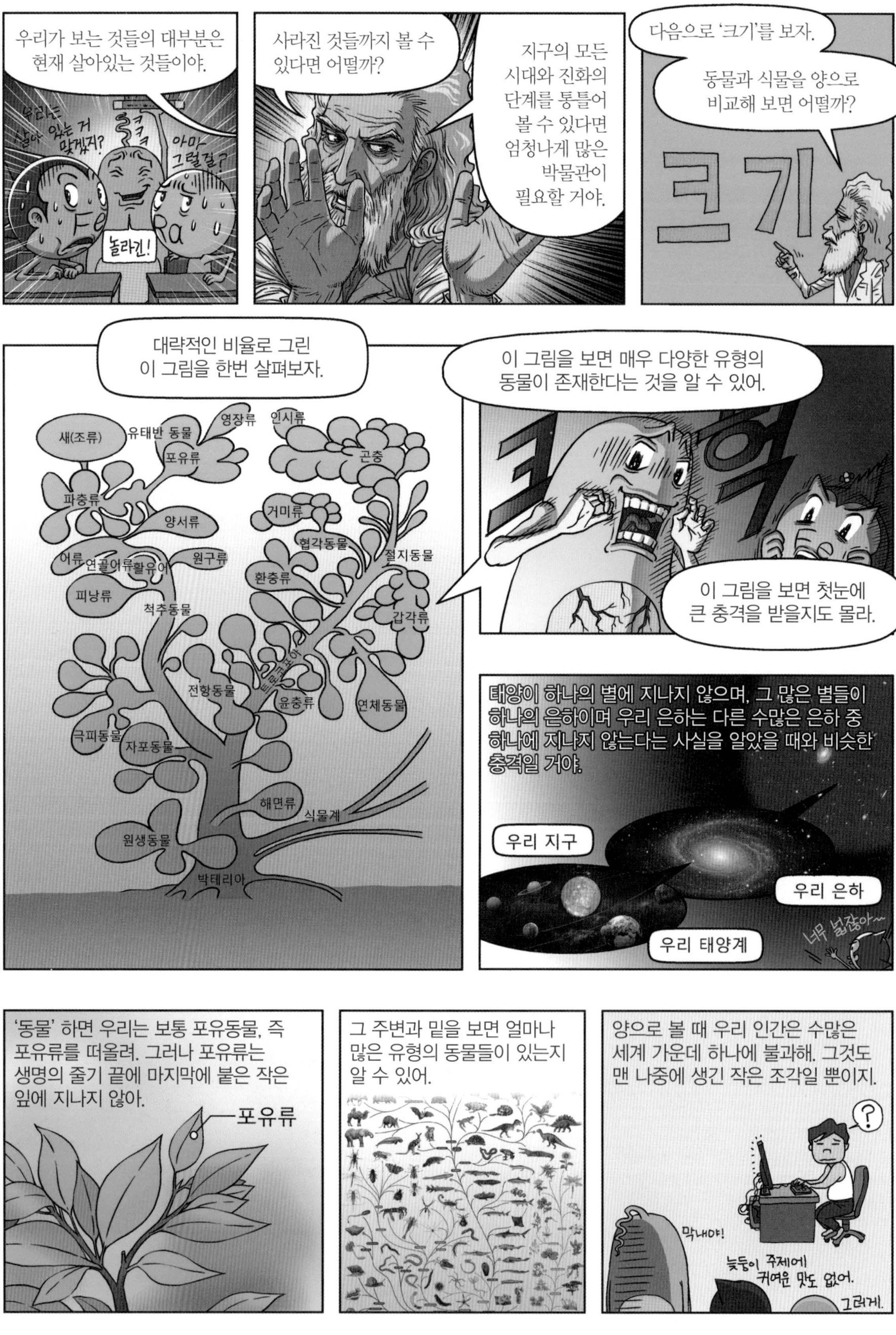
우리가 보는 것들의 대부분은 현재 살아있는 것들이야.
우리는 살아 있는 거 맞겠지?
큭큭
아마 그럴걸?
놀라긴!
사라진 것들까지 볼 수 있다면 어떨까?
지구의 모든 시대와 진화의 단계를 통틀어 볼 수 있다면 엄청나게 많은 박물관이 필요할 거야.
다음으로 '크기'를 보자.
동물과 식물을 양으로 비교해 보면 어떨까?
크기
대략적인 비율로 그린 이 그림을 한번 살펴보자.
새(조류)
유태반 동물
영장류
인시류
포유류
곤충
파충류
거미류
양서류
협각동물
어류
연골어류
활유어
원구류
절지동물
환충류
피낭류
척추동물
갑각류
전항동물
윤충류
연체동물
극피동물
자포동물
해면류
식물계
원생동물
박테리아
이 그림을 보면 매우 다양한 유형의 동물이 존재한다는 것을 알 수 있어.
이 그림을 보면 첫눈에 큰 충격을 받을지도 몰라.
태양이 하나의 별에 지나지 않으며, 그 많은 별들이 하나의 은하이며 우리 은하는 다른 수많은 은하 중 하나에 지나지 않는다는 사실을 알았을 때와 비슷한 충격일 거야.
우리 지구
우리 은하
우리 태양계
너무 넓잖아~
'동물' 하면 우리는 보통 포유동물, 즉 포유류를 떠올려. 그러나 포유류는 생명의 줄기 끝에 마지막에 붙은 작은 잎에 지나지 않아.
포유류
그 주변과 밑을 보면 얼마나 많은 유형의 동물들이 있는지 알 수 있어.
양으로 볼 때 우리 인간은 수많은 세계 가운데 하나에 불과해. 그것도 맨 나중에 생긴 작은 조각일 뿐이지.
?
막내야!
늦둥이 주제에 귀여운 맛도 없어.
그러게.

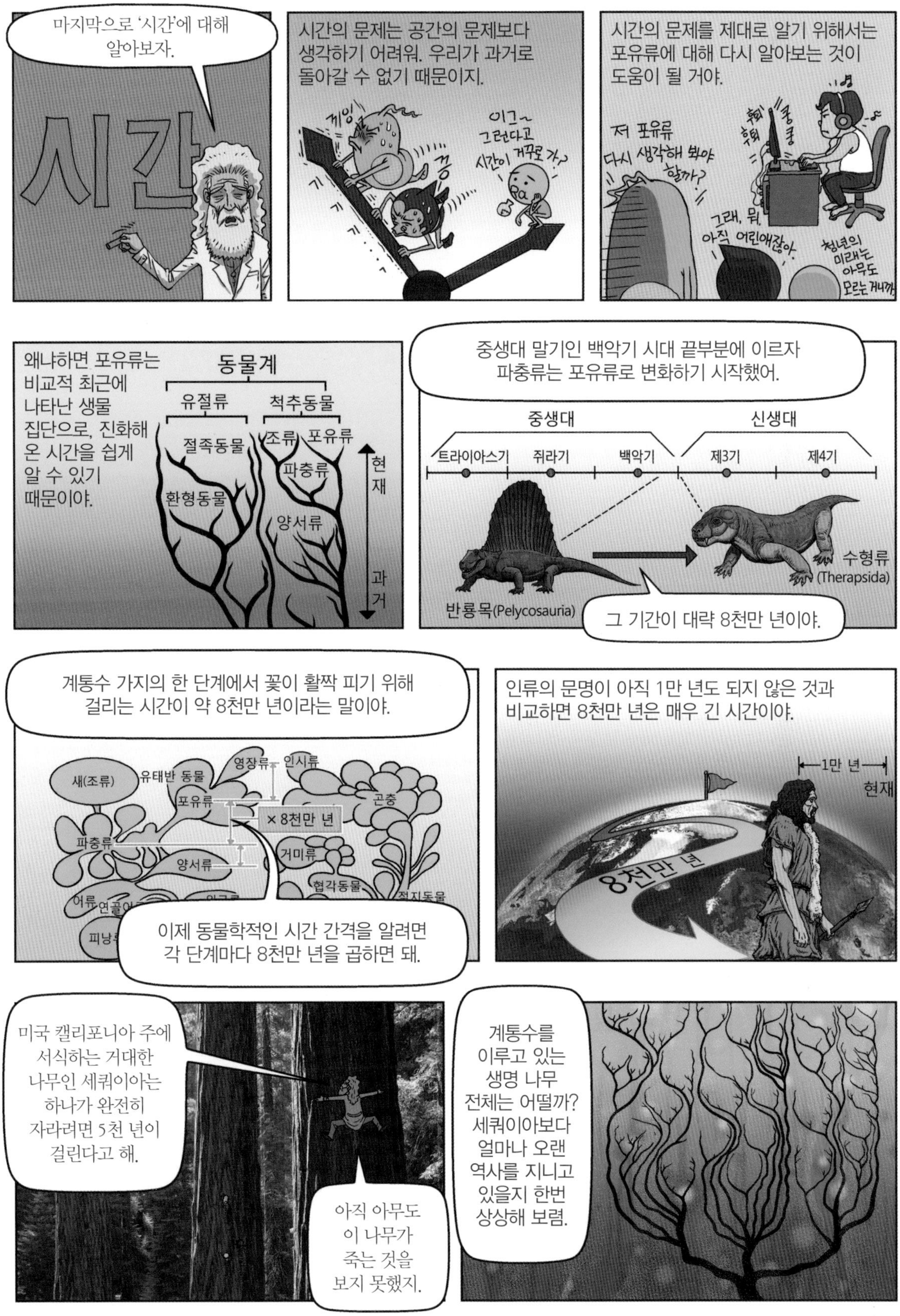

마지막으로 '시간'에 대해 알아보자.
시간
시간의 문제는 공간의 문제보다 생각하기 어려워. 우리가 과거로 돌아갈 수 없기 때문이지.
끼잉
끙
이그~ 그런다고 시간이 거꾸로 가?
시간의 문제를 제대로 알기 위해서는 포유류에 대해 다시 알아보는 것이 도움이 될 거야.
저 포유류 다시 생각해 봐야 할까?
그래, 뭐, 아직 어린애잖아.
청년의 미래는 아무도 모르는 거니까.
왜냐하면 포유류는 비교적 최근에 나타난 생물 집단으로, 진화해 온 시간을 쉽게 알 수 있기 때문이야.
동물계
유절류
척추동물
절족동물
조류
포유류
파충류
환형동물
양서류
현재
과거
중생대 말기인 백악기 시대 끝부분에 이르자 파충류는 포유류로 변화하기 시작했어.
중생대
신생대
트라이아스기
쥐라기
백악기
제3기
제4기
수형류 (Therapsida)
반룡목(Pelycosauria)
그 기간이 대략 8천만 년이야.
계통수 가지의 한 단계에서 꽃이 활짝 피기 위해 걸리는 시간이 약 8천만 년이라는 말이야.
새(조류)
유태반 동물
영장류
인시류
포유류
곤충
× 8천만 년
파충류
거미류
양서류
협각동물
어류
피낭
이제 동물학적인 시간 간격을 알려면 각 단계마다 8천만 년을 곱하면 돼.
인류의 문명이 아직 1만 년도 되지 않은 것과 비교하면 8천만 년은 매우 긴 시간이야.
1만 년
현재
8천만 년
미국 캘리포니아 주에 서식하는 거대한 나무인 세쿼이아는 하나가 완전히 자라려면 5천 년이 걸린다고 해.
아직 아무도 이 나무가 죽는 것을 보지 못했지.
계통수를 이루고 있는 생명 나무 전체는 어떨까? 세쿼이아보다 얼마나 오랜 역사를 지니고 있을지 한번 상상해 보렴.

7장

생명의 어머니, 땅

이번 장의 제목은 '생명의 어머니, 땅'이야.
제목을 왜 이렇게 붙였을까?
거기서 뭐하냐?
땅의 기운을 느끼고 있지.
마치 어머니의 품속 같다고나 할까?
궁금하지? 답은 이번 장의 끝에서 알려줄게.
넌 궁금하냐?
아니- 별로
난 궁금해
우리는 앞에서 생명의 팽창에 대해 알아보았어.
와
왜
수정!
와
수정!
난자 앞으로
무생물은 비켜.
안 궁금한데?
또 생명이 자라고 진화하며 팽창하는 과정의 몇 가지 특징도 살펴보았지.
흐으읍
쇳덩이랑(Fe) 방사능 구슬(Ra)이 생명의 신비함을 알 리 없잖아?
쇠(Fe) 귀에 경 읽기라고.
뭐라?
생물학자들 중에는 진화를 반대하는 사람이 거의 없어.
그러나 진화에 '방향이 있는가?'에 관한 문제에 대해서는 여러 가지 의견이 있어.
진화에는 반대 안함.
오늘의 토론을 위해 생물학자 두 분을 모셨습니다.
그건 나도.
흠.
...
생물학자 A
생물학자 B

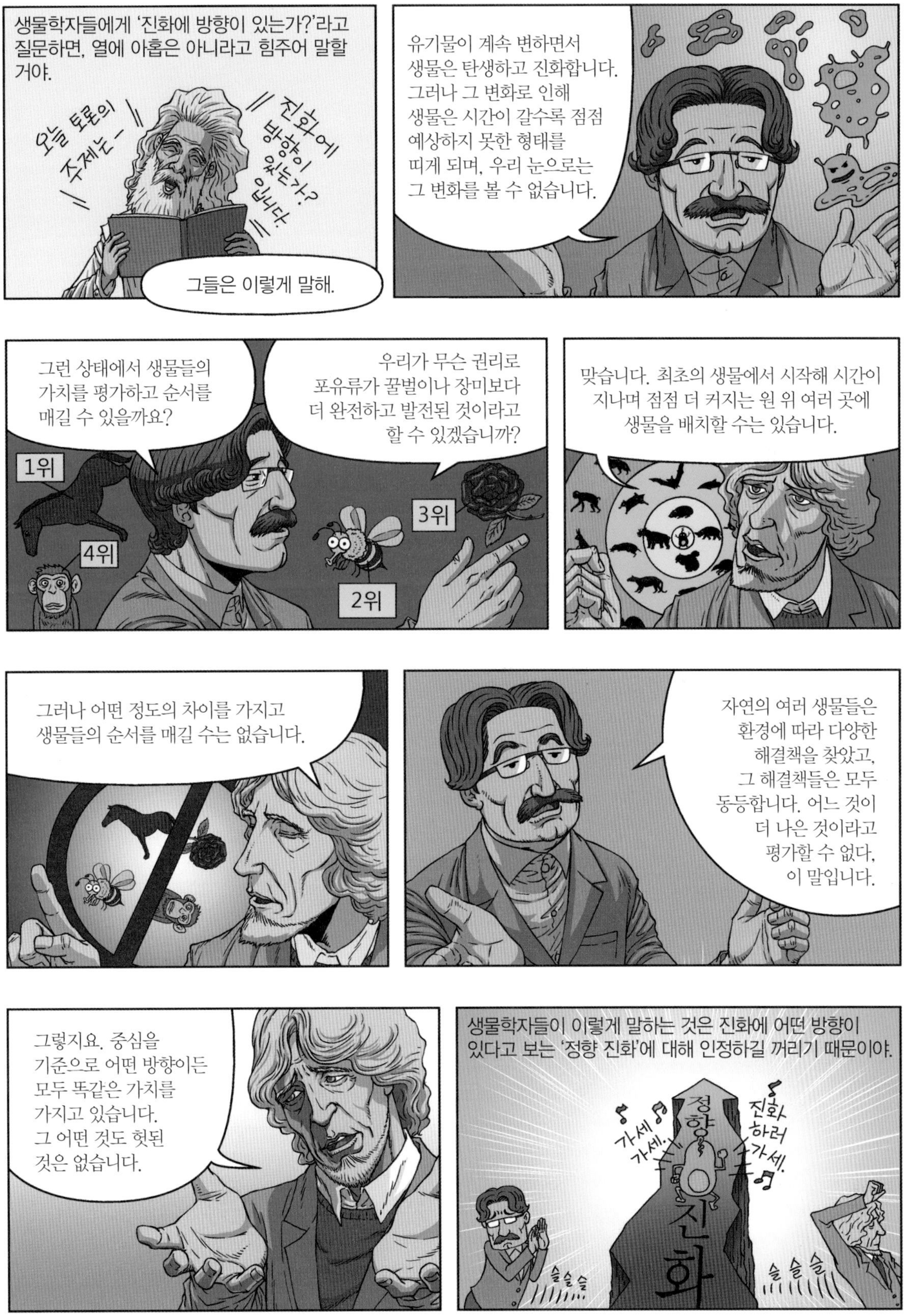

생물학자들에게 '진화에 방향이 있는가?'라고 질문하면, 열에 아홉은 아니라고 힘주어 말할 거야.
오늘 토론의 주제는-
진화에 방향이 있는가? 입니다.
그들은 이렇게 말해.
유기물이 계속 변하면서 생물은 탄생하고 진화합니다. 그러나 그 변화로 인해 생물은 시간이 갈수록 점점 예상하지 못한 형태를 띠게 되며, 우리 눈으로는 그 변화를 볼 수 없습니다.
그런 상태에서 생물들의 가치를 평가하고 순서를 매길 수 있을까요?
우리가 무슨 권리로 포유류가 꿀벌이나 장미보다 더 완전하고 발전된 것이라고 할 수 있겠습니까?
1위
3위
4위
2위
맞습니다. 최초의 생물에서 시작해 시간이 지나며 점점 더 커지는 원 위 여러 곳에 생물을 배치할 수는 있습니다.
그러나 어떤 정도의 차이를 가지고 생물들의 순서를 매길 수는 없습니다.
자연의 여러 생물들은 환경에 따라 다양한 해결책을 찾았고, 그 해결책들은 모두 동등합니다. 어느 것이 더 나은 것이라고 평가할 수 없다, 이 말입니다.
그렇지요. 중심을 기준으로 어떤 방향이든 모두 똑같은 가치를 가지고 있습니다. 그 어떤 것도 헛된 것은 없습니다.
생물학자들이 이렇게 말하는 것은 진화에 어떤 방향이 있다고 보는 '정향 진화'에 대해 인정하길 꺼리기 때문이야.
가세 가세.
정향
진화하러 가세.
진화
슬슬슬
슬슬슬

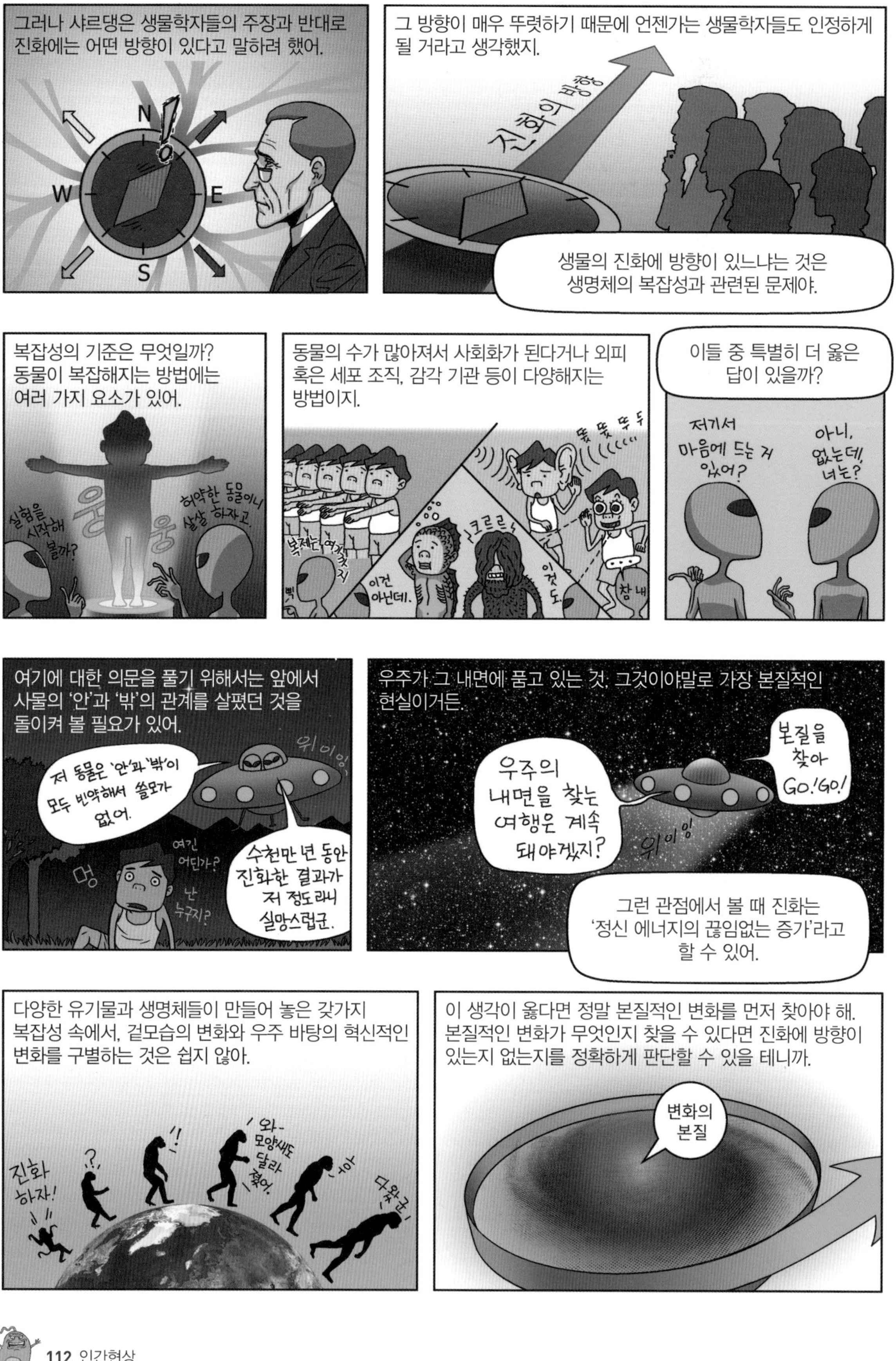

그러나 샤르댕은 생물학자들의 주장과 반대로 진화에는 어떤 방향이 있다고 말하려 했어.
N
W
E
S
그 방향이 매우 뚜렷하기 때문에 언젠가는 생물학자들도 인정하게 될 거라고 생각했지.
진화의 방향
생물의 진화에 방향이 있느냐는 것은 생명체의 복잡성과 관련된 문제야.
복잡성의 기준은 무엇일까? 동물이 복잡해지는 방법에는 여러 가지 요소가 있어.
웅 웅
실험을 시작해 볼까?
허약한 동물이니 살살 하자고.
동물의 수가 많아져서 사회화가 된다거나 외피 혹은 세포 조직, 감각 기관 등이 다양해지는 방법이지.
뚜 뚜 뚜 두
복제도 여기까지
삑
크르르
이건 아닌데.
이것도.
참 내
이들 중 특별히 더 옳은 답이 있을까?
저기서 마음에 드는 거 있어?
아니, 없는데, 너는?
여기에 대한 의문을 풀기 위해서는 앞에서 사물의 '안'과 '밖'의 관계를 살폈던 것을 돌이켜 볼 필요가 있어.
위이잉
저 동물은 '안'과 '밖'이 모두 빈약해서 쓸모가 없어.
수천만 년 동안 진화한 결과가 저 정도라니 실망스럽군.
멍
여긴 어딘가?
난 누구지?
우주가 그 내면에 품고 있는 것, 그것이야말로 가장 본질적인 현실이거든.
본질을 찾아 GO!GO!
우주의 내면을 찾는 여행은 계속 돼야겠지?
위이잉
그런 관점에서 볼 때 진화는 '정신 에너지의 끊임없는 증가'라고 할 수 있어.
다양한 유기물과 생명체들이 만들어 놓은 갖가지 복잡성 속에서, 겉모습의 변화와 우주 바탕의 혁신적인 변화를 구별하는 것은 쉽지 않아.
진화 하자!
?
!!
와- 모양새도 달라졌어.
다왔군.
이 생각이 옳다면 정말 본질적인 변화를 먼저 찾아야 해. 본질적인 변화가 무엇인지 찾을 수 있다면 진화에 방향이 있는지 없는지를 정확하게 판단할 수 있을 테니까.
변화의 본질

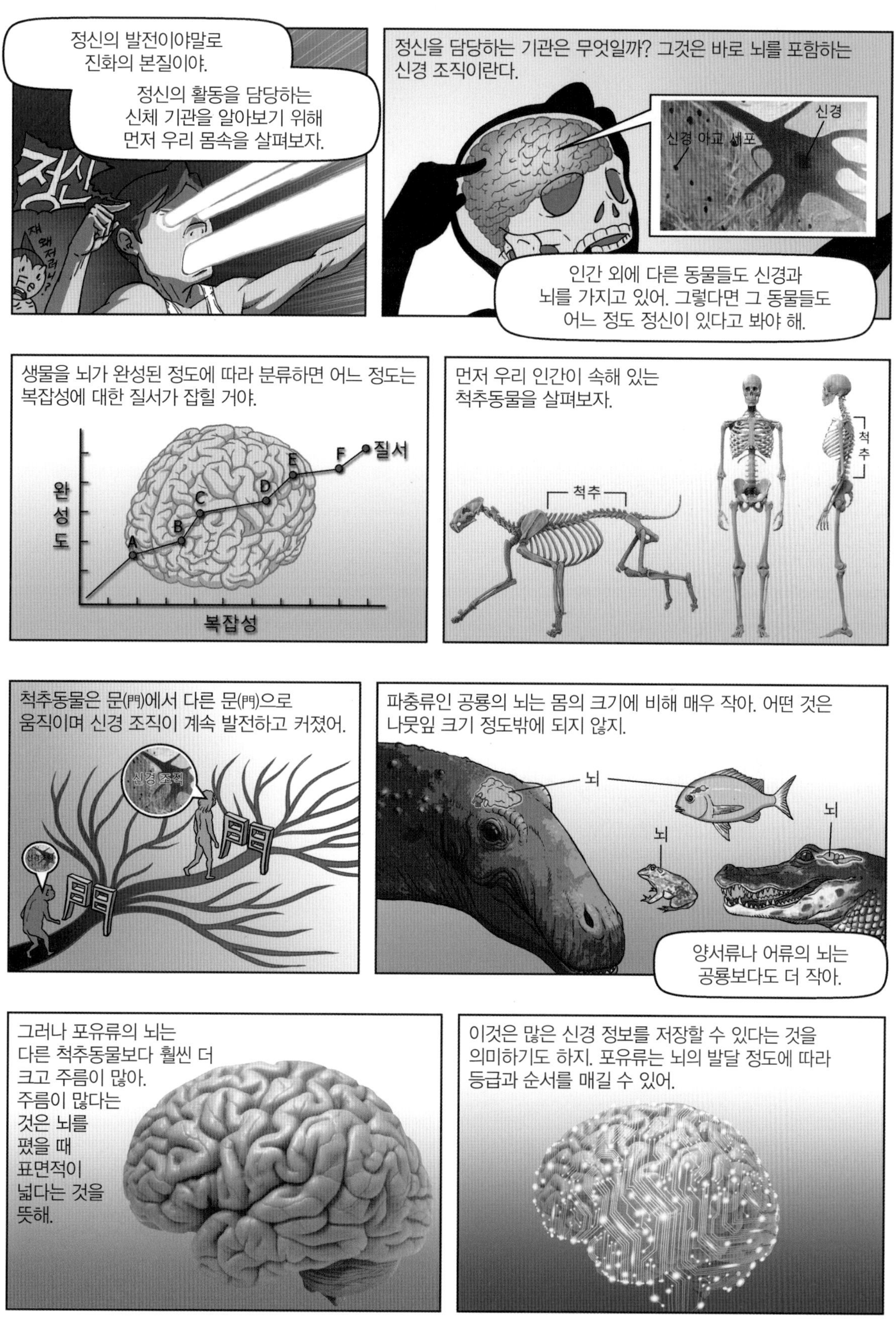

정신의 발전이야말로 진화의 본질이야.
정신의 활동을 담당하는 신체 기관을 알아보기 위해 먼저 우리 몸속을 살펴보자.
정신
재 왜 저러냐?
정신을 담당하는 기관은 무엇일까? 그것은 바로 뇌를 포함하는 신경 조직이란다.
신경
신경 아교 세포
인간 외에 다른 동물들도 신경과 뇌를 가지고 있어. 그렇다면 그 동물들도 어느 정도 정신이 있다고 봐야 해.
생물을 뇌가 완성된 정도에 따라 분류하면 어느 정도는 복잡성에 대한 질서가 잡힐 거야.
완성도
복잡성
A
B
C
D
E
F
질서
먼저 우리 인간이 속해 있는 척추동물을 살펴보자.
척추
척추
척추동물은 문(門)에서 다른 문(門)으로 움직이며 신경 조직이 계속 발전하고 커졌어.
신경 조직
파충류인 공룡의 뇌는 몸의 크기에 비해 매우 작아. 어떤 것은 나뭇잎 크기 정도밖에 되지 않지.
뇌
뇌
뇌
양서류나 어류의 뇌는 공룡보다도 더 작아.
그러나 포유류의 뇌는 다른 척추동물보다 훨씬 더 크고 주름이 많아. 주름이 많다는 것은 뇌를 폈을 때 표면적이 넓다는 것을 뜻해.
이것은 많은 신경 정보를 저장할 수 있다는 것을 의미하기도 하지. 포유류는 뇌의 발달 정도에 따라 등급과 순서를 매길 수 있어.

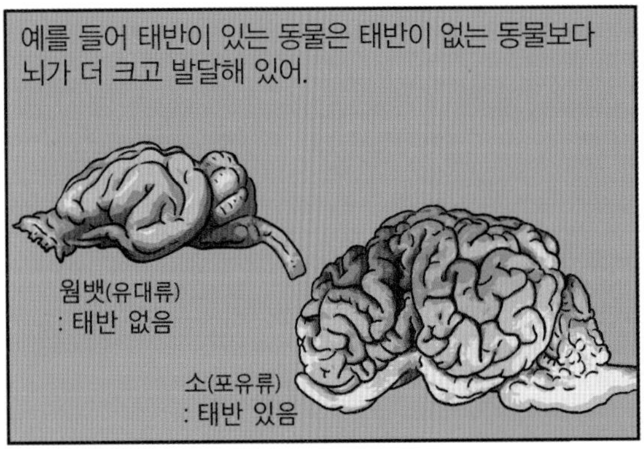
예를 들어 태반이 있는 동물은 태반이 없는 동물보다
뇌가 더 크고 발달해 있어.
웜뱃(유대류)
: 태반 없음
소(포유류)
: 태반 있음

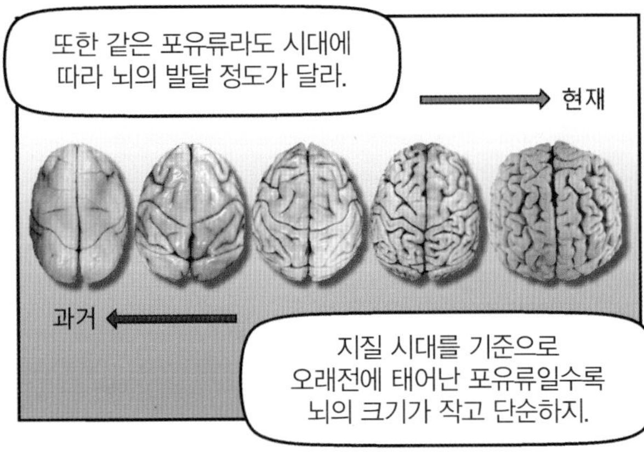
또한 같은 포유류라도 시대에 따라 뇌의 발달 정도가 달라.
현재
과거
지질 시대를 기준으로 오래전에 태어난 포유류일수록 뇌의 크기가 작고 단순하지.

기	세	각 시대의 길이(만 년)
신생대 제4기	홀로세	1
	플라이스토세	179
신생대 신(新) 제3기	플라이오세	970
	마이오세	2190
신생대 고(古) 제3기	올리고세	1090
	에오세	1770
	팔레오세	350

아래로 갈수록 오래된 거야.

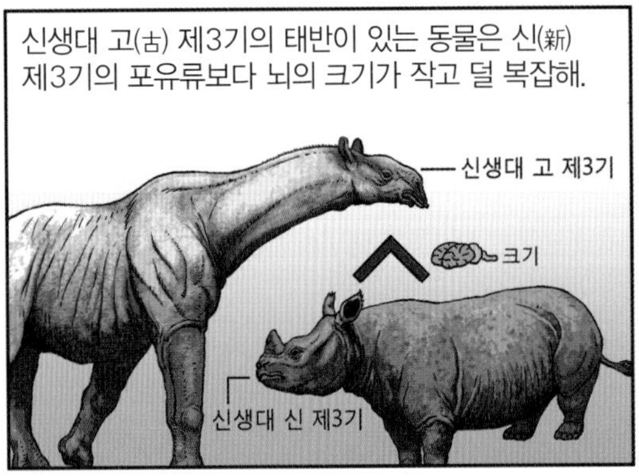
신생대 고(古) 제3기의 태반이 있는 동물은 신(新) 제3기의 포유류보다 뇌의 크기가 작고 덜 복잡해.
신생대 고 제3기
크기
신생대 신 제3기

예를 들어 지금은 멸종된 디노체라티데스를 보면 잘 알 수 있어.

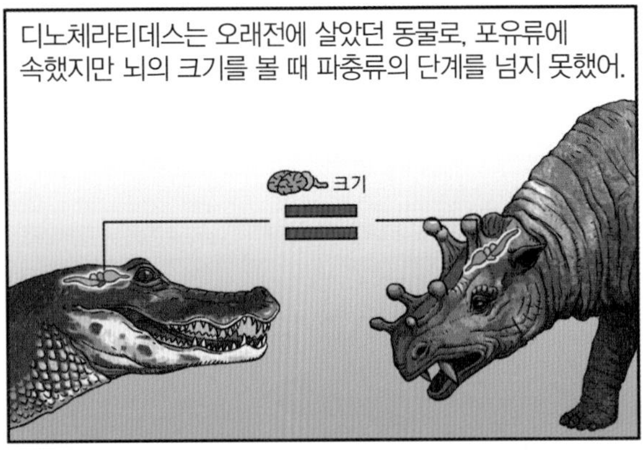
디노체라티데스는 오래전에 살았던 동물로, 포유류에 속했지만 뇌의 크기를 볼 때 파충류의 단계를 넘지 못했어.
크기

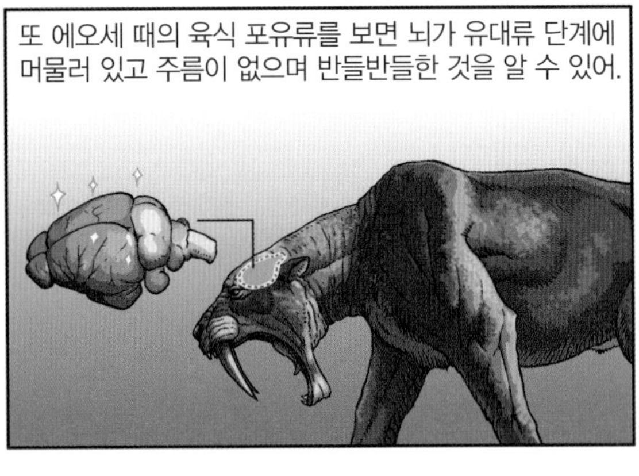
또 에오세 때의 육식 포유류를 보면 뇌가 유대류 단계에 머물러 있고 주름이 없으며 반들반들한 것을 알 수 있어.

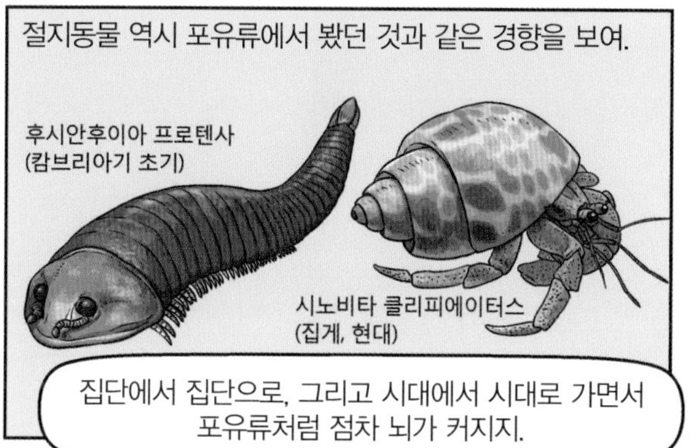
절지동물 역시 포유류에서 봤던 것과 같은 경향을 보여.
후시안후이아 프로텐사
(캄브리아기 초기)
시노비타 클리피에이터스
(집게, 현대)
집단에서 집단으로, 그리고 시대에서 시대로 가면서
포유류처럼 점차 뇌가 커지지.

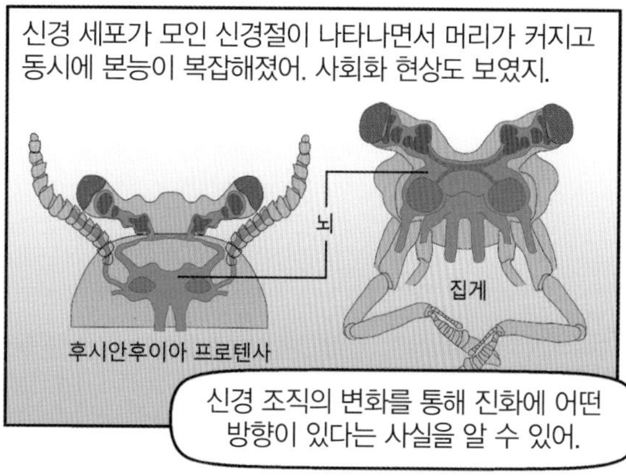
신경 세포가 모인 신경절이 나타나면서 머리가 커지고
동시에 본능이 복잡해졌어. 사회화 현상도 보였지.
뇌
집게
후시안후이아 프로텐사
신경 조직의 변화를 통해 진화에 어떤
방향이 있다는 사실을 알 수 있어.

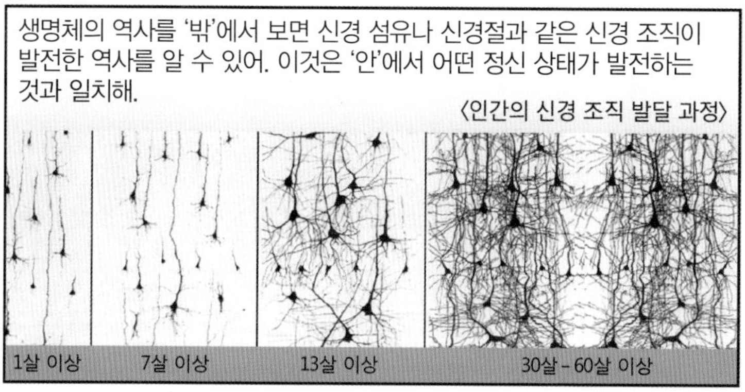
생명체의 역사를 '밖'에서 보면 신경 섬유나 신경절과 같은 신경 조직이
발전한 역사를 알 수 있어. 이것은 '안'에서 어떤 정신 상태가 발전하는
것과 일치해.
〈인간의 신경 조직 발달 과정〉
1살 이상
7살 이상
13살 이상
30살 - 60살 이상

이제 사물의 안, 즉 정신에 대해
알아보자. 지구 역사에서 정신의 특징을
알려면 먼저 생명의 출현이 지구
역사에서 차지하는 자리에 대해
생각해 봐야 해.
생명의 탄생응애요~
응애~ 응애~
이젠 아기 분장쇼냐?
ㅋㅋㅋ
Fe

앞에서 최초 세포의 기원을 설명할 때 세포는 지구 역사에서 단 한 번
출현했는데 그것은 지구의 일반적인 화학 상태와 밀접한 관계가
있다고 했던 것을 기억할 거야.
Ra
예쁘다
원자 분자
Fe
예쁘다

과학자들은 세포의 출현을 지구에서 일어난
그 어떤 변화보다 중요하게 생각해.
두둥
훗
와- 세포맨이다~

한편 고생물학자들은 동물의 형태를 시간에 따라
배열하면 그 변화가 모두 비슷하다고 생각해.

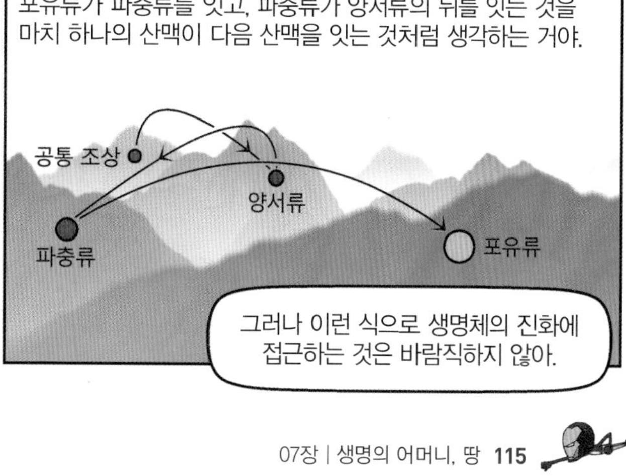
포유류가 파충류를 잇고, 파충류가 양서류의 뒤를 잇는 것을
마치 하나의 산맥이 다음 산맥을 잇는 것처럼 생각하는 거야.
공통 조상
양서류
파충류
포유류
그러나 이런 식으로 생명체의 진화에
접근하는 것은 바람직하지 않아.

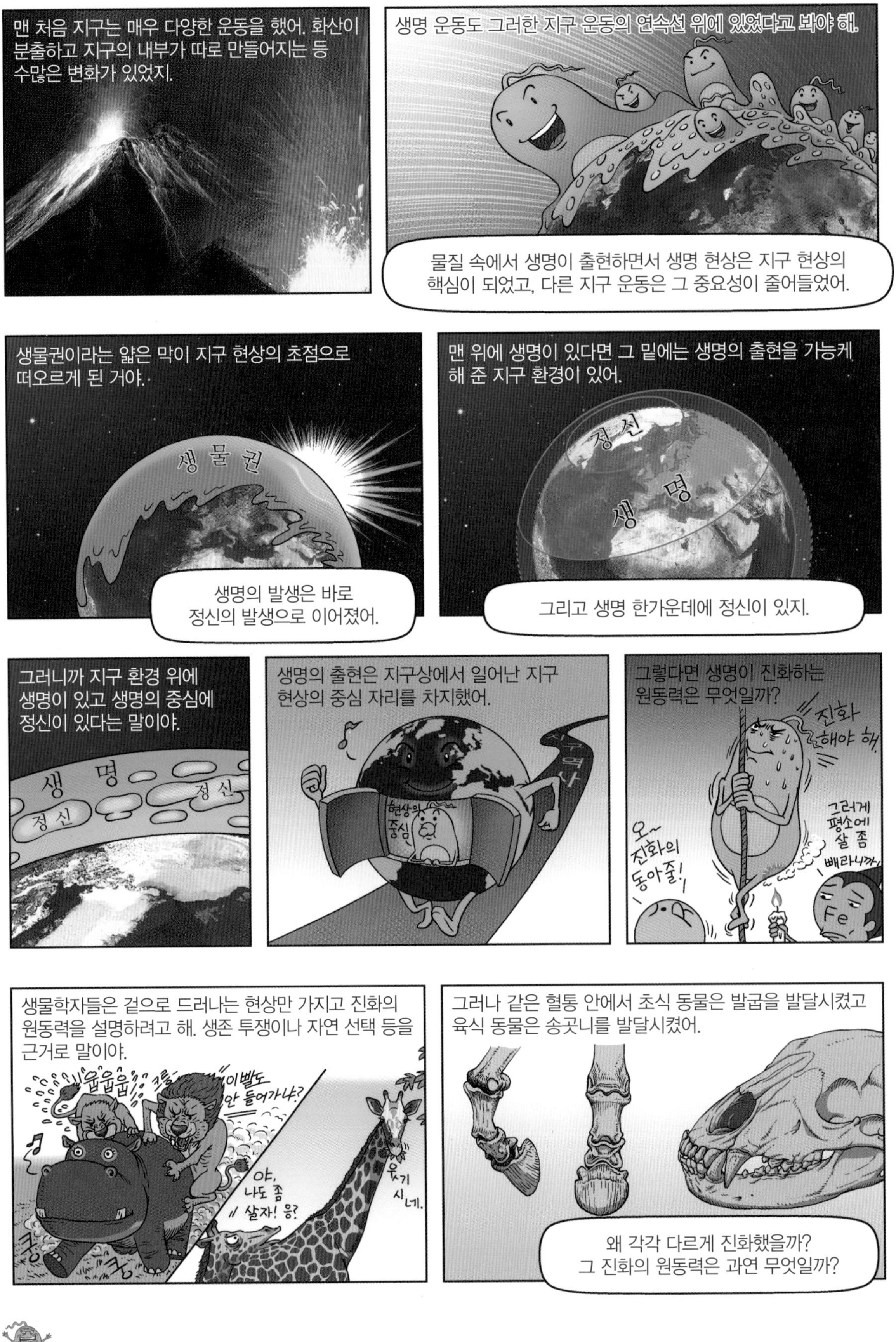
맨 처음 지구는 매우 다양한 운동을 했어. 화산이 분출하고 지구의 내부가 따로 만들어지는 등 수많은 변화가 있었지.
생명 운동도 그러한 지구 운동의 연속선 위에 있었다고 봐야 해.
물질 속에서 생명이 출현하면서 생명 현상은 지구 현상의 핵심이 되었고, 다른 지구 운동은 그 중요성이 줄어들었어.
생물권이라는 얇은 막이 지구 현상의 초점으로 떠오르게 된 거야.
생물권
생명의 발생은 바로 정신의 발생으로 이어졌어.
맨 위에 생명이 있다면 그 밑에는 생명의 출현을 가능케 해 준 지구 환경이 있어.
정신
생명
그리고 생명 한가운데에 정신이 있지.
그러니까 지구 환경 위에 생명이 있고 생명의 중심에 정신이 있다는 말이야.
생명
정신
정신
생명의 출현은 지구상에서 일어난 지구 현상의 중심 자리를 차지했어.
지구역사
현상의 중심
그렇다면 생명이 진화하는 원동력은 무엇일까?
진화해야 해.
오~ 진화의 동아줄!
그러게 평소에 살 좀 빼라니까.
Fe
생물학자들은 겉으로 드러나는 현상만 가지고 진화의 원동력을 설명하려고 해. 생존 투쟁이나 자연 선택 등을 근거로 말이야.
욥욥욥
크릉
이빨도 안 들어가냐?
야, 나도 좀 살자! 응?
웃기시네.
쿵
쿵
그러나 같은 혈통 안에서 초식 동물은 발굽을 발달시켰고 육식 동물은 송곳니를 발달시켰어.
왜 각각 다르게 진화했을까? 그 진화의 원동력은 과연 무엇일까?

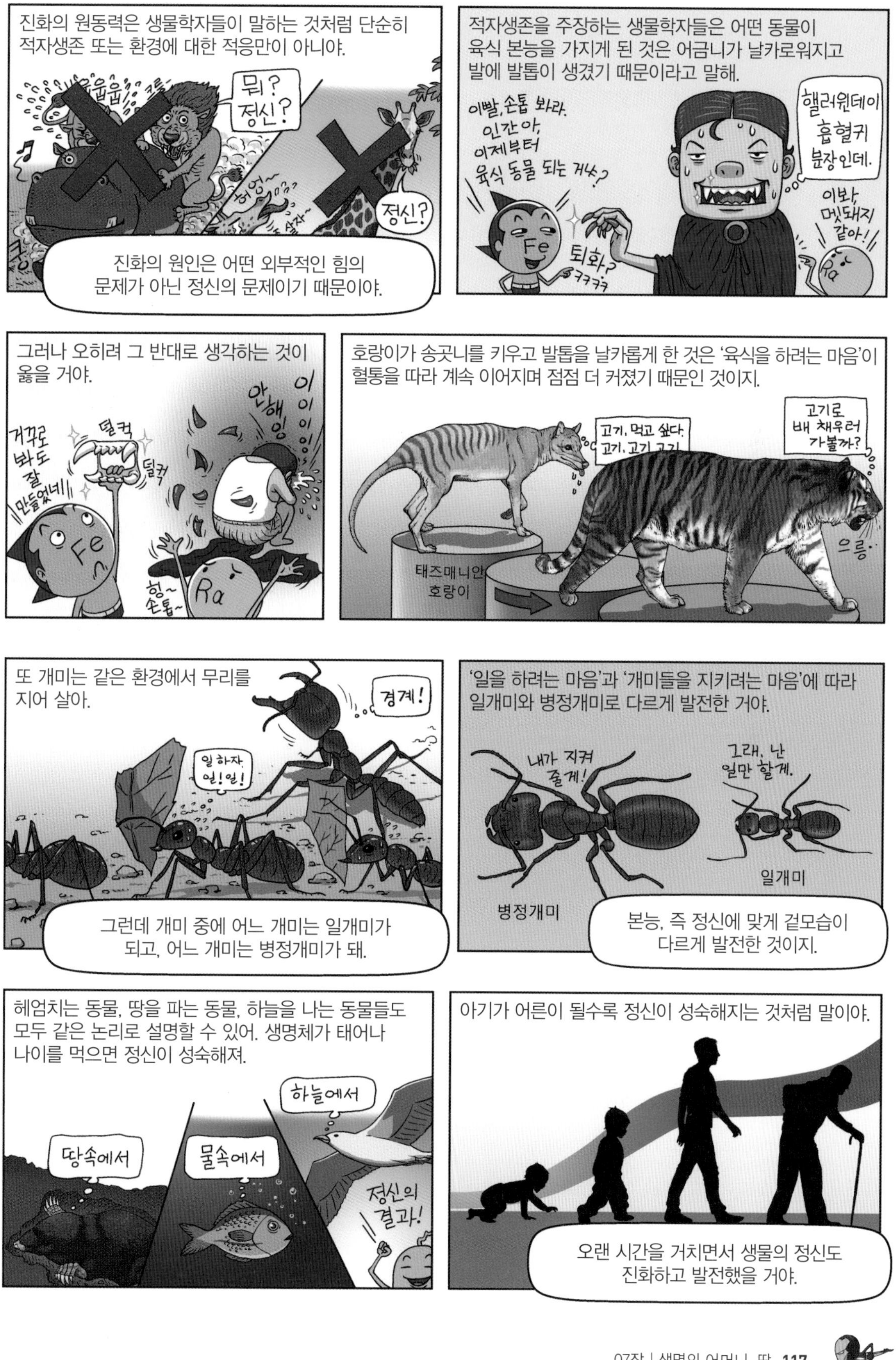

진화의 원동력은 생물학자들이 말하는 것처럼 단순히 적자생존 또는 환경에 대한 적응만이 아니야.
뭐? 정신?
정신?
진화의 원인은 어떤 외부적인 힘의 문제가 아닌 정신의 문제이기 때문이야.
적자생존을 주장하는 생물학자들은 어떤 동물이 육식 본능을 가지게 된 것은 어금니가 날카로워지고 발에 발톱이 생겼기 때문이라고 말해.
이빨, 손톱 봐라. 인간아, 이제부터 육식 동물 되는 거냐?
핼러윈데이 흡혈귀 분장인데.
퇴화? ㅋㅋㅋㅋ
이봐, 멧돼지 같아!
그러나 오히려 그 반대로 생각하는 것이 옳을 거야.
거꾸로 봐도 잘 만들었네!
덜컥 덜컥
안 해!
이이이잉!
힝~ 손톱~
호랑이가 송곳니를 키우고 발톱을 날카롭게 한 것은 '육식을 하려는 마음'이 혈통을 따라 계속 이어지며 점점 더 커졌기 때문인 것이지.
고기, 먹고 싶다. 고기, 고기 고기
고기로 배 채우러 가볼까?
으릉
태즈매니안 호랑이
또 개미는 같은 환경에서 무리를 지어 살아.
경계!
일하자. 일! 일!
그런데 개미 중에 어느 개미는 일개미가 되고, 어느 개미는 병정개미가 돼.
'일을 하려는 마음'과 '개미들을 지키려는 마음'에 따라 일개미와 병정개미로 다르게 발전한 거야.
내가 지켜 줄게!
그래, 난 일만 할게.
병정개미
일개미
본능, 즉 정신에 맞게 겉모습이 다르게 발전한 것이지.
헤엄치는 동물, 땅을 파는 동물, 하늘을 나는 동물들도 모두 같은 논리로 설명할 수 있어. 생명체가 태어나 나이를 먹으면 정신이 성숙해져.
하늘에서
땅속에서
물속에서
정신의 결과!
아기가 어른이 될수록 정신이 성숙해지는 것처럼 말이야.
오랜 시간을 거치면서 생물의 정신도 진화하고 발전했을 거야.

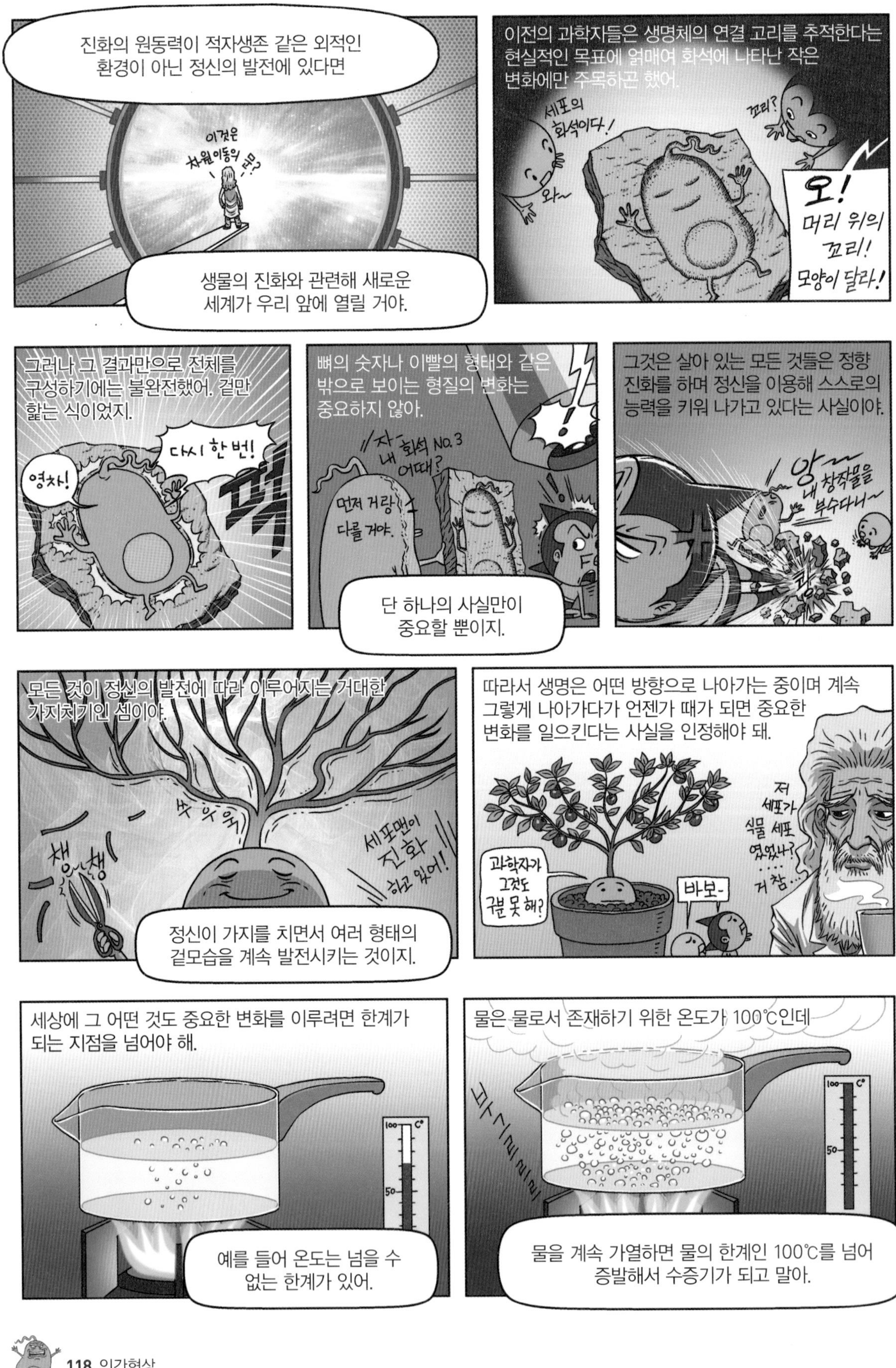

진화의 원동력이 적자생존 같은 외적인 환경이 아닌 정신의 발전에 있다면
이것은 차원이동의 문?
생물의 진화와 관련해 새로운 세계가 우리 앞에 열릴 거야.
이전의 과학자들은 생명체의 연결 고리를 추적한다는 현실적인 목표에 얽매여 화석에 나타난 작은 변화에만 주목하곤 했어.
세포의 화석이다!
와~
꼬리?
오! 머리 위의 꼬리! 모양이 달라!
그러나 그 결과만으로 전체를 구성하기에는 불완전했어. 겉만 핥는 식이었지.
영차!
다시 한 번!
퍽
뼈의 숫자나 이빨의 형태와 같은 밖으로 보이는 형질의 변화는 중요하지 않아.
자 내 화석 No.3 어때?
먼저 거랑 다를 거야.
단 하나의 사실만이 중요할 뿐이지.
그것은 살아 있는 모든 것들은 정향 진화를 하며 정신을 이용해 스스로의 능력을 키워 나가고 있다는 사실이야.
앙~ 내 창작물을 부수다니~
모든 것이 정신의 발전에 따라 이루어지는 거대한 가지치기인 셈이야.
쑤욱
챙 챙
세포맨이 진화하고 있어!
정신이 가지를 치면서 여러 형태의 겉모습을 계속 발전시키는 것이지.
따라서 생명은 어떤 방향으로 나아가는 중이며 계속 그렇게 나아가다가 언젠가 때가 되면 중요한 변화를 일으킨다는 사실을 인정해야 돼.
저 세포가 식물 세포였었나? …… 거 참…
과학자가 그것도 구분 못 해?
바보-
세상에 그 어떤 것도 중요한 변화를 이루려면 한계가 되는 지점을 넘어야 해.
100 C°
50
예를 들어 온도는 넘을 수 없는 한계가 있어.
물은 물로서 존재하기 위한 온도가 100℃인데
100 C°
50
물을 계속 가열하면 물의 한계인 100℃를 넘어 증발해서 수증기가 되고 말아.

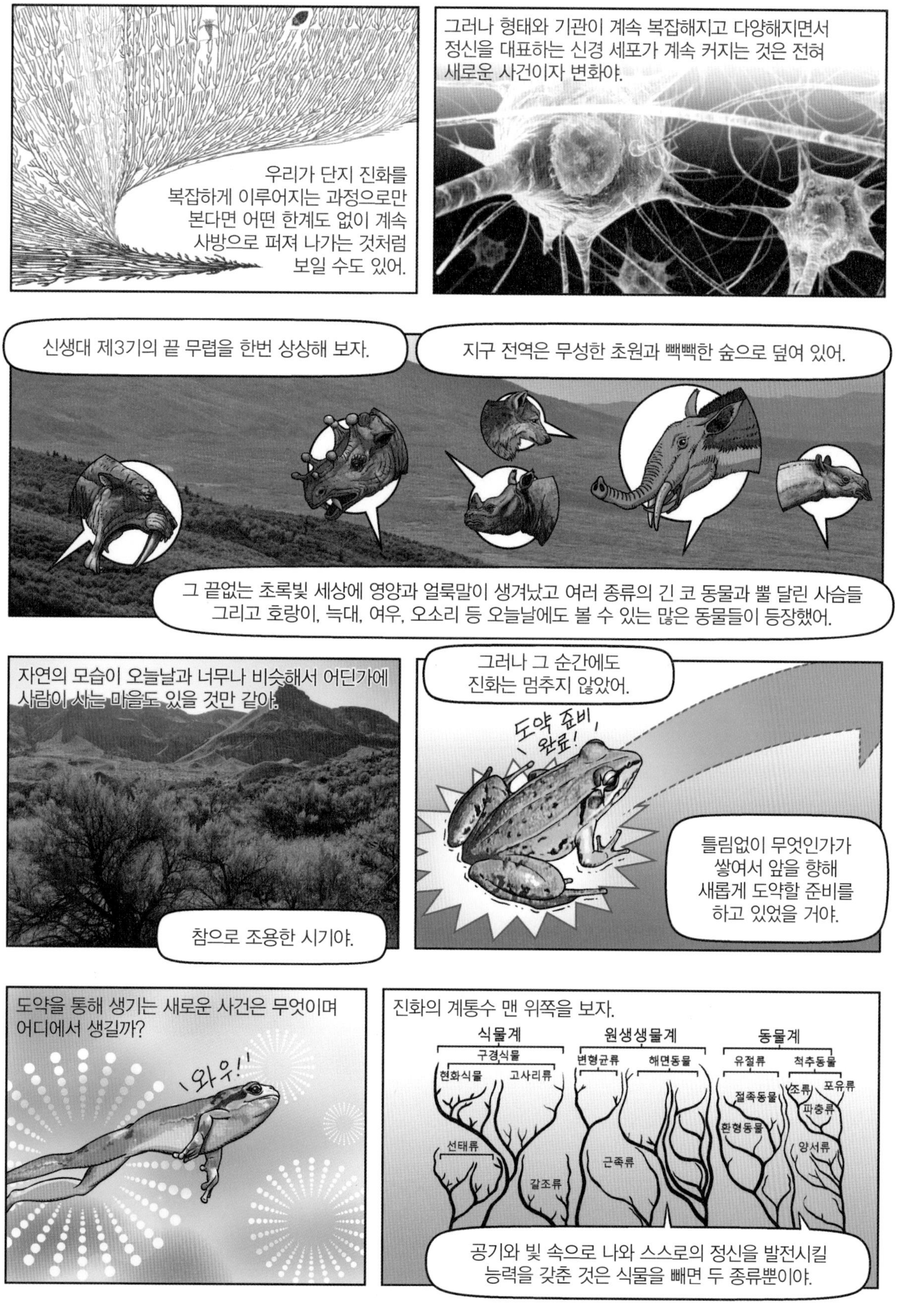
우리가 단지 진화를 복잡하게 이루어지는 과정으로만 본다면 어떤 한계도 없이 계속 사방으로 퍼져 나가는 것처럼 보일 수도 있어.
그러나 형태와 기관이 계속 복잡해지고 다양해지면서 정신을 대표하는 신경 세포가 계속 커지는 것은 전혀 새로운 사건이자 변화야.
신생대 제3기의 끝 무렵을 한번 상상해 보자.
지구 전역은 무성한 초원과 빽빽한 숲으로 덮여 있어.
그 끝없는 초록빛 세상에 영양과 얼룩말이 생겨났고 여러 종류의 긴 코 동물과 뿔 달린 사슴들 그리고 호랑이, 늑대, 여우, 오소리 등 오늘날에도 볼 수 있는 많은 동물들이 등장했어.
자연의 모습이 오늘날과 너무나 비슷해서 어딘가에 사람이 사는 마을도 있을 것만 같아.
참으로 조용한 시기야.
그러나 그 순간에도 진화는 멈추지 않았어.
도약 준비, 완료!
틀림없이 무엇인가가 쌓여서 앞을 향해 새롭게 도약할 준비를 하고 있었을 거야.
도약을 통해 생기는 새로운 사건은 무엇이며 어디에서 생길까?
와우!
진화의 계통수 맨 위쪽을 보자.
식물계
원생생물계
동물계
구경식물
현화식물
고사리류
선태류
갈조류
변형균류
해면동물
근족류
유절류
척추동물
절족동물
환형동물
조류
포유류
파충류
양서류
공기와 빛 속으로 나와 스스로의 정신을 발전시킬 능력을 갖춘 것은 식물을 빼면 두 종류뿐이야.

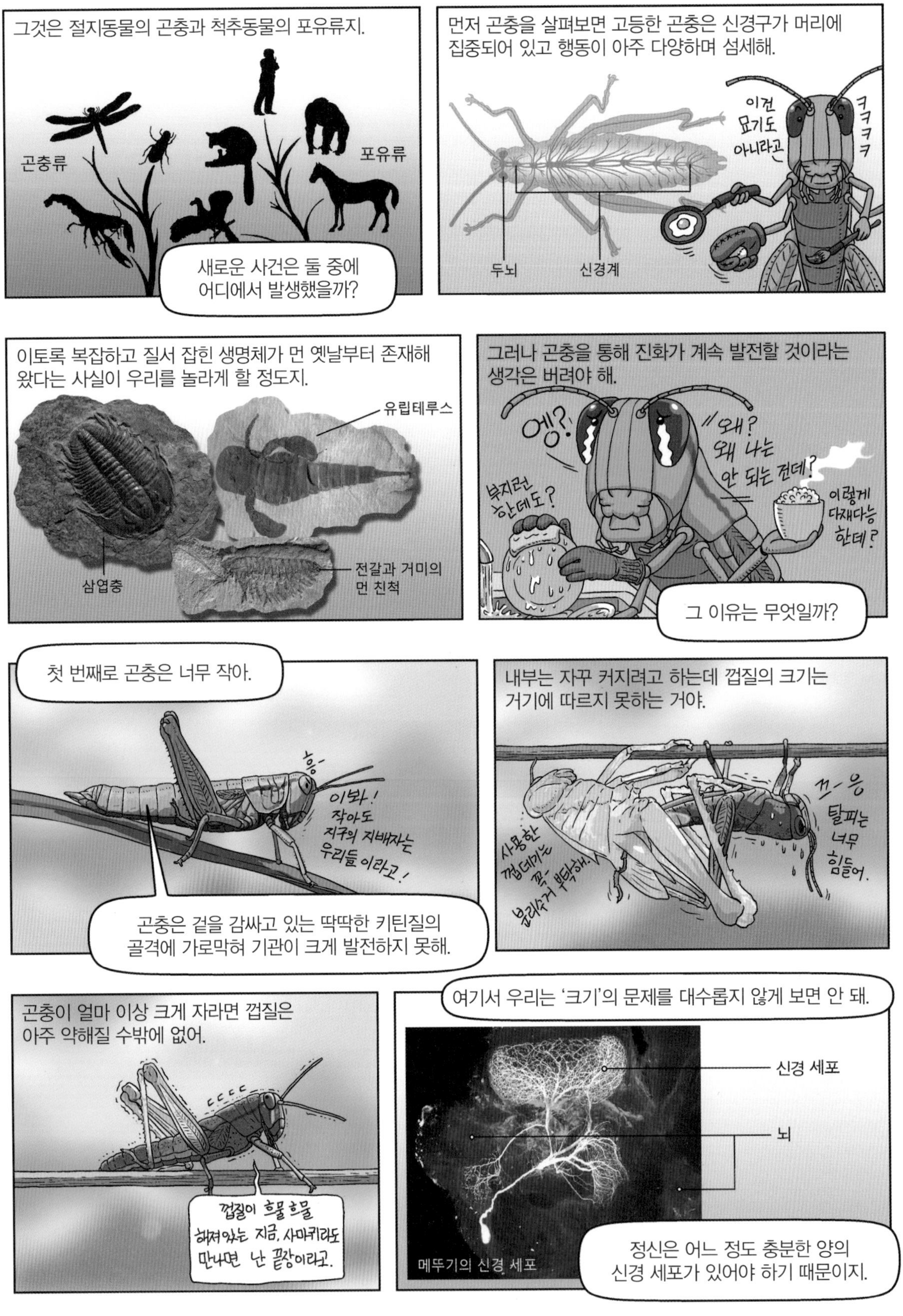

그것은 절지동물의 곤충과 척추동물의 포유류지.
곤충류
포유류
새로운 사건은 둘 중에 어디에서 발생했을까?
먼저 곤충을 살펴보면 고등한 곤충은 신경구가 머리에 집중되어 있고 행동이 아주 다양하며 섬세해.
두뇌
신경계
이건 묘기도 아니라고
ㅋㅋㅋㅋ
이토록 복잡하고 질서 잡힌 생명체가 먼 옛날부터 존재해 왔다는 사실이 우리를 놀라게 할 정도지.
유립테루스
삼엽충
전갈과 거미의 먼 친척
그러나 곤충을 통해 진화가 계속 발전할 것이라는 생각은 버려야 해.
엥?!
왜? 왜 나는 안 되는 건데?
부지런한데도?
이렇게 다재다능한데?
그 이유는 무엇일까?
첫 번째로 곤충은 너무 작아.
흥
이봐! 작아도 지구의 지배자는 우리들이라고!
곤충은 겉을 감싸고 있는 딱딱한 키틴질의 골격에 가로막혀 기관이 크게 발전하지 못해.
내부는 자꾸 커지려고 하는데 껍질의 크기는 거기에 따르지 못하는 거야.
끄~응
탈피는 너무 힘들어.
사용한 껍데기는 꼭 분리수거 부탁해.
곤충이 얼마 이상 크게 자라면 껍질은 아주 약해질 수밖에 없어.
ㄷㄷㄷㄷ
껍질이 흐물흐물 해져있는 지금, 사마귀라도 만나면 난 끝장이라고.
여기서 우리는 '크기'의 문제를 대수롭지 않게 보면 안 돼.
신경 세포
뇌
메뚜기의 신경 세포
정신은 어느 정도 충분한 양의 신경 세포가 있어야 하기 때문이지.

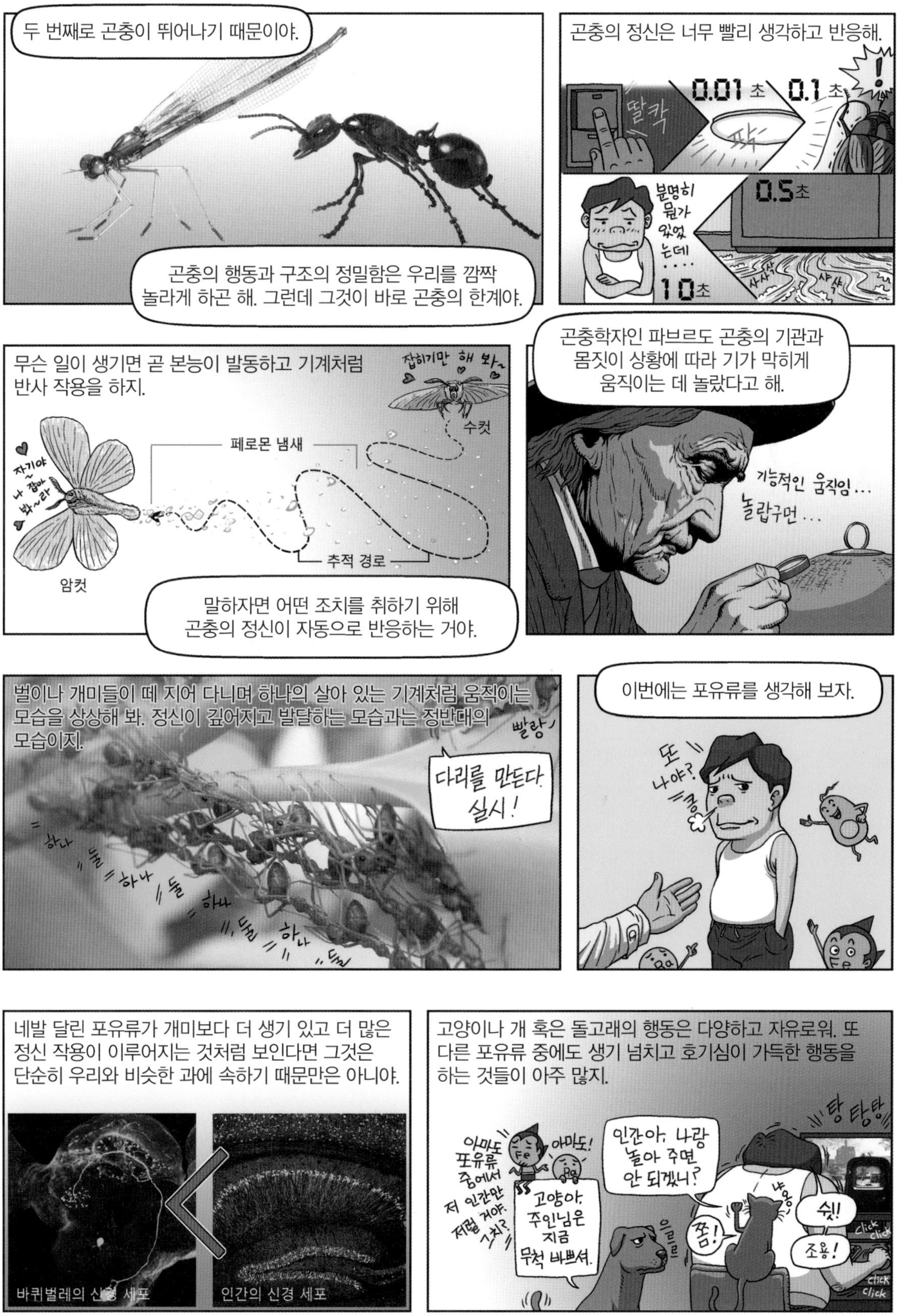
두 번째로 곤충이 뛰어나기 때문이야.
곤충의 행동과 구조의 정밀함은 우리를 깜짝 놀라게 하곤 해. 그런데 그것이 바로 곤충의 한계야.
곤충의 정신은 너무 빨리 생각하고 반응해.
딸칵
0.01 초
짝
0.1 초
0.5초
분명히 뭔가 있었는데 ....
10초
사사삭
사삭
무슨 일이 생기면 곧 본능이 발동하고 기계처럼 반사 작용을 하지.
잡히기만 해 봐~
수컷
자기야~ 나 잡아 봐~라
페로몬 냄새
추적 경로
암컷
말하자면 어떤 조치를 취하기 위해 곤충의 정신이 자동으로 반응하는 거야.
곤충학자인 파브르도 곤충의 기관과 몸짓이 상황에 따라 기가 막히게 움직이는 데 놀랐다고 해.
기능적인 움직임…
놀랍구먼…
벌이나 개미들이 떼 지어 다니며 하나의 살아 있는 기계처럼 움직이는 모습을 상상해 봐. 정신이 깊어지고 발달하는 모습과는 정반대의 모습이지.
빨랑
다리를 만든다 실시!
하나
둘
하나
둘
하나
둘
하나
둘
이번에는 포유류를 생각해 보자.
또 나야?
킁
네발 달린 포유류가 개미보다 더 생기 있고 더 많은 정신 작용이 이루어지는 것처럼 보인다면 그것은 단순히 우리와 비슷한 과에 속하기 때문만은 아니야.
바퀴벌레의 신경 세포
인간의 신경 세포
고양이나 개 혹은 돌고래의 행동은 다양하고 자유로워. 또 다른 포유류 중에도 생기 넘치고 호기심이 가득한 행동을 하는 것들이 아주 많지.
탕 탕탕
아마도 포유류 중에서 저 인간만 저럴 거야. 그치?
아마도!
인간아, 나랑 놀아 주면 안 되겠니?
고양아, 주인님은 지금 무척 바쁘셔.
으르르
냐옹
쫌!
쉿!
조용!
click click
click click

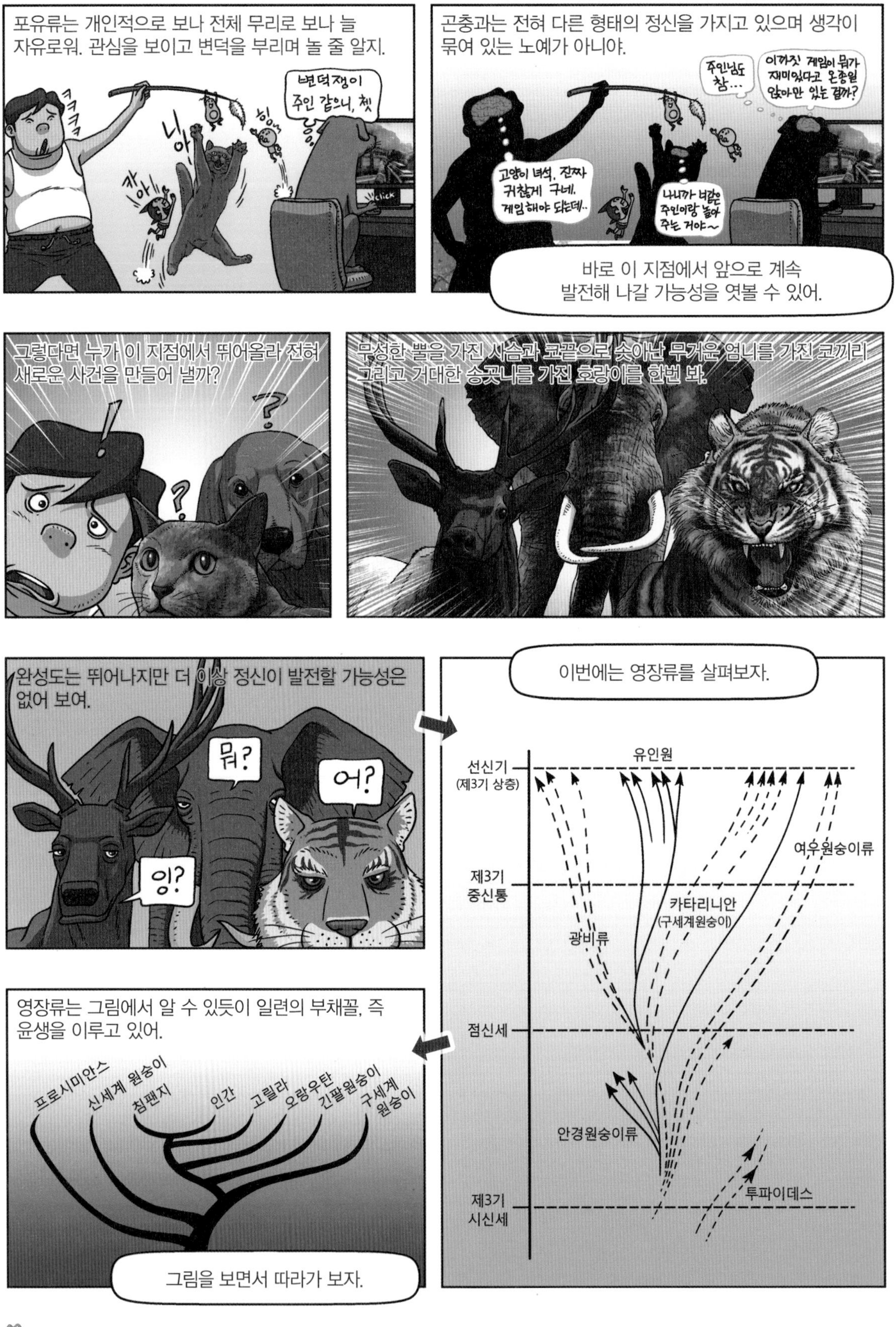

포유류는 개인적으로 보나 전체 무리로 보나 늘 자유로워. 관심을 보이고 변덕을 부리며 놀 줄 알지.
크크크
니야!
캬아
힝~
변덕쟁이 주인 같으니, 칫
click
곤충과는 전혀 다른 형태의 정신을 가지고 있으며 생각이 묶여 있는 노예가 아니야.
고양이 녀석. 진짜 귀찮게 구네. 게임해야 되는데..
나니까 너같은 주인이랑 놀아 주는 거야~
주인님도 참…
이까짓 게임이 뭐가 재미있다고 온종일 앉아만 있는 걸까?
바로 이 지점에서 앞으로 계속 발전해 나갈 가능성을 엿볼 수 있어.
그렇다면 누가 이 지점에서 뛰어올라 전혀 새로운 사건을 만들어 낼까?
무성한 뿔을 가진 사슴과 코끝으로 솟아난 무거운 엄니를 가진 코끼리 그리고 거대한 송곳니를 가진 호랑이를 한번 봐.
완성도는 뛰어나지만 더 이상 정신이 발전할 가능성은 없어 보여.
뭐?
어?
잉?
이번에는 영장류를 살펴보자.
선신기 (제3기 상층)
유인원
여우원숭이류
제3기 중신통
카타리니안 (구세계원숭이)
광비류
점신세
안경원숭이류
투파이데스
제3기 시신세
영장류는 그림에서 알 수 있듯이 일련의 부채꼴, 즉 윤생을 이루고 있어.
프로시미안스
신세계 원숭이
침팬지
인간
고릴라
오랑우탄
긴팔원숭이
구세계 원숭이
그림을 보면서 따라가 보자.

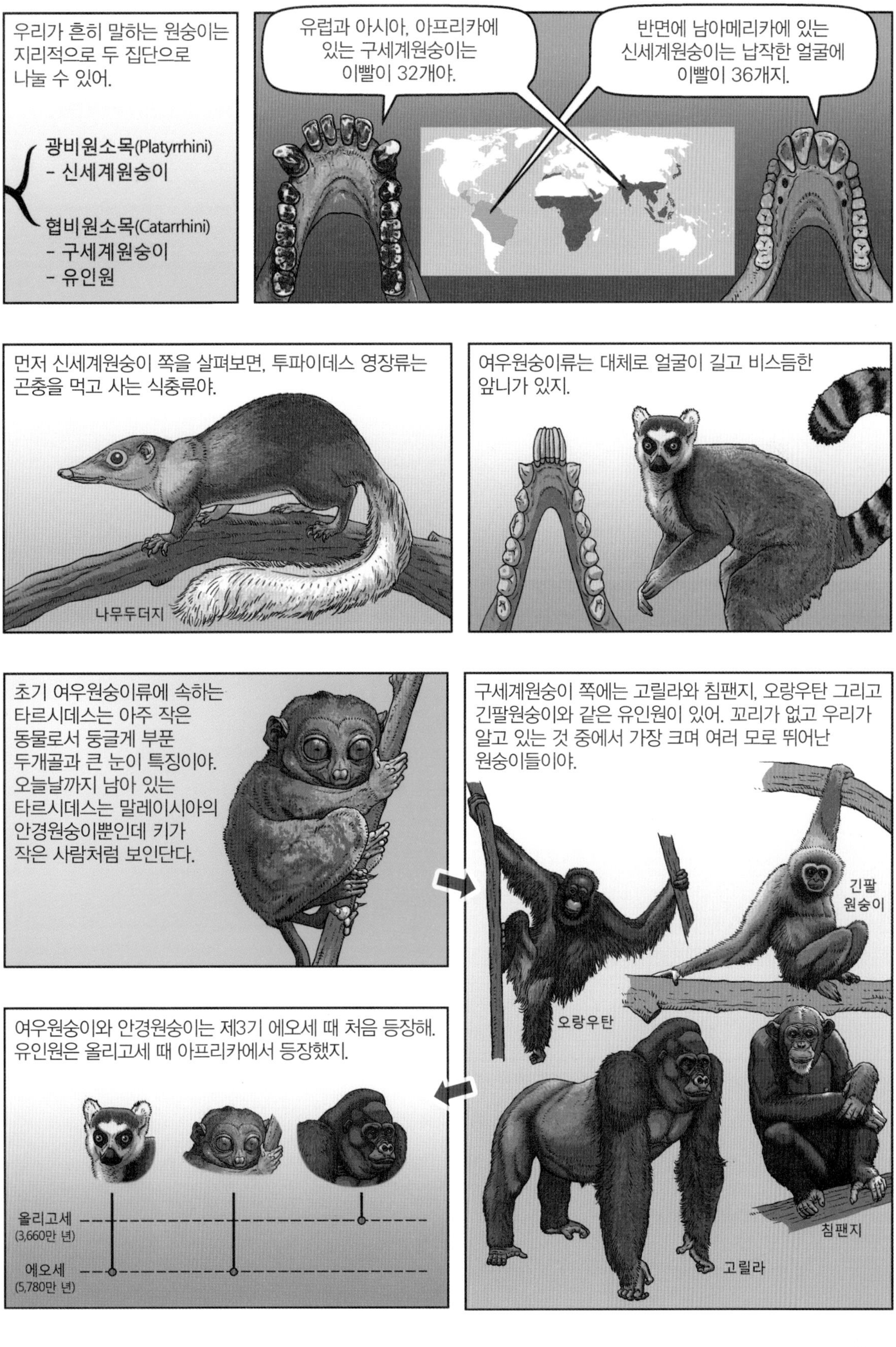
우리가 흔히 말하는 원숭이는 지리적으로 두 집단으로 나눌 수 있어.
광비원소목(Platyrrhini)
- 신세계원숭이
협비원소목(Catarrhini)
- 구세계원숭이
- 유인원
유럽과 아시아, 아프리카에 있는 구세계원숭이는 이빨이 32개야.
반면에 남아메리카에 있는 신세계원숭이는 납작한 얼굴에 이빨이 36개지.
먼저 신세계원숭이 쪽을 살펴보면, 투파이데스 영장류는 곤충을 먹고 사는 식충류야.
나무두더지
여우원숭이류는 대체로 얼굴이 길고 비스듬한 앞니가 있지.
초기 여우원숭이류에 속하는 타르시데스는 아주 작은 동물로서 둥글게 부푼 두개골과 큰 눈이 특징이야. 오늘날까지 남아 있는 타르시데스는 말레이시아의 안경원숭이뿐인데 키가 작은 사람처럼 보인단다.
구세계원숭이 쪽에는 고릴라와 침팬지, 오랑우탄 그리고 긴팔원숭이와 같은 유인원이 있어. 꼬리가 없고 우리가 알고 있는 것 중에서 가장 크며 여러 모로 뛰어난 원숭이들이야.
긴팔 원숭이
오랑우탄
고릴라
침팬지
여우원숭이와 안경원숭이는 제3기 에오세 때 처음 등장해. 유인원은 올리고세 때 아프리카에서 등장했지.
올리고세 (3,660만 년)
에오세 (5,780만 년)

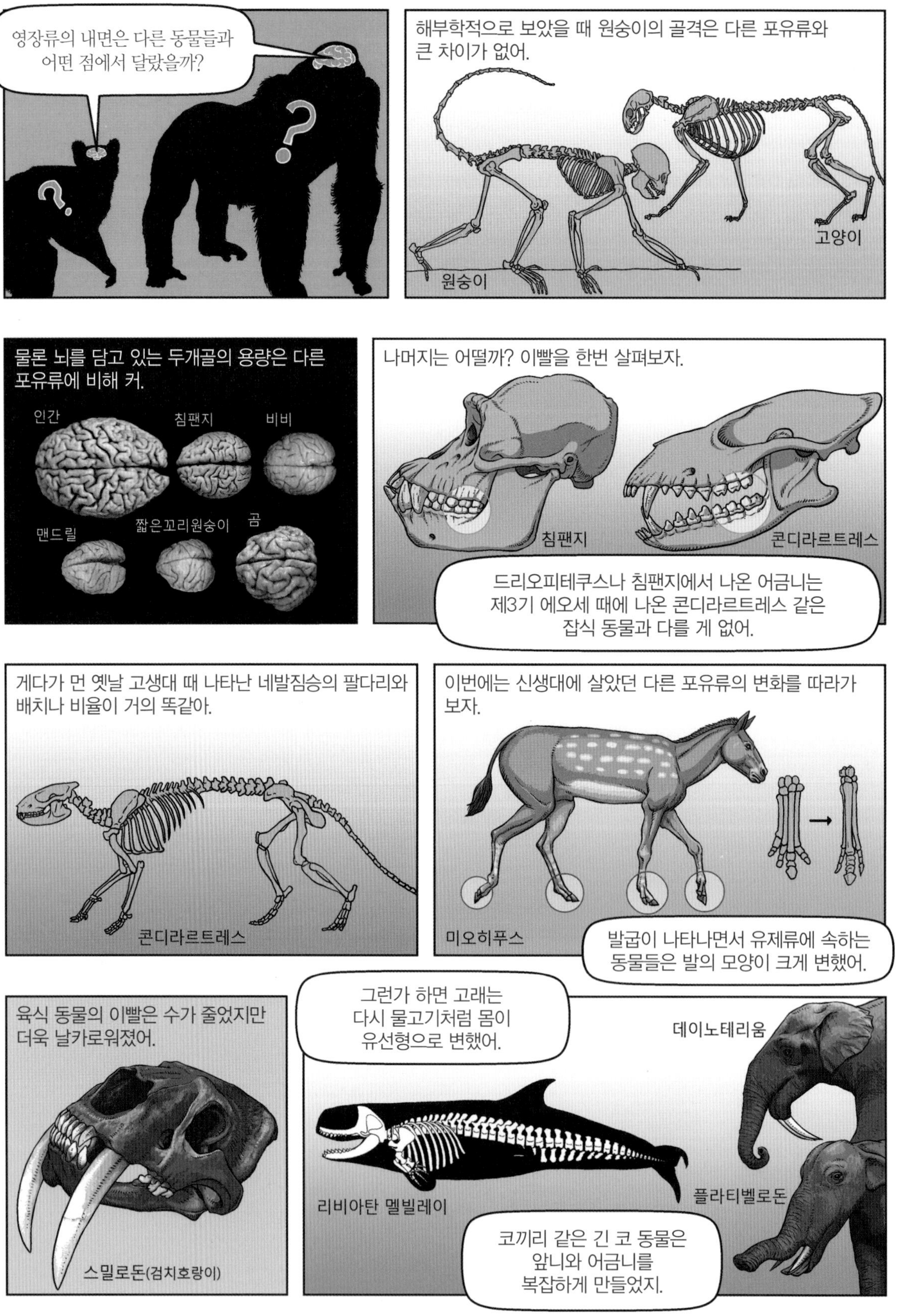
영장류의 내면은 다른 동물들과 어떤 점에서 달랐을까?
해부학적으로 보았을 때 원숭이의 골격은 다른 포유류와 큰 차이가 없어.
고양이
원숭이
물론 뇌를 담고 있는 두개골의 용량은 다른 포유류에 비해 커.
인간
침팬지
비비
맨드릴
짧은꼬리원숭이
곰
나머지는 어떨까? 이빨을 한번 살펴보자.
침팬지
콘디라르트레스
드리오피테쿠스나 침팬지에서 나온 어금니는 제3기 에오세 때에 나온 콘디라르트레스 같은 잡식 동물과 다를 게 없어.
게다가 먼 옛날 고생대 때 나타난 네발짐승의 팔다리와 배치나 비율이 거의 똑같아.
콘디라르트레스
이번에는 신생대에 살았던 다른 포유류의 변화를 따라가 보자.
미오히푸스
발굽이 나타나면서 유제류에 속하는 동물들은 발의 모양이 크게 변했어.
육식 동물의 이빨은 수가 줄었지만 더욱 날카로워졌어.
스밀로돈(검치호랑이)
그런가 하면 고래는 다시 물고기처럼 몸이 유선형으로 변했어.
데이노테리움
리비아탄 멜빌레이
플라티벨로돈
코끼리 같은 긴 코 동물은 앞니와 어금니를 복잡하게 만들었지.

이 기간 동안 영장류는 어떻게 됐을까?
아무것도 달라지지 않았단다.
에?

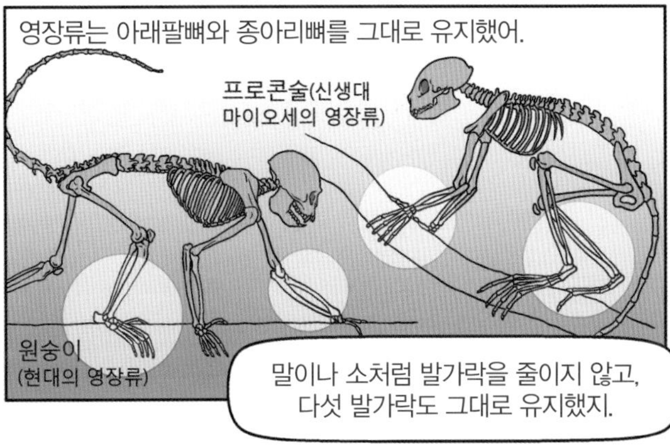

영장류는 아래팔뼈와 종아리뼈를 그대로 유지했어.
프로콘술(신생대 마이오세의 영장류)
원숭이 (현대의 영장류)
말이나 소처럼 발가락을 줄이지 않고, 다섯 발가락도 그대로 유지했지.

영장류는 왜 변화하지 않았을까?
음…. 게을러서?
아니, 아니, 내가 후손들 교육을 잘 못 시킨 거야.
'변화' 하면 난데.
뿅
Fe
Ra

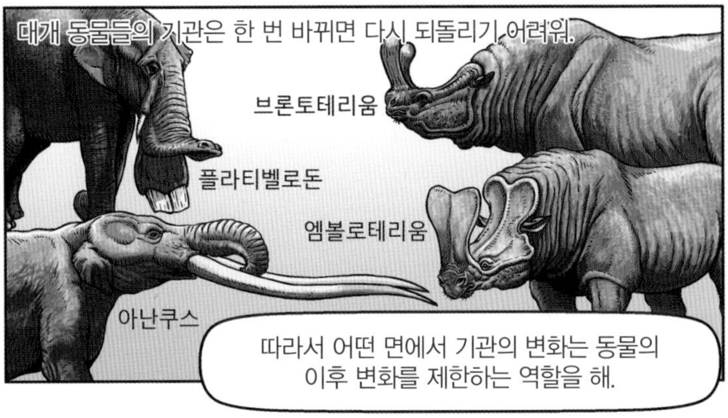

대개 동물들의 기관은 한 번 바뀌면 다시 되돌리기 어려워.
브론토테리움
플라티벨로돈
엠볼로테리움
아난쿠스
따라서 어떤 면에서 기관의 변화는 동물의 이후 변화를 제한하는 역할을 해.

그러다 보면 괴상하고 취약한 존재로 끝날 수도 있지.
도에디쿠루스 (플라이스토세에 멸종)

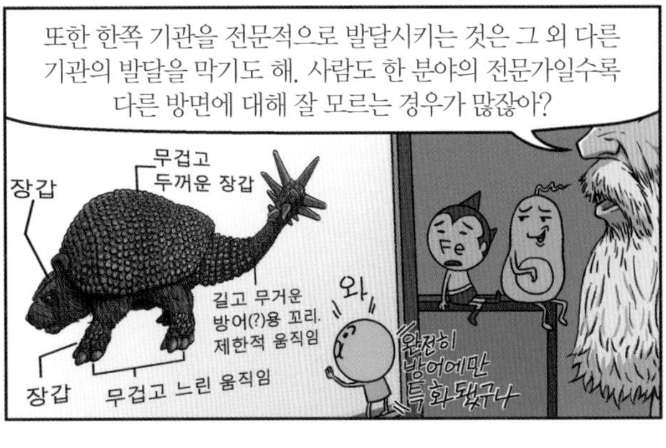

또한 한쪽 기관을 전문적으로 발달시키는 것은 그 외 다른 기관의 발달을 막기도 해. 사람도 한 분야의 전문가일수록 다른 방면에 대해 잘 모르는 경우가 많잖아?
장갑
무겁고 두꺼운 장갑
길고 무거운 방어(?)용 꼬리. 제한적 움직임
장갑
무겁고 느린 움직임
와
완전히 방어에만 특화됐구나
Fe

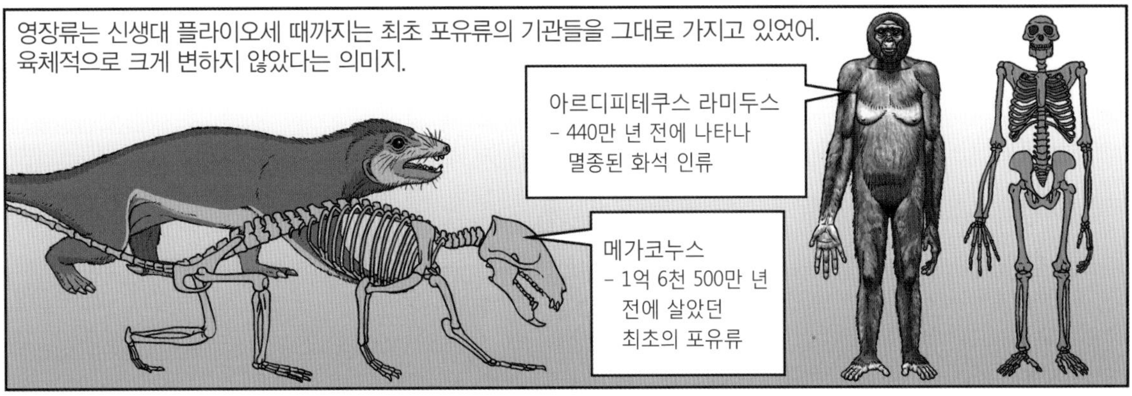

영장류는 신생대 플라이오세 때까지는 최초 포유류의 기관들을 그대로 가지고 있었어. 육체적으로 크게 변하지 않았다는 의미지.
아르디피테쿠스 라미두스 - 440만 년 전에 나타나 멸종된 화석 인류
메가코누스 - 1억 6천 500만 년 전에 살았던 최초의 포유류

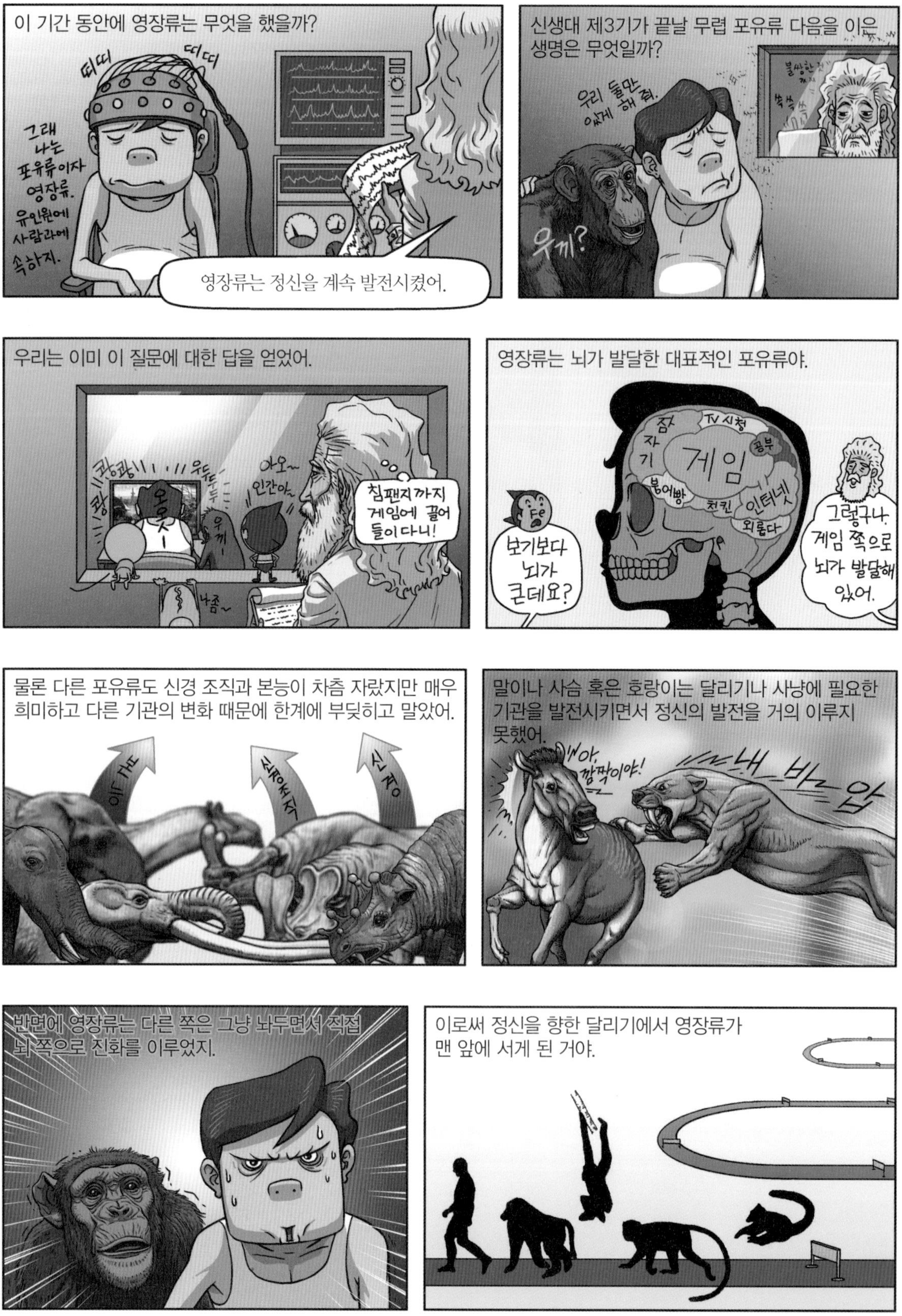
이 기간 동안에 영장류는 무엇을 했을까?
띠띠
띠띠
그래 나는 포유류이자 영장류. 유인원에 사람과에 속하지.
영장류는 정신을 계속 발전시켰어.
신생대 제3기가 끝날 무렵 포유류 다음을 이은 생명은 무엇일까?
우리 둘만 있게 해 줘.
우끼?
우리는 이미 이 질문에 대한 답을 얻었어.
쾅쾅
우두두
아오~ 인간아~
침팬지까지 게임에 끌어 들이다니!
나좀~
영장류는 뇌가 발달한 대표적인 포유류야.
잠자기
TV 시청
공부
게임
붕어빵
치킨
인터넷
외롭다
보기보다 뇌가 큰데요?
그렇구나. 게임 쪽으로 뇌가 발달해 있어.
물론 다른 포유류도 신경 조직과 본능이 차츰 자랐지만 매우 희미하고 다른 기관의 변화 때문에 한계에 부딪히고 말았어.
말이나 사슴 혹은 호랑이는 달리기나 사냥에 필요한 기관을 발전시키면서 정신의 발전을 거의 이루지 못했어.
아, 깜짝이야!
반면에 영장류는 다른 쪽은 그냥 놔두면서 직접 뇌 쪽으로 진화를 이루었지.
이로써 정신을 향한 달리기에서 영장류가 맨 앞에 서게 된 거야.

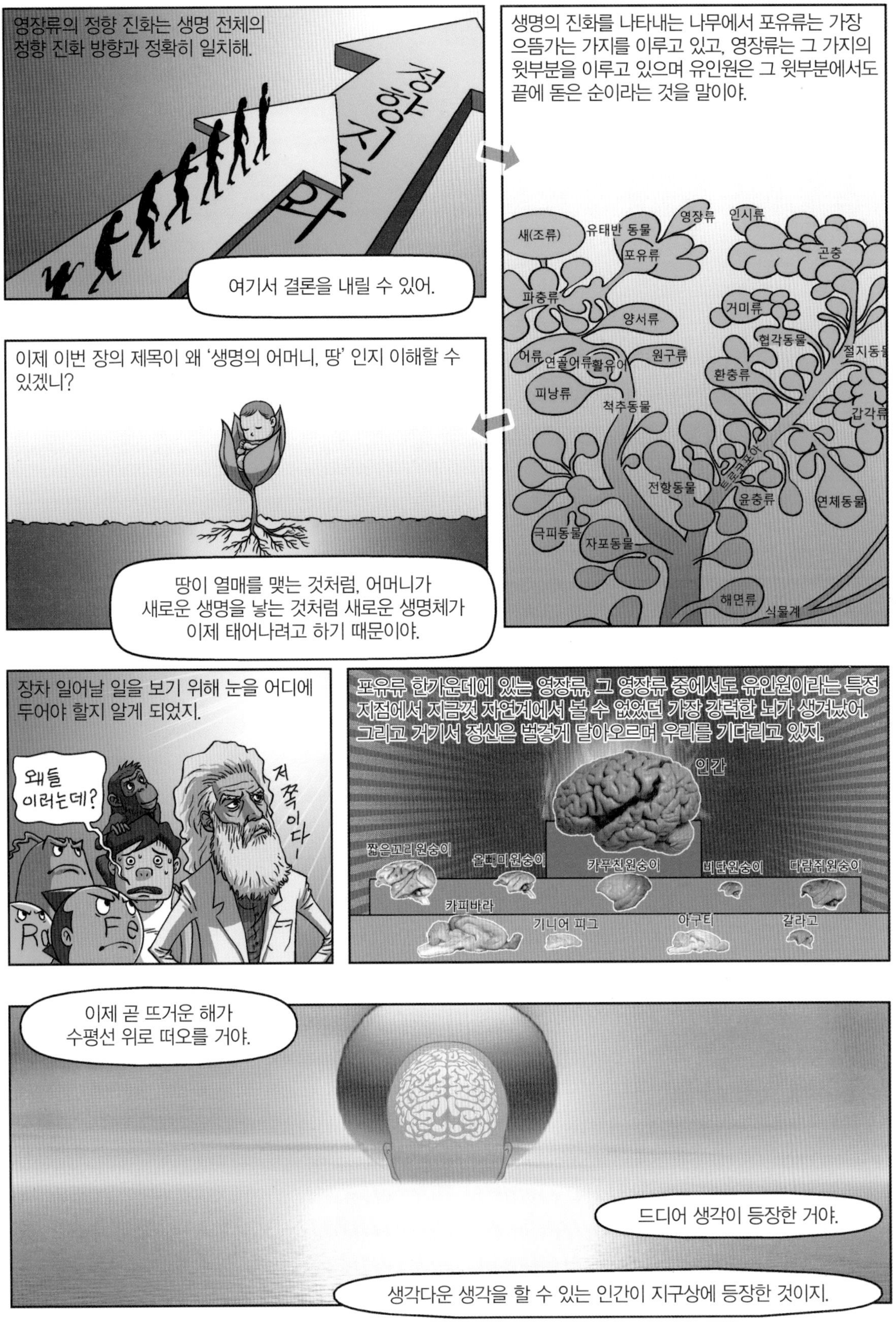

영장류의 정향 진화는 생명 전체의 정향 진화 방향과 정확히 일치해.
정향진화
여기서 결론을 내릴 수 있어.
생명의 진화를 나타내는 나무에서 포유류는 가장 으뜸가는 가지를 이루고 있고, 영장류는 그 가지의 윗부분을 이루고 있으며 유인원은 그 윗부분에서도 끝에 돋은 순이라는 것을 말이야.
새(조류)
유태반 동물
영장류
인시류
포유류
곤충
파충류
양서류
거미류
협각동물
절지동물
어류
연골어류
활유어
원구류
환충류
피낭류
척추동물
갑각류
전항동물
윤충류
연체동물
극피동물
자포동물
해면류
식물계
이제 이번 장의 제목이 왜 '생명의 어머니, 땅' 인지 이해할 수 있겠니?
땅이 열매를 맺는 것처럼, 어머니가 새로운 생명을 낳는 것처럼 새로운 생명체가 이제 태어나려고 하기 때문이야.
장차 일어날 일을 보기 위해 눈을 어디에 두어야 할지 알게 되었지.
왜들 이러는데?
저쪽이다!
Ra
Fe
포유류 한가운데에 있는 영장류, 그 영장류 중에서도 유인원이라는 특정 지점에서 지금껏 자연계에서 볼 수 없었던 가장 강력한 뇌가 생겨났어. 그리고 거기서 정신은 벌겋게 달아오르며 우리를 기다리고 있지.
인간
짧은꼬리원숭이
올빼미원숭이
카푸친원숭이
비단원숭이
다람쥐원숭이
카피바라
기니어 피그
아구티
갈라고
이제 곧 뜨거운 해가 수평선 위로 떠오를 거야.
드디어 생각이 등장한 거야.
생각다운 생각을 할 수 있는 인간이 지구상에 등장한 것이지.

8장

생각의 등장

우리가 살피고 있는 책인 《인간현상》은 인간에 대해 알아보는 책이야.
인간현상
Le Phénomène humain

지금까지 우리는 인간이 등장하기 전까지의 과정을 살폈어. 그리고 이제는 인간에 대해 본격적으로 알아볼 거야.
우끼 인간아!
원숭아!
원숭아, 넌 좀 빠져.

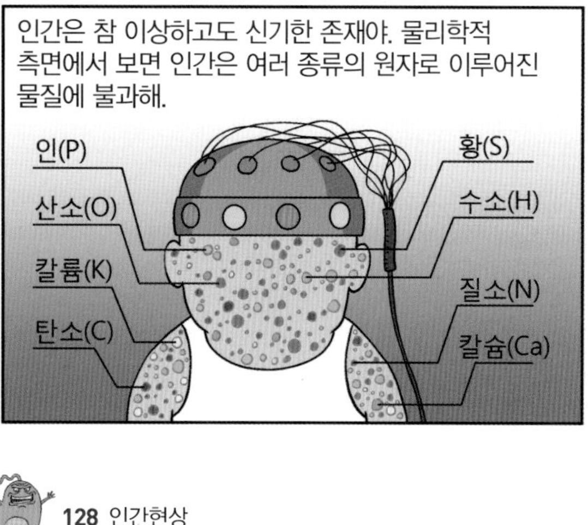
인간은 참 이상하고도 신기한 존재야. 물리학적 측면에서 보면 인간은 여러 종류의 원자로 이루어진 물질에 불과해.
인(P)
산소(O)
칼륨(K)
탄소(C)
황(S)
수소(H)
질소(N)
칼슘(Ca)

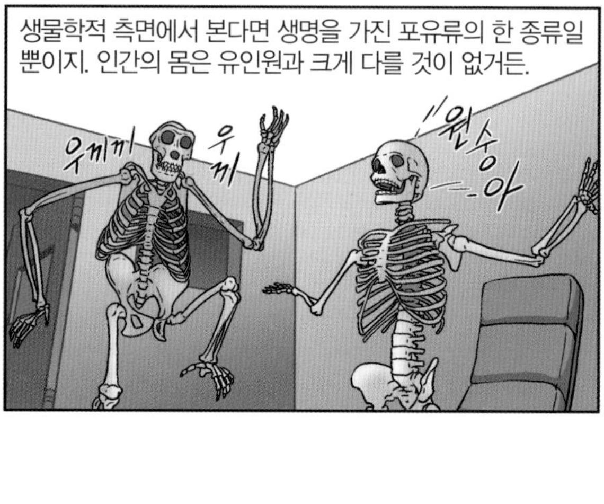
생물학적 측면에서 본다면 생명을 가진 포유류의 한 종류일 뿐이지. 인간의 몸은 유인원과 크게 다를 것이 없거든.
우끼끼 우끼
원숭아

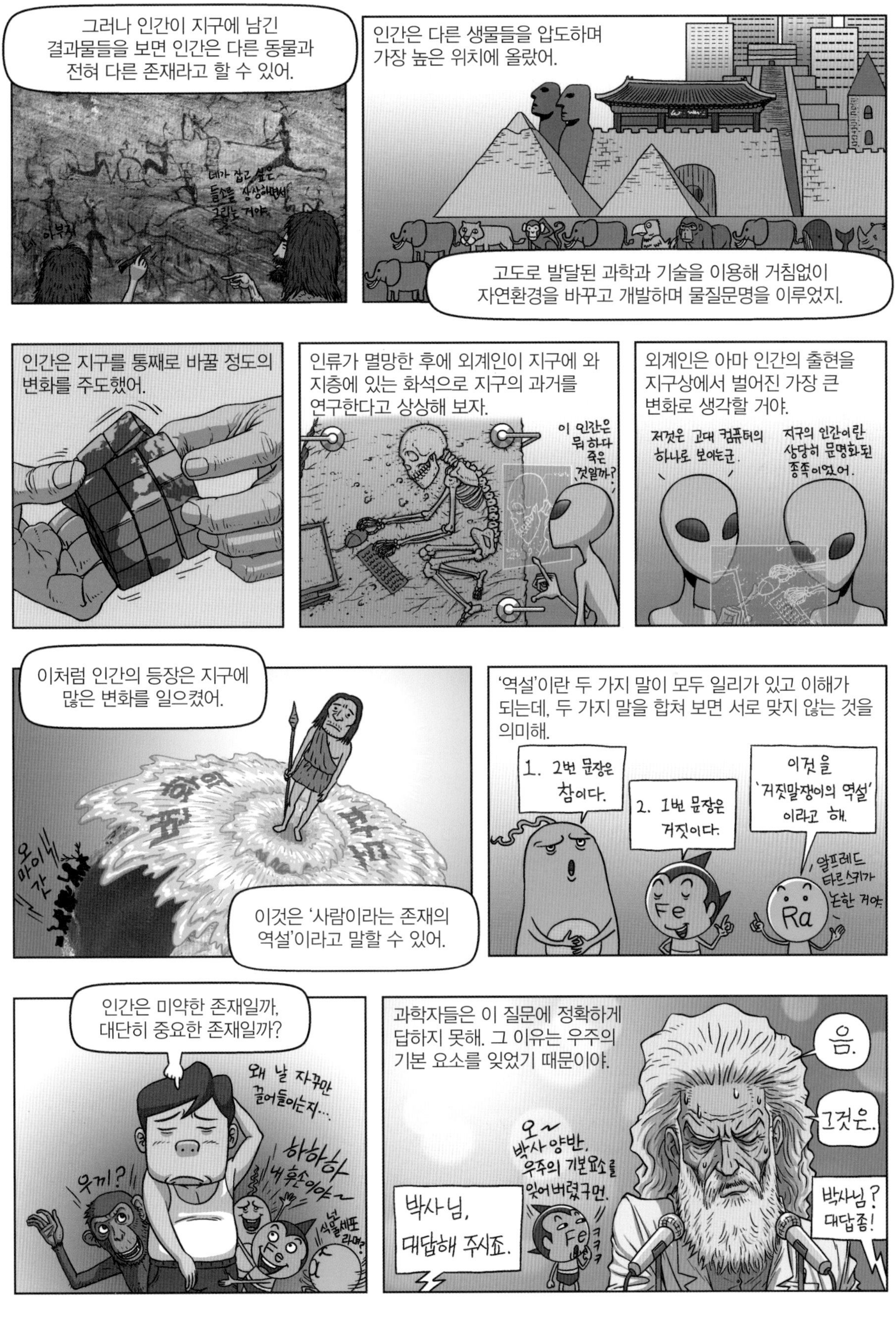

그러나 인간이 지구에 남긴 결과물들을 보면 인간은 다른 동물과 전혀 다른 존재라고 할 수 있어.
네가 잡고 싶은 들소를 상상하면서 그리는 거야.
아부지
인간은 다른 생물들을 압도하며 가장 높은 위치에 올랐어.
고도로 발달된 과학과 기술을 이용해 거침없이 자연환경을 바꾸고 개발하며 물질문명을 이루었지.
인간은 지구를 통째로 바꿀 정도의 변화를 주도했어.
인류가 멸망한 후에 외계인이 지구에 와 지층에 있는 화석으로 지구의 과거를 연구한다고 상상해 보자.
이 인간은 뭘 하다 죽은 것일까?
외계인은 아마 인간의 출현을 지구상에서 벌어진 가장 큰 변화로 생각할 거야.
저것은 고대 컴퓨터의 하나로 보이는군.
지구의 인간이란 상당히 문명화된 종족이었어.
이처럼 인간의 등장은 지구에 많은 변화를 일으켰어.
오 마이 갓
이것은 '사람이라는 존재의 역설'이라고 말할 수 있어.
'역설'이란 두 가지 말이 모두 일리가 있고 이해가 되는데, 두 가지 말을 합쳐 보면 서로 맞지 않는 것을 의미해.
1. 2번 문장은 참이다.
2. 1번 문장은 거짓이다.
이것을 '거짓말쟁이의 역설'이라고 해.
알프레드 타르스키가 논한 거야.
Fe
Ra
인간은 미약한 존재일까, 대단히 중요한 존재일까?
왜 날 자꾸만 끌어들이는지…
우끼?
하하하 내 후손이야~
넌 식물세포라며?
과학자들은 이 질문에 정확하게 답하지 못해. 그 이유는 우주의 기본 요소를 잊었기 때문이야.
음.
그것은.
오~ 박사 양반, 우주의 기본요소를 잊어버렸구먼.
박사님, 대답해 주시죠.
박사님? 대답좀!

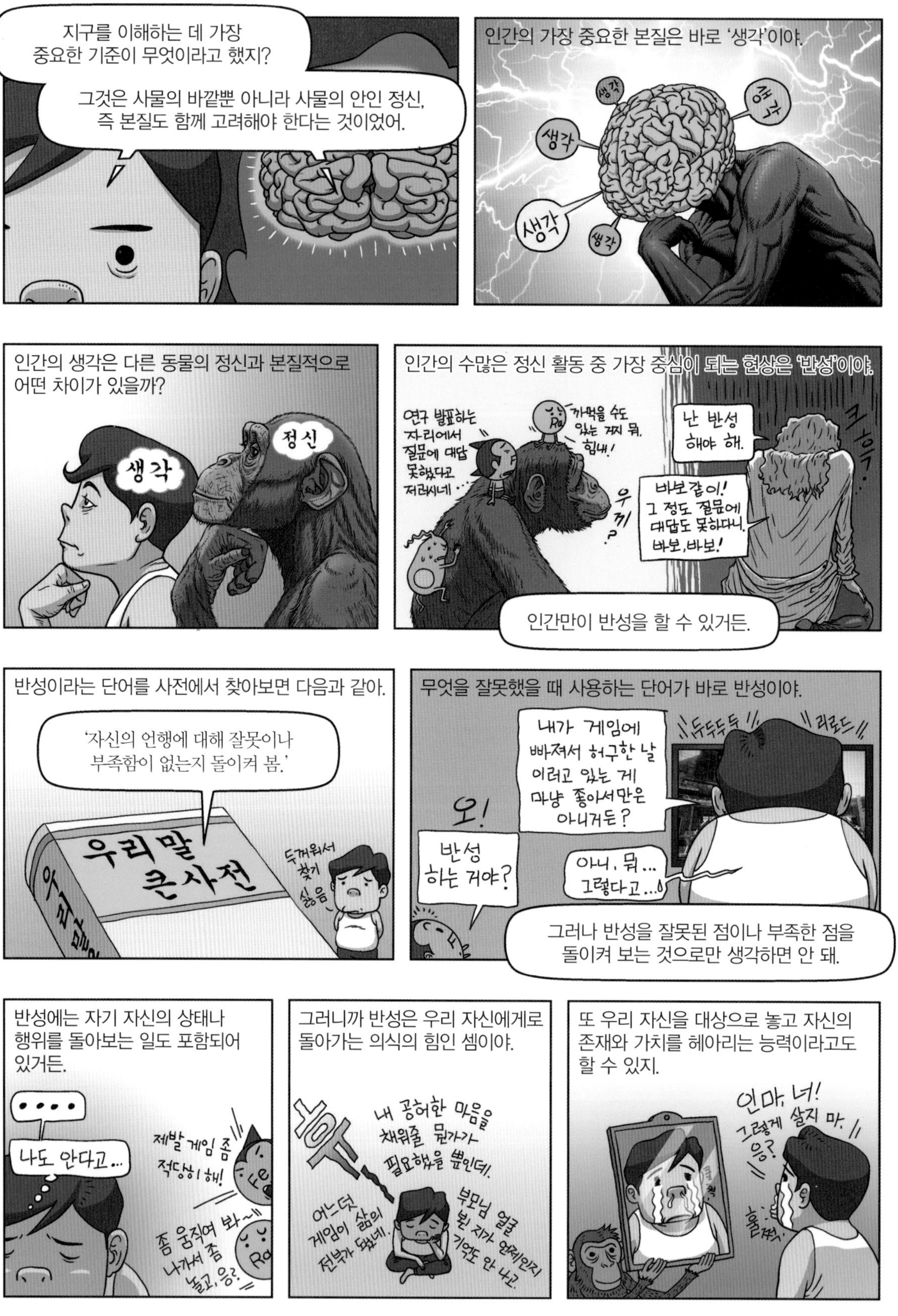

지구를 이해하는 데 가장 중요한 기준이 무엇이라고 했지?
그것은 사물의 바깥뿐 아니라 사물의 안인 정신, 즉 본질도 함께 고려해야 한다는 것이었어.
인간의 가장 중요한 본질은 바로 '생각'이야.
생각
생각
생각
생각
생각
인간의 생각은 다른 동물의 정신과 본질적으로 어떤 차이가 있을까?
생각
정신
인간의 수많은 정신 활동 중 가장 중심이 되는 현상은 '반성'이야.
연구 발표하는 자리에서 질문에 대답 못했다고 저러시네…
까먹을 수도 있는 거지 뭐. 힘내!
우끼?
난 반성 해야 해.
바보같이! 그 정도 질문에 대답도 못하다니. 바보, 바보!
크흑…
인간만이 반성을 할 수 있거든.
반성이라는 단어를 사전에서 찾아보면 다음과 같아.
'자신의 언행에 대해 잘못이나 부족함이 없는지 돌이켜 봄.'
우리말 큰사전
두꺼워서 찾기 싫음
무엇을 잘못했을 때 사용하는 단어가 바로 반성이야.
내가 게임에 빠져서 허구한 날 이러고 있는 게 마냥 좋아서만은 아니거든?
두두두두
오! 반성 하는 거야?
아니, 뭐… 그렇다고…
그러나 반성을 잘못된 점이나 부족한 점을 돌이켜 보는 것으로만 생각하면 안 돼.
반성에는 자기 자신의 상태나 행위를 돌아보는 일도 포함되어 있거든.
….
나도 안다고…
제발 게임 좀 적당히 해!
좀 움직여 봐~ 나가서 좀 놀고, 응?
그러니까 반성은 우리 자신에게로 돌아가는 의식의 힘인 셈이야.
후우
내 공허한 마음을 채워줄 뭔가가 필요했을 뿐인데.
어느덧 게임이 삶의 전부가 됐네.
부모님 얼굴 본 지가 언제인지 기억도 안 나네.
또 우리 자신을 대상으로 놓고 자신의 존재와 가치를 헤아리는 능력이라고도 할 수 있지.
인마, 너! 그렇게 살지 마. 응?
훌쩍

고등한 원숭이들은 인간처럼 도구를 사용할 줄 알아.
콩 까는 데 돌만한 게 없지롱.
그렇다면 인간과 원숭이의 차이점은 무엇일까?

원숭이는 주어진 도구를 그냥 사용할 뿐 더 이상 도구를 사용하는 것에 대해 돌이켜 생각하지 않아.
나의 콩 까는 돌모음이야. 부럽지?
콩만 까?
그럼 딴 것도 해?

아무리 고등한 원숭이라도 자신을 반성하면서 더 나은 도구를 만들거나 개발하려고 하지 않지.
난 이거 하나면 만족♡
뒤적
뒤적
바로 이 점이 인간과 원숭이가 다른 점이야.

인간은 끊임없이 자신이 경험한 것을 돌이켜 반성을 해 왔어.
어?
어제만 해도 단단했었는데 이상하네. 뭔가 변하고 있는가 봐.
야, 반성 그만하고 살려 줘~!
그 결과 인간은 엄청난 변화를 일으켰지.

인간은 반성을 통해 새로운 세계로 뻗어 나갔어.
이런 세상도 있네!
오, 따뜻한 바람. 열매도 사냥감도 많고.
역시 떠나오길 잘했지?
인간만이 경험할 수 있는 다른 세상을 창조한 거야.

발명의 세계, 수학의 세계, 예술의 세계, 추상화의 세계, 논리의 세계, 사랑의 세계 등이 바로 그것이지.
이것이 인간의 세계. 너도 한번 해 봐야지.
이걸 나보고 하라고?
엥?
내가 천재냐?
반성하고 새롭게 시작하겠다면 이 정도는 해 줘야지.
이들 세계는 인간만이 가지고 있어.

인간은 반성하는 능력을 바탕으로 '지성'이라는 새로운 정신 작용을 하기 시작했어.
지성
각성 성공!!
악

지성은 알게 된 것을 정리하고 통일해 이것을 바탕으로 새로운 생각을 낳게 하는 정신 작용을 말해.
설마, 다시 게임하는 건 아니겠지?
후후후
무슨 소리! 내 경험을 바탕으로 소설을 쓰는 중이거든?

인간에게 지성이 있다면 동물에게는 본능이 있다고 할 수 있어.
집중 집중
뒤늦게 '지성'이 발동했구먼. 어쨌든 좋은 일이야.
톡톡톡
톡톡톡톡

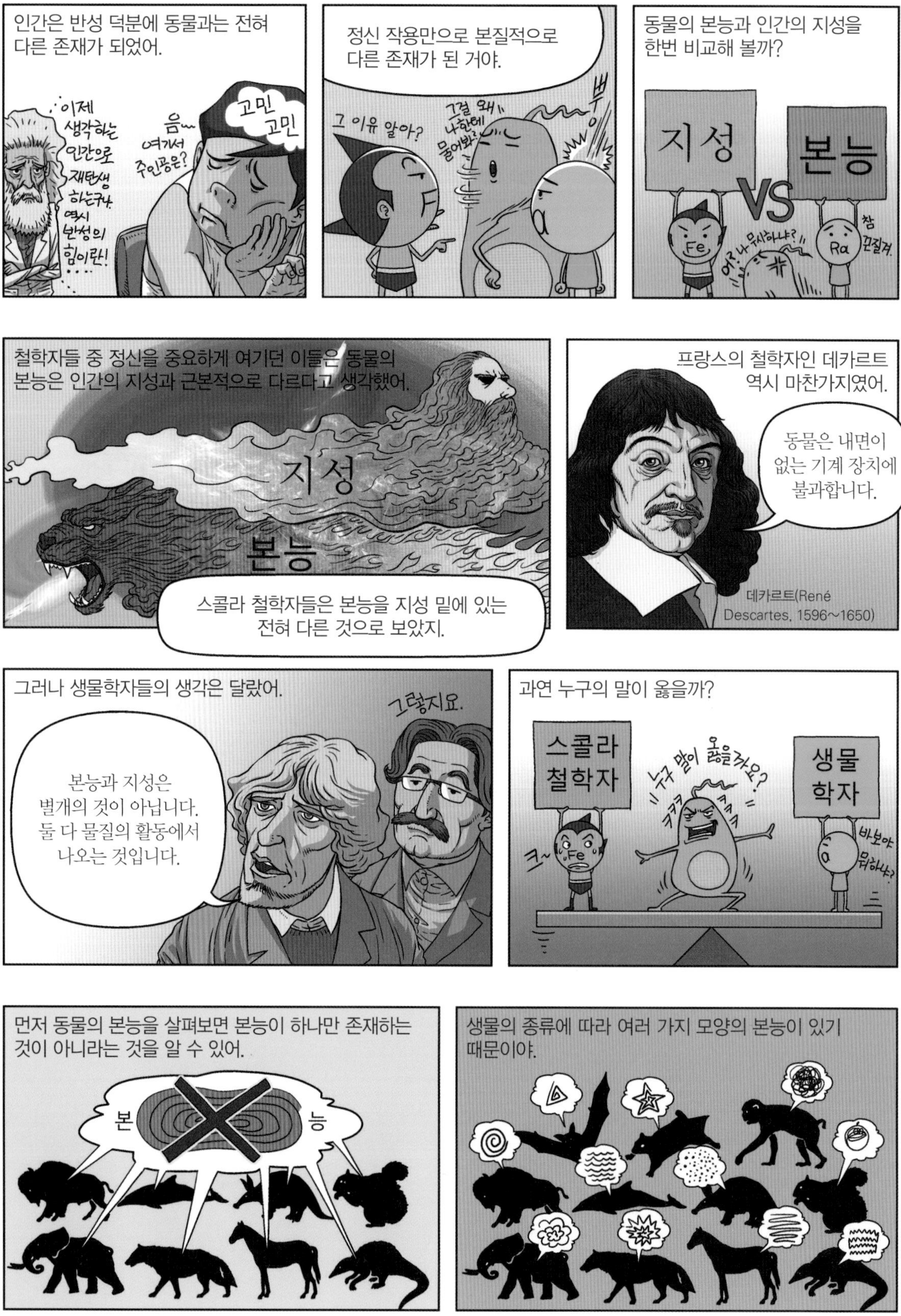

인간은 반성 덕분에 동물과는 전혀 다른 존재가 되었어.
이제 생각하는 인간으로 재탄생하는구나. 역시 반성의 힘이란! …
음… 여기서 주인공은?
고민 고민
정신 작용만으로 본질적으로 다른 존재가 된 거야.
그 이유 알아?
그걸 왜 나한테 물어봐?
뿅
동물의 본능과 인간의 지성을 한번 비교해 볼까?
지성
VS
본능
Fe
Ra
어? 나 무시하냐?
참 끈질겨.
철학자들 중 정신을 중요하게 여기던 이들은 동물의 본능은 인간의 지성과 근본적으로 다르다고 생각했어.
지성
본능
스콜라 철학자들은 본능을 지성 밑에 있는 전혀 다른 것으로 보았지.
프랑스의 철학자인 데카르트 역시 마찬가지였어.
동물은 내면이 없는 기계 장치에 불과합니다.
데카르트(René Descartes, 1596~1650)
그러나 생물학자들의 생각은 달랐어.
그렇지요.
본능과 지성은 별개의 것이 아닙니다. 둘 다 물질의 활동에서 나오는 것입니다.
과연 누구의 말이 옳을까?
스콜라 철학자
누구 말이 옳을까요?
크~
Fe
생물 학자
바보야 뭐하냐?
먼저 동물의 본능을 살펴보면 본능이 하나만 존재하는 것이 아니라는 것을 알 수 있어.
본
능
생물의 종류에 따라 여러 가지 모양의 본능이 있기 때문이야.

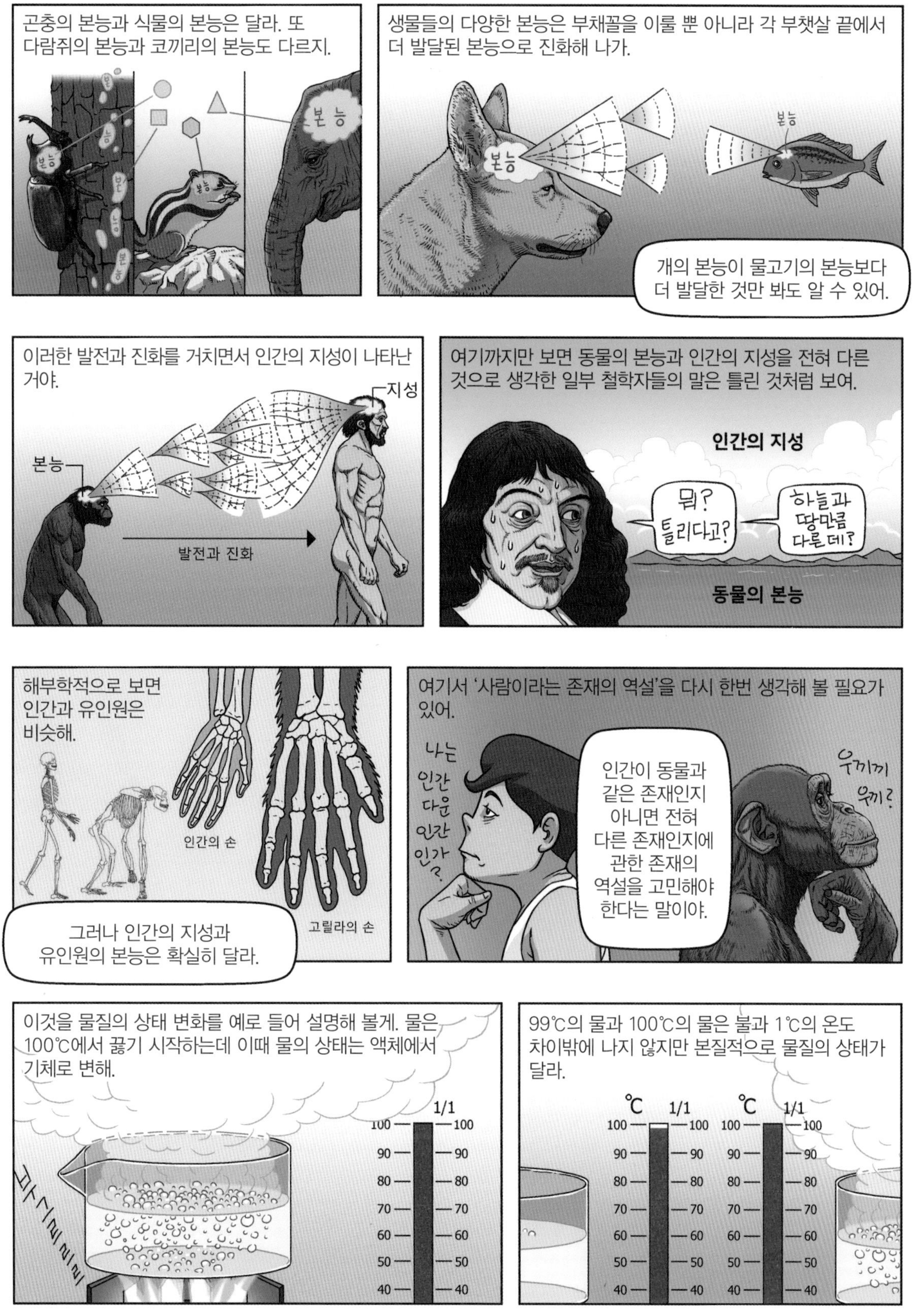

곤충의 본능과 식물의 본능은 달라. 또 다람쥐의 본능과 코끼리의 본능도 다르지.
본능
본능
본능
생물들의 다양한 본능은 부채꼴을 이룰 뿐 아니라 각 부챗살 끝에서 더 발달된 본능으로 진화해 나가.
본능
본능
개의 본능이 물고기의 본능보다 더 발달한 것만 봐도 알 수 있어.
이러한 발전과 진화를 거치면서 인간의 지성이 나타난 거야.
지성
본능
발전과 진화
여기까지만 보면 동물의 본능과 인간의 지성을 전혀 다른 것으로 생각한 일부 철학자들의 말은 틀린 것처럼 보여.
인간의 지성
뭐? 틀리다고?
하늘과 땅만큼 다른데?
동물의 본능
해부학적으로 보면 인간과 유인원은 비슷해.
인간의 손
고릴라의 손
그러나 인간의 지성과 유인원의 본능은 확실히 달라.
여기서 '사람이라는 존재의 역설'을 다시 한번 생각해 볼 필요가 있어.
나는 인간다운 인간인가?
인간이 동물과 같은 존재인지 아니면 전혀 다른 존재인지에 관한 존재의 역설을 고민해야 한다는 말이야.
우끼끼 우끼?
이것을 물질의 상태 변화를 예로 들어 설명해 볼게. 물은 100℃에서 끓기 시작하는데 이때 물의 상태는 액체에서 기체로 변해.
1/1
100 90 80 70 60 50 40
99℃의 물과 100℃의 물은 불과 1℃의 온도 차이밖에 나지 않지만 본질적으로 물질의 상태가 달라.
℃ 1/1
100 90 80 70 60 50 40
℃ 1/1
100 90 80 70 60 50 40

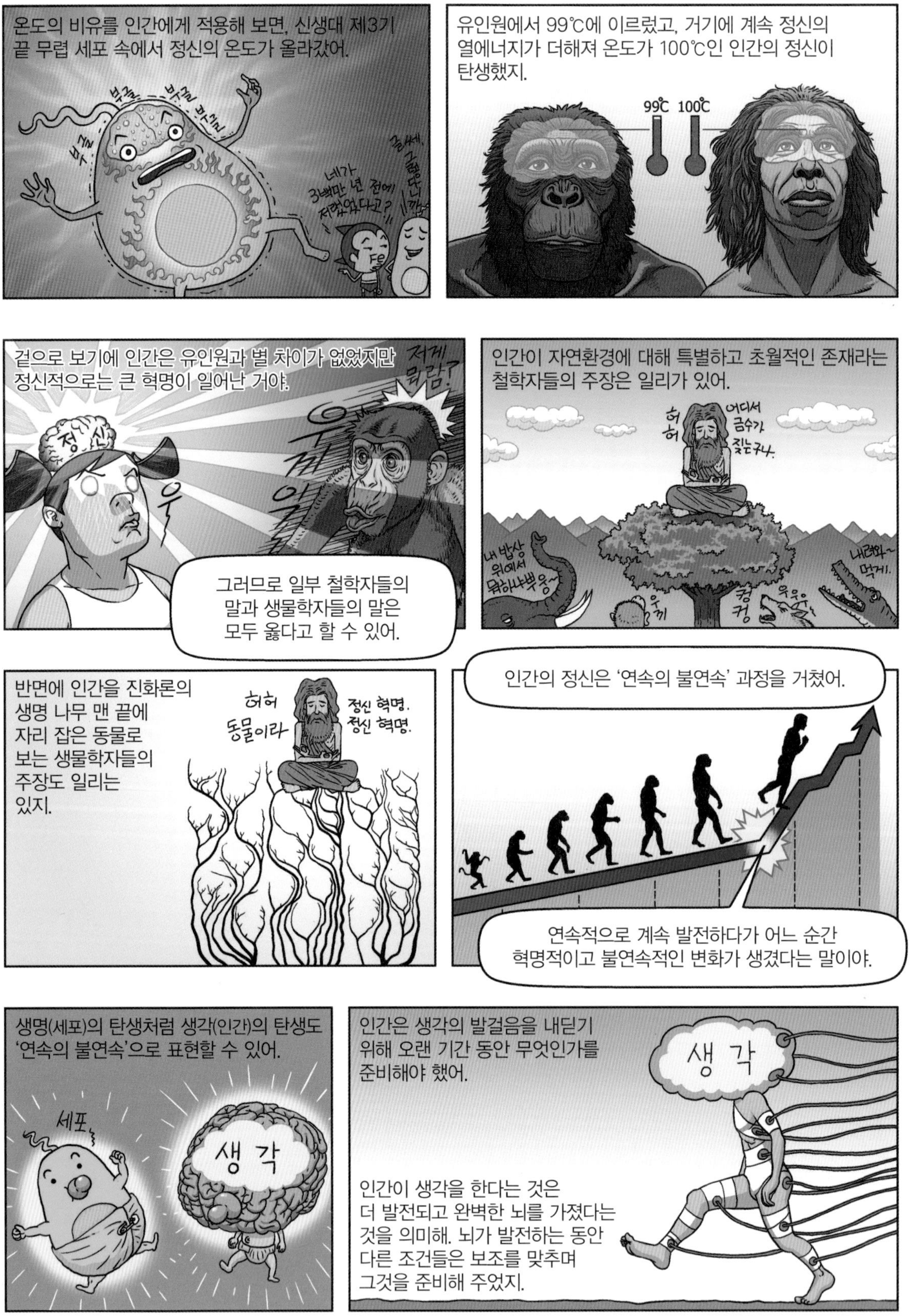
온도의 비유를 인간에게 적용해 보면, 신생대 제3기 끝 무렵 세포 속에서 정신의 온도가 올라갔어.
부글 부글 부글 부글
네가 3백만 년 전에 저랬었다고?
글쎄, 그랬다니까!
유인원에서 99℃에 이르렀고, 거기에 계속 정신의 열에너지가 더해져 온도가 100℃인 인간의 정신이 탄생했지.
99℃ 100℃
겉으로 보기에 인간은 유인원과 별 차이가 없었지만 정신적으로는 큰 혁명이 일어난 거야.
저게 뭐람?
정신
우
우찌익
그러므로 일부 철학자들의 말과 생물학자들의 말은 모두 옳다고 할 수 있어.
인간이 자연환경에 대해 특별하고 초월적인 존재라는 철학자들의 주장은 일리가 있어.
허허
어디서 금수가 짖는구나.
내 밥상 위에서 뭐하냐뿌웅~
내려와~ 먹게.
우끼
컹컹
우우우
반면에 인간을 진화론의 생명 나무 맨 끝에 자리 잡은 동물로 보는 생물학자들의 주장도 일리는 있지.
허허 동물이라
정신 혁명. 정신 혁명.
인간의 정신은 '연속의 불연속' 과정을 거쳤어.
연속적으로 계속 발전하다가 어느 순간 혁명적이고 불연속적인 변화가 생겼다는 말이야.
생명(세포)의 탄생처럼 생각(인간)의 탄생도 '연속의 불연속'으로 표현할 수 있어.
세포
생각
인간은 생각의 발걸음을 내딛기 위해 오랜 기간 동안 무엇인가를 준비해야 했어.
생각
인간이 생각을 한다는 것은 더 발전되고 완벽한 뇌를 가졌다는 것을 의미해. 뇌가 발전하는 동안 다른 조건들은 보조를 맞추며 그것을 준비해 주었지.

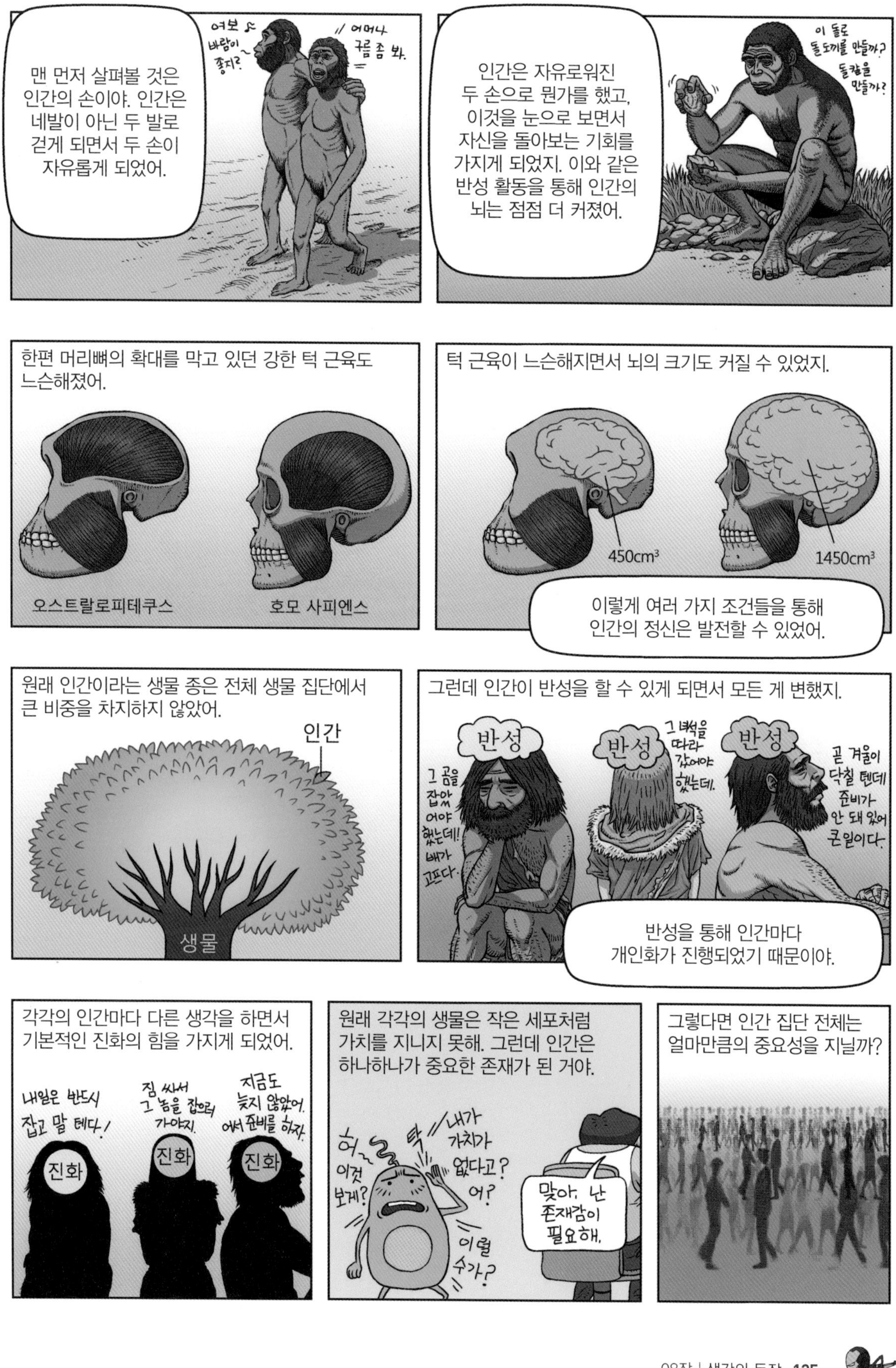
맨 먼저 살펴볼 것은 인간의 손이야. 인간은 네발이 아닌 두 발로 걷게 되면서 두 손이 자유롭게 되었어.
여보 바람이 좋지?
어머나 구름 좀 봐.
인간은 자유로워진 두 손으로 뭔가를 했고, 이것을 눈으로 보면서 자신을 돌아보는 기회를 가지게 되었지. 이와 같은 반성 활동을 통해 인간의 뇌는 점점 더 커졌어.
이 돌로 돌도끼를 만들까?
돌칼을 만들까?
한편 머리뼈의 확대를 막고 있던 강한 턱 근육도 느슨해졌어.
오스트랄로피테쿠스
호모 사피엔스
턱 근육이 느슨해지면서 뇌의 크기도 커질 수 있었지.
450cm³
1450cm³
이렇게 여러 가지 조건들을 통해 인간의 정신은 발전할 수 있었어.
원래 인간이라는 생물 종은 전체 생물 집단에서 큰 비중을 차지하지 않았어.
인간
생물
그런데 인간이 반성을 할 수 있게 되면서 모든 게 변했지.
반성
그 곰을 잡았어야 했는데! 배가 고프다.
반성
그 녀석을 따라갔어야 했는데.
반성
곧 겨울이 닥칠 텐데 준비가 안 돼 있어 큰일이다.
반성을 통해 인간마다 개인화가 진행되었기 때문이야.
각각의 인간마다 다른 생각을 하면서 기본적인 진화의 힘을 가지게 되었어.
내일은 반드시 잡고 말 테다!
진화
짐 싸서 그 놈을 잡으러 가야지.
진화
지금도 늦지 않았어. 어서 준비를 하자.
진화
원래 각각의 생물은 작은 세포처럼 가치를 지니지 못해. 그런데 인간은 하나하나가 중요한 존재가 된 거야.
허~ 이것 보게?
탁
내가 가치가 없다고? 어?
이럴 수가?
맞아. 난 존재감이 필요해.
그렇다면 인간 집단 전체는 얼마만큼의 중요성을 지닐까?

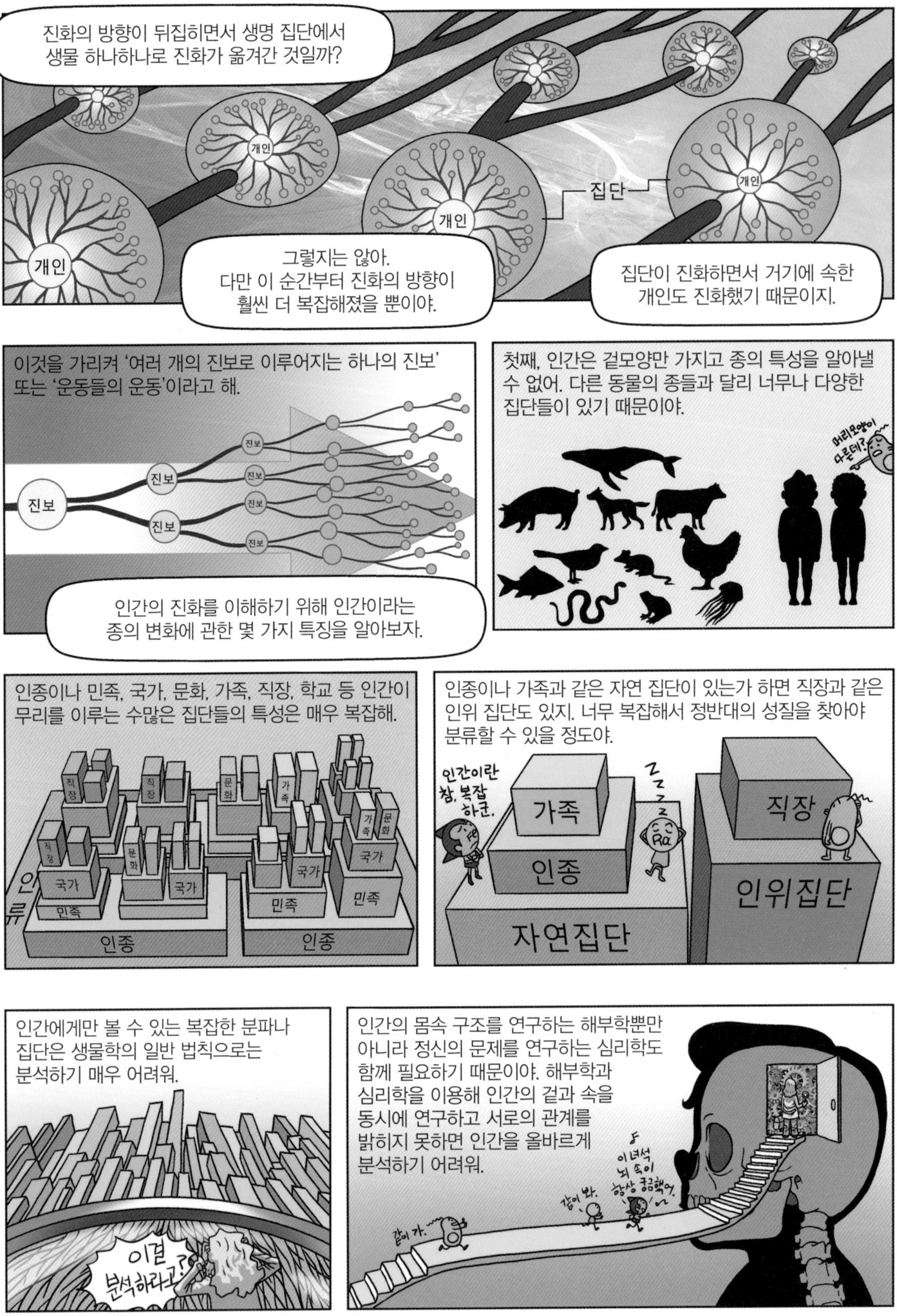
진화의 방향이 뒤집히면서 생명 집단에서
생물 하나하나로 진화가 옮겨간 것일까?
개인
개인
개인
개인
집단
그렇지는 않아.
다만 이 순간부터 진화의 방향이
훨씬 더 복잡해졌을 뿐이야.
집단이 진화하면서 거기에 속한
개인도 진화했기 때문이지.
이것을 가리켜 '여러 개의 진보로 이루어지는 하나의 진보'
또는 '운동들의 운동'이라고 해.
진보
진보
진보
진보
진보
진보
진보
인간의 진화를 이해하기 위해 인간이라는
종의 변화에 관한 몇 가지 특징을 알아보자.
첫째, 인간은 겉모양만 가지고 종의 특성을 알아낼
수 없어. 다른 동물의 종들과 달리 너무나 다양한
집단들이 있기 때문이야.
머리모양이 다른데?
인종이나 민족, 국가, 문화, 가족, 직장, 학교 등 인간이
무리를 이루는 수많은 집단들의 특성은 매우 복잡해.
직장
직장
문화
가족
가족
문화
직장
문화
국가
국가
국가
국가
민족
민족
민족
인류
인종
인종
인종이나 가족과 같은 자연 집단이 있는가 하면 직장과 같은
인위 집단도 있지. 너무 복잡해서 정반대의 성질을 찾아야
분류할 수 있을 정도야.
인간이란 참, 복잡하군.
가족
인종
자연집단
직장
인위집단
인간에게만 볼 수 있는 복잡한 분파나
집단은 생물학의 일반 법칙으로는
분석하기 매우 어려워.
이걸 분석하라고?
인간의 몸속 구조를 연구하는 해부학뿐만
아니라 정신의 문제를 연구하는 심리학도
함께 필요하기 때문이야. 해부학과
심리학을 이용해 인간의 겉과 속을
동시에 연구하고 서로의 관계를
밝히지 못하면 인간을 올바르게
분석하기 어려워.
이녀석 뇌 속이 항상 궁금했어.
같이 봐.
같이 가.

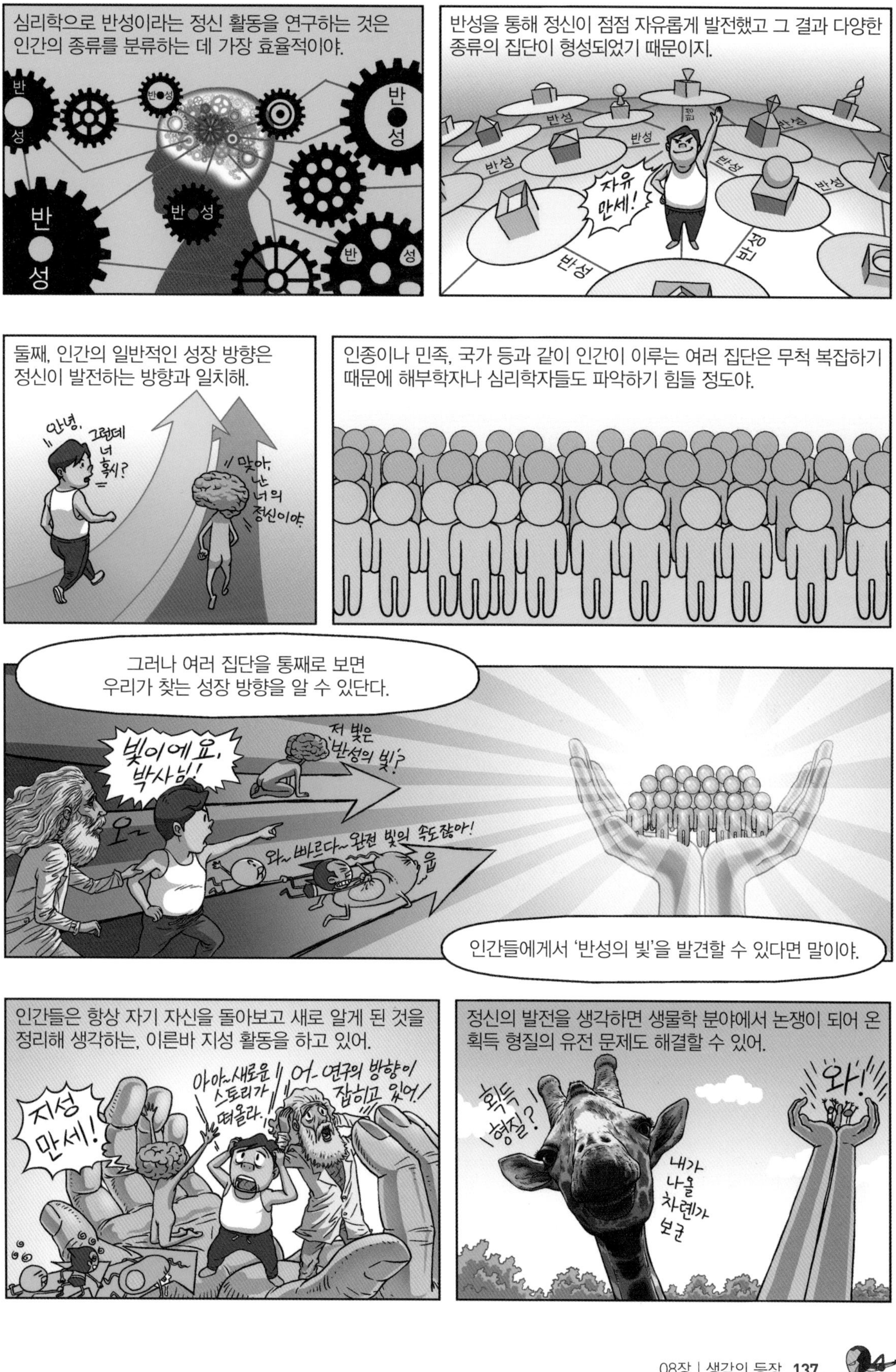
심리학으로 반성이라는 정신 활동을 연구하는 것은 인간의 종류를 분류하는 데 가장 효율적이야.
반성
반성
반성
반성
반성
반성
반성을 통해 정신이 점점 자유롭게 발전했고 그 결과 다양한 종류의 집단이 형성되었기 때문이지.
반성
반성
반성
반성
반성
반성
자유 만세!
둘째, 인간의 일반적인 성장 방향은 정신이 발전하는 방향과 일치해.
안녕, 그런데 너 혹시?
맞아, 난 너의 정신이야.
인종이나 민족, 국가 등과 같이 인간이 이루는 여러 집단은 무척 복잡하기 때문에 해부학자나 심리학자들도 파악하기 힘들 정도야.
그러나 여러 집단을 통째로 보면 우리가 찾는 성장 방향을 알 수 있단다.
빛이에요, 박사님!
저 빛은 '반성의 빛'?
오~
와~ 빠르다~ 완전 빛의 속도잖아!
읍
인간들에게서 '반성의 빛'을 발견할 수 있다면 말이야.
인간들은 항상 자기 자신을 돌아보고 새로 알게 된 것을 정리해 생각하는, 이른바 지성 활동을 하고 있어.
지성 만세!
아아~ 새로운 스토리가 떠올라.
어~ 연구의 방향이 잡히고 있어!
정신의 발전을 생각하면 생물학 분야에서 논쟁이 되어 온 획득 형질의 유전 문제도 해결할 수 있어.
획득 형질?
내가 나올 차례가 보군
와!

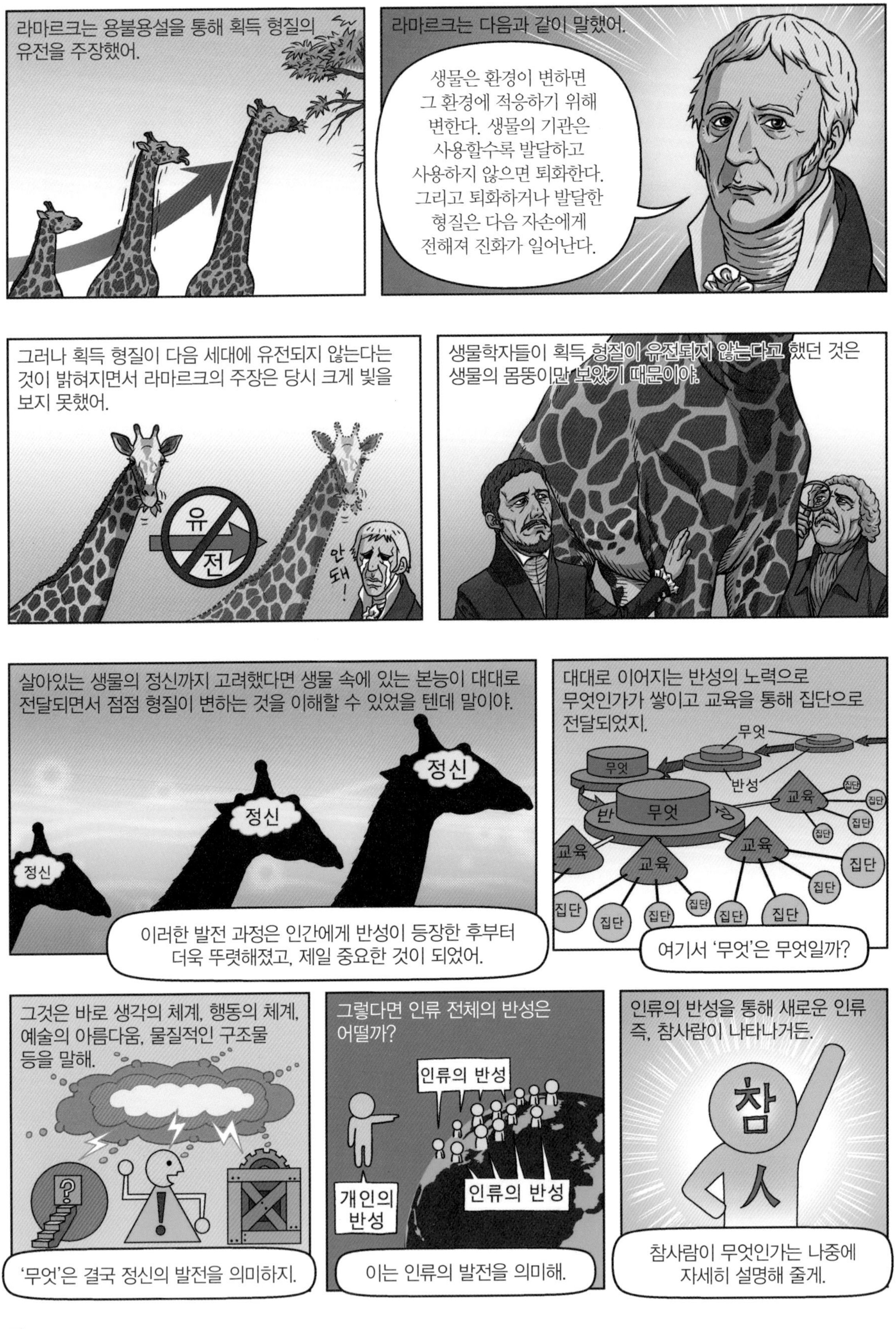
라마르크는 용불용설을 통해 획득 형질의 유전을 주장했어.
라마르크는 다음과 같이 말했어.
생물은 환경이 변하면 그 환경에 적응하기 위해 변한다. 생물의 기관은 사용할수록 발달하고 사용하지 않으면 퇴화한다. 그리고 퇴화하거나 발달한 형질은 다음 자손에게 전해져 진화가 일어난다.
그러나 획득 형질이 다음 세대에 유전되지 않는다는 것이 밝혀지면서 라마르크의 주장은 당시 크게 빛을 보지 못했어.
유전
안돼!
생물학자들이 획득 형질이 유전되지 않는다고 했던 것은 생물의 몸뚱이만 보았기 때문이야.
살아있는 생물의 정신까지 고려했다면 생물 속에 있는 본능이 대대로 전달되면서 점점 형질이 변하는 것을 이해할 수 있었을 텐데 말이야.
정신
정신
정신
이러한 발전 과정은 인간에게 반성이 등장한 후부터 더욱 뚜렷해졌고, 제일 중요한 것이 되었어.
대대로 이어지는 반성의 노력으로 무엇인가가 쌓이고 교육을 통해 집단으로 전달되었지.
무엇
무엇
반성
무엇
반
성
교육
교육
교육
교육
집단
여기서 '무엇'은 무엇일까?
그것은 바로 생각의 체계, 행동의 체계, 예술의 아름다움, 물질적인 구조물 등을 말해.
'무엇'은 결국 정신의 발전을 의미하지.
그렇다면 인류 전체의 반성은 어떨까?
인류의 반성
개인의 반성
인류의 반성
이는 인류의 발전을 의미해.
인류의 반성을 통해 새로운 인류 즉, 참사람이 나타나거든.
참
人
참사람이 무엇인가는 나중에 자세히 설명해 줄게.

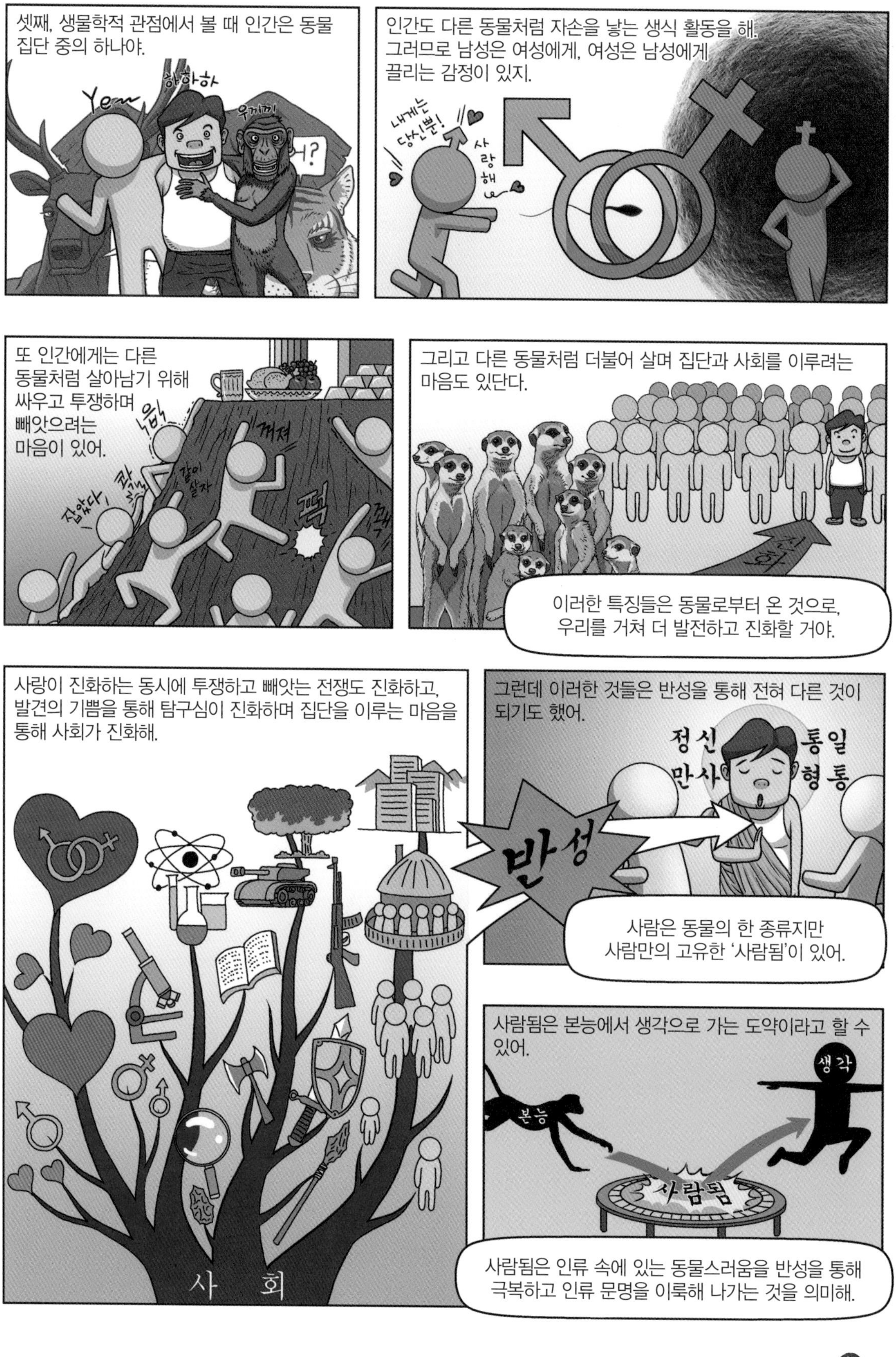

셋째, 생물학적 관점에서 볼 때 인간은 동물 집단 중의 하나야.
하하하
우끼끼
인간도 다른 동물처럼 자손을 낳는 생식 활동을 해. 그러므로 남성은 여성에게, 여성은 남성에게 끌리는 감정이 있지.
내게는 당신뿐!
사랑해
또 인간에게는 다른 동물처럼 살아남기 위해 싸우고 투쟁하며 빼앗으려는 마음이 있어.
잡았다
같이 살자
꺼져
퍽
그리고 다른 동물처럼 더불어 살며 집단과 사회를 이루려는 마음도 있단다.
이러한 특징들은 동물로부터 온 것으로, 우리를 거쳐 더 발전하고 진화할 거야.
사랑이 진화하는 동시에 투쟁하고 빼앗는 전쟁도 진화하고, 발견의 기쁨을 통해 탐구심이 진화하며 집단을 이루는 마음을 통해 사회가 진화해.
사 회
그런데 이러한 것들은 반성을 통해 전혀 다른 것이 되기도 했어.
반성
정신 통일
만사 형통
사람은 동물의 한 종류지만 사람만의 고유한 '사람됨'이 있어.
사람됨은 본능에서 생각으로 가는 도약이라고 할 수 있어.
본능
생각
사람됨
사람됨은 인류 속에 있는 동물스러움을 반성을 통해 극복하고 인류 문명을 이룩해 나가는 것을 의미해.

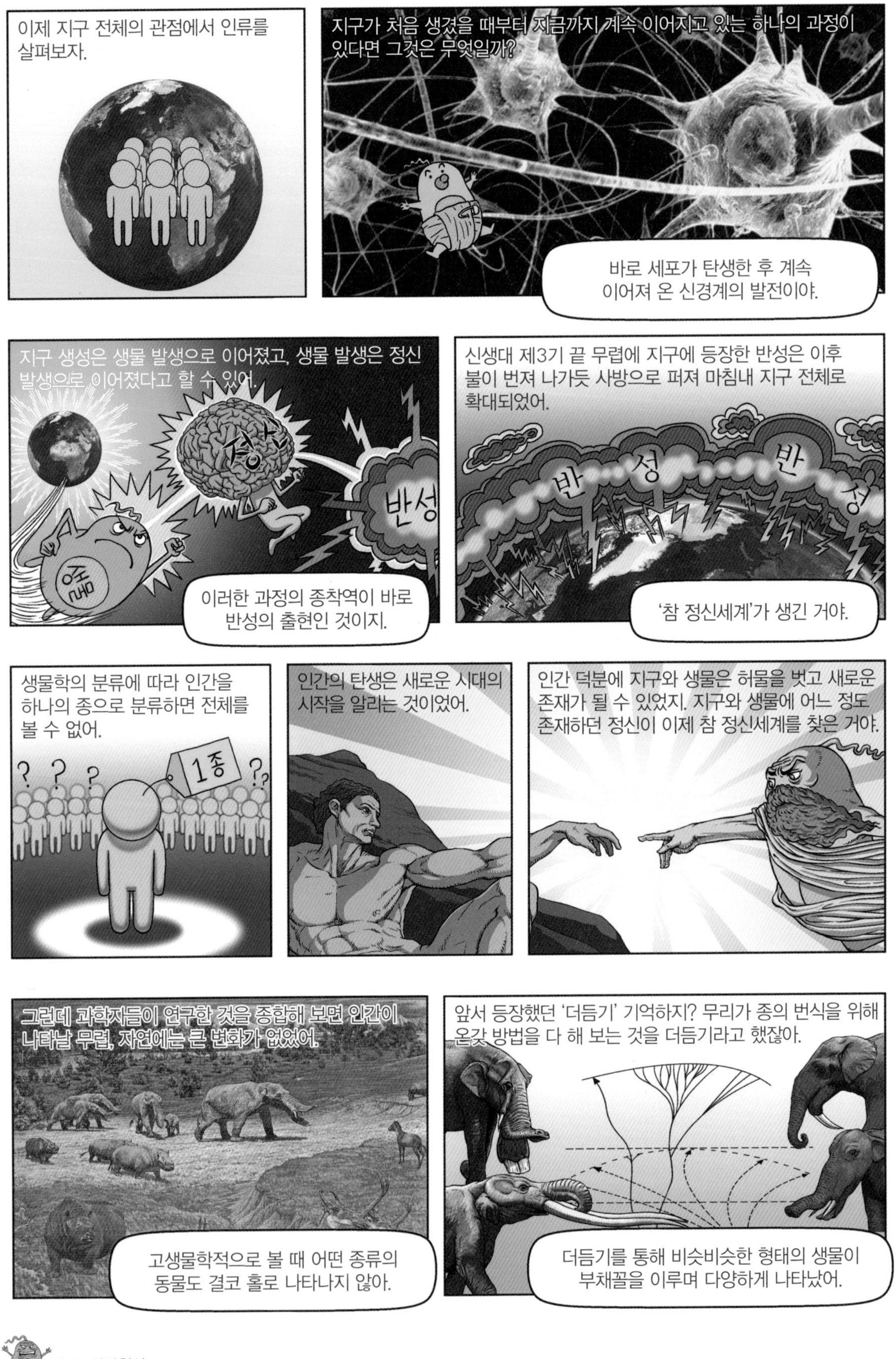
이제 지구 전체의 관점에서 인류를
살펴보자.
지구가 처음 생겼을 때부터 지금까지 계속 이어지고 있는 하나의 과정이
있다면 그것은 무엇일까?
바로 세포가 탄생한 후 계속
이어져 온 신경계의 발전이야.
지구 생성은 생물 발생으로 이어졌고, 생물 발생은 정신
발생으로 이어졌다고 할 수 있어.
정신
반성
이러한 과정의 종착역이 바로
반성의 출현인 것이지.
신생대 제3기 끝 무렵에 지구에 등장한 반성은 이후
불이 번져 나가듯 사방으로 퍼져 마침내 지구 전체로
확대되었어.
반 성 반 성
'참 정신세계'가 생긴 거야.
생물학의 분류에 따라 인간을
하나의 종으로 분류하면 전체를
볼 수 없어.
1종
인간의 탄생은 새로운 시대의
시작을 알리는 것이었어.
인간 덕분에 지구와 생물은 허물을 벗고 새로운
존재가 될 수 있었지. 지구와 생물에 어느 정도
존재하던 정신이 이제 참 정신세계를 찾은 거야.
그런데 과학자들이 연구한 것을 종합해 보면 인간이
나타날 무렵, 자연에는 큰 변화가 없었어.
고생물학적으로 볼 때 어떤 종류의
동물도 결코 홀로 나타나지 않아.
앞서 등장했던 '더듬기' 기억하지? 무리가 종의 번식을 위해
온갖 방법을 다 해 보는 것을 더듬기라고 했잖아.
더듬기를 통해 비슷비슷한 형태의 생물이
부채꼴을 이루며 다양하게 나타났어.

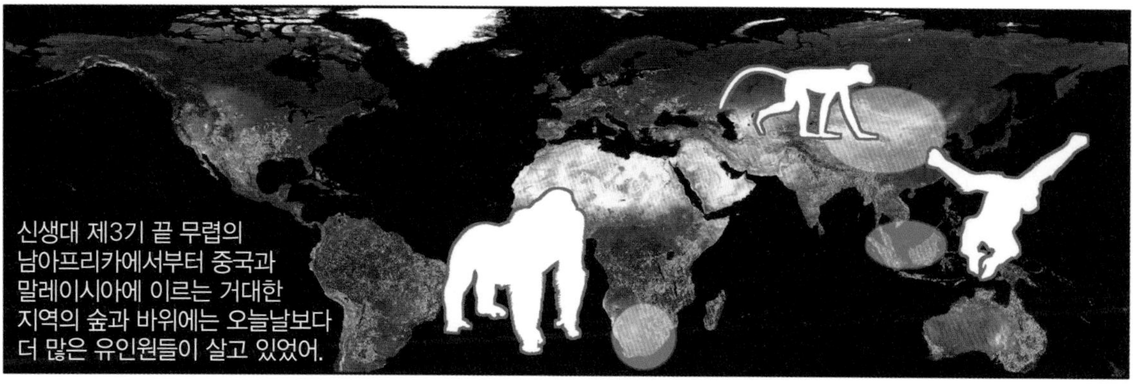
신생대 제3기 끝 무렵의
남아프리카에서부터 중국과
말레이시아에 이르는 거대한
지역의 숲과 바위에는 오늘날보다
더 많은 유인원들이 살고 있었어.

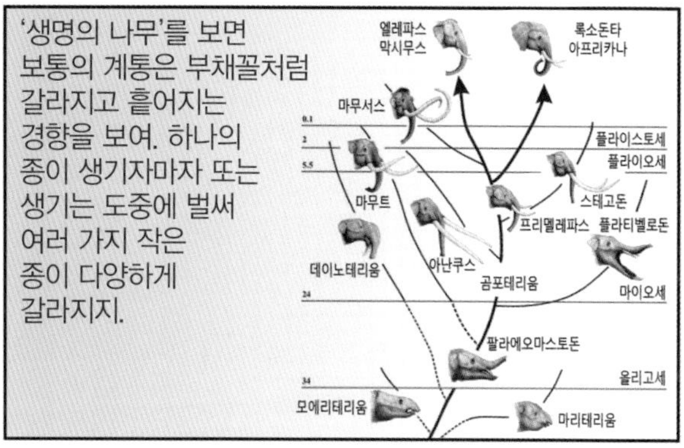
'생명의 나무'를 보면
보통의 계통은 부채꼴처럼
갈라지고 흩어지는
경향을 보여. 하나의
종이 생기자마자 또는
생기는 도중에 벌써
여러 가지 작은
종이 다양하게
갈라지지.
엘레파스 막시무스
록소돈타 아프리카나
마무서스
0.1
2
5.5
24
34
플라이스토세
플라이오세
마무트
스테고돈
프리멜레파스
플라티벨로돈
데이노테리움
아난쿠스
곰포테리움
마이오세
팔라에오마스토돈
올리고세
모에리테리움
마리테리움

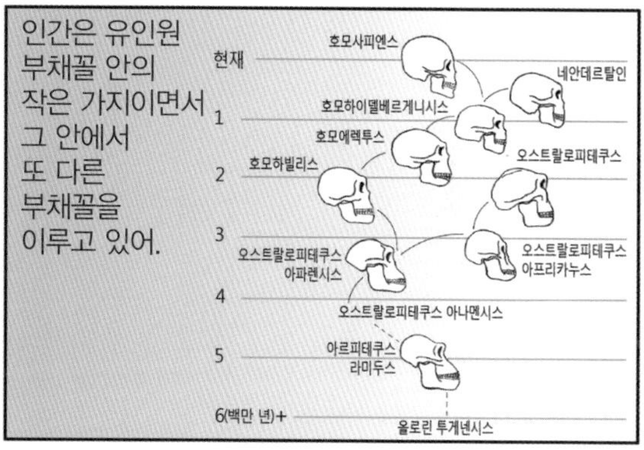
인간은 유인원
부채꼴 안의
작은 가지이면서
그 안에서
또 다른
부채꼴을
이루고 있어.
현재
1
2
3
4
5
6(백만 년)+
호모사피엔스
네안데르탈인
호모하이델베르게니시스
호모에렉투스
오스트랄로피테쿠스
호모하빌리스
오스트랄로피테쿠스 아파렌시스
오스트랄로피테쿠스 아프리카누스
오스트랄로피테쿠스 아나멘시스
아르피테쿠스 라미두스
올로린 투게넨시스

인간 역시 다른 생물이 따르는 법칙을 따르고 있는 거야.
그러나 진화의 꽃꼭지를 찾기는 어려워.

꽃꼭지를 찾을 수 없다는 것은 새로운 생명의 처음 시작은 찾을 수 없고, 단지 모든 것이 갖춰진 상태에서 이미 무리를 이루고 있는 모습만 보게 되었다는 것을 의미해.
흐이잉 흑… 이것들이 벌써 다 잊어버리고!
뭘 그런걸로 서러워하고 그래. 시간이 흐르면 원래 다 잊혀지는 거야.

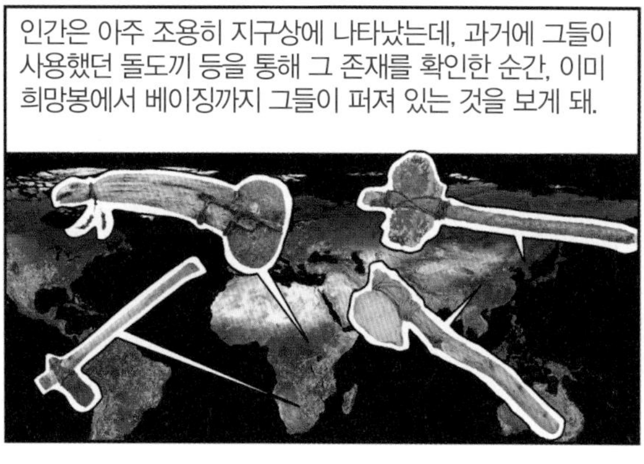
인간은 아주 조용히 지구상에 나타났는데, 과거에 그들이 사용했던 돌도끼 등을 통해 그 존재를 확인한 순간, 이미 희망봉에서 베이징까지 그들이 퍼져 있는 것을 보게 돼.

그때 이미 인간들은 말을 했고, 집단생활을 했으며 불도 사용했어. 물이 단숨에 99℃에서 100℃로 끓어 상태가 변한 것처럼 비약은 단숨에 이루어졌지.
잘 보고 배워 둬.
손, 빠르다. 불, 잘한다.
엄마 최고다.

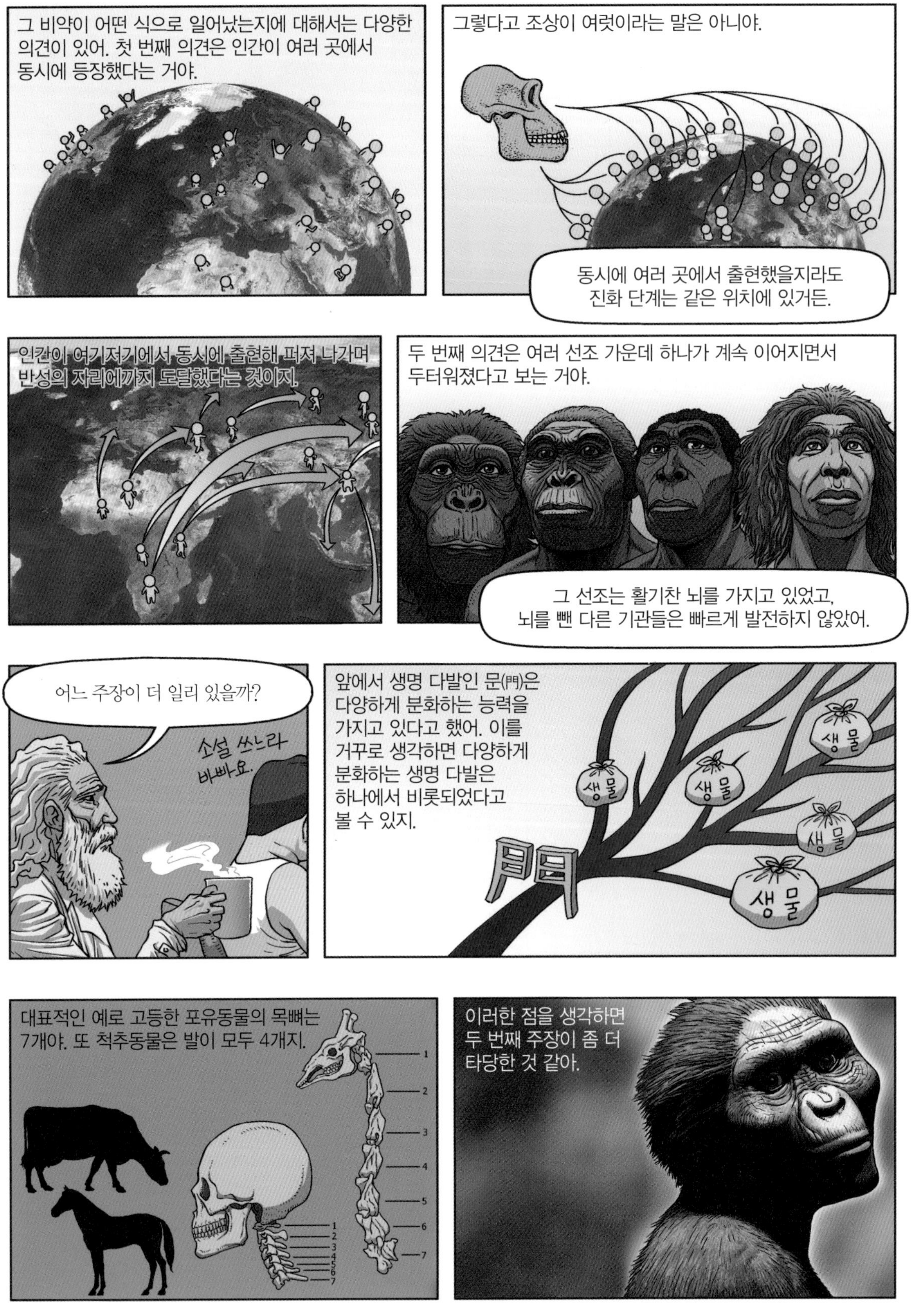
그 비약이 어떤 식으로 일어났는지에 대해서는 다양한 의견이 있어. 첫 번째 의견은 인간이 여러 곳에서 동시에 등장했다는 거야.
그렇다고 조상이 여럿이라는 말은 아니야.
동시에 여러 곳에서 출현했을지라도 진화 단계는 같은 위치에 있거든.
인간이 여기저기에서 동시에 출현해 퍼져 나가며 반성의 자리에까지 도달했다는 것이지.
두 번째 의견은 여러 선조 가운데 하나가 계속 이어지면서 두터워졌다고 보는 거야.
그 선조는 활기찬 뇌를 가지고 있었고, 뇌를 뺀 다른 기관들은 빠르게 발전하지 않았어.
어느 주장이 더 일리 있을까?
소설 쓰느라 바빠요.
앞에서 생명 다발인 문(門)은 다양하게 분화하는 능력을 가지고 있다고 했어. 이를 거꾸로 생각하면 다양하게 분화하는 생명 다발은 하나에서 비롯되었다고 볼 수 있지.
門
생물
생물
생물
생물
생물
대표적인 예로 고등한 포유동물의 목뼈는 7개야. 또 척추동물은 발이 모두 4개지.
1
2
3
4
5
6
7
이러한 점을 생각하면 두 번째 주장이 좀 더 타당한 것 같아.

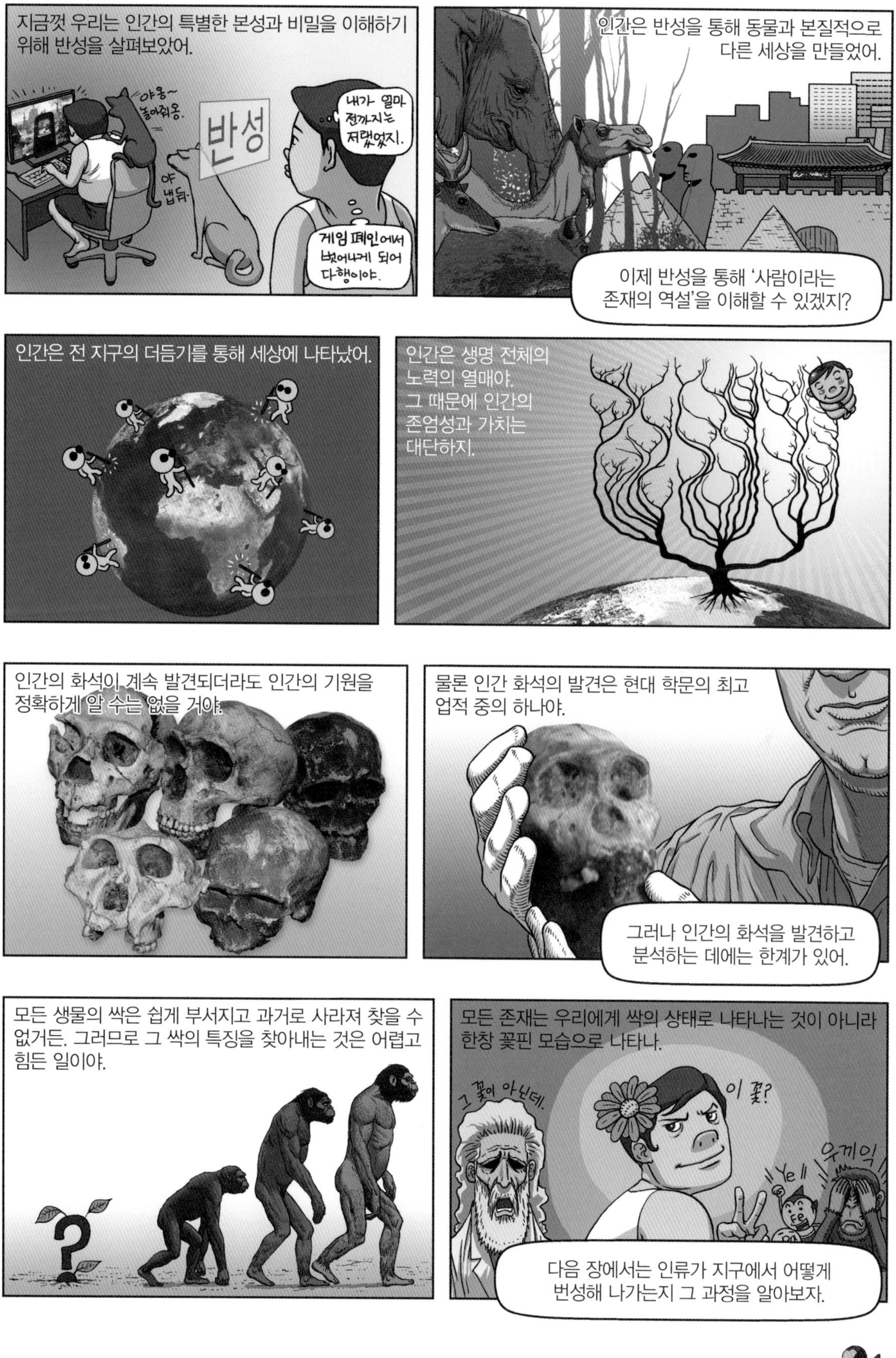
지금껏 우리는 인간의 특별한 본성과 비밀을 이해하기 위해 반성을 살펴보았어.
야옹~ 놀아줘옹.
야 냅둬.
반성
내가 얼마 전까지는 저랬었지.
게임 폐인에서 벗어나게 되어 다행이야.
인간은 반성을 통해 동물과 본질적으로 다른 세상을 만들었어.
이제 반성을 통해 '사람이라는 존재의 역설'을 이해할 수 있겠지?
인간은 전 지구의 더듬기를 통해 세상에 나타났어.
인간은 생명 전체의 노력의 열매야. 그 때문에 인간의 존엄성과 가치는 대단하지.
인간의 화석이 계속 발견되더라도 인간의 기원을 정확하게 알 수는 없을 거야.
물론 인간 화석의 발견은 현대 학문의 최고 업적 중의 하나야.
그러나 인간의 화석을 발견하고 분석하는 데에는 한계가 있어.
모든 생물의 싹은 쉽게 부서지고 과거로 사라져 찾을 수 없거든. 그러므로 그 싹의 특징을 찾아내는 것은 어렵고 힘든 일이야.
?
모든 존재는 우리에게 싹의 상태로 나타나는 것이 아니라 한창 꽃핀 모습으로 나타나.
그 꽃이 아닌데.
이 꽃?
Ye
우끼익
다음 장에서는 인류가 지구에서 어떻게 번성해 나가는지 그 과정을 알아보자.

9장 펼쳐지는 정신세계

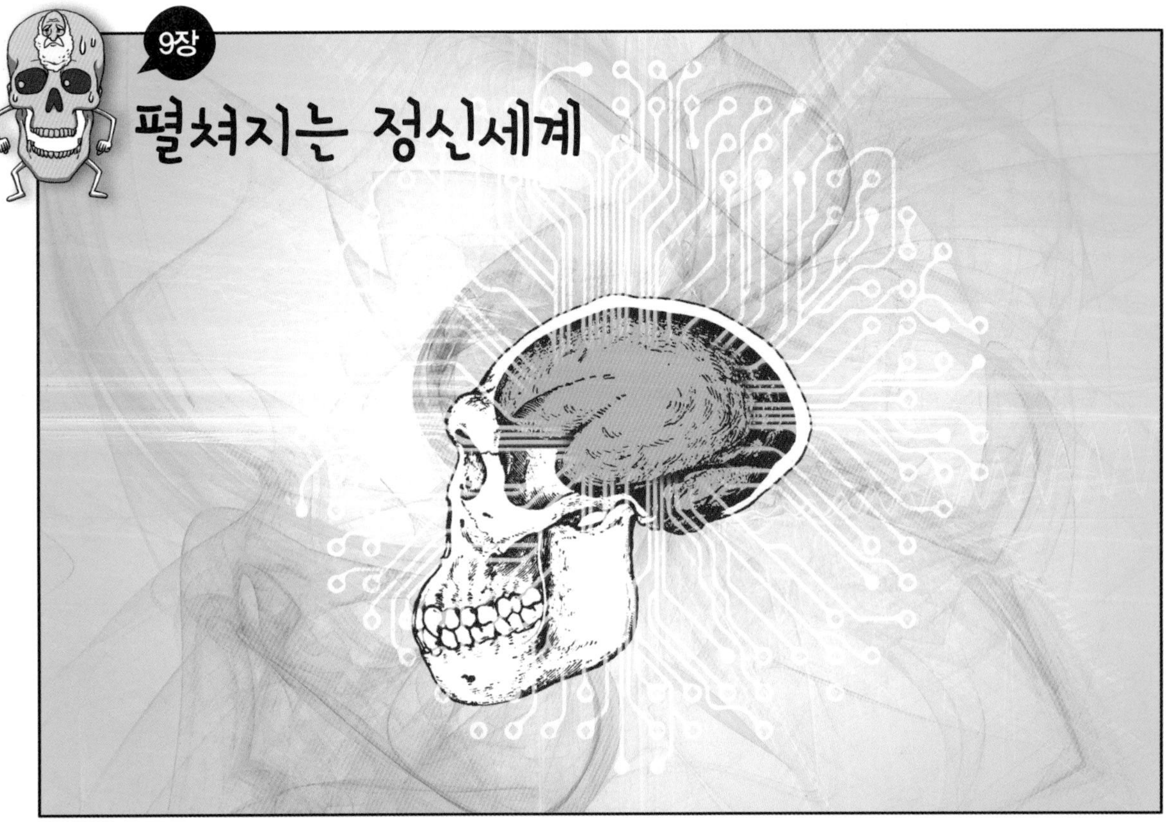

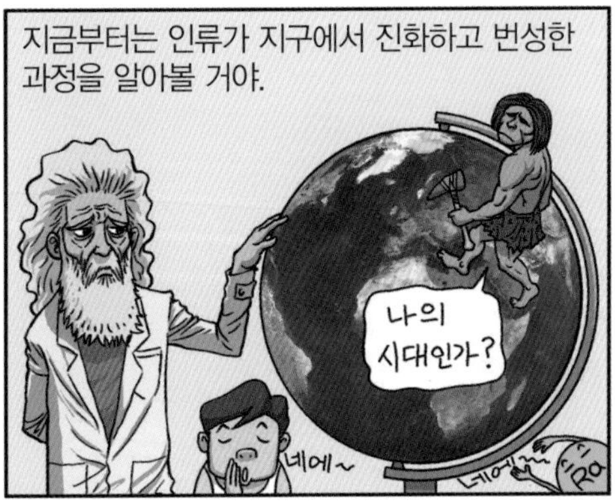

지금부터는 인류가 지구에서 진화하고 번성한 과정을 알아볼 거야.
나의 시대인가?
네에~
네에~~

학자들은 인도네시아 자바 섬의 트리닐 지방에서 발견된 피테칸트로푸스와 중국 베이징에서 발견된 시난트로푸스를 인류 최고의 조상으로 생각해.
피테칸트로푸스
(자바 원인)
Fe
둘이 아주 닮았는데?
시난트로푸스
(베이징 원인)

앞에서 1928년 12월, 베이징에서 5㎞ 떨어진 저우커우뎬에서 베이징 원인(北京原人)의 화석이 발견되었다고 했던 것 기억하니?
1928년 발굴 현장
베이징 원인 화석이 발견된 동굴

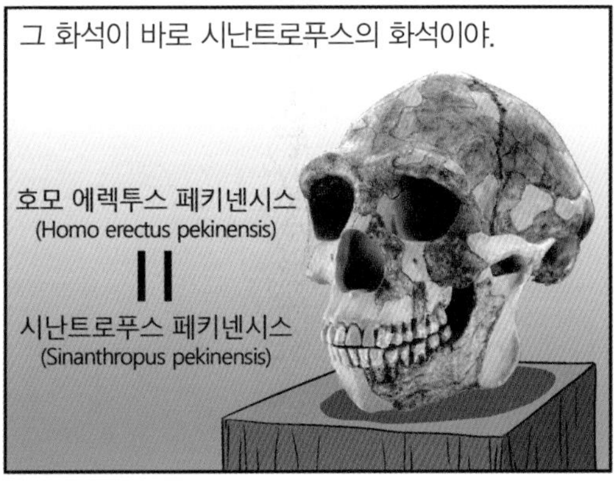

그 화석이 바로 시난트로푸스의 화석이야.
호모 에렉투스 페키넨시스
(Homo erectus pekinensis)
=
시난트로푸스 페키넨시스
(Sinanthropus pekinensis)

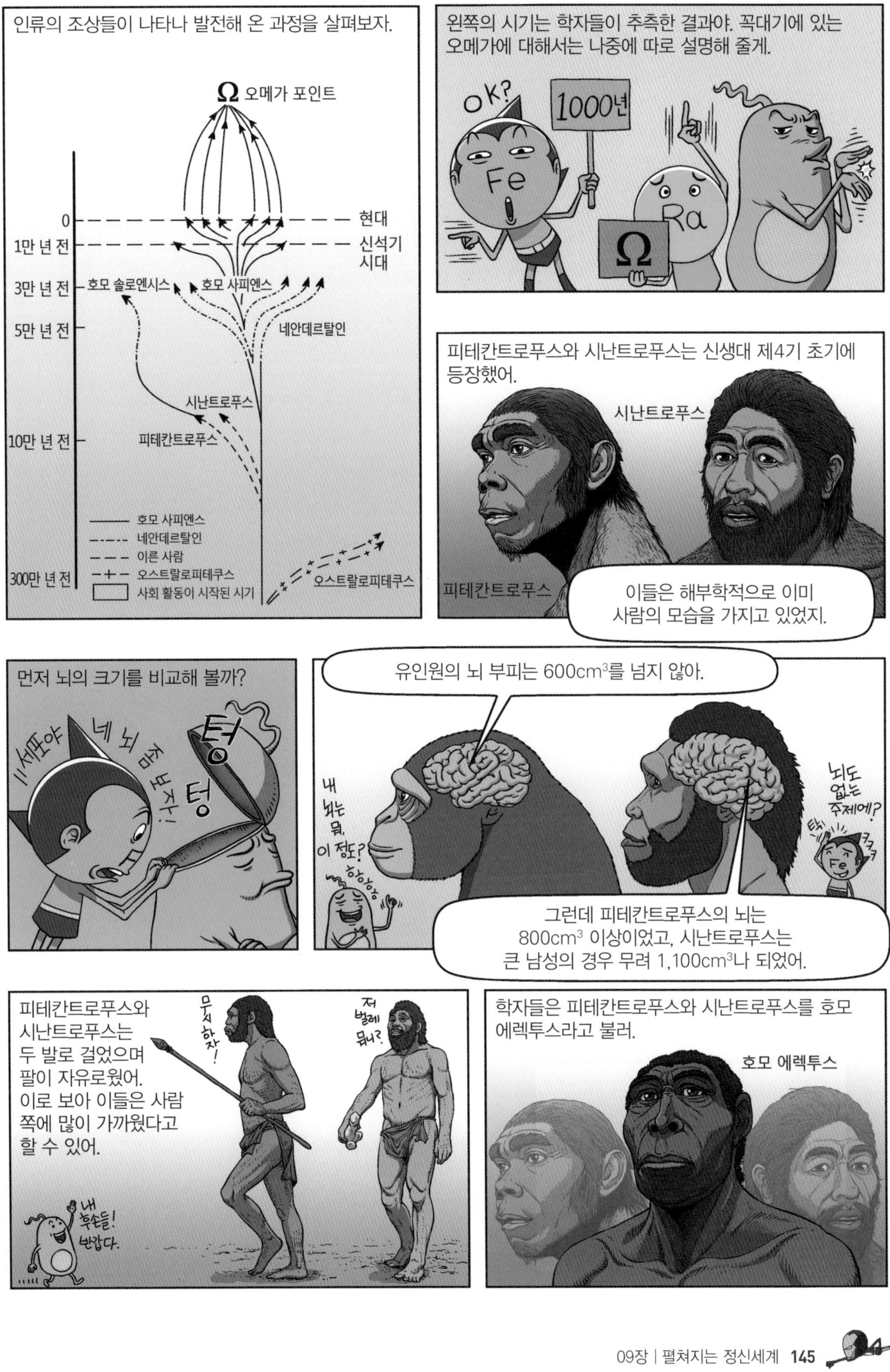

인류의 조상들이 나타나 발전해 온 과정을 살펴보자.
Ω 오메가 포인트
0
현대
1만 년 전
신석기 시대
3만 년 전
호모 솔로엔시스
호모 사피엔스
5만 년 전
네안데르탈인
시난트로푸스
10만 년 전
피테칸트로푸스
호모 사피엔스
네안데르탈인
이른 사람
오스트랄로피테쿠스
300만 년 전
사회 활동이 시작된 시기
오스트랄로피테쿠스
왼쪽의 시기는 학자들이 추측한 결과야. 꼭대기에 있는 오메가에 대해서는 나중에 따로 설명해 줄게.
OK?
1000년
Fe
Ra
Ω
피테칸트로푸스와 시난트로푸스는 신생대 제4기 초기에 등장했어.
시난트로푸스
피테칸트로푸스
이들은 해부학적으로 이미 사람의 모습을 가지고 있었지.
먼저 뇌의 크기를 비교해 볼까?
세포야 네 뇌 좀 보자!
텅
텅
유인원의 뇌 부피는 600cm³를 넘지 않아.
내 뇌는 뭐, 이 정도?
하하하
뇌도 없는 주제에?
탁
크크
Fe
그런데 피테칸트로푸스의 뇌는 800cm³ 이상이었고, 시난트로푸스는 큰 남성의 경우 무려 1,100cm³나 되었어.
피테칸트로푸스와 시난트로푸스는 두 발로 걸었으며 팔이 자유로웠어. 이로 보아 이들은 사람 쪽에 많이 가까웠다고 할 수 있어.
무시하자!
저 벌레 뭐니?
내 후손들! 반갑다.
학자들은 피테칸트로푸스와 시난트로푸스를 호모 에렉투스라고 불러.
호모 에렉투스

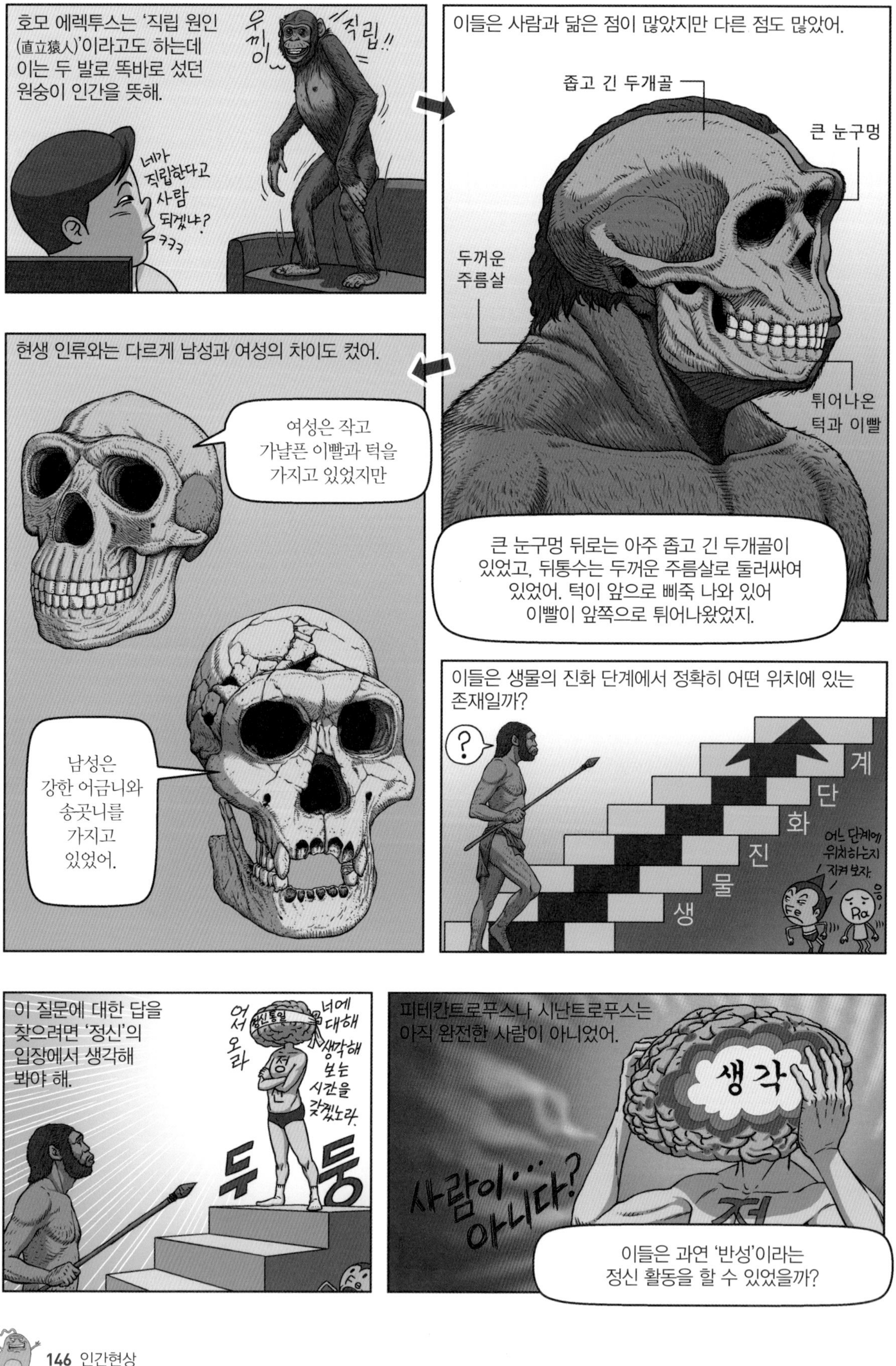
호모 에렉투스는 '직립 원인(直立猿人)'이라고도 하는데 이는 두 발로 똑바로 섰던 원숭이 인간을 뜻해.
우끼이
직립!!
네가 직립한다고 사람 되겠냐?
ㅋㅋㅋ
이들은 사람과 닮은 점이 많았지만 다른 점도 많았어.
좁고 긴 두개골
큰 눈구멍
두꺼운 주름살
튀어나온 턱과 이빨
큰 눈구멍 뒤로는 아주 좁고 긴 두개골이 있었고, 뒤통수는 두꺼운 주름살로 둘러싸여 있었어. 턱이 앞으로 삐죽 나와 있어 이빨이 앞쪽으로 튀어나왔었지.
현생 인류와는 다르게 남성과 여성의 차이도 컸어.
여성은 작고 가냘픈 이빨과 턱을 가지고 있었지만
남성은 강한 어금니와 송곳니를 가지고 있었어.
이들은 생물의 진화 단계에서 정확히 어떤 위치에 있는 존재일까?
?
생물진화단계
어느 단계에 위치하는지 지켜보자.
응.
이 질문에 대한 답을 찾으려면 '정신'의 입장에서 생각해 봐야 해.
정신통일
어서 오라
너에 대해 생각해 보는 시간을 갖겠노라.
정신
두둥
피테칸트로푸스나 시난트로푸스는 아직 완전한 사람이 아니었어.
생각
사람이… 아니다?
이들은 과연 '반성'이라는 정신 활동을 할 수 있었을까?

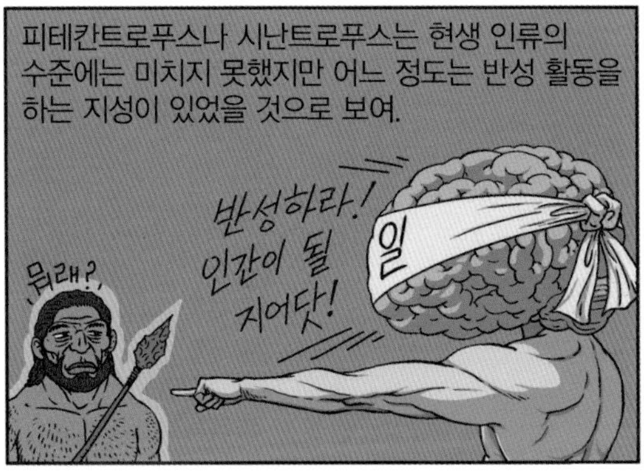
피테칸트로푸스나 시난트로푸스는 현생 인류의 수준에는 미치지 못했지만 어느 정도는 반성 활동을 하는 지성이 있었을 것으로 보여.
뭐래?
반성하라! 인간이 될 지어닷!

반성이라는 정신 활동이 어느 날 갑자기 일어나지는 않았을 테니까.
뭐야 저건?
도망가는 건가, 직립원인?
정신 통일
하하하
생각은 건축물처럼 차곡차곡 쌓이며 계속 발전해 왔다고 봐야 해.

이러한 사실을 뒷받침하는 증거들도 발견되었어.
사실 ok?!
발견!!
뿅
Fe
Ra

인도네시아의 트리닐 근처에서 발견된 피테칸트로푸스 화석은 물에 쓸려 호수로 운반된 것으로, 별다른 증거물을 찾기 어려웠어.
저런~ 중요한 증거일 텐데.

그러나 중국 베이징 근처에서 발견된 시난트로푸스는 동굴 집에서 살았던 덕분에 중요한 증거물을 많이 남겼지.
와
뭔가 튀어나올 것 같은데?

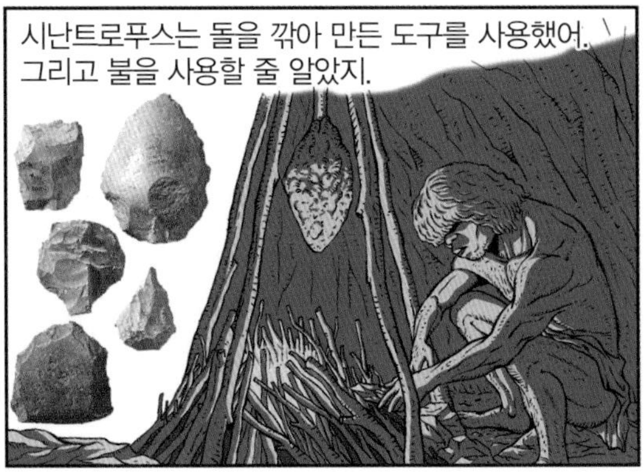
시난트로푸스는 돌을 깎아 만든 도구를 사용했어. 그리고 불을 사용할 줄 알았지.

불(Boule)이라는 한 프랑스 학자는 주장했어.
시난트로푸스는 도구를 만들 줄 몰랐고, 발견된 도구들은 시난트로푸스를 침략한 다른 원시인들의 것이다.

그러나 시난트로푸스를 침략한 다른 인간의 화석을 발견하지 못했기 때문에 불의 의견은 근거가 부족해.
근거를 원해.
어흠

그러므로 피테칸트로푸스나 시난트로푸스는 정신의 측면에서 볼 때 우리와 가깝다고 볼 수 있어.
날 기준으로 뭉치자고!
하하하
정신 통일

약 6만 년 전, 신생대 제4기 초에는 지질학적으로 큰 변화가 있었어. 피테칸트로푸스가 살았던 트리닐 지방의 퇴적층이 압력을 받아 습곡 산맥을 형성했거든.
융기
산지
고원
대륙 지각
대륙 지각
암석권
암석권
상부 맨틀
과거 해양 지각
습곡 산맥
트리닐 지방 자바 섬

그리고 시난트로푸스가 살았던 중국은 두꺼운 황토 흙으로 덮였는데 어떤 곳은 빙하가 몰려왔다가 물러나기도 했어.

이 무렵 새로운 인류가 등장했어.
바로 네안데르탈인이야.

네안데르탈인의 화석은 지구 여러 곳에서 발견돼. 이것은 네안데르탈인이 전 지구적으로 번성했다는 증거야.
시타인하힘
네안데르탈 (원형 발견)
스원즈컴
유럽
아시아
아프리카
로디지아
솔로
네안데르탈인 화석 발굴지

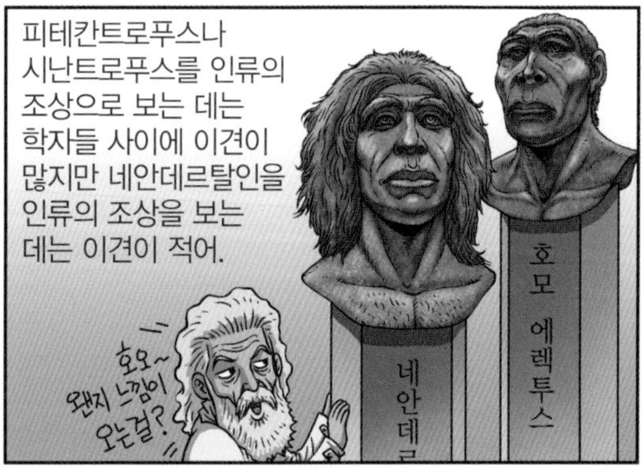
피테칸트로푸스나 시난트로푸스를 인류의 조상으로 보는 데는 학자들 사이에 이견이 많지만 네안데르탈인을 인류의 조상을 보는 데는 이견이 적어.
호모 에렉투스
네안데르
호오~ 왠지 느낌이 오는걸?

네안데르탈인의 큰 뇌와 그들이 살았던 동굴의 모습 그리고 시체를 매장하던 풍습 등을 보면 인류의 조상으로 보기에 부족함이 없거든.

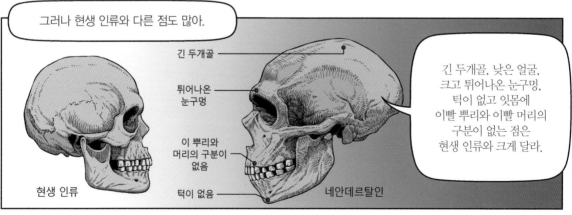

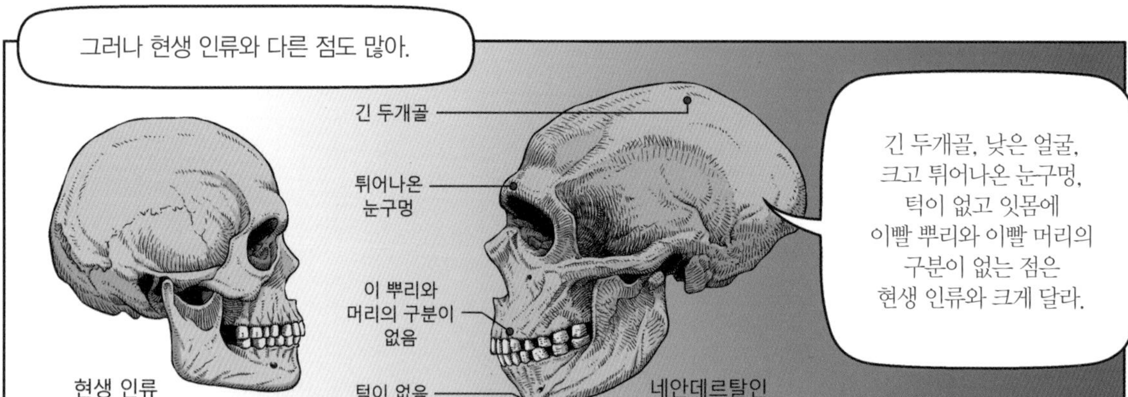
그러나 현생 인류와 다른 점도 많아.
긴 두개골
튀어나온 눈구멍
이 뿌리와 머리의 구분이 없음
턱이 없음
현생 인류
네안데르탈인
긴 두개골, 낮은 얼굴, 크고 튀어나온 눈구멍, 턱이 없고 잇몸에 이빨 뿌리와 이빨 머리의 구분이 없는 점은 현생 인류와 크게 달라.

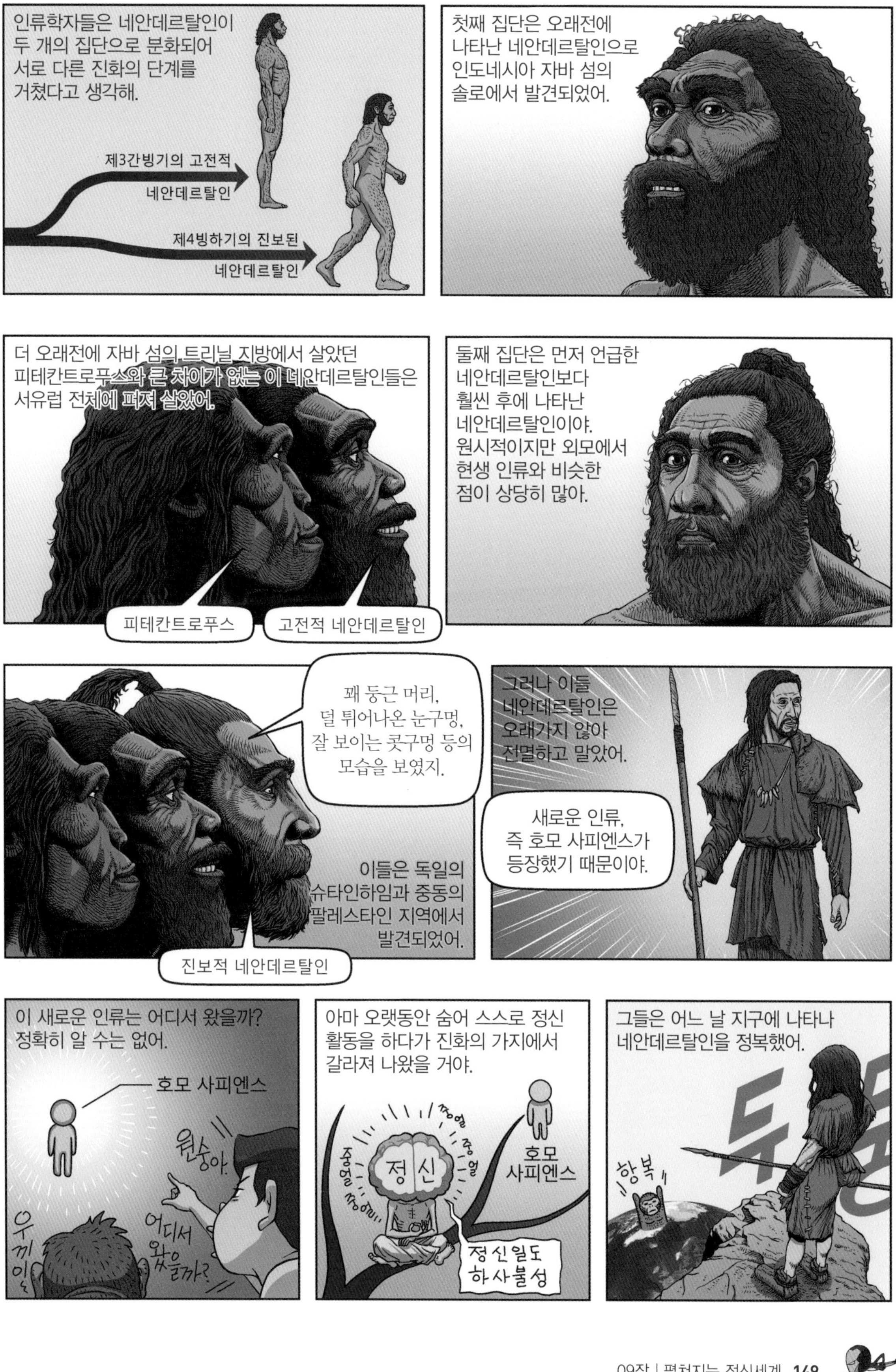

인류학자들은 네안데르탈인이 두 개의 집단으로 분화되어 서로 다른 진화의 단계를 거쳤다고 생각해.
제3간빙기의 고전적 네안데르탈인
제4빙하기의 진보된 네안데르탈인
첫째 집단은 오래전에 나타난 네안데르탈인으로 인도네시아 자바 섬의 솔로에서 발견되었어.
더 오래전에 자바 섬의 트리닐 지방에서 살았던 피테칸트로푸스와 큰 차이가 없는 이 네안데르탈인들은 서유럽 전체에 퍼져 살았어.
피테칸트로푸스
고전적 네안데르탈인
둘째 집단은 먼저 언급한 네안데르탈인보다 훨씬 후에 나타난 네안데르탈인이야. 원시적이지만 외모에서 현생 인류와 비슷한 점이 상당히 많아.
꽤 둥근 머리, 덜 튀어나온 눈구멍, 잘 보이는 콧구멍 등의 모습을 보였지.
이들은 독일의 슈타인하임과 중동의 팔레스타인 지역에서 발견되었어.
진보적 네안데르탈인
그러나 이들 네안데르탈인은 오래가지 않아 전멸하고 말았어.
새로운 인류, 즉 호모 사피엔스가 등장했기 때문이야.
이 새로운 인류는 어디서 왔을까? 정확히 알 수는 없어.
호모 사피엔스
원숭아.
어디서 왔을까?
우끼잉
아마 오랫동안 숨어 스스로 정신 활동을 하다가 진화의 가지에서 갈라져 나왔을 거야.
중얼 중얼
정신
호모 사피엔스
정신일도 하사불성
그들은 어느 날 지구에 나타나 네안데르탈인을 정복했어.
항복
두둥

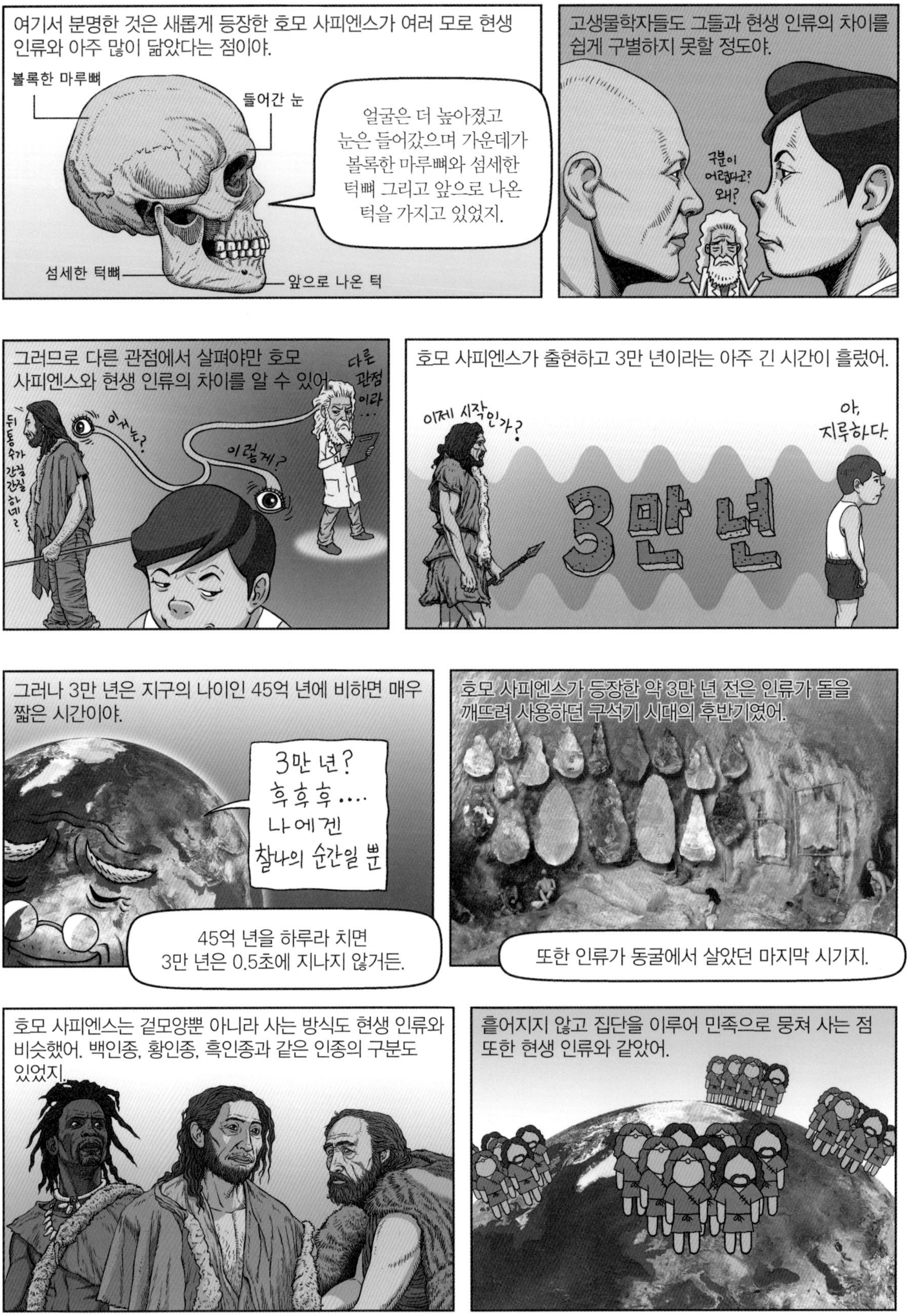

여기서 분명한 것은 새롭게 등장한 호모 사피엔스가 여러 모로 현생 인류와 아주 많이 닮았다는 점이야.
볼록한 마루뼈
들어간 눈
섬세한 턱뼈
앞으로 나온 턱
얼굴은 더 높아졌고 눈은 들어갔으며 가운데가 볼록한 마루뼈와 섬세한 턱뼈 그리고 앞으로 나온 턱을 가지고 있었지.
고생물학자들도 그들과 현생 인류의 차이를 쉽게 구별하지 못할 정도야.
구분이 어렵다고? 왜?
그러므로 다른 관점에서 살펴야만 호모 사피엔스와 현생 인류의 차이를 알 수 있어.
다른 관점이라…
뒤통수가 간질간질하네?
이쪽는?
이렇게?
호모 사피엔스가 출현하고 3만 년이라는 아주 긴 시간이 흘렀어.
이제 시작인가?
아, 지루하다.
3만 년
그러나 3만 년은 지구의 나이인 45억 년에 비하면 매우 짧은 시간이야.
3만 년? 후후후…. 나에겐 찰나의 순간일 뿐
45억 년을 하루라 치면 3만 년은 0.5초에 지나지 않거든.
호모 사피엔스가 등장한 약 3만 년 전은 인류가 돌을 깨뜨려 사용하던 구석기 시대의 후반기였어.
또한 인류가 동굴에서 살았던 마지막 시기지.
호모 사피엔스는 겉모양뿐 아니라 사는 방식도 현생 인류와 비슷했어. 백인종, 황인종, 흑인종과 같은 인종의 구분도 있었지.
흩어지지 않고 집단을 이루어 민족으로 뭉쳐 사는 점 또한 현생 인류와 같았어.

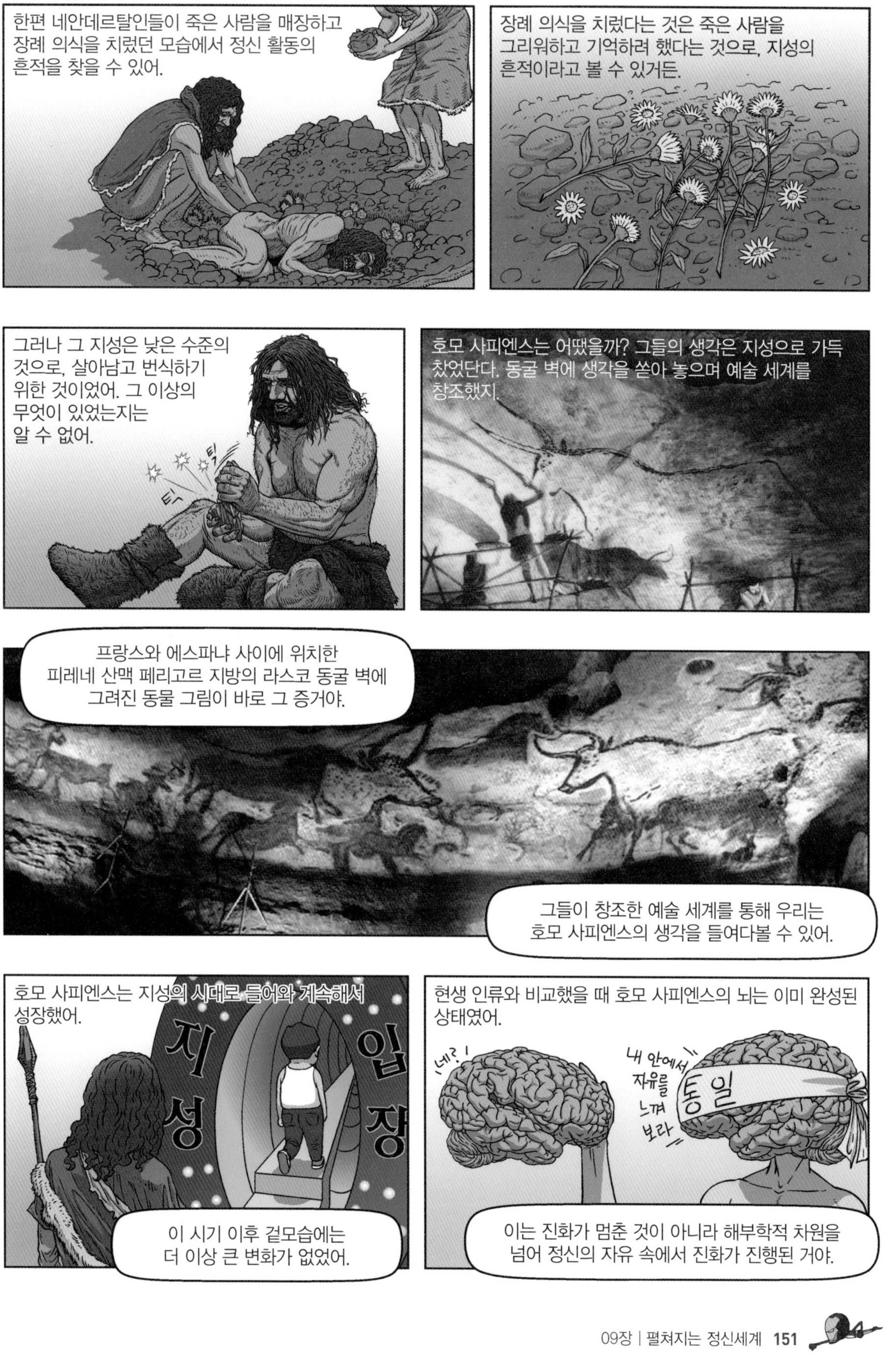
한편 네안데르탈인들이 죽은 사람을 매장하고 장례 의식을 치렀던 모습에서 정신 활동의 흔적을 찾을 수 있어.
장례 의식을 치렀다는 것은 죽은 사람을 그리워하고 기억하려 했다는 것으로, 지성의 흔적이라고 볼 수 있거든.
그러나 그 지성은 낮은 수준의 것으로, 살아남고 번식하기 위한 것이었어. 그 이상의 무엇이 있었는지는 알 수 없어.
틱
틱
호모 사피엔스는 어땠을까? 그들의 생각은 지성으로 가득 찼었단다. 동굴 벽에 생각을 쏟아 놓으며 예술 세계를 창조했지.
프랑스와 에스파냐 사이에 위치한 피레네 산맥 페리고르 지방의 라스코 동굴 벽에 그려진 동물 그림이 바로 그 증거야.
그들이 창조한 예술 세계를 통해 우리는 호모 사피엔스의 생각을 들여다볼 수 있어.
호모 사피엔스는 지성의 시대로 들어와 계속해서 성장했어.
지성
입장
이 시기 이후 겉모습에는 더 이상 큰 변화가 없었어.
현생 인류와 비교했을 때 호모 사피엔스의 뇌는 이미 완성된 상태였어.
네?!
내 안에서 자유를 느껴 보라
통일
이는 진화가 멈춘 것이 아니라 해부학적 차원을 넘어 정신의 자유 속에서 진화가 진행된 거야.

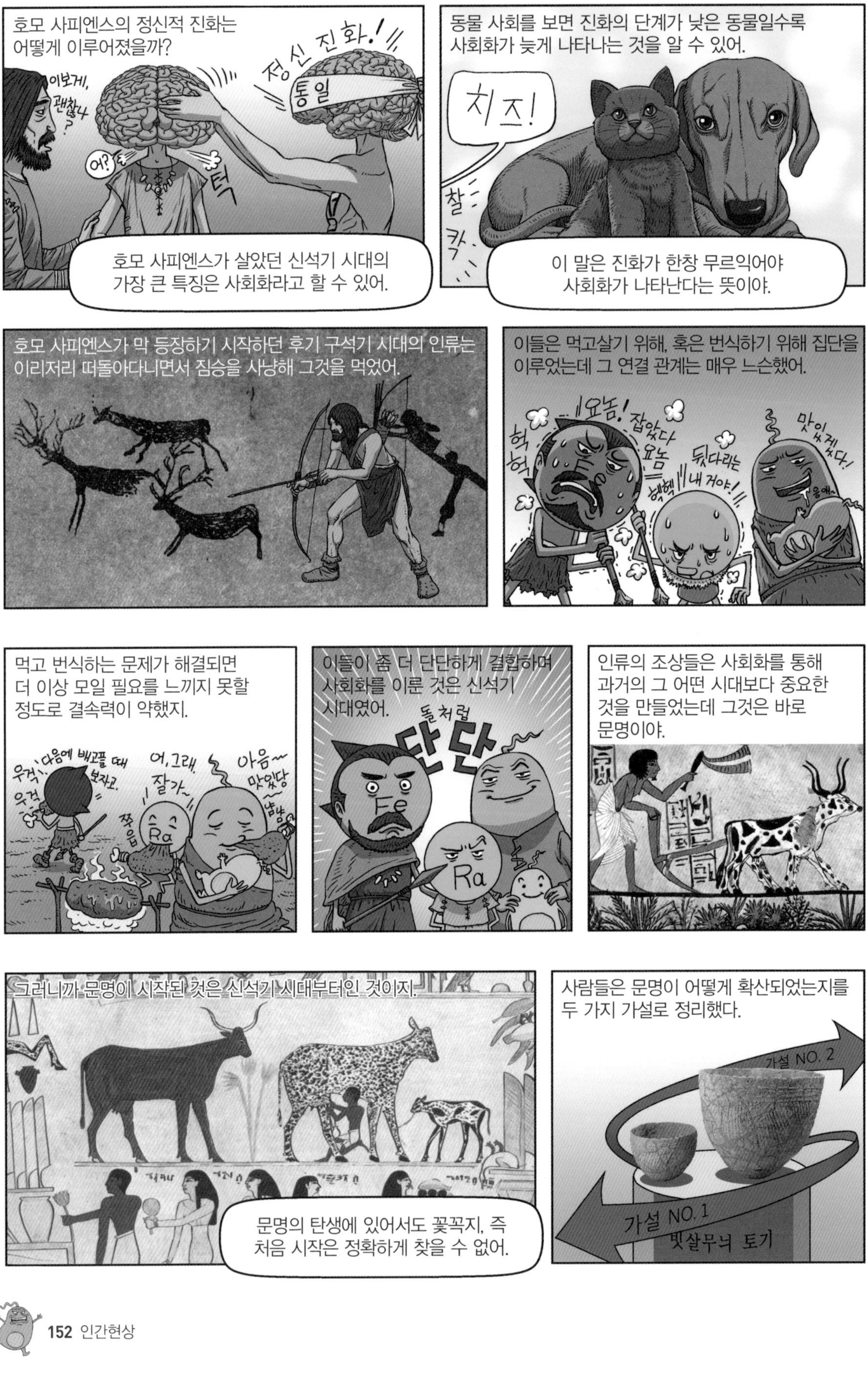
호모 사피엔스의 정신적 진화는 어떻게 이루어졌을까?
이보게, 괜찮나?
어?
턱
정신 진화!
통일
호모 사피엔스가 살았던 신석기 시대의 가장 큰 특징은 사회화라고 할 수 있어.
동물 사회를 보면 진화의 단계가 낮은 동물일수록 사회화가 늦게 나타나는 것을 알 수 있어.
치즈!
찰칵
이 말은 진화가 한창 무르익어야 사회화가 나타난다는 뜻이야.
호모 사피엔스가 막 등장하기 시작하던 후기 구석기 시대의 인류는 이리저리 떠돌아다니면서 짐승을 사냥해 그것을 먹었어.
이들은 먹고살기 위해, 혹은 번식하기 위해 집단을 이루었는데 그 연결 관계는 매우 느슨했어.
헉헉
요놈! 잡았다 요놈
뒷다리는 내 거야!
헥헥
맛있겠다!
Fe
먹고 번식하는 문제가 해결되면 더 이상 모일 필요를 느끼지 못할 정도로 결속력이 약했지.
우걱우걱
다음에 배고플 때 보자고.
어, 그래. 잘 가~
쭈읍
Ra
아음~ 맛있당 냠냠
이들이 좀 더 단단하게 결합하며 사회화를 이룬 것은 신석기 시대였어.
돌처럼
단단
Fe
Ra
인류의 조상들은 사회화를 통해 과거의 그 어떤 시대보다 중요한 것을 만들었는데 그것은 바로 문명이야.
그러니까 문명이 시작된 것은 신석기 시대부터인 것이지.
문명의 탄생에 있어서도 꽃꼭지, 즉 처음 시작은 정확하게 찾을 수 없어.
사람들은 문명이 어떻게 확산되었는지를 두 가지 가설로 정리했다.
가설 NO. 2
가설 NO. 1
빗살무늬 토기

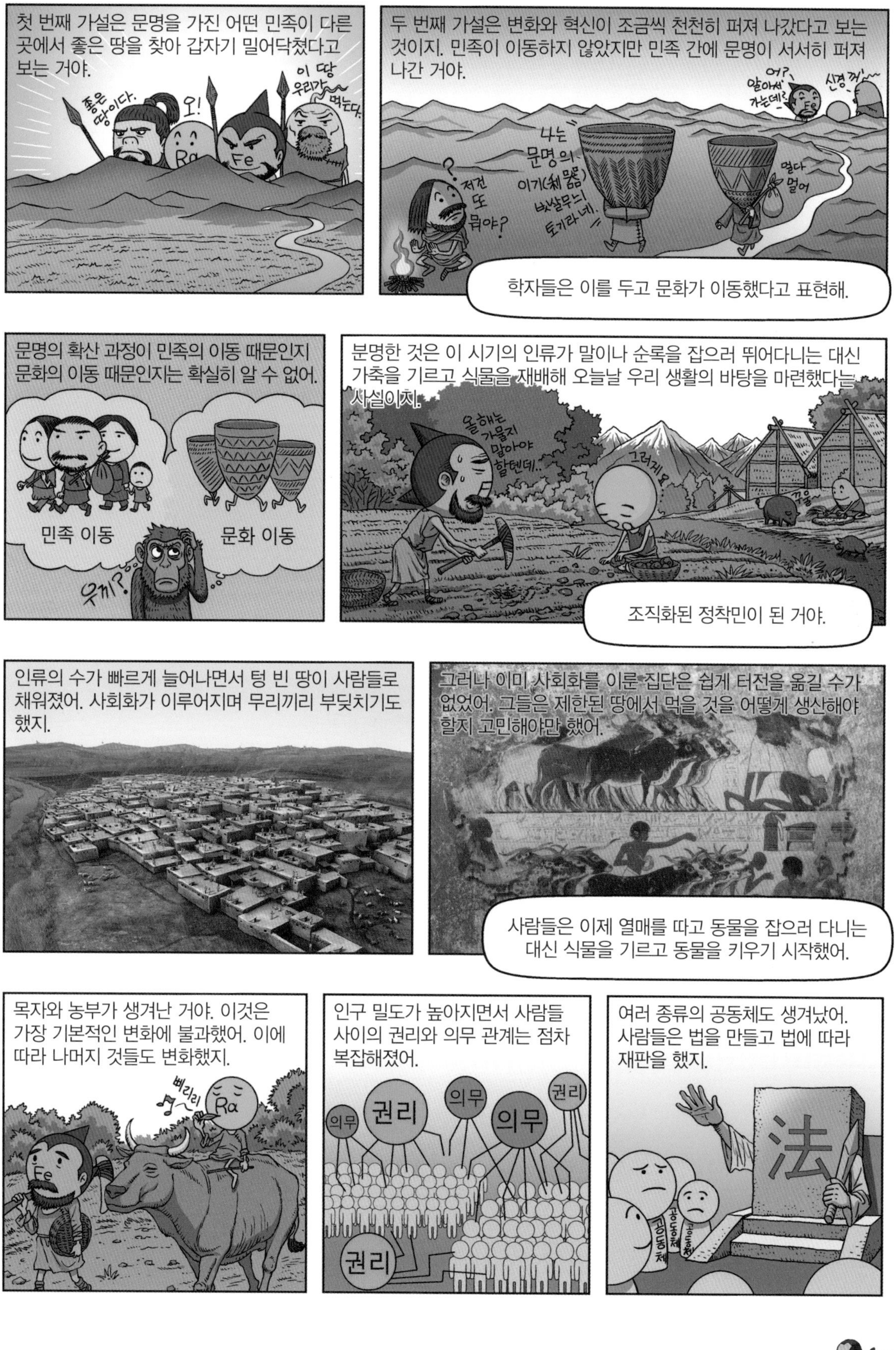
첫 번째 가설은 문명을 가진 어떤 민족이 다른 곳에서 좋은 땅을 찾아 갑자기 밀어닥쳤다고 보는 거야.
좋은 땅이다.
오!
이 땅 우리가 먹는다.
두 번째 가설은 변화와 혁신이 조금씩 천천히 퍼져 나갔다고 보는 것이지. 민족이 이동하지 않았지만 민족 간에 문명이 서서히 퍼져 나간 거야.
어?, 알아서 가는데?
신경 꺼~
나는 문명의 이기(利器) 빗살무늬 토기라네.
저건 또 뭐야?
멀다 멀어
학자들은 이를 두고 문화가 이동했다고 표현해.
문명의 확산 과정이 민족의 이동 때문인지 문화의 이동 때문인지는 확실히 알 수 없어.
민족 이동
문화 이동
우끼?
분명한 것은 이 시기의 인류가 말이나 순록을 잡으러 뛰어다니는 대신 가축을 기르고 식물을 재배해 오늘날 우리 생활의 바탕을 마련했다는 사실이지.
올해는 가물지 말아야 할텐데..
그러게요.
꾸울~
조직화된 정착민이 된 거야.
인류의 수가 빠르게 늘어나면서 텅 빈 땅이 사람들로 채워졌어. 사회화가 이루어지며 무리끼리 부딪치기도 했지.
그러나 이미 사회화를 이룬 집단은 쉽게 터전을 옮길 수가 없었어. 그들은 제한된 땅에서 먹을 것을 어떻게 생산해야 할지 고민해야만 했어.
사람들은 이제 열매를 따고 동물을 잡으러 다니는 대신 식물을 기르고 동물을 키우기 시작했어.
목자와 농부가 생겨난 거야. 이것은 가장 기본적인 변화에 불과했어. 이에 따라 나머지 것들도 변화했지.
삐리리
인구 밀도가 높아지면서 사람들 사이의 권리와 의무 관계는 점차 복잡해졌어.
의무
권리
의무
의무
권리
권리
여러 종류의 공동체도 생겨났어. 사람들은 법을 만들고 법에 따라 재판을 했지.
法
공동체
공동체

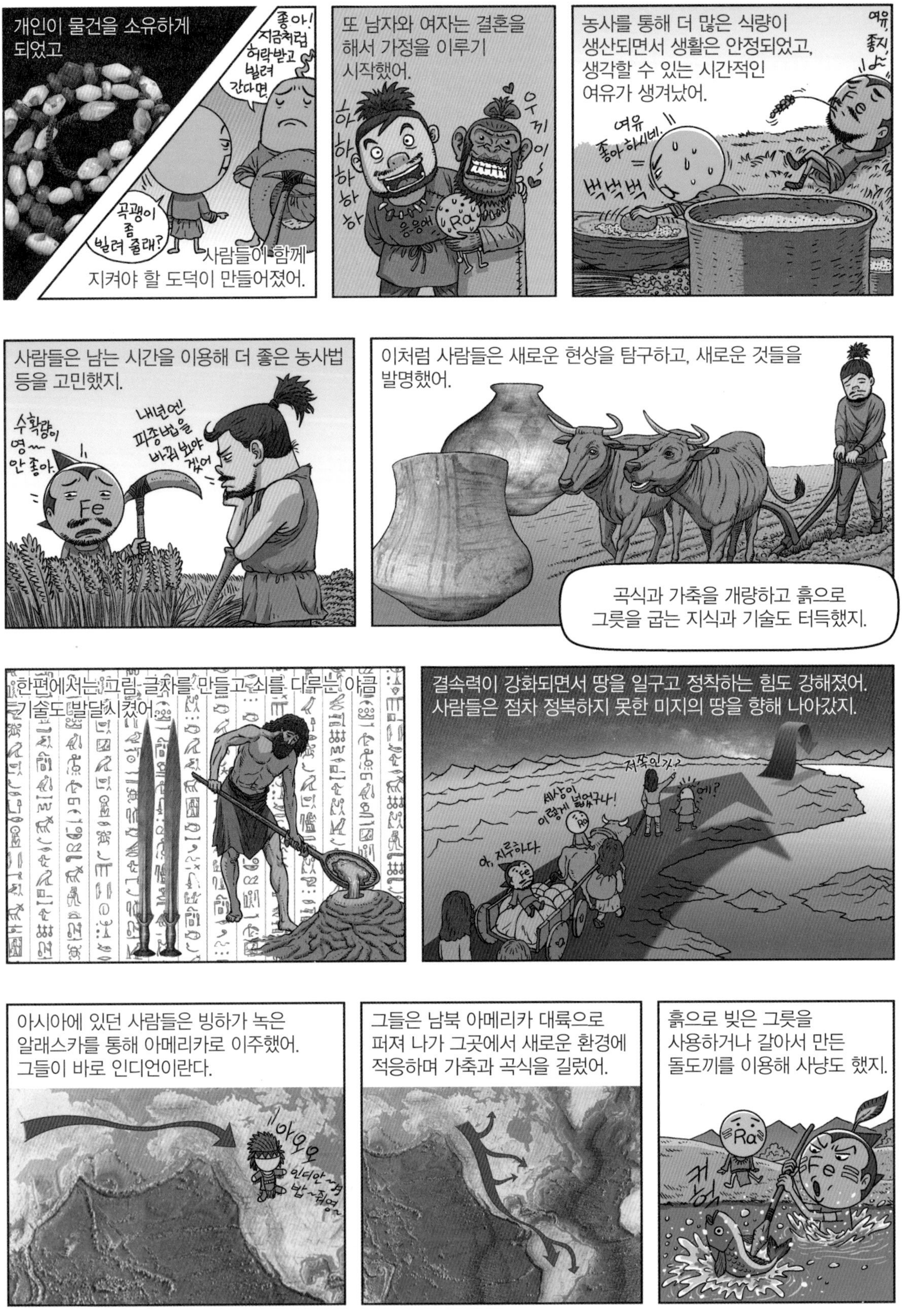
개인이 물건을 소유하게 되었고
좋아! 지금처럼 허락받고 빌려 간다면,
곡괭이 좀 빌려 줄래?
사람들이 함께 지켜야 할 도덕이 만들어졌어.
또 남자와 여자는 결혼을 해서 가정을 이루기 시작했어.
하하하하하
우끼이~
응애
Ra
농사를 통해 더 많은 식량이 생산되면서 생활은 안정되었고, 생각할 수 있는 시간적인 여유가 생겨났어.
여유, 좋지,
여유 좋아 하시네.
벅벅벅
사람들은 남는 시간을 이용해 더 좋은 농사법 등을 고민했지.
수확량이 영~ 안 좋아.
Fe
내년엔 파종법을 바꿔 봐야겠어
이처럼 사람들은 새로운 현상을 탐구하고, 새로운 것들을 발명했어.
곡식과 가축을 개량하고 흙으로 그릇을 굽는 지식과 기술도 터득했지.
한편에서는 그림 글자를 만들고 쇠를 다루는 야금 기술도 발달시켰어.
결속력이 강화되면서 땅을 일구고 정착하는 힘도 강해졌어. 사람들은 점차 정복하지 못한 미지의 땅을 향해 나아갔지.
저쪽인가?
예?
세상이 이렇게 넓었구나!
아, 지루하다.
아시아에 있던 사람들은 빙하가 녹은 알래스카를 통해 아메리카로 이주했어. 그들이 바로 인디언이란다.
아오오
인디안~ 밥~ 줘염~
그들은 남북 아메리카 대륙으로 퍼져 나가 그곳에서 새로운 환경에 적응하며 가축과 곡식을 길렀어.
흙으로 빚은 그릇을 사용하거나 갈아서 만든 돌도끼를 이용해 사냥도 했지.
Ra
Fe
커헉

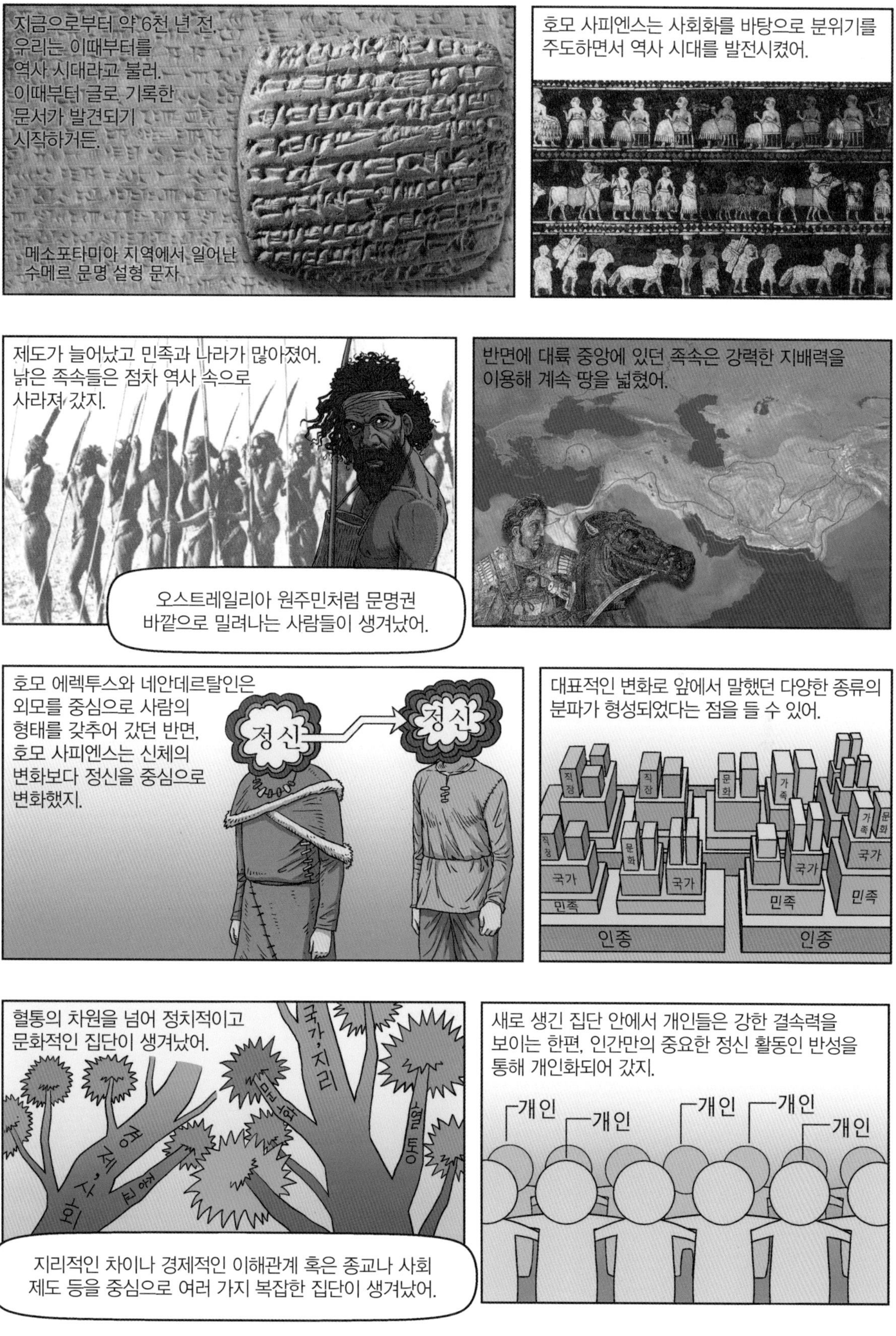

지금으로부터 약 6천 년 전,
우리는 이때부터를
역사 시대라고 불러.
이때부터 글로 기록한
문서가 발견되기
시작하거든.
메소포타미아 지역에서 일어난
수메르 문명 설형 문자
호모 사피엔스는 사회화를 바탕으로 분위기를
주도하면서 역사 시대를 발전시켰어.
제도가 늘어났고 민족과 나라가 많아졌어.
낡은 족속들은 점차 역사 속으로
사라져 갔지.
오스트레일리아 원주민처럼 문명권
바깥으로 밀려나는 사람들이 생겨났어.
반면에 대륙 중앙에 있던 족속은 강력한 지배력을
이용해 계속 땅을 넓혔어.
호모 에렉투스와 네안데르탈인은
외모를 중심으로 사람의
형태를 갖추어 갔던 반면,
호모 사피엔스는 신체의
변화보다 정신을 중심으로
변화했지.
정신
정신
대표적인 변화로 앞에서 말했던 다양한 종류의
분파가 형성되었다는 점을 들 수 있어.
직장
직장
문화
가족
직장
문화
가족
문화
국가
국가
국가
국가
민족
민족
민족
인종
인종
혈통의 차원을 넘어 정치적이고
문화적인 집단이 생겨났어.
국가, 지리
문화
혈통
경제, 사회
종교
지리적인 차이나 경제적인 이해관계 혹은 종교나 사회
제도 등을 중심으로 여러 가지 복잡한 집단이 생겨났어.
새로 생긴 집단 안에서 개인들은 강한 결속력을
보이는 한편, 인간만의 중요한 정신 활동인 반성을
통해 개인화되어 갔지.
개인
개인
개인
개인
개인

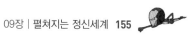

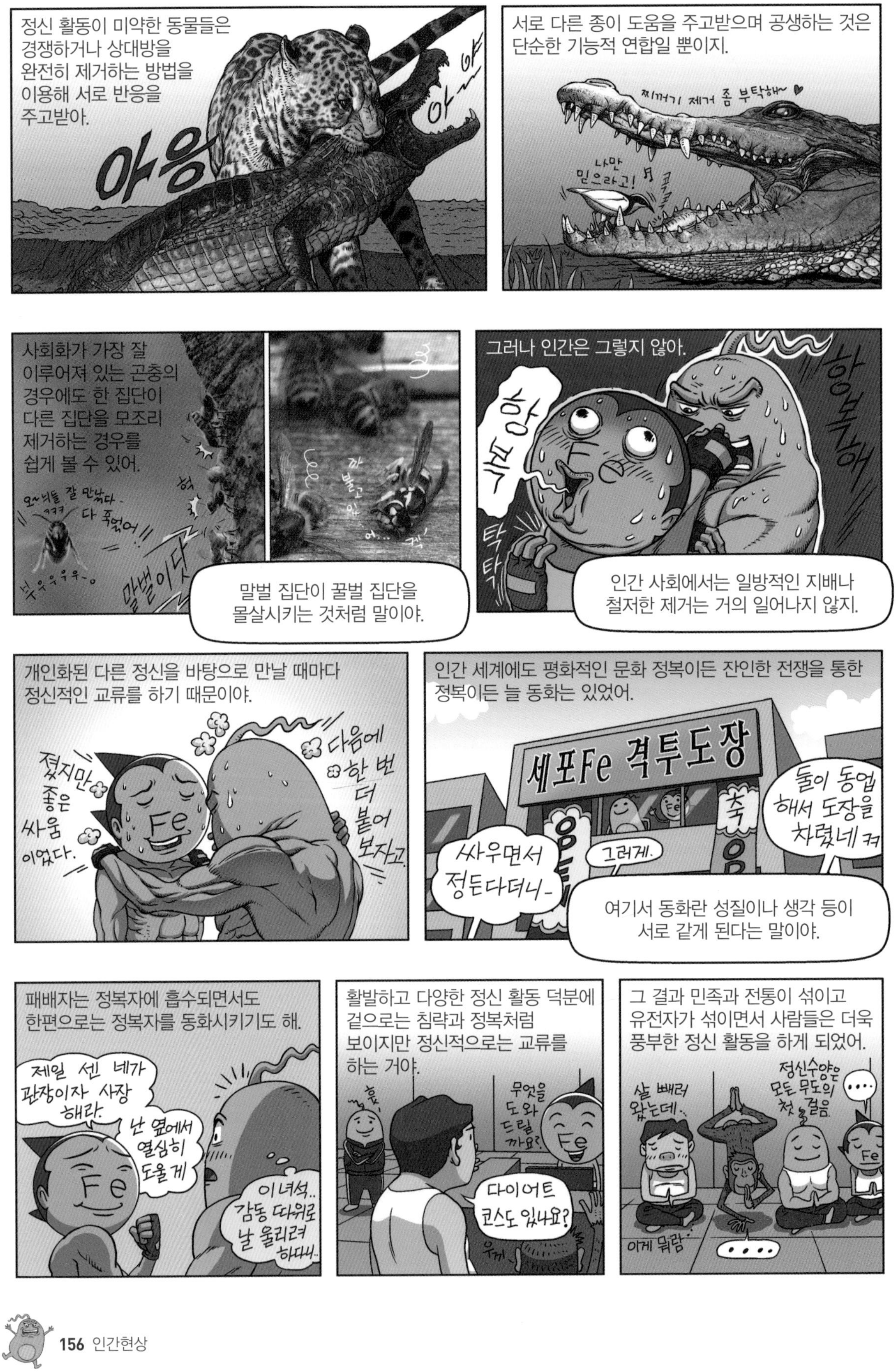

정신 활동이 미약한 동물들은 경쟁하거나 상대방을 완전히 제거하는 방법을 이용해 서로 반응을 주고받아.
아웅
야~ 야
서로 다른 종이 도움을 주고받으며 공생하는 것은 단순한 기능적 연합일 뿐이지.
찌꺼기 제거 좀 부탁해~♥
나만 믿으라고!
콕콕
사회화가 가장 잘 이루어져 있는 곤충의 경우에도 한 집단이 다른 집단을 모조리 제거하는 경우를 쉽게 볼 수 있어.
오~ 너희들 잘 만났다. ㅋㅋㅋ 다 죽었어!!
붕우우우우~
말벌이닷
헉
까불고 있어...
켁
말벌 집단이 꿀벌 집단을 몰살시키는 것처럼 말이야.
그러나 인간은 그렇지 않아.
항복
항복해
탁탁
인간 사회에서는 일방적인 지배나 철저한 제거는 거의 일어나지 않지.
개인화된 다른 정신을 바탕으로 만날 때마다 정신적인 교류를 하기 때문이야.
졌지만 좋은 싸움이었다.
다음에 한 번 더 붙어 보자고.
인간 세계에도 평화적인 문화 정복이든 잔인한 전쟁을 통한 정복이든 늘 동화는 있었어.
세포Fe 격투도장
둘이 동업해서 도장을 차렸네 ㅋㅋ
싸우면서 정든다더니~
그러게.
여기서 동화란 성질이나 생각 등이 서로 같게 된다는 말이야.
패배자는 정복자에 흡수되면서도 한편으로는 정복자를 동화시키기도 해.
제일 센 네가 관장이자 사장 해라.
난 옆에서 열심히 도울게
이녀석.. 감동 따위로 날 울리려 하다니..
활발하고 다양한 정신 활동 덕분에 겉으로는 침략과 정복처럼 보이지만 정신적으로는 교류를 하는 거야.
무엇을 도와 드릴까요?
다이어트 코스도 있나요?
그 결과 민족과 전통이 섞이고 유전자가 섞이면서 사람들은 더욱 풍부한 정신 활동을 하게 되었어.
살 빼러 왔는데...
정신수양은 모든 무도의 첫 걸음.
....
이게 뭐람
....

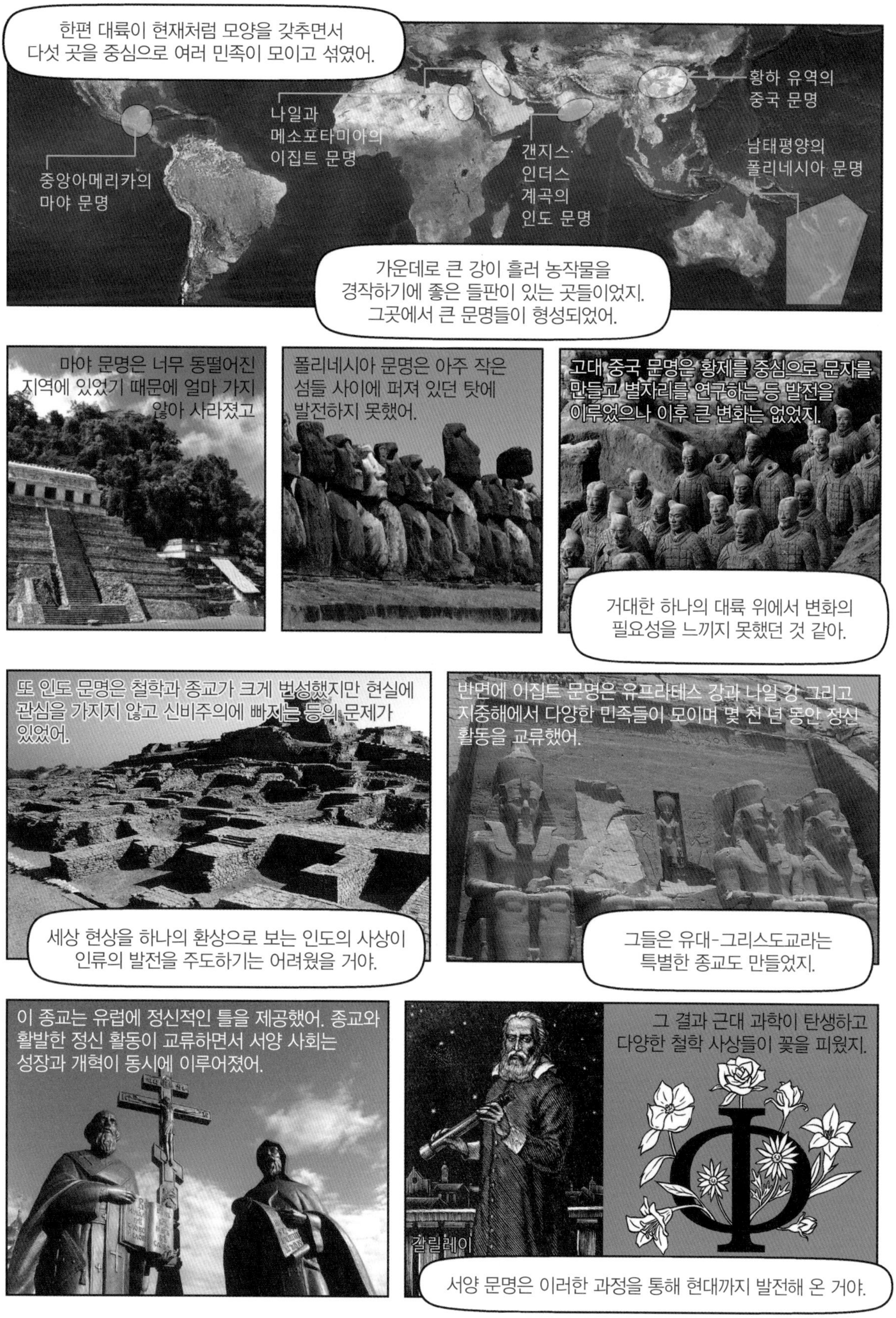
한편 대륙이 현재처럼 모양을 갖추면서 다섯 곳을 중심으로 여러 민족이 모이고 섞였어.
황하 유역의 중국 문명
나일과 메소포타미아의 이집트 문명
갠지스·인더스 계곡의 인도 문명
남태평양의 폴리네시아 문명
중앙아메리카의 마야 문명
가운데로 큰 강이 흘러 농작물을 경작하기에 좋은 들판이 있는 곳들이었지. 그곳에서 큰 문명들이 형성되었어.
마야 문명은 너무 동떨어진 지역에 있었기 때문에 얼마 가지 않아 사라졌고
폴리네시아 문명은 아주 작은 섬들 사이에 퍼져 있던 탓에 발전하지 못했어.
고대 중국 문명은 황제를 중심으로 문자를 만들고 별자리를 연구하는 등 발전을 이루었으나 이후 큰 변화는 없었지.
거대한 하나의 대륙 위에서 변화의 필요성을 느끼지 못했던 것 같아.
또 인도 문명은 철학과 종교가 크게 번성했지만 현실에 관심을 가지지 않고 신비주의에 빠지는 등의 문제가 있었어.
세상 현상을 하나의 환상으로 보는 인도의 사상이 인류의 발전을 주도하기는 어려웠을 거야.
반면에 이집트 문명은 유프라테스 강과 나일 강 그리고 지중해에서 다양한 민족들이 모이며 몇 천 년 동안 정신 활동을 교류했어.
그들은 유대-그리스도교라는 특별한 종교도 만들었지.
이 종교는 유럽에 정신적인 틀을 제공했어. 종교와 활발한 정신 활동이 교류하면서 서양 사회는 성장과 개혁이 동시에 이루어졌어.
그 결과 근대 과학이 탄생하고 다양한 철학 사상들이 꽃을 피웠지.
갈릴레이
서양 문명은 이러한 과정을 통해 현대까지 발전해 온 거야.

10장
현대 세계

이제부터는 우리가 살고 있는 현대에 대해 이야기해 보자.
현대로 오니까 좋구나~
찌익
그러게
훌렁
Fe
Ra

어느 시대의 사람이건 자신이 살고 있는 시대가 역사의 전환점이라고 생각하는 경향이 있어.
새로운 시대가 오고 있다!

인류가 지구에 등장한 후부터 역사는 계속 발전해 왔기 때문이지.
그래 맞아. 새로운 시대가 오고 있는 거야! 이 거센 태풍처럼.

그러나 현대야말로 중요한 역사의 전환점에 있다고 할 수 있어.
집 밖으로 나오길 정말 잘한 것 같아.
와아~
우끼
오늘날 세계는 빠르게 발전하고 있어.

첨단 과학 기술은 온 인류를 파멸시킬 수 있을 정도로 발달했지.
왜 갑자기!
이게 꿈이지? 그렇지? 그렇다고 말해 줘~
오 마이 갓! 너 미쳤냐?
뿅
나도 한몫 했지~
Ra
망했다.
이와 같은 급격한 과학 문명의 발달은 언제부터 시작되었을까?

언제부터 시작되었다고 꼭 집어 말하기는 어렵지만
15세기 르네상스 시대부터였던 것 같아.
라파엘로의 〈아테네 학당(1510~1511)〉

그러다가 18세기 말, 인류 문명의 발달 속도가
매우 빨라졌어. 18세기 말 이후의
세계는 그 전과
전혀 다른
세계였지.
차원의 두루마리
18C 말 이후의 세계
고풍스러운 게 멋진걸
어여 오너라.
18C 이전 세계

먼저 경제적인 면에서 크게
변했어. 이때부터 돈은 매우
중요한 존재가 되었어.
이 세계에서는 돈이 없으면 살 수가 없어.
자, 가서 돈을 벌어 오너라.
예?!
얼렁
Ra
Fe

옛날 사람들은 땅을 많이
가지고 있으면 부자라고
생각했어.
저~기 끝에서 여~기 끝까지가 다~ 우리 땅인게야.
와~ 할아버지 엄청 부자 시구나.

땅을 가지고 있으면서 그 땅에서 나는
음식으로 부족함 없이 살았기
때문이야. 게다가 그 재산은 자손
대대로 변하지 않았어.
5대째 만석꾼 가문

그러나 돈은 그렇지 않았어. 돈을 벌면 재산이 늘어나고 돈을
쓰면 재산이 줄어들었지.
영차
벌어야 산다
돈 쓰는 건 역시 즐거워!
옜다! 다! 가져라.
와
와

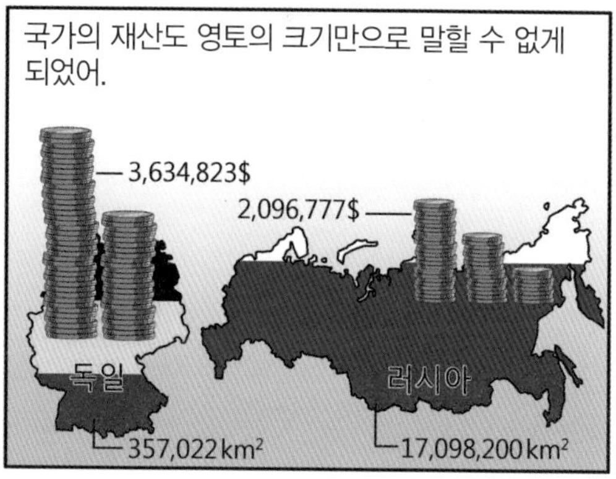
국가의 재산도 영토의 크기만으로 말할 수 없게
되었어.
3,634,823$
2,096,777$
독일
러시아
357,022 km²
17,098,200 km²

이후 산업의 종류와 구조도 크게 달라졌어.
그 시작은 영국에서 일어난 산업 혁명이었지.
사람과 동물의 힘으로 일하던 과거와 달리
이제는 다양한 기계가 일을 대신하게 되었어.

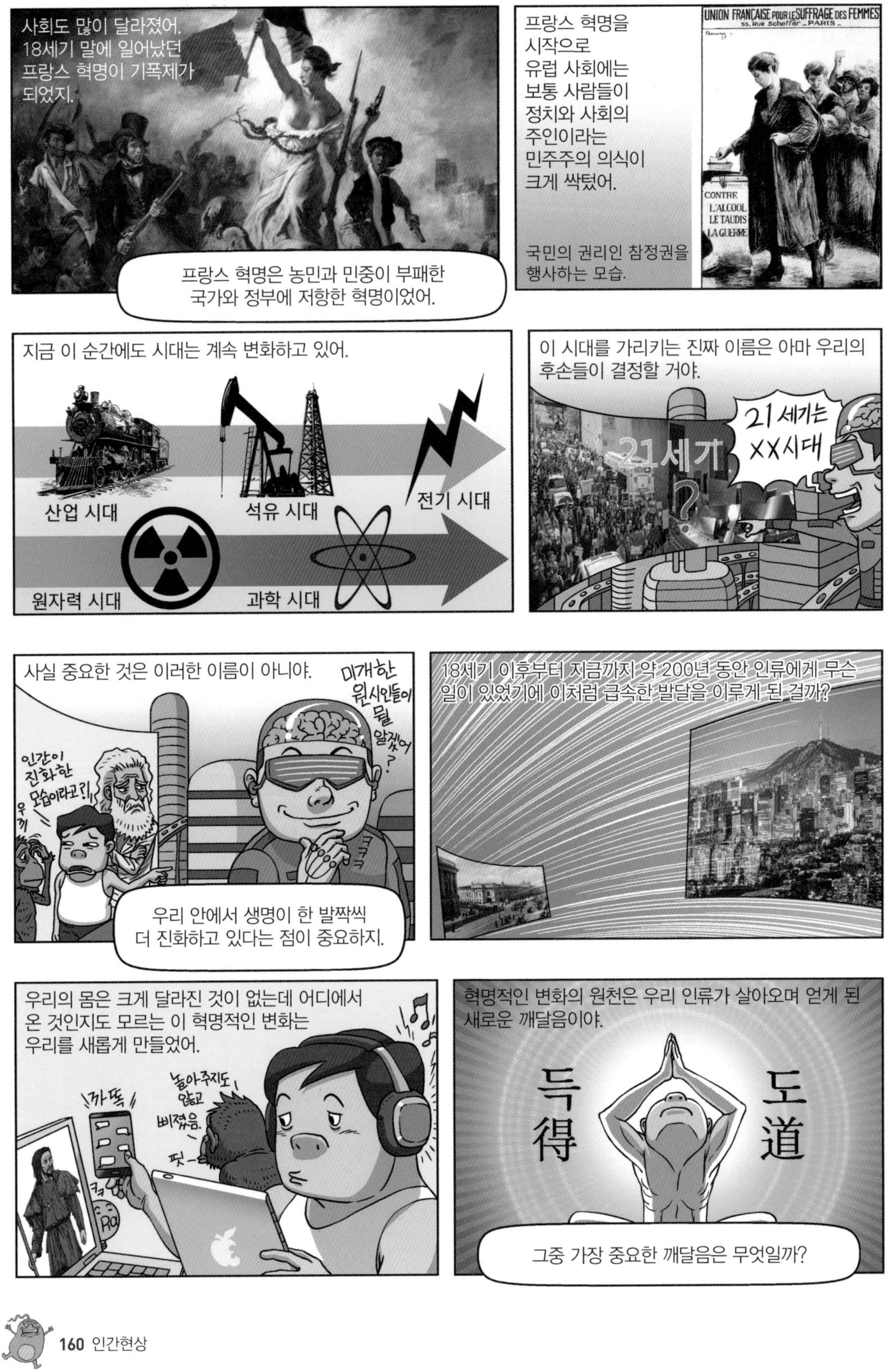
사회도 많이 달라졌어. 18세기 말에 일어났던 프랑스 혁명이 기폭제가 되었지.
프랑스 혁명은 농민과 민중이 부패한 국가와 정부에 저항한 혁명이었어.
프랑스 혁명을 시작으로 유럽 사회에는 보통 사람들이 정치와 사회의 주인이라는 민주주의 의식이 크게 싹텄어.
UNION FRANÇAISE POUR LE SUFFRAGE DES FEMMES
53, Rue Scheffer _ PARIS _
CONTRE L'ALCOOL LE TAUDIS LA GUERRE
국민의 권리인 참정권을 행사하는 모습.
지금 이 순간에도 시대는 계속 변화하고 있어.
산업 시대
석유 시대
전기 시대
원자력 시대
과학 시대
이 시대를 가리키는 진짜 이름은 아마 우리의 후손들이 결정할 거야.
21세기
?
21세기는 XX시대
사실 중요한 것은 이러한 이름이 아니야.
미개한 원시인들이 뭘 알겠어?
인간이 진화한 모습이라고?!
우끼
크크
우리 안에서 생명이 한 발짝씩 더 진화하고 있다는 점이 중요하지.
18세기 이후부터 지금까지 약 200년 동안 인류에게 무슨 일이 있었기에 이처럼 급속한 발달을 이루게 된 걸까?
우리의 몸은 크게 달라진 것이 없는데 어디에서 온 것인지도 모르는 이 혁명적인 변화는 우리를 새롭게 만들었어.
까똑
놀아주지도 않고 삐졌음.
핏
크크
혁명적인 변화의 원천은 우리 인류가 살아오며 얻게 된 새로운 깨달음이야.
득 得
도 道
그중 가장 중요한 깨달음은 무엇일까?

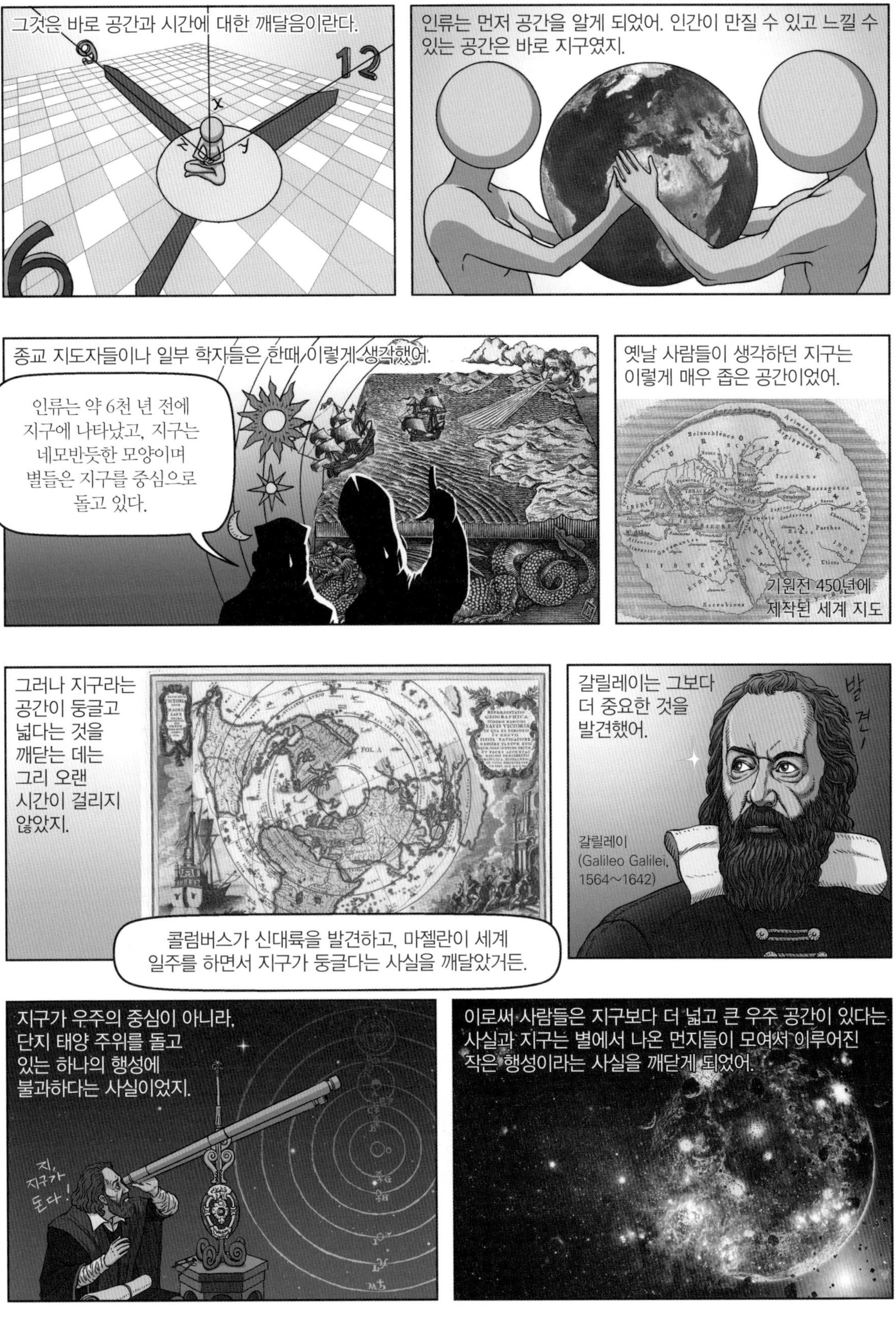
그것은 바로 공간과 시간에 대한 깨달음이란다.
9
12
6
x
y
z
인류는 먼저 공간을 알게 되었어. 인간이 만질 수 있고 느낄 수 있는 공간은 바로 지구였지.
종교 지도자들이나 일부 학자들은 한때 이렇게 생각했어.
인류는 약 6천 년 전에 지구에 나타났고, 지구는 네모반듯한 모양이며 별들은 지구를 중심으로 돌고 있다.
옛날 사람들이 생각하던 지구는 이렇게 매우 좁은 공간이었어.
기원전 450년에 제작된 세계 지도
그러나 지구라는 공간이 둥글고 넓다는 것을 깨닫는 데는 그리 오랜 시간이 걸리지 않았지.
콜럼버스가 신대륙을 발견하고, 마젤란이 세계 일주를 하면서 지구가 둥글다는 사실을 깨달았거든.
갈릴레이는 그보다 더 중요한 것을 발견했어.
발견!
갈릴레이 (Galileo Galilei, 1564~1642)
지구가 우주의 중심이 아니라, 단지 태양 주위를 돌고 있는 하나의 행성에 불과하다는 사실이었지.
지, 지구가 돈다!
이로써 사람들은 지구보다 더 넓고 큰 우주 공간이 있다는 사실과 지구는 별에서 나온 먼지들이 모여서 이루어진 작은 행성이라는 사실을 깨닫게 되었어.

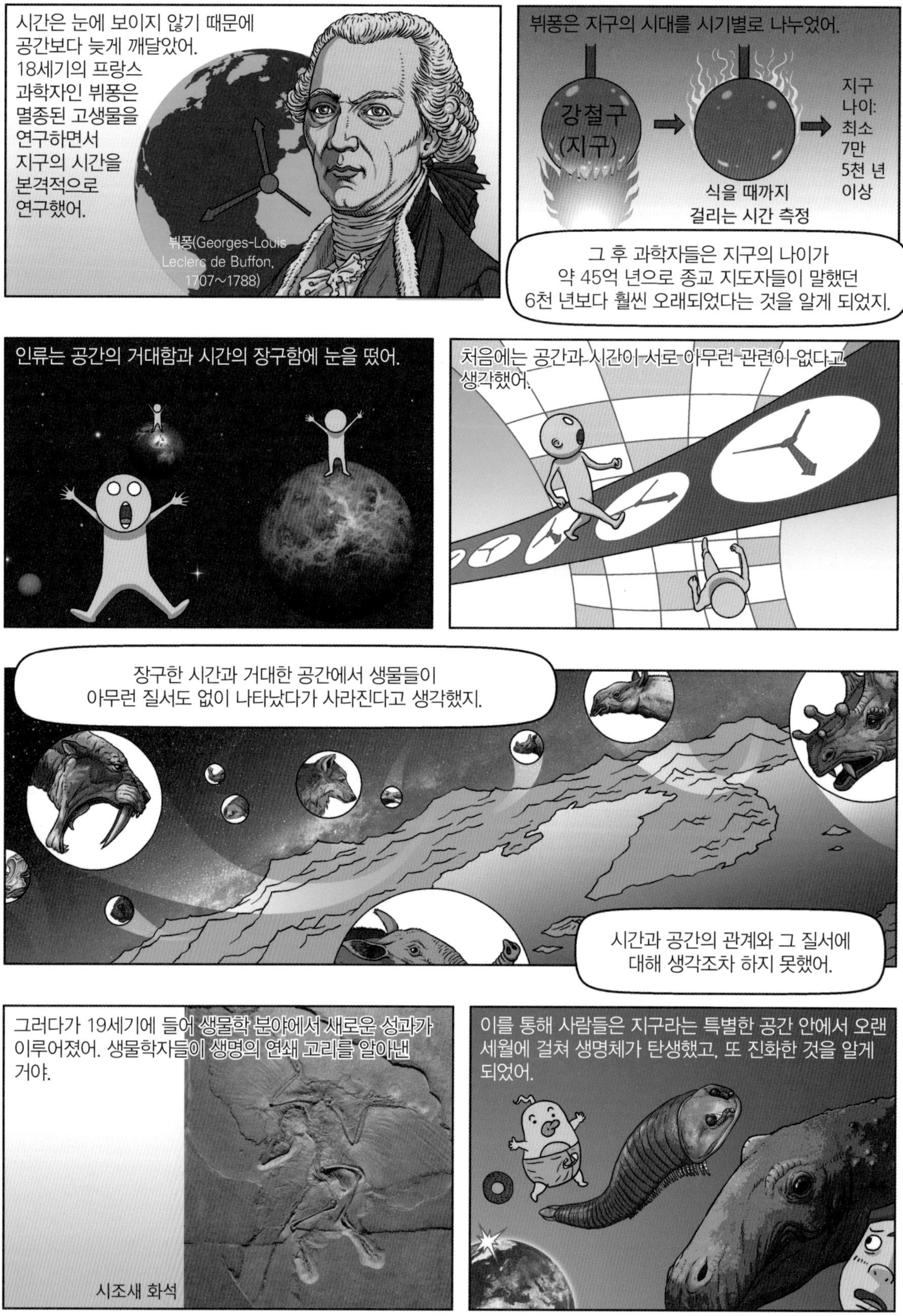
시간은 눈에 보이지 않기 때문에 공간보다 늦게 깨달았어. 18세기의 프랑스 과학자인 뷔퐁은 멸종된 고생물을 연구하면서 지구의 시간을 본격적으로 연구했어.
뷔퐁(Georges-Louis Leclerc de Buffon, 1707~1788)
뷔퐁은 지구의 시대를 시기별로 나누었어.
강철구 (지구)
식을 때까지 걸리는 시간 측정
지구 나이: 최소 7만 5천 년 이상
그 후 과학자들은 지구의 나이가 약 45억 년으로 종교 지도자들이 말했던 6천 년보다 훨씬 오래되었다는 것을 알게 되었지.
인류는 공간의 거대함과 시간의 장구함에 눈을 떴어.
처음에는 공간과 시간이 서로 아무런 관련이 없다고 생각했어.
장구한 시간과 거대한 공간에서 생물들이 아무런 질서도 없이 나타났다가 사라진다고 생각했지.
시간과 공간의 관계와 그 질서에 대해 생각조차 하지 못했어.
그러다가 19세기에 들어 생물학 분야에서 새로운 성과가 이루어졌어. 생물학자들이 생명의 연쇄 고리를 알아낸 거야.
시조새 화석
이를 통해 사람들은 지구라는 특별한 공간 안에서 오랜 세월에 걸쳐 생명체가 탄생했고, 또 진화한 것을 알게 되었어.

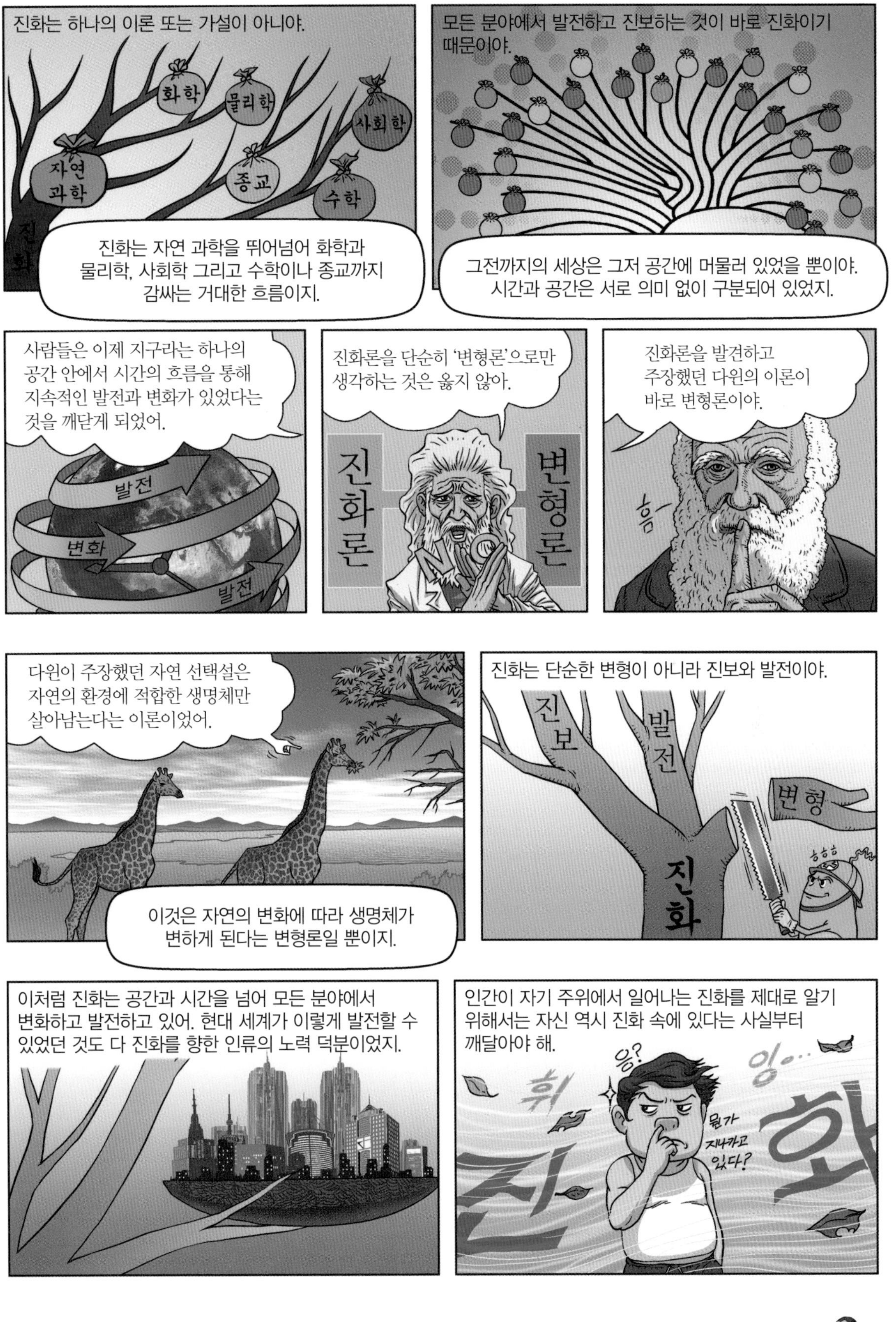
진화는 하나의 이론 또는 가설이 아니야.
화학
물리학
사회학
자연 과학
종교
수학
진화
진화는 자연 과학을 뛰어넘어 화학과 물리학, 사회학 그리고 수학이나 종교까지 감싸는 거대한 흐름이지.
모든 분야에서 발전하고 진보하는 것이 바로 진화이기 때문이야.
그전까지의 세상은 그저 공간에 머물러 있었을 뿐이야. 시간과 공간은 서로 의미 없이 구분되어 있었지.
사람들은 이제 지구라는 하나의 공간 안에서 시간의 흐름을 통해 지속적인 발전과 변화가 있었다는 것을 깨닫게 되었어.
발전
변화
발전
진화론을 단순히 '변형론'으로만 생각하는 것은 옳지 않아.
진화론
NO
변형론
진화론을 발견하고 주장했던 다윈의 이론이 바로 변형론이야.
흠
다윈이 주장했던 자연 선택설은 자연의 환경에 적합한 생명체만 살아남는다는 이론이었어.
이것은 자연의 변화에 따라 생명체가 변하게 된다는 변형론일 뿐이지.
진화는 단순한 변형이 아니라 진보와 발전이야.
진보
발전
변형
진화
흐흐흐
이처럼 진화는 공간과 시간을 넘어 모든 분야에서 변화하고 발전하고 있어. 현대 세계가 이렇게 발전할 수 있었던 것도 다 진화를 향한 인류의 노력 덕분이었지.
인간이 자기 주위에서 일어나는 진화를 제대로 알기 위해서는 자신 역시 진화 속에 있다는 사실부터 깨달아야 해.
응?
휘
잉…
뭔가 지나가고 있다?
진
화

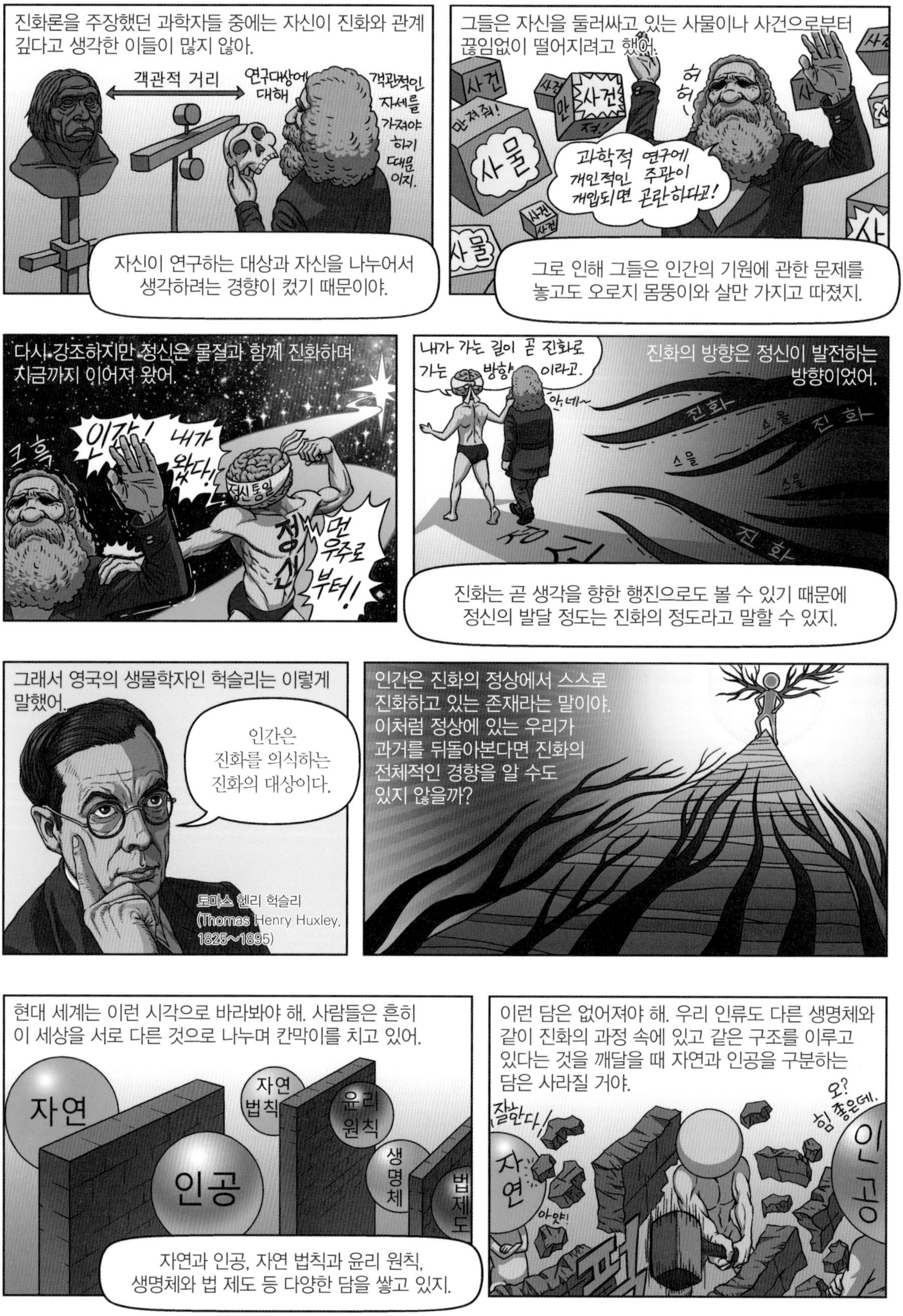

진화론을 주장했던 과학자들 중에는 자신이 진화와 관계 깊다고 생각한 이들이 많지 않아.
객관적 거리
연구대상에 대해
객관적인 자세를 가져야 하기 때문이지.
자신이 연구하는 대상과 자신을 나누어서 생각하려는 경향이 컸기 때문이야.
그들은 자신을 둘러싸고 있는 사물이나 사건으로부터 끊임없이 떨어지려고 했어.
사건
사물
허허
과학적 연구에 개인적인 주관이 개입되면 곤란하다고!
그로 인해 그들은 인간의 기원에 관한 문제를 놓고도 오로지 몸뚱이와 살만 가지고 따졌지.
다시 강조하지만 정신은 물질과 함께 진화하며 지금까지 이어져 왔어.
크흑
인간! 내가 왔다!
정신통일
정신
먼 우주로부터!
내가 가는 길이 곧 진화로 가는 방향이라고.
아, 네~
진화의 방향은 정신이 발전하는 방향이었어.
진화
진화
진화
진화는 곧 생각을 향한 행진으로도 볼 수 있기 때문에 정신의 발달 정도는 진화의 정도라고 말할 수 있지.
그래서 영국의 생물학자인 헉슬리는 이렇게 말했어.
인간은 진화를 의식하는 진화의 대상이다.
토마스 헨리 헉슬리 (Thomas Henry Huxley, 1825~1895)
인간은 진화의 정상에서 스스로 진화하고 있는 존재라는 말이야. 이처럼 정상에 있는 우리가 과거를 뒤돌아본다면 진화의 전체적인 경향을 알 수도 있지 않을까?
현대 세계는 이런 시각으로 바라봐야 해. 사람들은 흔히 이 세상을 서로 다른 것으로 나누며 칸막이를 치고 있어.
자연
인공
자연 법칙
윤리 원칙
생명체
법 제도
자연과 인공, 자연 법칙과 윤리 원칙, 생명체와 법 제도 등 다양한 담을 쌓고 있지.
이런 담은 없어져야 해. 우리 인류도 다른 생명체와 같이 진화의 과정 속에 있고 같은 구조를 이루고 있다는 것을 깨달을 때 자연과 인공을 구분하는 담은 사라질 거야.
잘한다!
오? 힘 좋은데.
자연
아얏!
인공

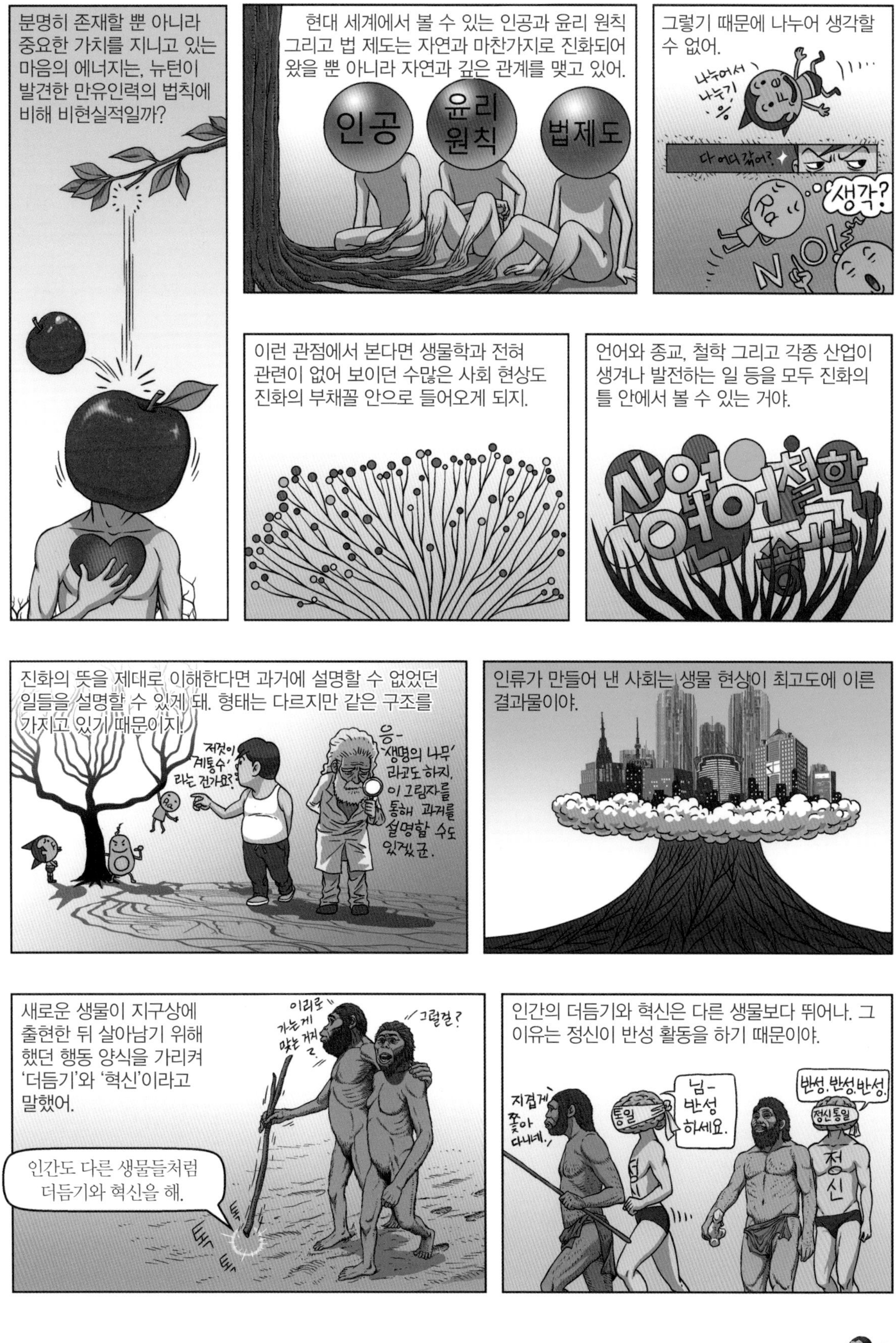

분명히 존재할 뿐 아니라 중요한 가치를 지니고 있는 마음의 에너지는, 뉴턴이 발견한 만유인력의 법칙에 비해 비현실적일까?
현대 세계에서 볼 수 있는 인공과 윤리 원칙 그리고 법 제도는 자연과 마찬가지로 진화되어 왔을 뿐 아니라 자연과 깊은 관계를 맺고 있어.
인공
윤리 원칙
법제도
그렇기 때문에 나누어 생각할 수 없어.
나누어서 나누기 ~ 응
다 어디 갔어?
생각?
NO!
이런 관점에서 본다면 생물학과 전혀 관련이 없어 보이던 수많은 사회 현상도 진화의 부채꼴 안으로 들어오게 되지.
언어와 종교, 철학 그리고 각종 산업이 생겨나 발전하는 일 등을 모두 진화의 틀 안에서 볼 수 있는 거야.
산업
언어
철학
종교
진화의 뜻을 제대로 이해한다면 과거에 설명할 수 없었던 일들을 설명할 수 있게 돼. 형태는 다르지만 같은 구조를 가지고 있기 때문이지!
저것이 '계통수'라는 건가요?
응~ '생명의 나무'라고도 하지. 이 그림자를 통해 과거를 설명할 수도 있겠군.
인류가 만들어 낸 사회는 생물 현상이 최고도에 이른 결과물이야.
새로운 생물이 지구상에 출현한 뒤 살아남기 위해 했던 행동 양식을 가리켜 '더듬기'와 '혁신'이라고 말했어.
이리로 가는 게 맞는 거지?
그럴걸?
인간도 다른 생물들처럼 더듬기와 혁신을 해.
톡 톡 톡
인간의 더듬기와 혁신은 다른 생물보다 뛰어나. 그 이유는 정신이 반성 활동을 하기 때문이야.
지겹게 쫓아 다니네.
통일
님~ 반성 하세요.
반성.반성.반성.
정신통일
정신

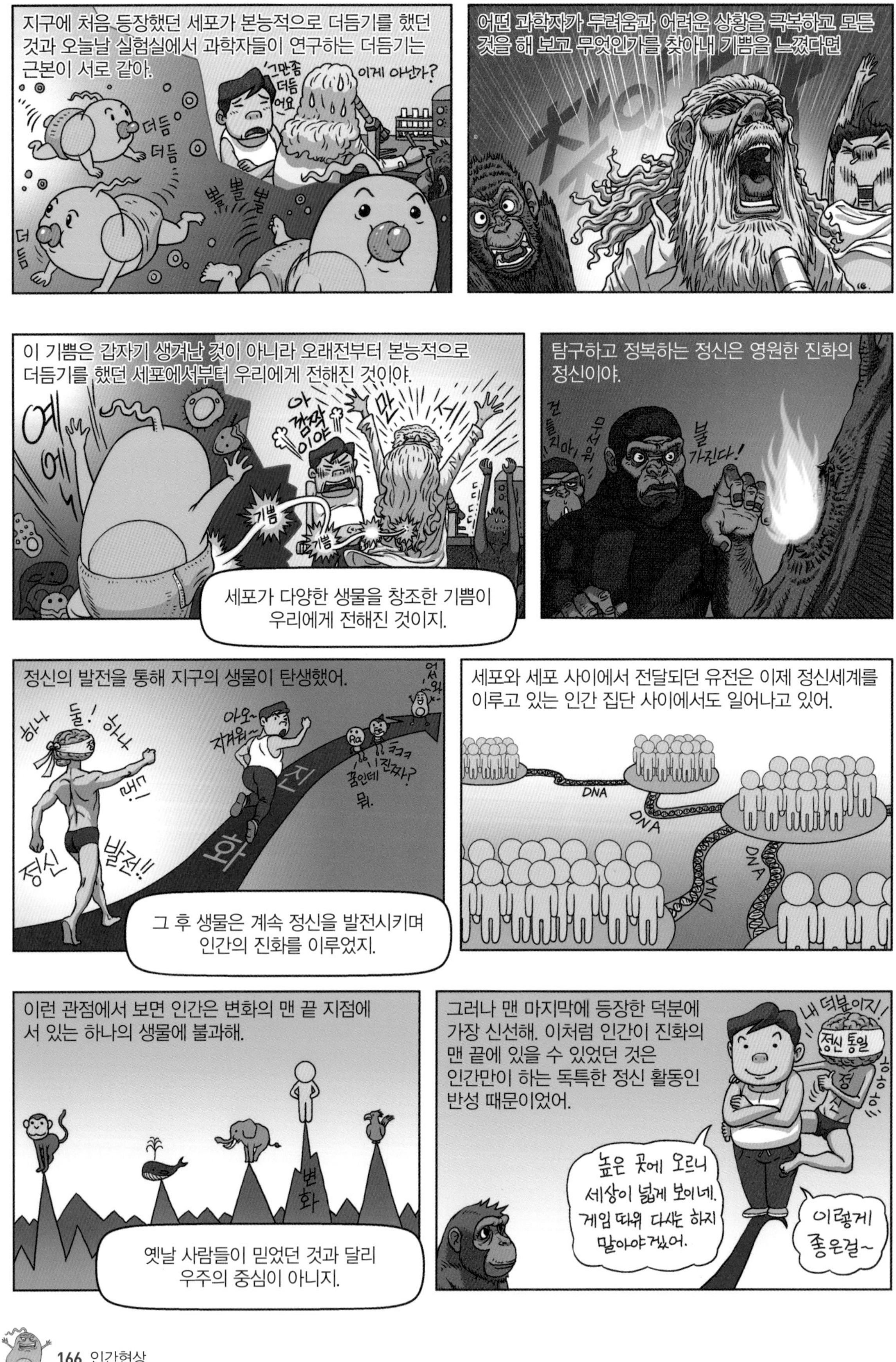

지구에 처음 등장했던 세포가 본능적으로 더듬기를 했던 것과 오늘날 실험실에서 과학자들이 연구하는 더듬기는 근본이 서로 같아.
그만좀 더듬어요
이게 아닌가?
더듬 더듬
뽈뽈뽈
더듬
어떤 과학자가 두려움과 어려운 상황을 극복하고 모든 것을 해 보고 무엇인가를 찾아내 기쁨을 느꼈다면
이 기쁨은 갑자기 생겨난 것이 아니라 오래전부터 본능적으로 더듬기를 했던 세포에서부터 우리에게 전해진 것이야.
예에
아 깜짝이야
만세
기쁨
기쁨
세포가 다양한 생물을 창조한 기쁨이 우리에게 전해진 것이지.
탐구하고 정복하는 정신은 영원한 진화의 정신이야.
건들지마!
무서워
불 가진다!
정신의 발전을 통해 지구의 생물이 탄생했어.
하나 둘! 하나 둘!
정신 발전!!
아오~ 지겨워~
진화
ㅋㅋㅋ 진짜?
꿈인데 뭐.
그 후 생물은 계속 정신을 발전시키며 인간의 진화를 이루었지.
세포와 세포 사이에서 전달되던 유전은 이제 정신세계를 이루고 있는 인간 집단 사이에서도 일어나고 있어.
DNA
DNA
DNA
DNA
이런 관점에서 보면 인간은 변화의 맨 끝 지점에 서 있는 하나의 생물에 불과해.
변화
옛날 사람들이 믿었던 것과 달리 우주의 중심이 아니지.
그러나 맨 마지막에 등장한 덕분에 가장 신선해. 이처럼 인간이 진화의 맨 끝에 있을 수 있었던 것은 인간만이 하는 독특한 정신 활동인 반성 때문이었어.
내 덕분이지!
정신 통일
정신
낑낑
높은 곳에 오르니 세상이 넓게 보이네. 게임 따위 다시는 하지 말아야겠어.
이렇게 좋은걸~

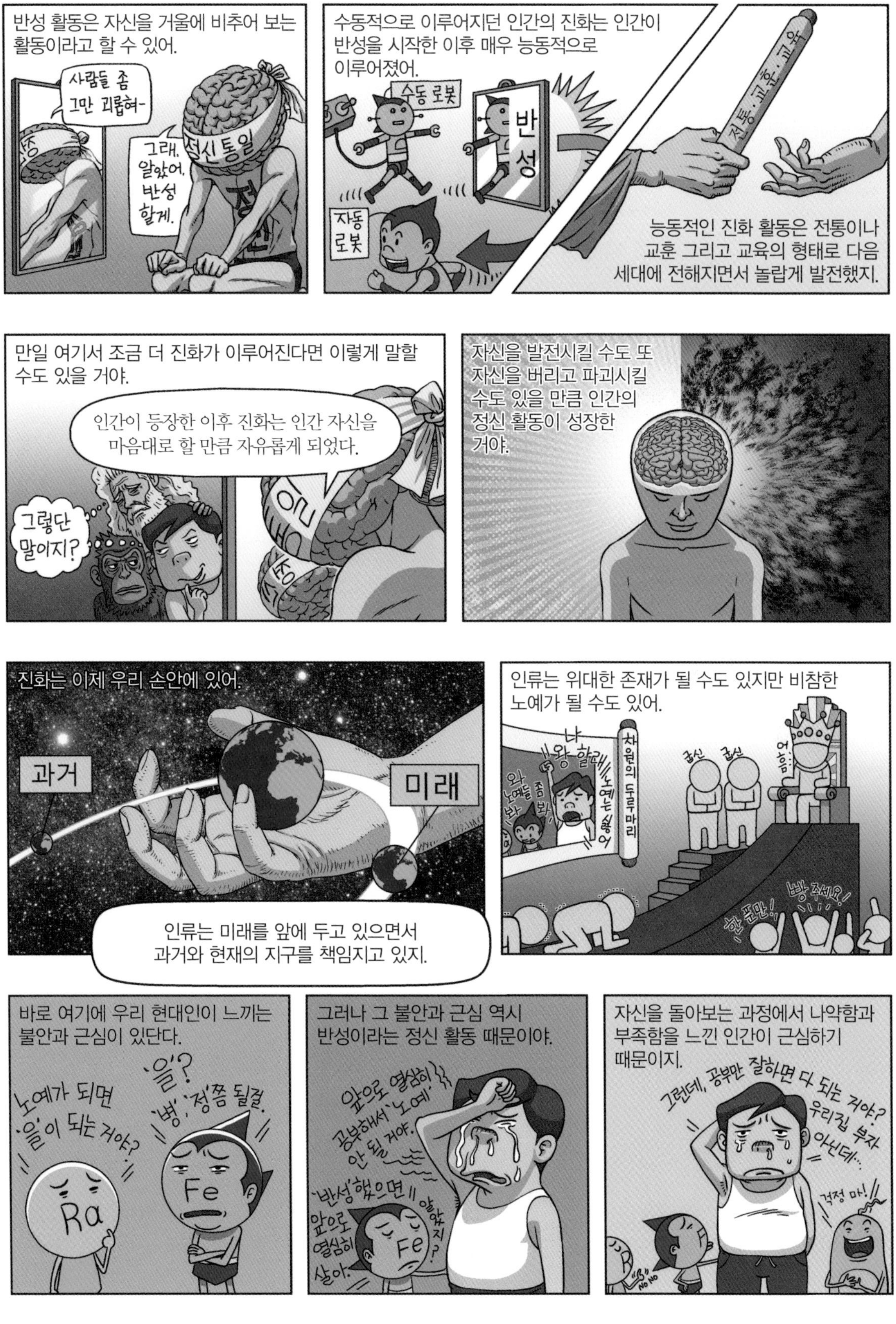

반성 활동은 자신을 거울에 비추어 보는 활동이라고 할 수 있어.
사람들 좀 그만 괴롭혀-
정신 통일
그래, 알았어, 반성할게.
수동적으로 이루어지던 인간의 진화는 인간이 반성을 시작한 이후 매우 능동적으로 이루어졌어.
수동 로봇
반성
자동 로봇
전통·교훈·교육
능동적인 진화 활동은 전통이나 교훈 그리고 교육의 형태로 다음 세대에 전해지면서 놀랍게 발전했지.
만일 여기서 조금 더 진화가 이루어진다면 이렇게 말할 수도 있을 거야.
인간이 등장한 이후 진화는 인간 자신을 마음대로 할 만큼 자유롭게 되었다.
그렇단 말이지?
자신을 발전시킬 수도 또 자신을 버리고 파괴시킬 수도 있을 만큼 인간의 정신 활동이 성장한 거야.
진화는 이제 우리 손안에 있어.
과거
미래
인류는 미래를 앞에 두고 있으면서 과거와 현재의 지구를 책임지고 있지.
인류는 위대한 존재가 될 수도 있지만 비참한 노예가 될 수도 있어.
와 노예들 좀 봐 봐
나 왕 할래
노예는 싫어
차원의 두루마리
굽신 굽신
어흠…
한 푼만!
빵 주세요!
바로 여기에 우리 현대인이 느끼는 불안과 근심이 있단다.
노예가 되면 '을'이 되는 거야?
'을'? '병', '정'쯤 될걸.
Ra
Fe
그러나 그 불안과 근심 역시 반성이라는 정신 활동 때문이야.
앞으로 열심히 공부해서 '노예' 안 될 거야.
'반성'했으면 앞으로 열심히 살아.
알았지?
Fe
자신을 돌아보는 과정에서 나약함과 부족함을 느낀 인간이 근심하기 때문이지.
그런데, 공부만 잘하면 다 되는 거야? 우리집 부자 아닌데…
걱정 마!
NO NO

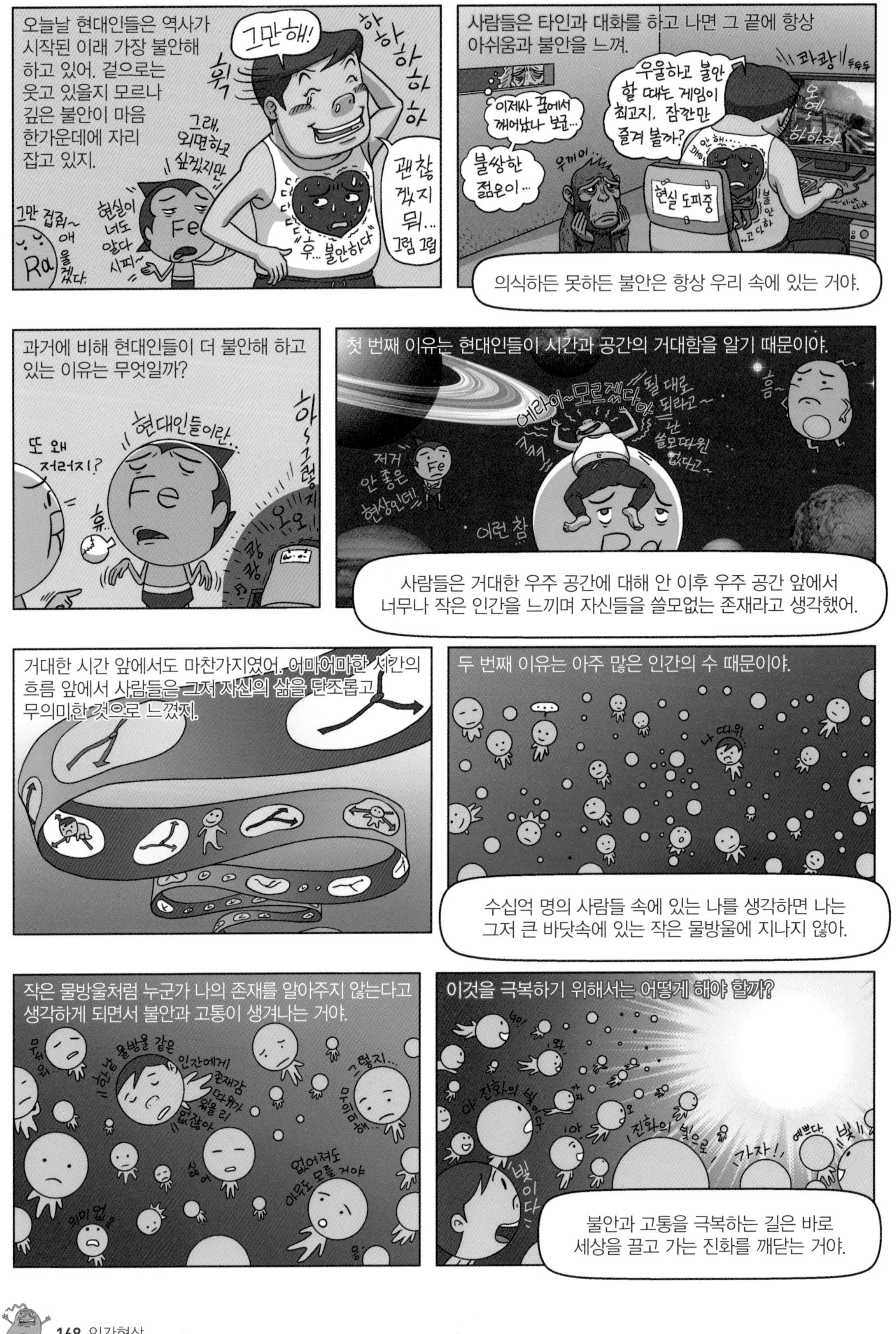
오늘날 현대인들은 역사가 시작된 이래 가장 불안해 하고 있어. 겉으로는 웃고 있을지 모르나 깊은 불안이 마음 한가운데에 자리 잡고 있지.
그만해!
하하하하하
그래, 외면하고 싶겠지만
현실이 너도 알다 시피
괜찮겠지 뭐... 그럼 그럼
우... 불안하다
사람들은 타인과 대화를 하고 나면 그 끝에 항상 아쉬움과 불안을 느껴.
우울하고 불안할 때는 게임이 최고지. 잠깐만 즐겨 볼까?
이제사 꿈에서 깨어났나 보군...
불쌍한 젊은이...
콰광
현실 도피중
의식하든 못하든 불안은 항상 우리 속에 있는 거야.
과거에 비해 현대인들이 더 불안해 하고 있는 이유는 무엇일까?
현대인들이란...
또 왜 저러지?
휴..
첫 번째 이유는 현대인들이 시간과 공간의 거대함을 알기 때문이야.
에라이~ 모르겠다~야
될 대로 되라고~
난 쓸모따윈 없다고~
저거 안 좋은 현상인데!
흠~
이런 참
사람들은 거대한 우주 공간에 대해 안 이후 우주 공간 앞에서 너무나 작은 인간을 느끼며 자신들을 쓸모없는 존재라고 생각했어.
거대한 시간 앞에서도 마찬가지였어. 어마어마한 시간의 흐름 앞에서 사람들은 그저 자신의 삶을 단조롭고 무의미한 것으로 느꼈지.
두 번째 이유는 아주 많은 인간의 수 때문이야.
나 따위...
수십억 명의 사람들 속에 있는 나를 생각하면 나는 그저 큰 바닷속에 있는 작은 물방울에 지나지 않아.
작은 물방울처럼 누군가 나의 존재를 알아주지 않는다고 생각하게 되면서 불안과 고통이 생겨나는 거야.
한낱 물방울 같은 인간에게 존재감 따위가 있을 리 없잖아
그렇지...
무의미해...
없어져도 아무도 모를 거야
이것을 극복하기 위해서는 어떻게 해야 할까?
아~ 진화의 빛이다
진화의 빛으로
가자!
예쁘다.
빛!!
빛이다!
불안과 고통을 극복하는 길은 바로 세상을 끌고 가는 진화를 깨닫는 거야.

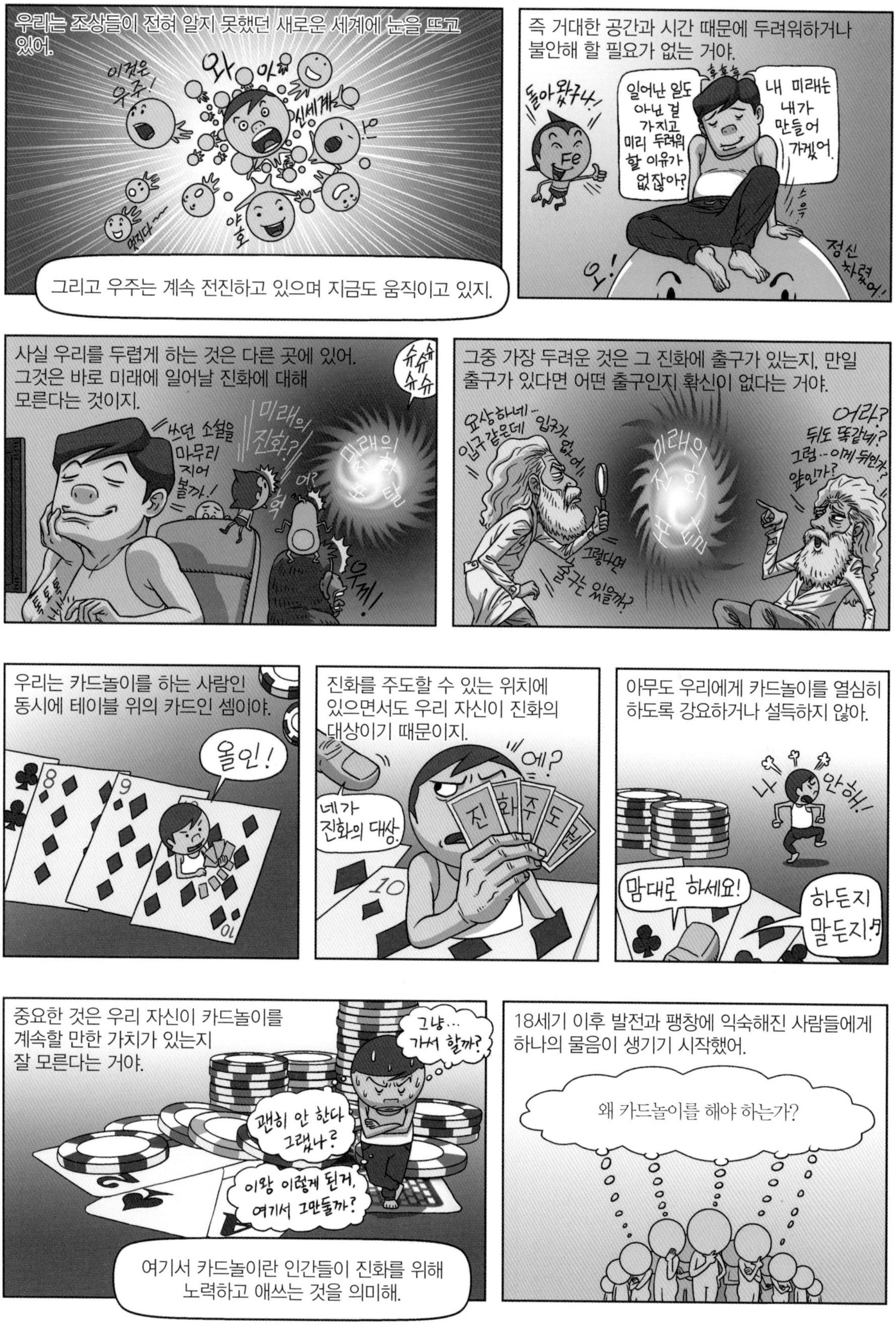
우리는 조상들이 전혀 알지 못했던 새로운 세계에 눈을 뜨고 있어.
이것은 우주!
와
신세계..
멋지다~
야호
그리고 우주는 계속 전진하고 있으며 지금도 움직이고 있지.
즉 거대한 공간과 시간 때문에 두려워하거나 불안해 할 필요가 없는 거야.
돌아왔구나!
일어난 일도 아닌 걸 가지고 미리 두려워 할 이유가 없잖아?
내 미래는 내가 만들어 가겠어.
Fe
오!
정신 차렸어!
사실 우리를 두렵게 하는 것은 다른 곳에 있어. 그것은 바로 미래에 일어날 진화에 대해 모른다는 것이지.
슈슈 슈슈
쓰던 소설을 마무리 지어 볼까!
미래의 진화?
미래의 진화 포탈
그중 가장 두려운 것은 그 진화에 출구가 있는지, 만일 출구가 있다면 어떤 출구인지 확신이 없다는 거야.
요상하네… 입구 같은데 입구가 없어
어라? 뒤도 똑같네? 그럼… 이게 뒤인가? 앞인가?
미래의 진화 포탈
그렇다면 출구는 있을까?
우리는 카드놀이를 하는 사람인 동시에 테이블 위의 카드인 셈이야.
올인!
진화를 주도할 수 있는 위치에 있으면서도 우리 자신이 진화의 대상이기 때문이지.
에?
네가 진화의 대상.
진화주도권
아무도 우리에게 카드놀이를 열심히 하도록 강요하거나 설득하지 않아.
나 안해!
맘대로 하세요!
하든지 말든지!
중요한 것은 우리 자신이 카드놀이를 계속할 만한 가치가 있는지 잘 모른다는 거야.
그냥… 가서 할까?
괜히 안 한다 그랬나?
이왕 이렇게 된거, 여기서 그만둘까?
여기서 카드놀이란 인간들이 진화를 위해 노력하고 애쓰는 것을 의미해.
18세기 이후 발전과 팽창에 익숙해진 사람들에게 하나의 물음이 생기기 시작했어.
왜 카드놀이를 해야 하는가?

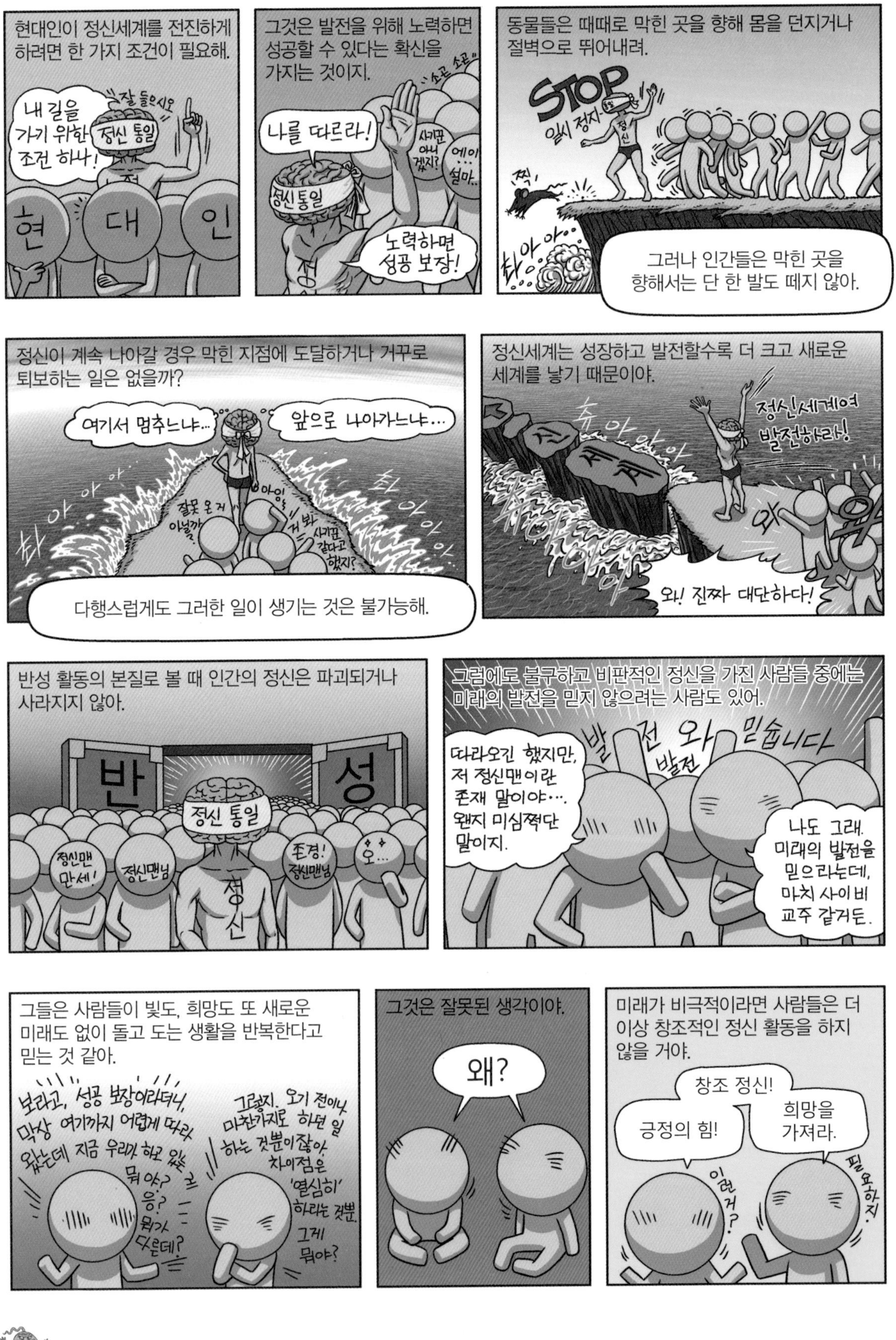
현대인이 정신세계를 전진하게 하려면 한 가지 조건이 필요해.
잘 들으시오
내 길을 가기 위한 조건 하나!
정신 통일
현 대 인
그것은 발전을 위해 노력하면 성공할 수 있다는 확신을 가지는 것이지.
나를 따르라!
정신통일
사기꾼 아니겠지?
에이… 설마..
노력하면 성공 보장!
동물들은 때때로 막힌 곳을 향해 몸을 던지거나 절벽으로 뛰어내려.
STOP
일시 정지
찍
그러나 인간들은 막힌 곳을 향해서는 단 한 발도 떼지 않아.
정신이 계속 나아갈 경우 막힌 지점에 도달하거나 거꾸로 퇴보하는 일은 없을까?
여기서 멈추느냐…
앞으로 나아가느냐…
잘못 온 거 아닐까?
아잉!
거 봐 사기꾼 같다고 했지?
다행스럽게도 그러한 일이 생기는 것은 불가능해.
정신세계는 성장하고 발전할수록 더 크고 새로운 세계를 낳기 때문이야.
정신세계여 발전하라!
와! 진짜 대단하다!
반성 활동의 본질로 볼 때 인간의 정신은 파괴되거나 사라지지 않아.
반 성
정신 통일
정신맨 만세!
정신맨님
존경! 정신맨님
오…
그럼에도 불구하고 비판적인 정신을 가진 사람들 중에는 미래의 발전을 믿지 않으려는 사람도 있어.
발전 와 믿습니다
발전
따라오긴 했지만, 저 정신맨이란 존재 말이야…. 왠지 미심쩍단 말이지.
나도 그래. 미래의 발전을 믿으라는데, 마치 사이비 교주 같거든.
그들은 사람들이 빛도, 희망도 또 새로운 미래도 없이 돌고 도는 생활을 반복한다고 믿는 것 같아.
보라고, 성공 보장이라더니, 막상 여기까지 어렵게 따라왔는데 지금 우리가 하고 있는 뭐야? 응? 뭐가 다른데?
그렇지. 오기 전이나 마찬가지로 하던 일 하는 것뿐이잖아. 차이점은 '열심히' 하라는 것뿐. 그게 뭐야?
그것은 잘못된 생각이야.
왜?
미래가 비극적이라면 사람들은 더 이상 창조적인 정신 활동을 하지 않을 거야.
창조 정신!
긍정의 힘!
희망을 가져라.
이런 거?
필요하지.

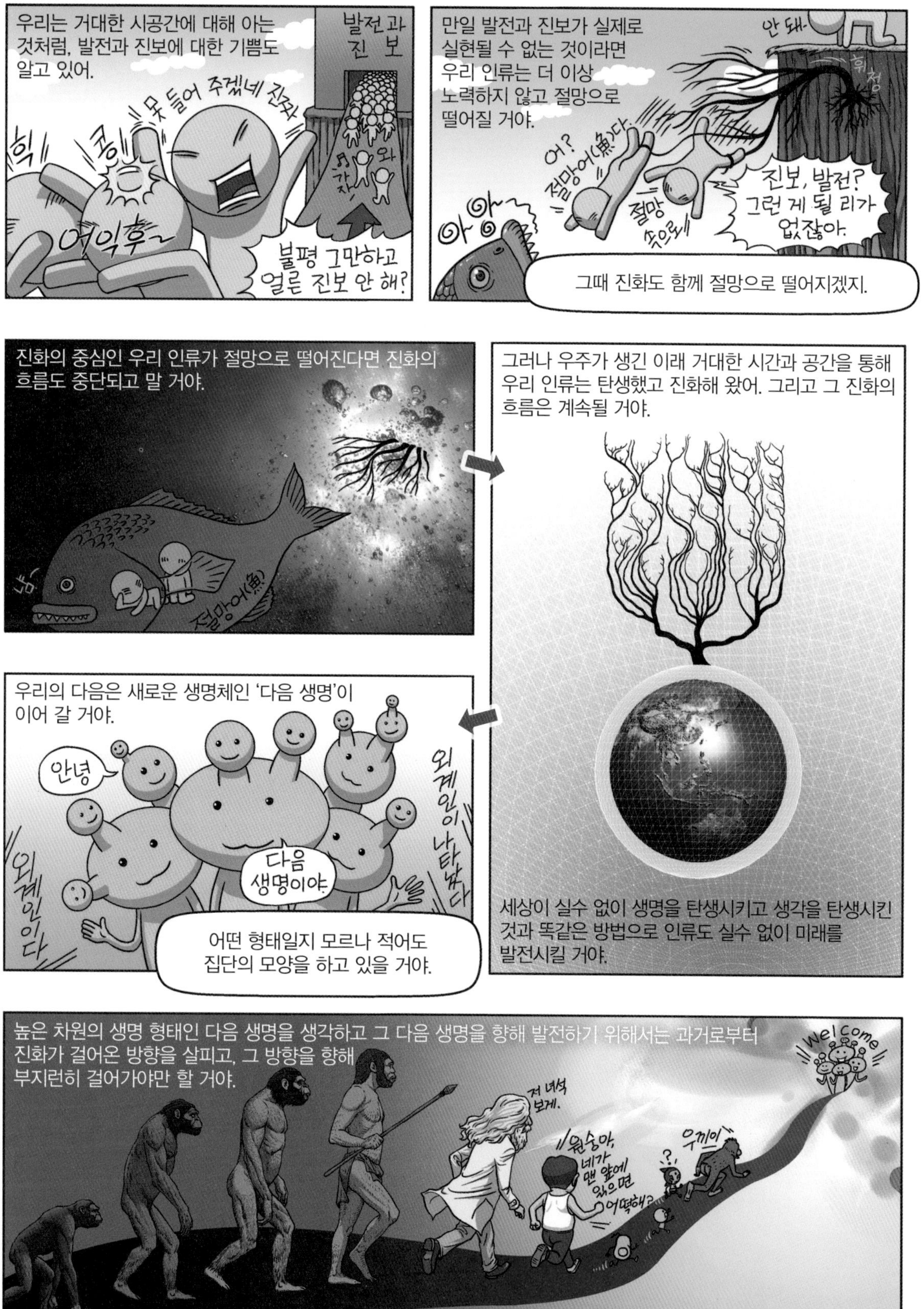
우리는 거대한 시공간에 대해 아는 것처럼, 발전과 기쁨도 알고 있어.
발전과 진보
못 들어 주겠네 진짜
흑
콩
어익후~
와
가자
불평 그만하고 얼른 진보 안 해?
만일 발전과 진보가 실제로 실현될 수 없는 것이라면 우리 인류는 더 이상 노력하지 않고 절망으로 떨어질 거야.
안 돼~
휘청
어? 절망어(魚)다.
절망 속으로
진보, 발전? 그런 게 될 리가 없잖아.
아 앙
그때 진화도 함께 절망으로 떨어지겠지.
진화의 중심인 우리 인류가 절망으로 떨어진다면 진화의 흐름도 중단되고 말 거야.
냠
절망어(魚)
그러나 우주가 생긴 이래 거대한 시간과 공간을 통해 우리 인류는 탄생했고 진화해 왔어. 그리고 그 진화의 흐름은 계속될 거야.
세상이 실수 없이 생명을 탄생시키고 생각을 탄생시킨 것과 똑같은 방법으로 인류도 실수 없이 미래를 발전시킬 거야.
우리의 다음은 새로운 생명체인 '다음 생명'이 이어 갈 거야.
안녕
다음 생명이야.
외계인이 나타났다
외계인이다
어떤 형태일지 모르나 적어도 집단의 모양을 하고 있을 거야.
높은 차원의 생명 형태인 다음 생명을 생각하고 그 다음 생명을 향해 발전하기 위해서는 과거로부터 진화가 걸어온 방향을 살피고, 그 방향을 향해 부지런히 걸어가야만 할 거야.
welcome
저 녀석 보게.
원숭아, 네가 맨 앞에 있으면 어떡해?
?
우끼이

11장

다음 생명

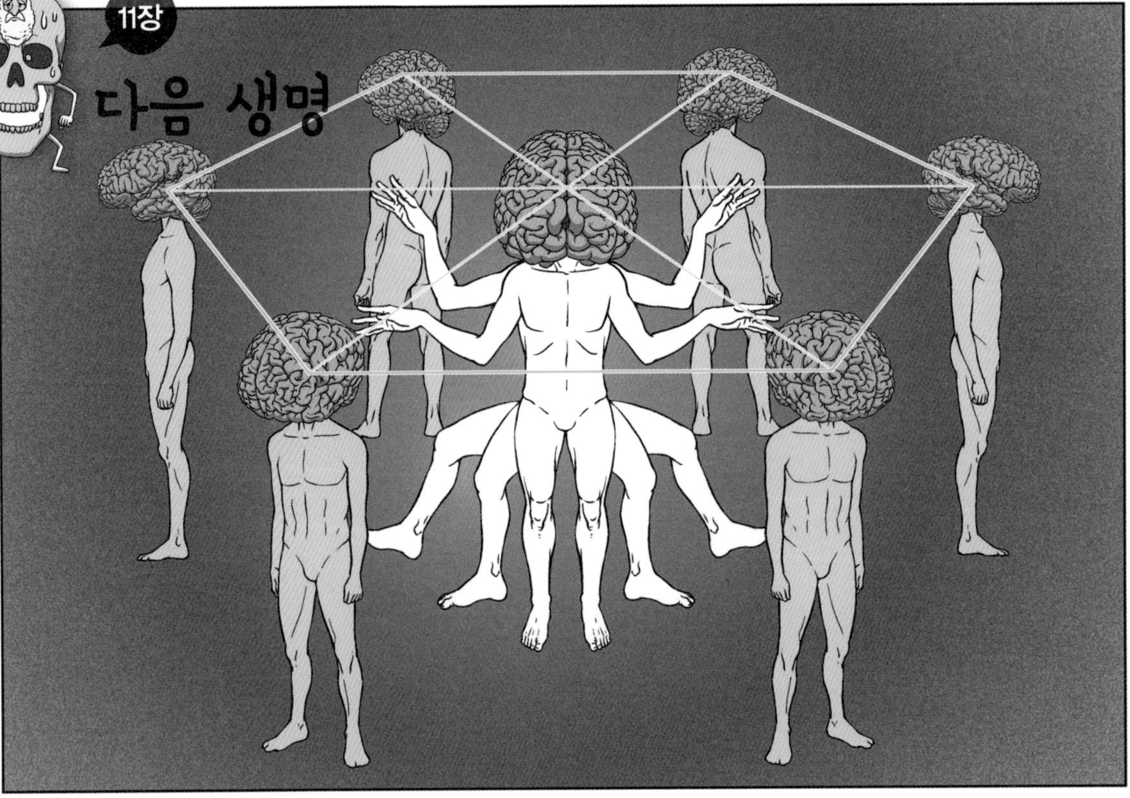

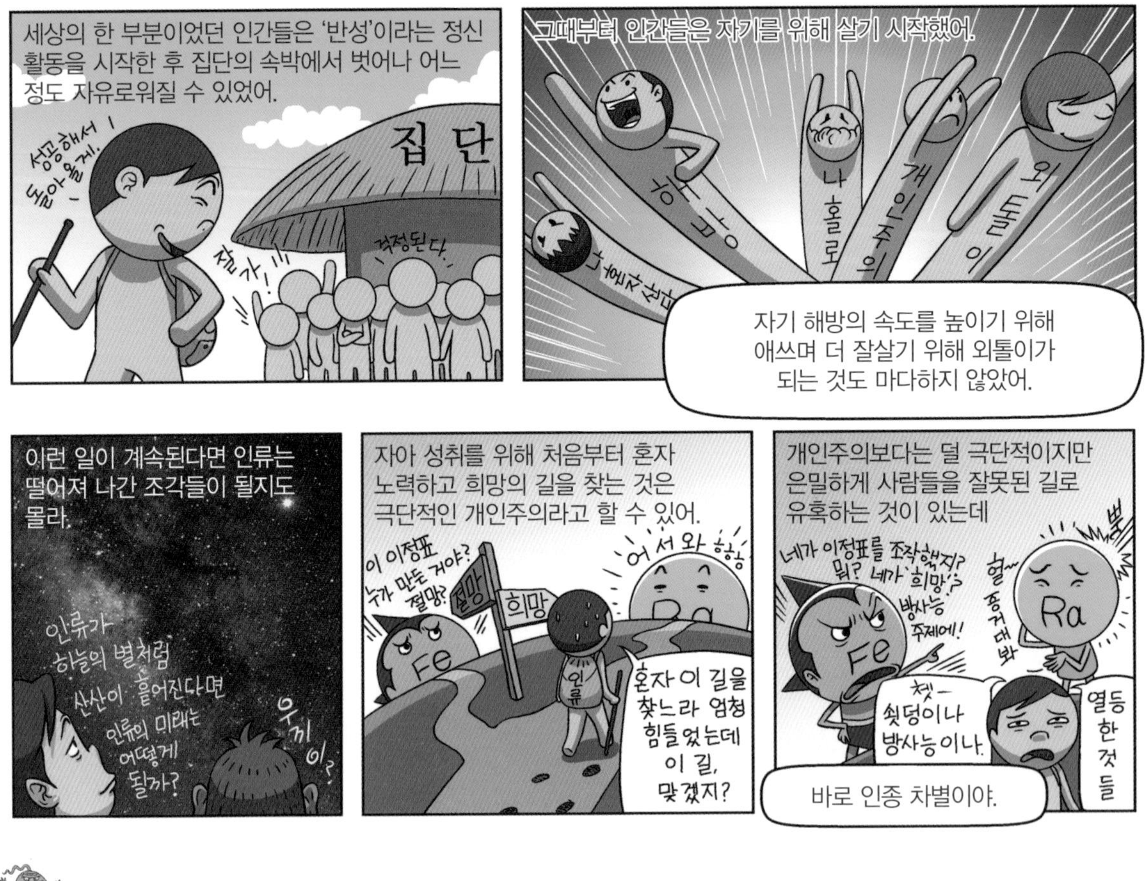
세상의 한 부분이었던 인간들은 '반성'이라는 정신 활동을 시작한 후 집단의 속박에서 벗어나 어느 정도 자유로워질 수 있었어.
성공해서 돌아올게.
집단
잘 가!
걱정된다.
그때부터 인간들은 자기를 위해 살기 시작했어.
나 홀로
개인주의
외톨이
자기 해방의 속도를 높이기 위해 애쓰며 더 잘살기 위해 외톨이가 되는 것도 마다하지 않았어.
이런 일이 계속된다면 인류는 떨어져 나간 조각들이 될지도 몰라.
인류가 하늘의 별처럼 산산이 흩어진다면 인류의 미래는 어떻게 될까?
우끼이?
자아 성취를 위해 처음부터 혼자 노력하고 희망의 길을 찾는 것은 극단적인 개인주의라고 할 수 있어.
이 이정표 누가 만든 거야? 절망?
절망
희망
어서 와 하하
Fe
인류
혼자 이 길을 찾느라 엄청 힘들었는데 이 길, 맞겠지?
개인주의보다는 덜 극단적이지만 은밀하게 사람들을 잘못된 길로 유혹하는 것이 있는데
네가 이정표를 조작했지? 뭐? 네가 '희망'? 방사능 주제에!
뿔
헐~ 증거 대 봐
Ra
Fe
칫— 쇳덩이나 방사능이나.
열등한 것들
바로 인종 차별이야.

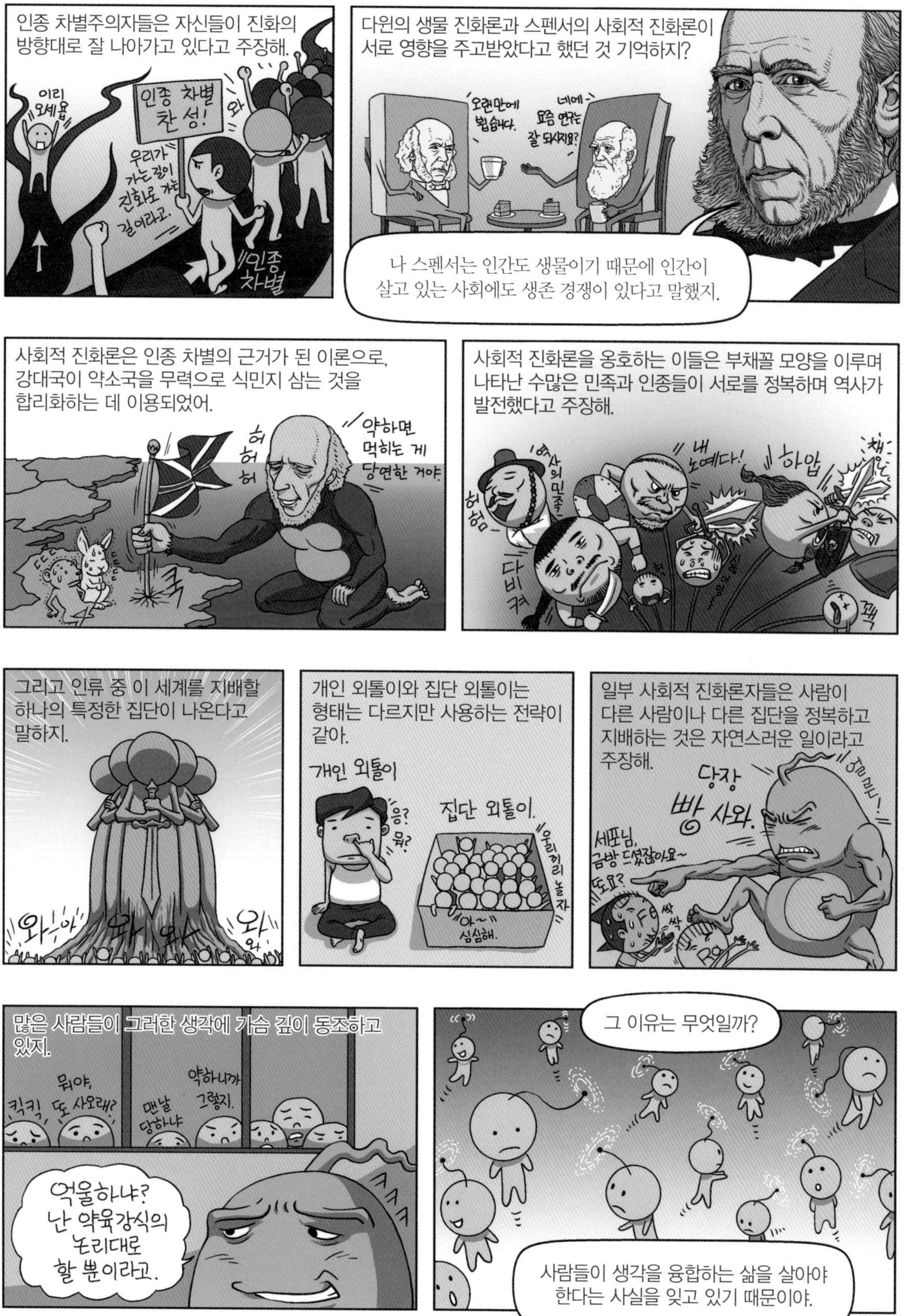
인종 차별주의자들은 자신들이 진화의 방향대로 잘 나아가고 있다고 주장해.
이리 오세요
인종 차별 찬성!
와
우리가 가는 길이 진화로 가는 길이라고.
인종 차별
다윈의 생물 진화론과 스펜서의 사회적 진화론이 서로 영향을 주고받았다고 했던 것 기억하지?
오랜만에 뵙습니다.
네에~ 요즘 연구는 잘 되시지요?
나 스펜서는 인간도 생물이기 때문에 인간이 살고 있는 사회에도 생존 경쟁이 있다고 말했지.
사회적 진화론은 인종 차별의 근거가 된 이론으로, 강대국이 약소국을 무력으로 식민지 삼는 것을 합리화하는 데 이용되었어.
허허허
약하면 먹히는 게 당연한 거야.
쿡
사회적 진화론을 옹호하는 이들은 부채꼴 모양을 이루며 나타난 수많은 민족과 인종들이 서로를 정복하며 역사가 발전했다고 주장해.
허험
내 노예다!
하압
다 비 켜
쫙
그리고 인류 중 이 세계를 지배할 하나의 특정한 집단이 나온다고 말하지.
와~아
와 와
와 와
개인 외톨이와 집단 외톨이는 형태는 다르지만 사용하는 전략이 같아.
개인 외톨이
응? 뭐?
집단 외톨이.
우리끼리 놀자
아~ 심심해.
일부 사회적 진화론자들은 사람이 다른 사람이나 다른 집단을 정복하고 지배하는 것은 자연스러운 일이라고 주장해.
당장 빵 사와.
세포님, 금방 드셨잖아요~
또요?
싹 싹
많은 사람들이 그러한 생각에 가슴 깊이 동조하고 있지.
뭐야, 또 사오래?
킥킥
맨날 당하냐
약하니까 그렇지.
억울하냐? 난 약육강식의 논리대로 할 뿐이라고.
ㅋㅋㅋ
그 이유는 무엇일까?
사람들이 생각을 융합하는 삶을 살아야 한다는 사실을 잊고 있기 때문이야.

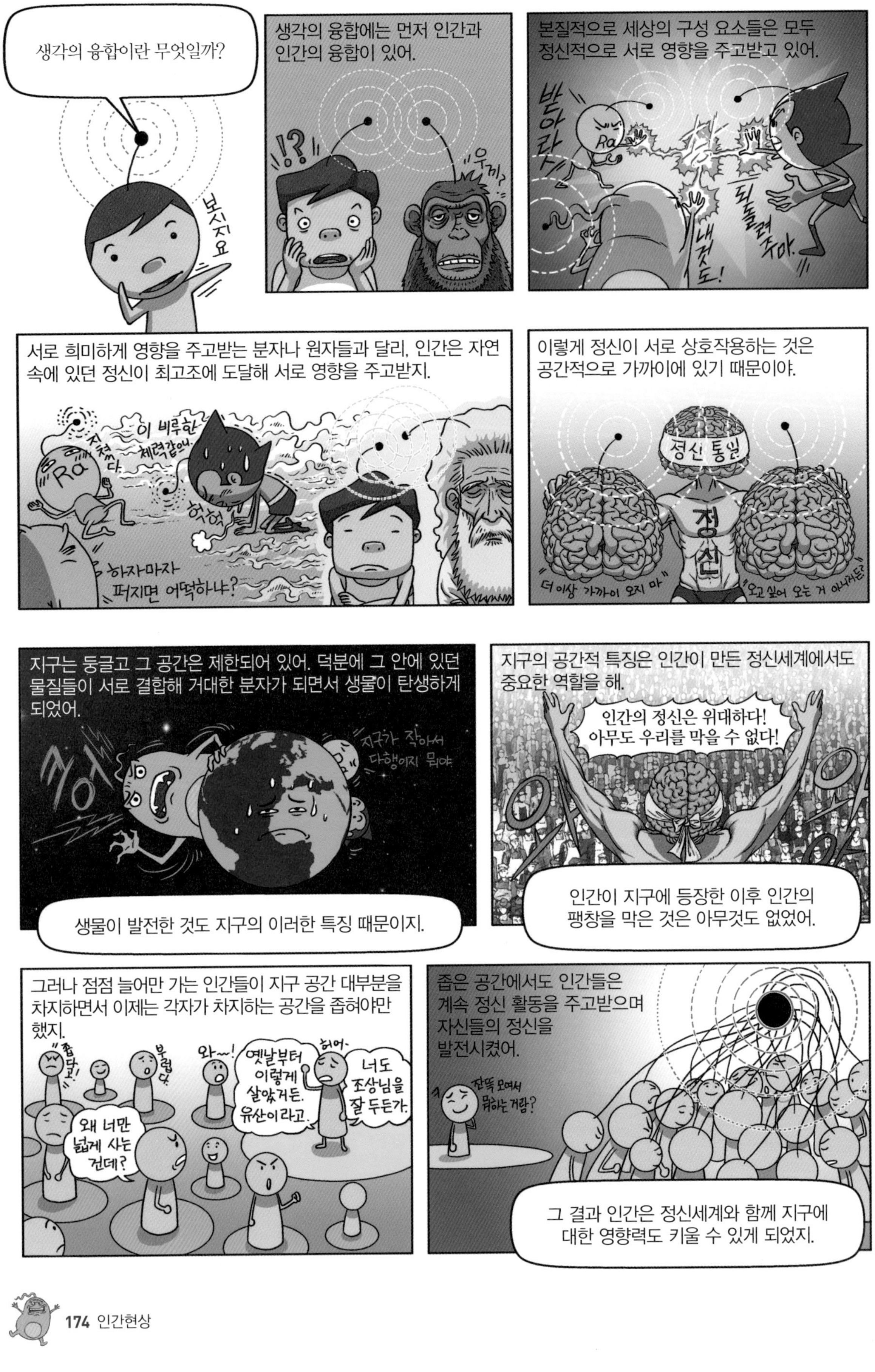
생각의 융합이란 무엇일까?
보시지요
생각의 융합에는 먼저 인간과 인간의 융합이 있어.
!?
우끼?
본질적으로 세상의 구성 요소들은 모두 정신적으로 서로 영향을 주고받고 있어.
받아라!
내 것도!
되돌려주마.
서로 희미하게 영향을 주고받는 분자나 원자들과 달리, 인간은 자연 속에 있던 정신이 최고조에 도달해 서로 영향을 주고받지.
지쳤다.
이 비루한 체력 같으니.
헉헉
하자마자 퍼지면 어떡하나?
이렇게 정신이 서로 상호작용하는 것은 공간적으로 가까이에 있기 때문이야.
정신 통일
정신
더 이상 가까이 오지 마
오고 싶어 오는 거 아니거든?
지구는 둥글고 그 공간은 제한되어 있어. 덕분에 그 안에 있던 물질들이 서로 결합해 거대한 분자가 되면서 생물이 탄생하게 되었어.
지구가 작아서 다행이지 뭐야.
생물이 발전한 것도 지구의 이러한 특징 때문이지.
지구의 공간적 특징은 인간이 만든 정신세계에서도 중요한 역할을 해.
인간의 정신은 위대하다! 아무도 우리를 막을 수 없다!
인간이 지구에 등장한 이후 인간의 팽창을 막은 것은 아무것도 없었어.
그러나 점점 늘어만 가는 인간들이 지구 공간 대부분을 차지하면서 이제는 각자가 차지하는 공간을 좁혀야만 했지.
좁다고!
부럽다.
와~~!
옛날부터 이렇게 살았거든. 유산이라고.
허어-
너도 조상님을 잘 두든가.
왜 너만 넓게 사는 건데?
좁은 공간에서도 인간들은 계속 정신 활동을 주고받으며 자신들의 정신을 발전시켰어.
잔뜩 모여서 뭐하는 거람?
그 결과 인간은 정신세계와 함께 지구에 대한 영향력도 키울 수 있게 되었지.

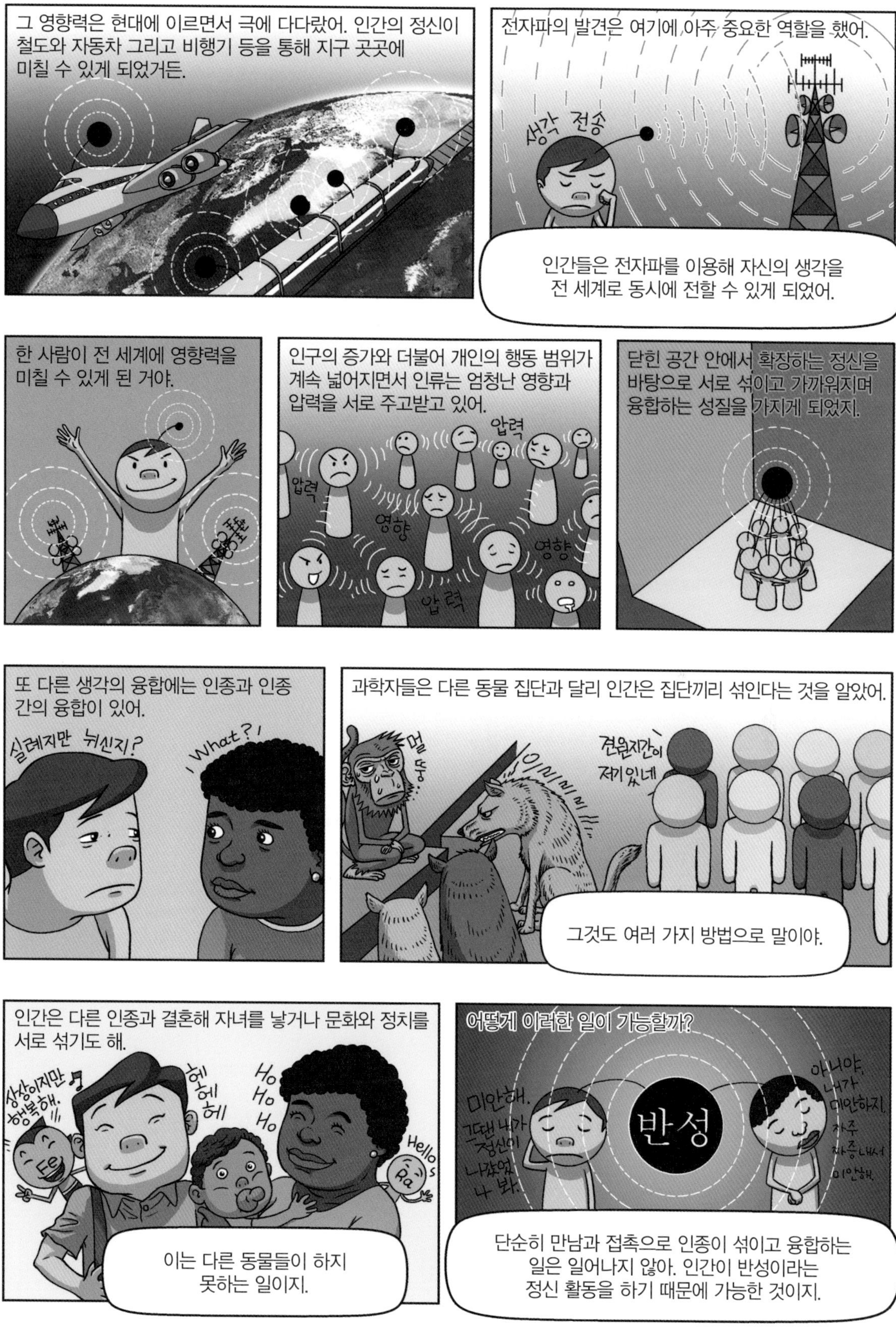
그 영향력은 현대에 이르면서 극에 다다랐어. 인간의 정신이 철도와 자동차 그리고 비행기 등을 통해 지구 곳곳에 미칠 수 있게 되었거든.
전자파의 발견은 여기에 아주 중요한 역할을 했어.
생각 전송
인간들은 전자파를 이용해 자신의 생각을 전 세계로 동시에 전할 수 있게 되었어.
한 사람이 전 세계에 영향력을 미칠 수 있게 된 거야.
인구의 증가와 더불어 개인의 행동 범위가 계속 넓어지면서 인류는 엄청난 영향과 압력을 서로 주고받고 있어.
압력
압력
영향
영향
압력
닫힌 공간 안에서 확장하는 정신을 바탕으로 서로 섞이고 가까워지며 융합하는 성질을 가지게 되었지.
또 다른 생각의 융합에는 인종과 인종 간의 융합이 있어.
실례지만 뉘신지?
What?!
과학자들은 다른 동물 집단과 달리 인간은 집단끼리 섞인다는 것을 알았어.
멀뚱
견원지간이 저기 있네
그것도 여러 가지 방법으로 말이야.
인간은 다른 인종과 결혼해 자녀를 낳거나 문화와 정치를 서로 섞기도 해.
상상이지만 행복해.
헤헤헤
Ho Ho Ho
Hello
이는 다른 동물들이 하지 못하는 일이지.
어떻게 이러한 일이 가능할까?
미안해. 그땐 내가 정신이 나갔었나 봐.
반성
아니야, 내가 미안하지. 자주 짜증내서 미안해.
단순히 만남과 접촉으로 인종이 섞이고 융합하는 일은 일어나지 않아. 인간이 반성이라는 정신 활동을 하기 때문에 가능한 것이지.

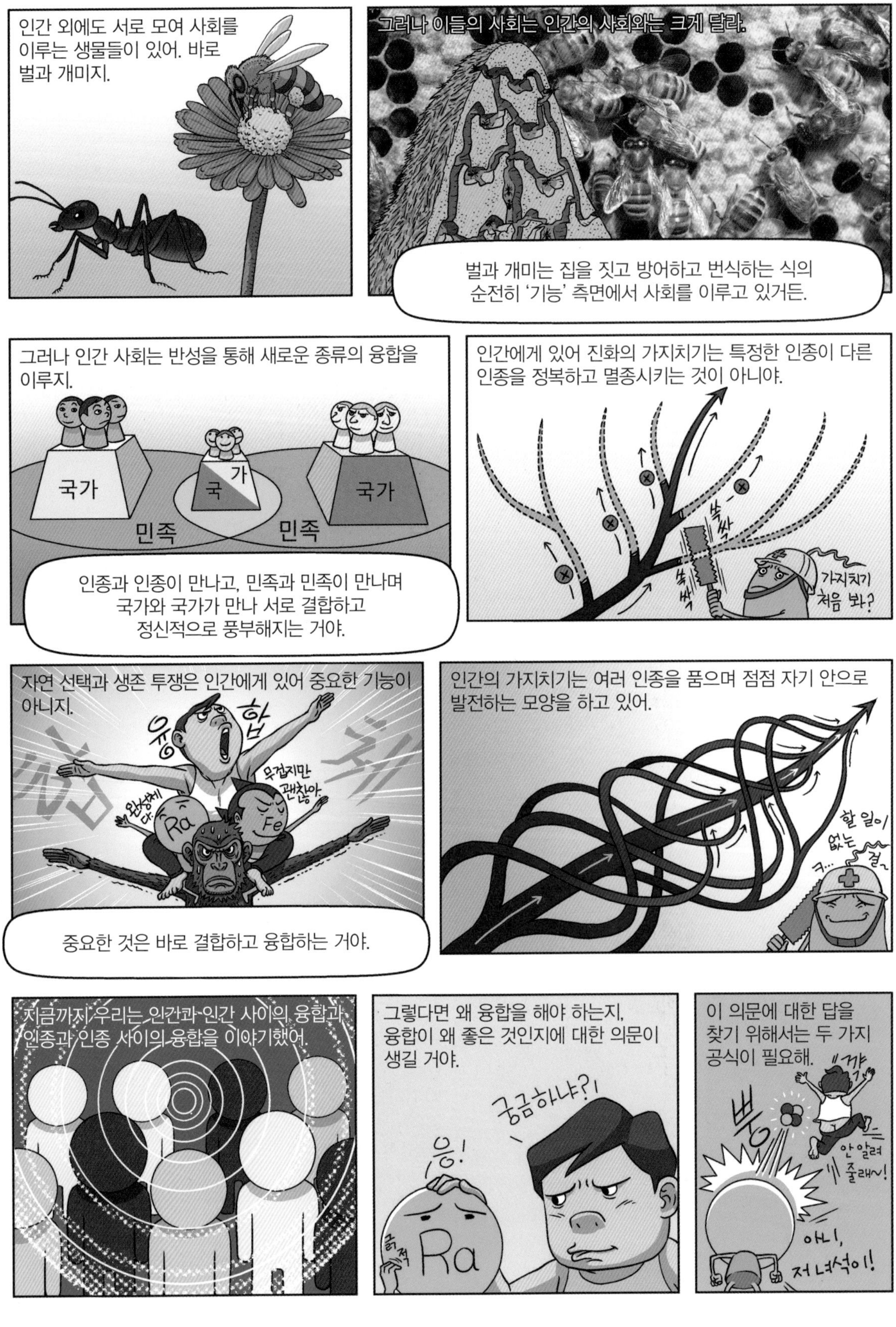
인간 외에도 서로 모여 사회를
이루는 생물들이 있어. 바로
벌과 개미지.
그러나 이들의 사회는 인간의 사회와는 크게 달라.
벌과 개미는 집을 짓고 방어하고 번식하는 식의
순전히 '기능' 측면에서 사회를 이루고 있거든.
그러나 인간 사회는 반성을 통해 새로운 종류의 융합을
이루지.
국가
국 가
국가
민족
민족
인종과 인종이 만나고, 민족과 민족이 만나며
국가와 국가가 만나 서로 결합하고
정신적으로 풍부해지는 거야.
인간에게 있어 진화의 가지치기는 특정한 인종이 다른
인종을 정복하고 멸종시키는 것이 아니야.
싹뚝
싹뚝
가지치기
처음 봐?
자연 선택과 생존 투쟁은 인간에게 있어 중요한 기능이
아니지.
융
합
무겁지만
괜찮아.
완성체
다.
Ra
Fe
중요한 것은 바로 결합하고 융합하는 거야.
인간의 가지치기는 여러 인종을 품으며 점점 자기 안으로
발전하는 모양을 하고 있어.
할 일이
없는
걸~
크...
지금까지 우리는 인간과 인간 사이의 융합과
인종과 인종 사이의 융합을 이야기했어.
그렇다면 왜 융합을 해야 하는지,
융합이 왜 좋은 것인지에 대한 의문이
생길 거야.
궁금하냐?!
응!
긁적
Ra
이 의문에 대한 답을
찾기 위해서는 두 가지
공식이 필요해.
꺅
뿅
안 알려
줄래~!
아니,
저 녀석이!

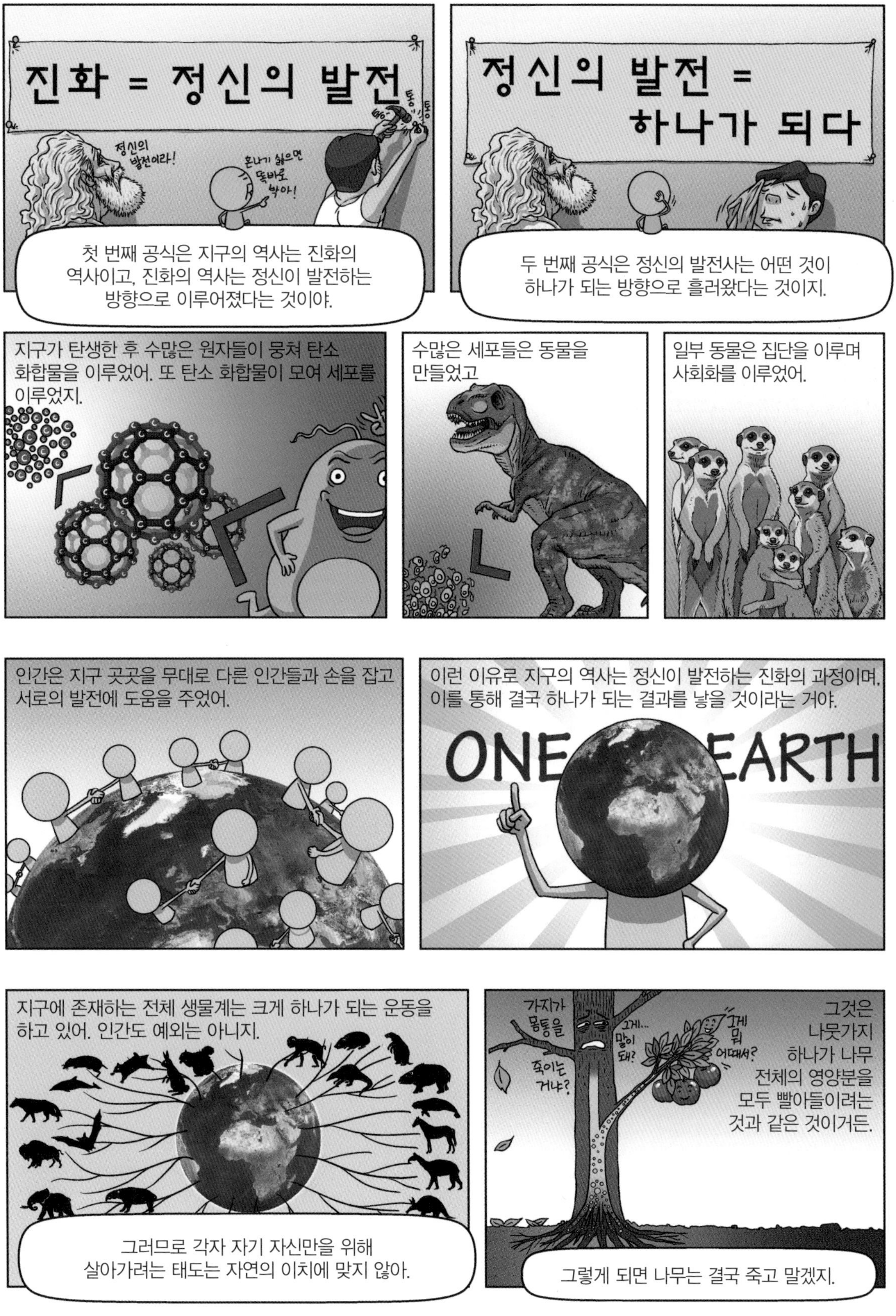
진화 = 정신의 발전
통 통 통
정신의 발전이라!
혼나기 싫으면 똑바로 박아!
첫 번째 공식은 지구의 역사는 진화의 역사이고, 진화의 역사는 정신이 발전하는 방향으로 이루어졌다는 것이야.
정신의 발전 = 하나가 되다
두 번째 공식은 정신의 발전사는 어떤 것이 하나가 되는 방향으로 흘러왔다는 것이지.
지구가 탄생한 후 수많은 원자들이 뭉쳐 탄소 화합물을 이루었어. 또 탄소 화합물이 모여 세포를 이루었지.
수많은 세포들은 동물을 만들었고
일부 동물은 집단을 이루며 사회화를 이루었어.
인간은 지구 곳곳을 무대로 다른 인간들과 손을 잡고 서로의 발전에 도움을 주었어.
이런 이유로 지구의 역사는 정신이 발전하는 진화의 과정이며, 이를 통해 결국 하나가 되는 결과를 낳을 것이라는 거야.
ONE EARTH
지구에 존재하는 전체 생물계는 크게 하나가 되는 운동을 하고 있어. 인간도 예외는 아니지.
그러므로 각자 자기 자신만을 위해 살아가려는 태도는 자연의 이치에 맞지 않아.
가지가 몸통을 죽이는 거냐?
그게... 말이 돼?
그게 뭐 어때서?
그것은 나뭇가지 하나가 나무 전체의 영양분을 모두 빨아들이려는 것과 같은 것이거든.
그렇게 되면 나무는 결국 죽고 말겠지.

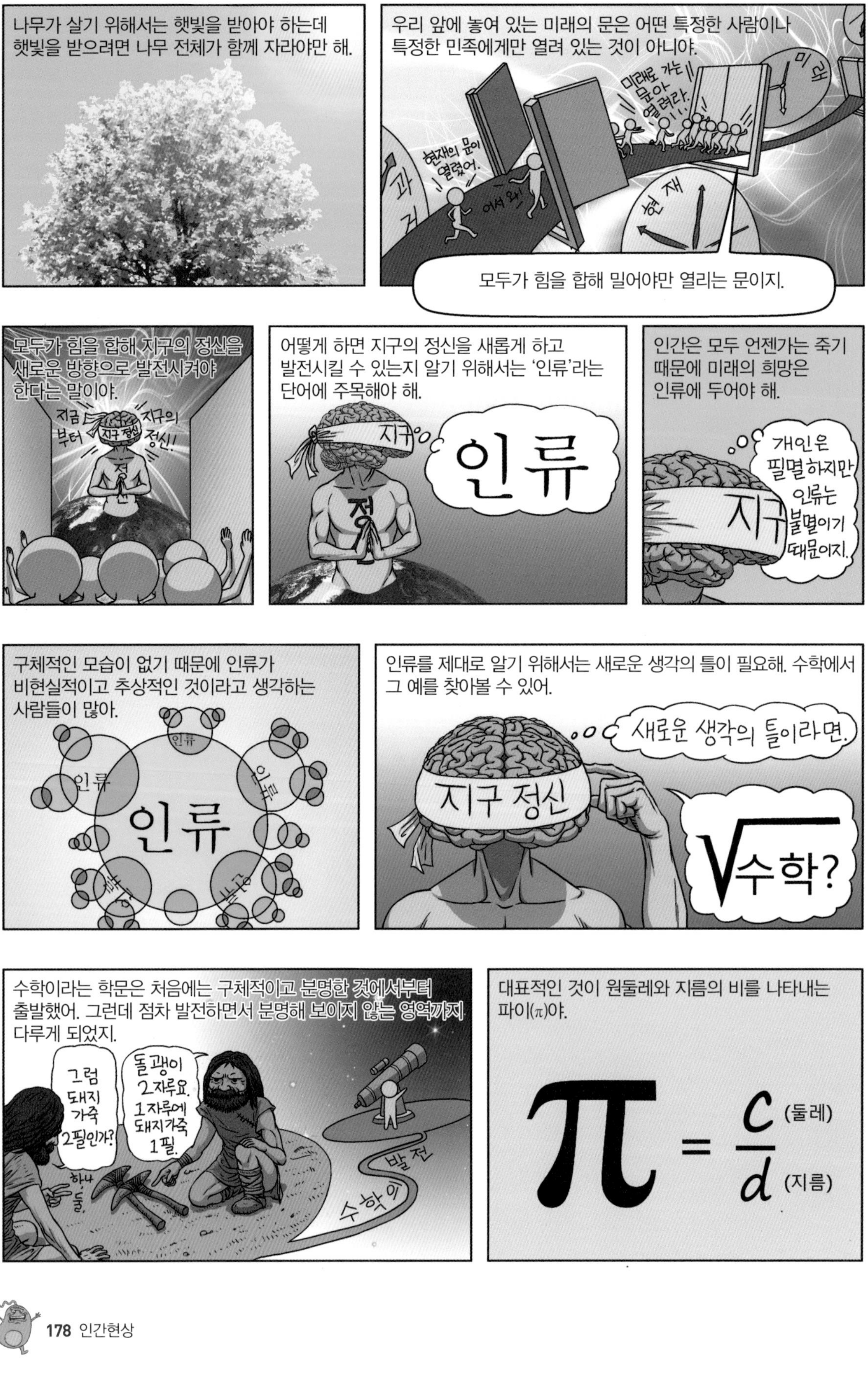

나무가 살기 위해서는 햇빛을 받아야 하는데 햇빛을 받으려면 나무 전체가 함께 자라야만 해.
우리 앞에 놓여 있는 미래의 문은 어떤 특정한 사람이나 특정한 민족에게만 열려 있는 것이 아니야.
미래로 가는 문이 열려라.
미래
현재의 문이 열렸어.
어서 와!
과거
현재
모두가 힘을 합해 밀어야만 열리는 문이지.
모두가 힘을 합해 지구의 정신을 새로운 방향으로 발전시켜야 한다는 말이야.
지금부터
지구 정신
지구의 정신!
어떻게 하면 지구의 정신을 새롭게 하고 발전시킬 수 있는지 알기 위해서는 '인류'라는 단어에 주목해야 해.
지구
인류
인간은 모두 언젠가는 죽기 때문에 미래의 희망은 인류에 두어야 해.
개인은 필멸하지만 인류는 불멸이기 때문이지.
지구
구체적인 모습이 없기 때문에 인류가 비현실적이고 추상적인 것이라고 생각하는 사람들이 많아.
인류
인류
인류
인류
인류를 제대로 알기 위해서는 새로운 생각의 틀이 필요해. 수학에서 그 예를 찾아볼 수 있어.
새로운 생각의 틀이라면.
지구 정신
√수학?
수학이라는 학문은 처음에는 구체적이고 분명한 것에서부터 출발했어. 그런데 점차 발전하면서 분명해 보이지 않는 영역까지 다루게 되었지.
그럼 돼지 가죽 2필인가?
돌괭이 2자루요. 1자루에 돼지가죽 1필.
하나 둘,
수학이 발전
대표적인 것이 원둘레와 지름의 비를 나타내는 파이(π)야.
π = c/d
(둘레)
(지름)

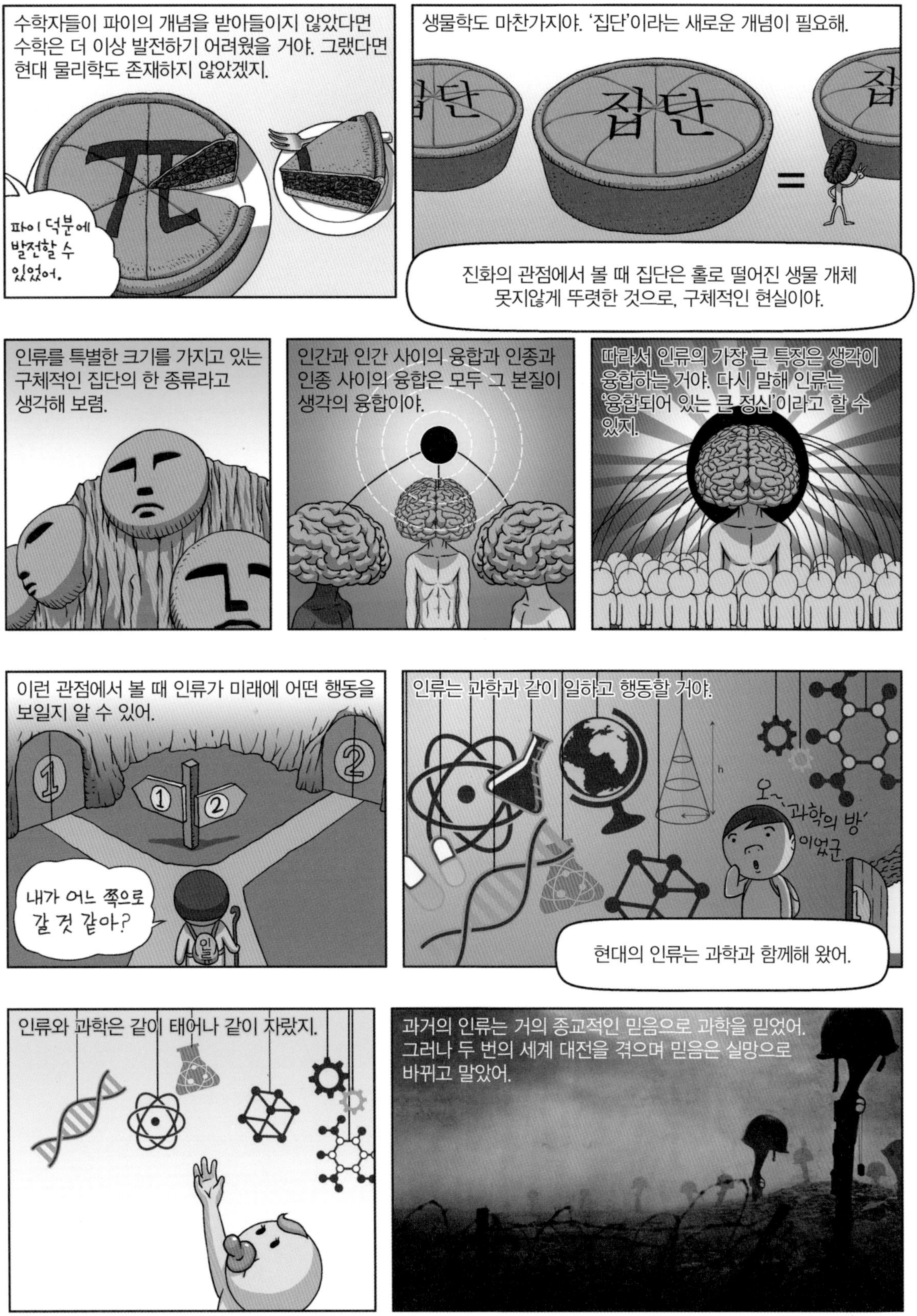
수학자들이 파이의 개념을 받아들이지 않았다면 수학은 더 이상 발전하기 어려웠을 거야. 그랬다면 현대 물리학도 존재하지 않았겠지.
π
파이 덕분에 발전할 수 있었어.
생물학도 마찬가지야. '집단'이라는 새로운 개념이 필요해.
집단
진화의 관점에서 볼 때 집단은 홀로 떨어진 생물 개체 못지않게 뚜렷한 것으로, 구체적인 현실이야.
인류를 특별한 크기를 가지고 있는 구체적인 집단의 한 종류라고 생각해 보렴.
인간과 인간 사이의 융합과 인종과 인종 사이의 융합은 모두 그 본질이 생각의 융합이야.
따라서 인류의 가장 큰 특징은 생각이 융합하는 거야. 다시 말해 인류는 '융합되어 있는 큰 정신'이라고 할 수 있지.
이런 관점에서 볼 때 인류가 미래에 어떤 행동을 보일지 알 수 있어.
1
2
내가 어느 쪽으로 갈 것 같아?
인류
인류는 과학과 같이 일하고 행동할 거야.
h
오~ '과학의 방'이었군.
현대의 인류는 과학과 함께해 왔어.
인류와 과학은 같이 태어나 같이 자랐지.
과거의 인류는 거의 종교적인 믿음으로 과학을 믿었어. 그러나 두 번의 세계 대전을 겪으며 믿음은 실망으로 바뀌고 말았어.

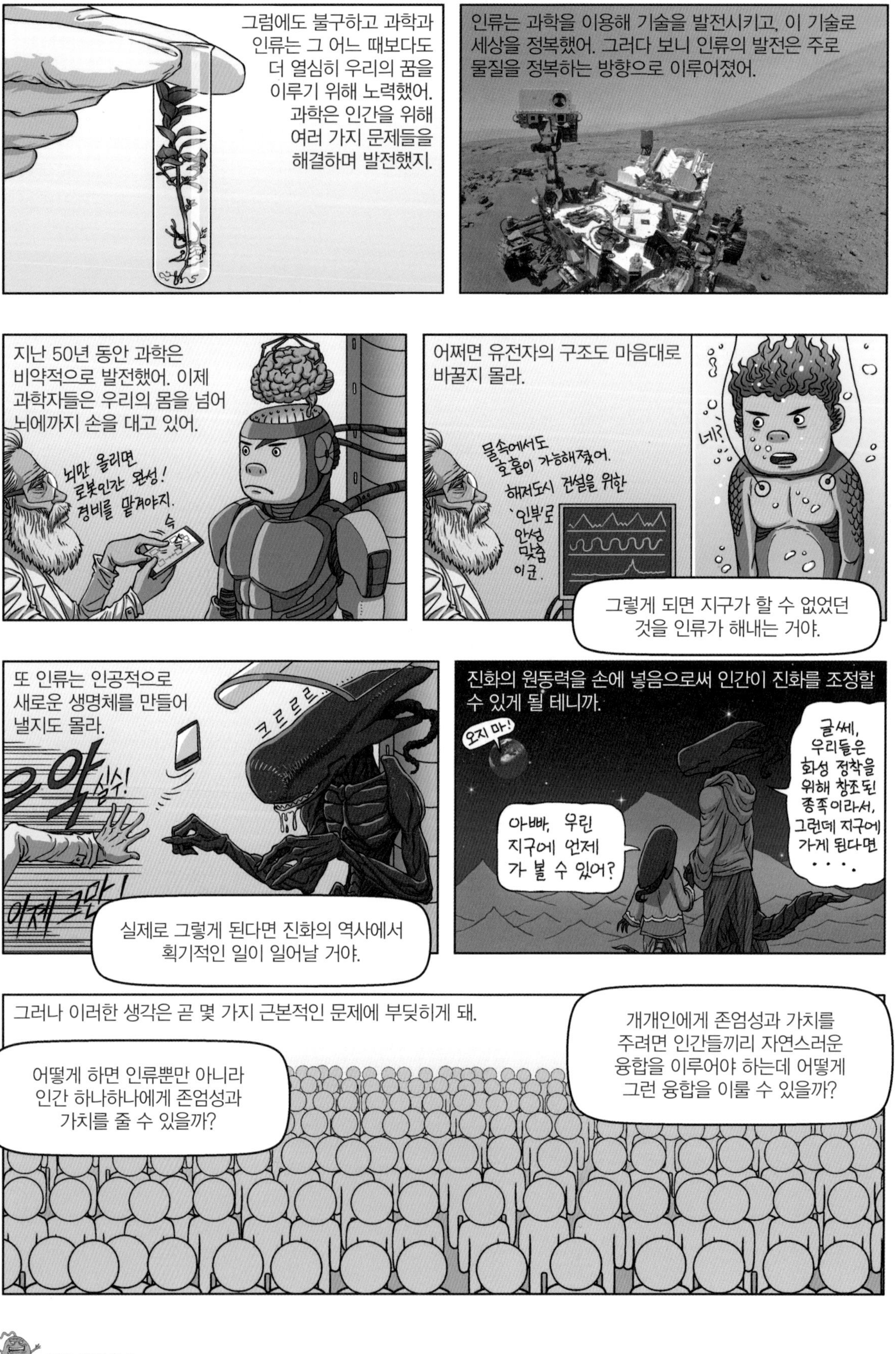
그럼에도 불구하고 과학과 인류는 그 어느 때보다도 더 열심히 우리의 꿈을 이루기 위해 노력했어. 과학은 인간을 위해 여러 가지 문제들을 해결하며 발전했지.
인류는 과학을 이용해 기술을 발전시키고, 이 기술로 세상을 정복했어. 그러다 보니 인류의 발전은 주로 물질을 정복하는 방향으로 이루어졌어.
지난 50년 동안 과학은 비약적으로 발전했어. 이제 과학자들은 우리의 몸을 넘어 뇌에까지 손을 대고 있어.
뇌만 올리면 로봇인간 완성! 경비를 맡겨야지.
슥
슥
어쩌면 유전자의 구조도 마음대로 바꿀지 몰라.
물속에서도 호흡이 가능해졌어.
해저도시 건설을 위한 '인부'로 안성맞춤이군.
네?
그렇게 되면 지구가 할 수 없었던 것을 인류가 해내는 거야.
또 인류는 인공적으로 새로운 생명체를 만들어 낼지도 몰라.
크르르르
으악 실수!
이제 그만!
실제로 그렇게 된다면 진화의 역사에서 획기적인 일이 일어날 거야.
진화의 원동력을 손에 넣음으로써 인간이 진화를 조정할 수 있게 될 테니까.
오지 마!
아빠, 우린 지구에 언제 가 볼 수 있어?
글쎄, 우리들은 화성 정착을 위해 창조된 종족이라서, 그런데 지구에 가게 된다면 ....
그러나 이러한 생각은 곧 몇 가지 근본적인 문제에 부딪히게 돼.
어떻게 하면 인류뿐만 아니라 인간 하나하나에게 존엄성과 가치를 줄 수 있을까?
개개인에게 존엄성과 가치를 주려면 인간들끼리 자연스러운 융합을 이루어야 하는데 어떻게 그런 융합을 이룰 수 있을까?

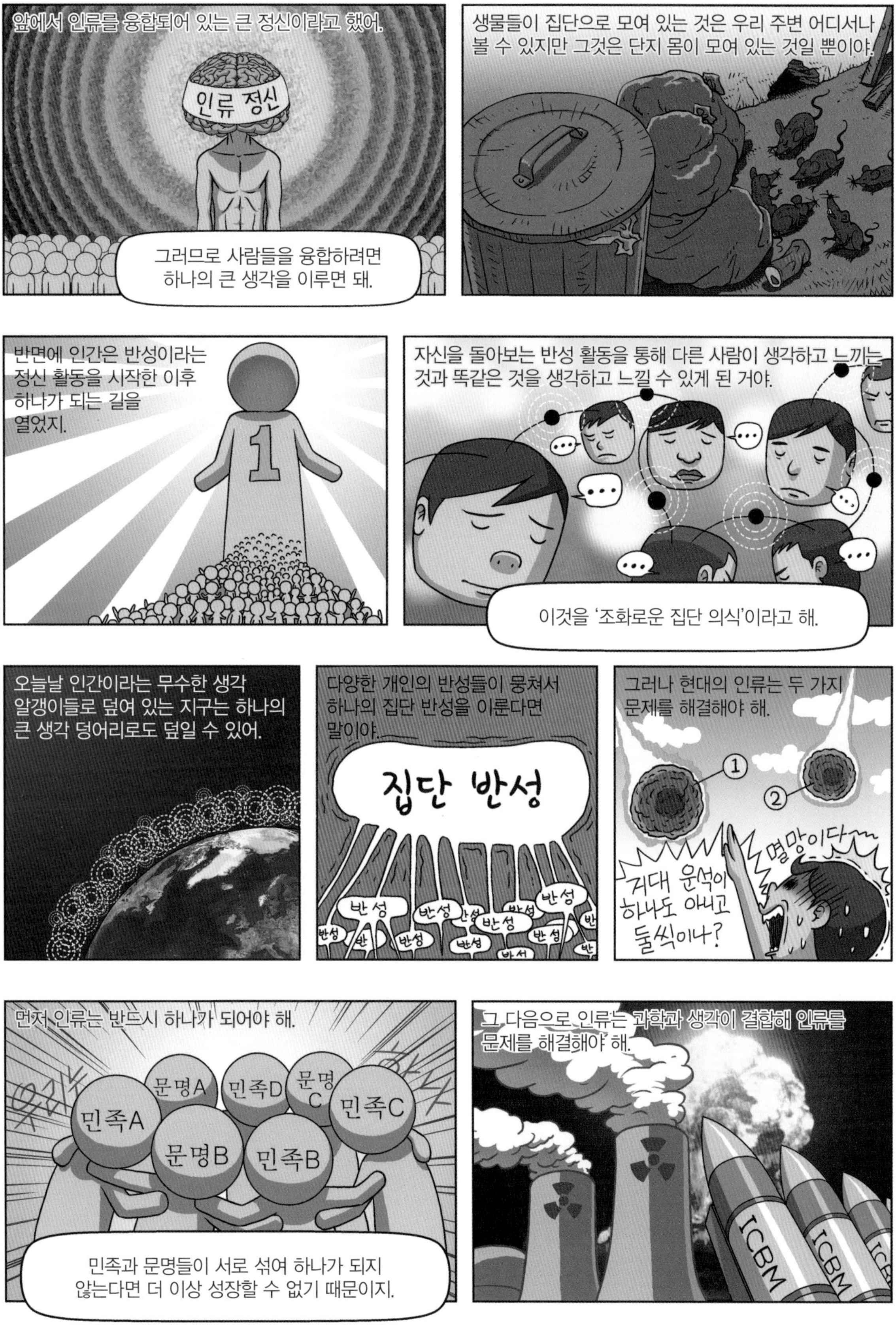
앞에서 인류를 융합되어 있는 큰 정신이라고 했어.
인류 정신
그러므로 사람들을 융합하려면
하나의 큰 생각을 이루면 돼.
생물들이 집단으로 모여 있는 것은 우리 주변 어디서나
볼 수 있지만 그것은 단지 몸이 모여 있는 것일 뿐이야.
반면에 인간은 반성이라는
정신 활동을 시작한 이후
하나가 되는 길을
열었지.
1
자신을 돌아보는 반성 활동을 통해 다른 사람이 생각하고 느끼는
것과 똑같은 것을 생각하고 느낄 수 있게 된 거야.
이것을 '조화로운 집단 의식'이라고 해.
오늘날 인간이라는 무수한 생각
알갱이들로 덮여 있는 지구는 하나의
큰 생각 덩어리로도 덮일 수 있어.
다양한 개인의 반성들이 뭉쳐서
하나의 집단 반성을 이룬다면
말이야.
집단 반성
반성
그러나 현대의 인류는 두 가지
문제를 해결해야 해.
①
②
멸망이다
거대 운석이
하나도 아니고
둘씩이나?
먼저 인류는 반드시 하나가 되어야 해.
문명A
민족D
문명
C
민족C
민족A
문명B
민족B
민족과 문명들이 서로 섞여 하나가 되지
않는다면 더 이상 성장할 수 없기 때문이지.
그 다음으로 인류는 과학과 생각이 결합해 인류를
문제를 해결해야 해.
ICBM
ICBM

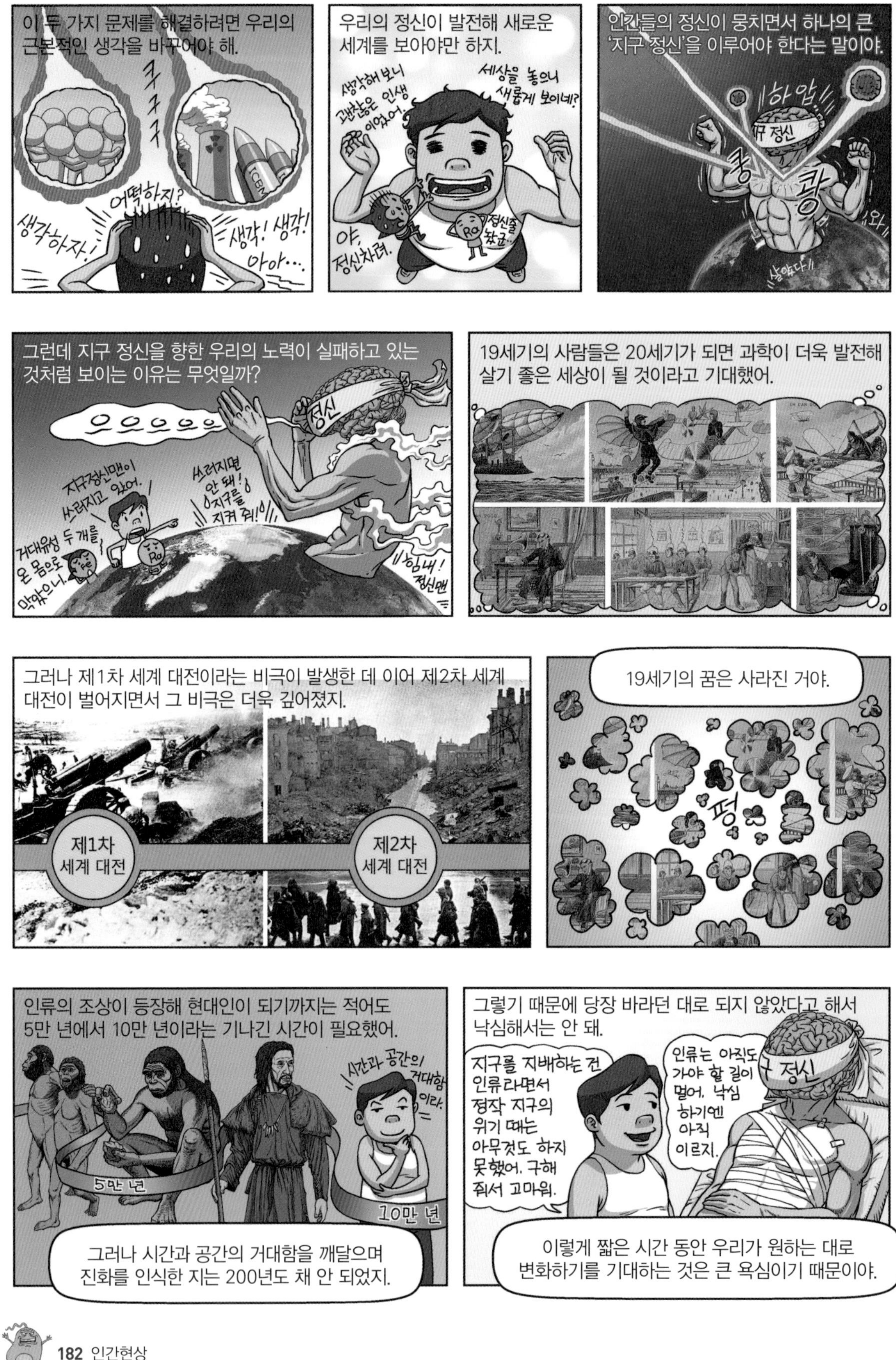
이 두 가지 문제를 해결하려면 우리의 근본적인 생각을 바꾸어야 해.
쿠구구
ICBM
어떡하지?
생각하자!
생각! 생각!
아아…
우리의 정신이 발전해 새로운 세계를 보아야만 하지.
생각해 보니 괜찮은 인생이었어.
세상을 놓으니 새롭게 보이네?
야, 정신차려.
Ra
정신줄 놨군…
인간들의 정신이 뭉치면서 하나의 큰 '지구 정신'을 이루어야 한다는 말이야.
하압
지구 정신
쿵
쾅
와!
살았다!
그런데 지구 정신을 향한 우리의 노력이 실패하고 있는 것처럼 보이는 이유는 무엇일까?
으으으으으
정신
지구정신맨이 쓰러지고 있어.
쓰러지면 안 돼! 지구를 지켜 줘!
거대유성 두 개를 온 몸으로 막았으니.
Ra
힘내! 정신맨
19세기의 사람들은 20세기가 되면 과학이 더욱 발전해 살기 좋은 세상이 될 것이라고 기대했어.
그러나 제1차 세계 대전이라는 비극이 발생한 데 이어 제2차 세계 대전이 벌어지면서 그 비극은 더욱 깊어졌지.
제1차 세계 대전
제2차 세계 대전
19세기의 꿈은 사라진 거야.
펑
인류의 조상이 등장해 현대인이 되기까지는 적어도 5만 년에서 10만 년이라는 기나긴 시간이 필요했어.
시간과 공간의 거대함이라.
5만 년
10만 년
그러나 시간과 공간의 거대함을 깨달으며 진화를 인식한 지는 200년도 채 안 되었지.
그렇기 때문에 당장 바라던 대로 되지 않았다고 해서 낙심해서는 안 돼.
지구를 지배하는 건 인류라면서 정작 지구의 위기 때는 아무것도 하지 못했어. 구해 줘서 고마워.
인류는 아직도 가야 할 길이 멀어. 낙심하기엔 아직 이르지.
구 정신
이렇게 짧은 시간 동안 우리가 원하는 대로 변화하기를 기대하는 것은 큰 욕심이기 때문이야.

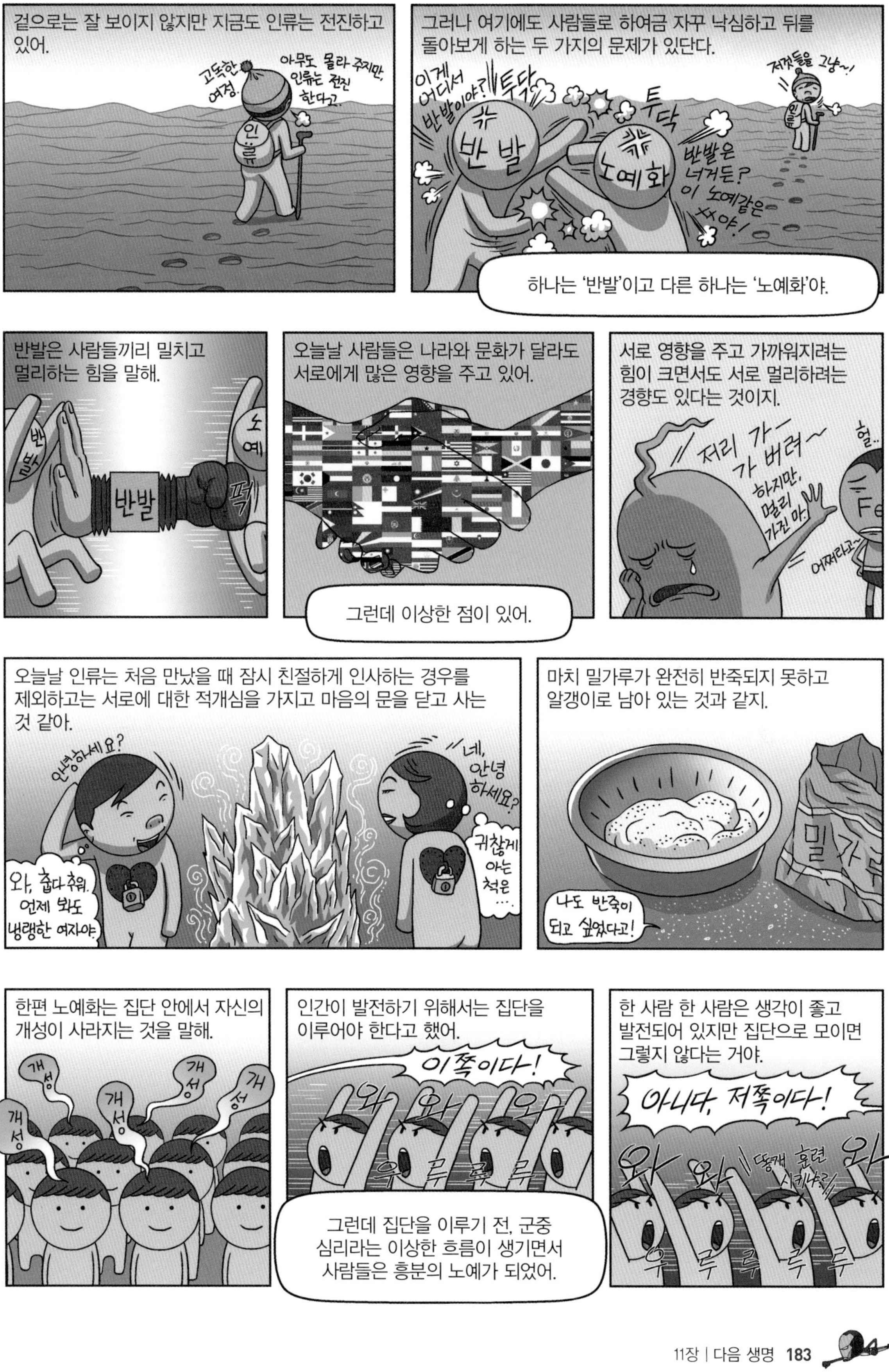
겉으로는 잘 보이지 않지만 지금도 인류는 전진하고 있어.
고독한 여정.
아무도 몰라 주지만, 인류는 전진한다고…
인류
그러나 여기에도 사람들로 하여금 자꾸 낙심하고 뒤를 돌아보게 하는 두 가지의 문제가 있단다.
이게 어디서 반발이야?!
투닥
투닥
반발
노예화
반발은 너거든? 이 노예같은 ××야!
저것들을 그냥~!
하나는 '반발'이고 다른 하나는 '노예화'야.
반발은 사람들끼리 밀치고 멀리하는 힘을 말해.
반발
반발
노예
퍽
오늘날 사람들은 나라와 문화가 달라도 서로에게 많은 영향을 주고 있어.
그런데 이상한 점이 있어.
서로 영향을 주고 가까워지려는 힘이 크면서도 서로 멀리하려는 경향도 있다는 것이지.
저리 가— 가 버려~
하지만, 멀리 가진 마.
헐…
어쩌라고~
Fe
오늘날 인류는 처음 만났을 때 잠시 친절하게 인사하는 경우를 제외하고는 서로에 대한 적개심을 가지고 마음의 문을 닫고 사는 것 같아.
안녕하세요?
네, 안녕하세요?
와, 춥다 추워. 언제 봐도 냉랭한 여자야.
귀찮게 아는 척은…
마치 밀가루가 완전히 반죽되지 못하고 알갱이로 남아 있는 것과 같지.
밀가루
나도 반죽이 되고 싶었다고!
한편 노예화는 집단 안에서 자신의 개성이 사라지는 것을 말해.
개성
개성
개성
개성
개성
인간이 발전하기 위해서는 집단을 이루어야 한다고 했어.
이쪽이다!
와 와 와
우 르 르 르
그런데 집단을 이루기 전, 군중 심리라는 이상한 흐름이 생기면서 사람들은 흥분의 노예가 되었어.
한 사람 한 사람은 생각이 좋고 발전되어 있지만 집단으로 모이면 그렇지 않다는 거야.
아니다, 저쪽이다!
와 와 와
똥개 훈련 시키냐?!
우 르 르 르 르

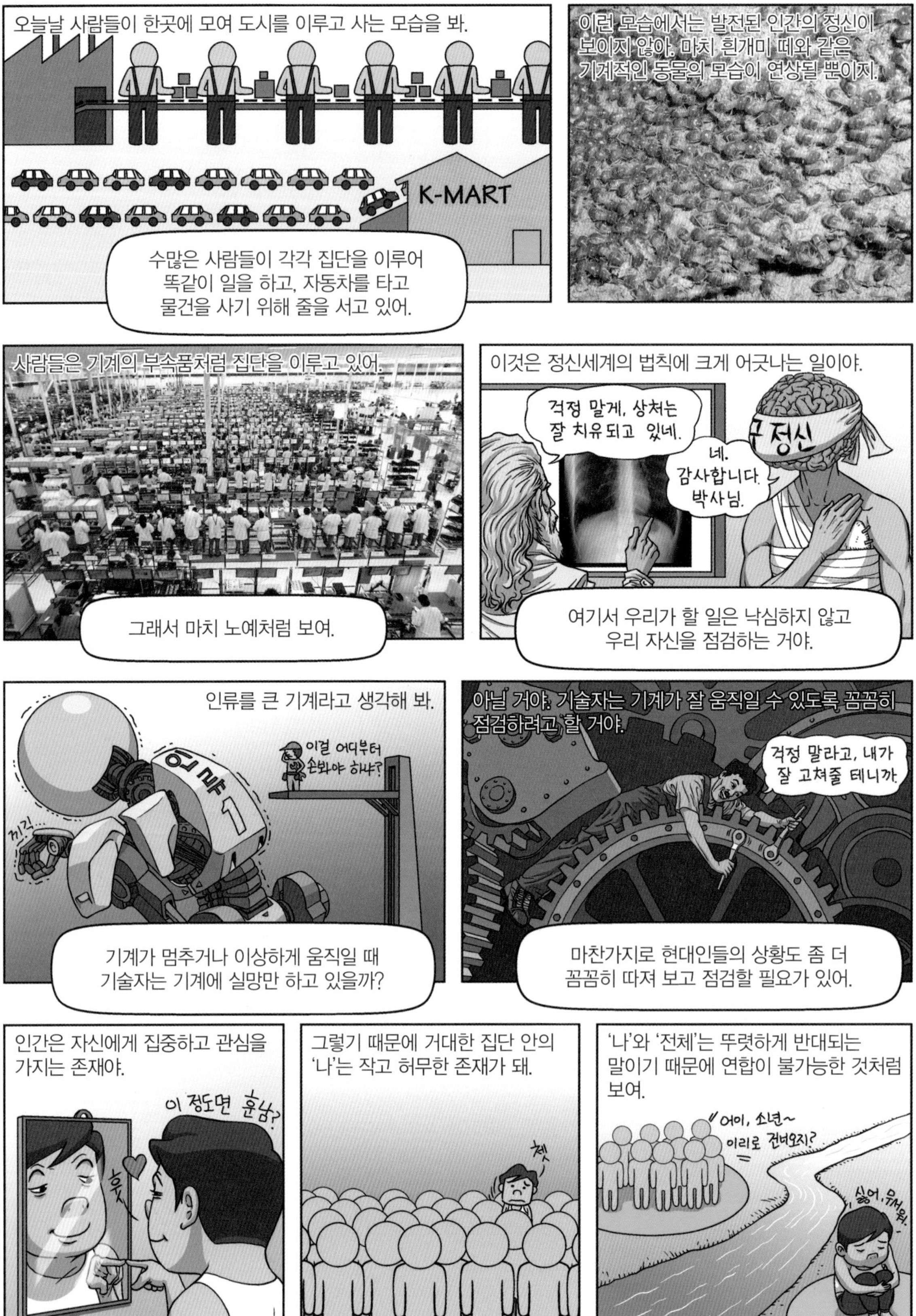

오늘날 사람들이 한곳에 모여 도시를 이루고 사는 모습을 봐.
K-MART
수많은 사람들이 각각 집단을 이루어 똑같이 일을 하고, 자동차를 타고 물건을 사기 위해 줄을 서고 있어.
이런 모습에서는 발전된 인간의 정신이 보이지 않아. 마치 흰개미 떼와 같은 기계적인 동물의 모습이 연상될 뿐이지.
사람들은 기계의 부속품처럼 집단을 이루고 있어.
그래서 마치 노예처럼 보여.
이것은 정신세계의 법칙에 크게 어긋나는 일이야.
걱정 말게, 상처는 잘 치유되고 있네.
네. 감사합니다. 박사님.
정신
여기서 우리가 할 일은 낙심하지 않고 우리 자신을 점검하는 거야.
인류를 큰 기계라고 생각해 봐.
이걸 어디부터 손봐야 하냐?
기계가 멈추거나 이상하게 움직일 때 기술자는 기계에 실망만 하고 있을까?
아닐 거야. 기술자는 기계가 잘 움직일 수 있도록 꼼꼼히 점검하려고 할 거야.
걱정 말라고, 내가 잘 고쳐줄 테니까.
마찬가지로 현대인들의 상황도 좀 더 꼼꼼히 따져 보고 점검할 필요가 있어.
인간은 자신에게 집중하고 관심을 가지는 존재야.
이 정도면 훈남?
훗
그렇기 때문에 거대한 집단 안의 '나'는 작고 허무한 존재가 돼.
쳇
'나'와 '전체'는 뚜렷하게 반대되는 말이기 때문에 연합이 불가능한 것처럼 보여.
어이, 소년~ 이리로 건너오지?
싫어, 무서워.

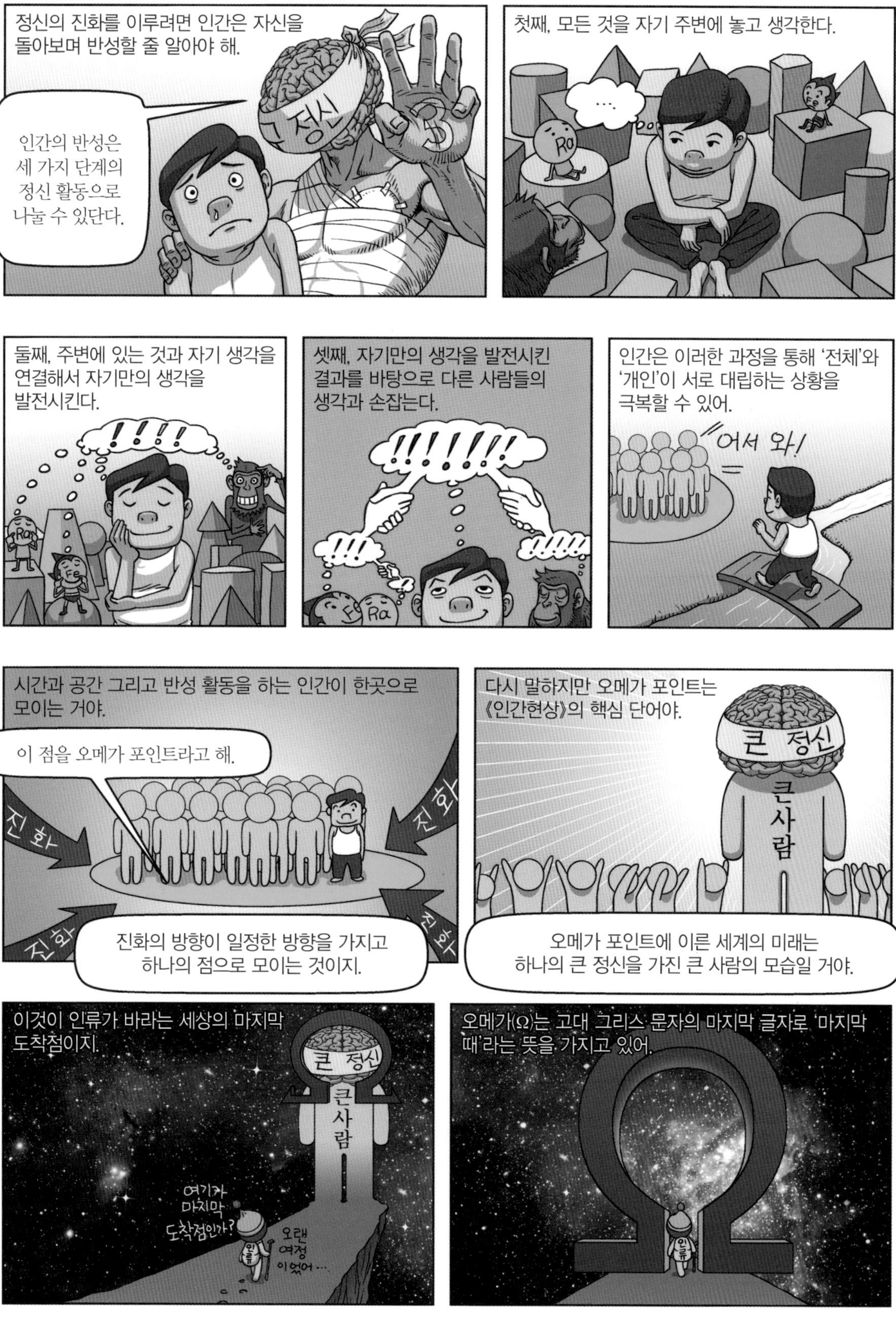

정신의 진화를 이루려면 인간은 자신을 돌아보며 반성할 줄 알아야 해.
정신
인간의 반성은 세 가지 단계의 정신 활동으로 나눌 수 있단다.
첫째, 모든 것을 자기 주변에 놓고 생각한다.
….
Ra
Fe
둘째, 주변에 있는 것과 자기 생각을 연결해서 자기만의 생각을 발전시킨다.
!!!!
Ra
Fe
셋째, 자기만의 생각을 발전시킨 결과를 바탕으로 다른 사람들의 생각과 손잡는다.
!!!!!!!
!!!
!!!!
Ra
인간은 이러한 과정을 통해 '전체'와 '개인'이 서로 대립하는 상황을 극복할 수 있어.
어서 와!
시간과 공간 그리고 반성 활동을 하는 인간이 한곳으로 모이는 거야.
이 점을 오메가 포인트라고 해.
진화
진화
진화
진화
진화의 방향이 일정한 방향을 가지고 하나의 점으로 모이는 것이지.
다시 말하지만 오메가 포인트는 《인간현상》의 핵심 단어야.
큰 정신
큰 사람
오메가 포인트에 이른 세계의 미래는 하나의 큰 정신을 가진 큰 사람의 모습일 거야.
이것이 인류가 바라는 세상의 마지막 도착점이지.
큰 정신
큰 사람
여기가 마지막 도착점인가?
오랜 여정이었어…
인류
오메가(Ω)는 고대 그리스 문자의 마지막 글자로 '마지막 때'라는 뜻을 가지고 있어.
인류

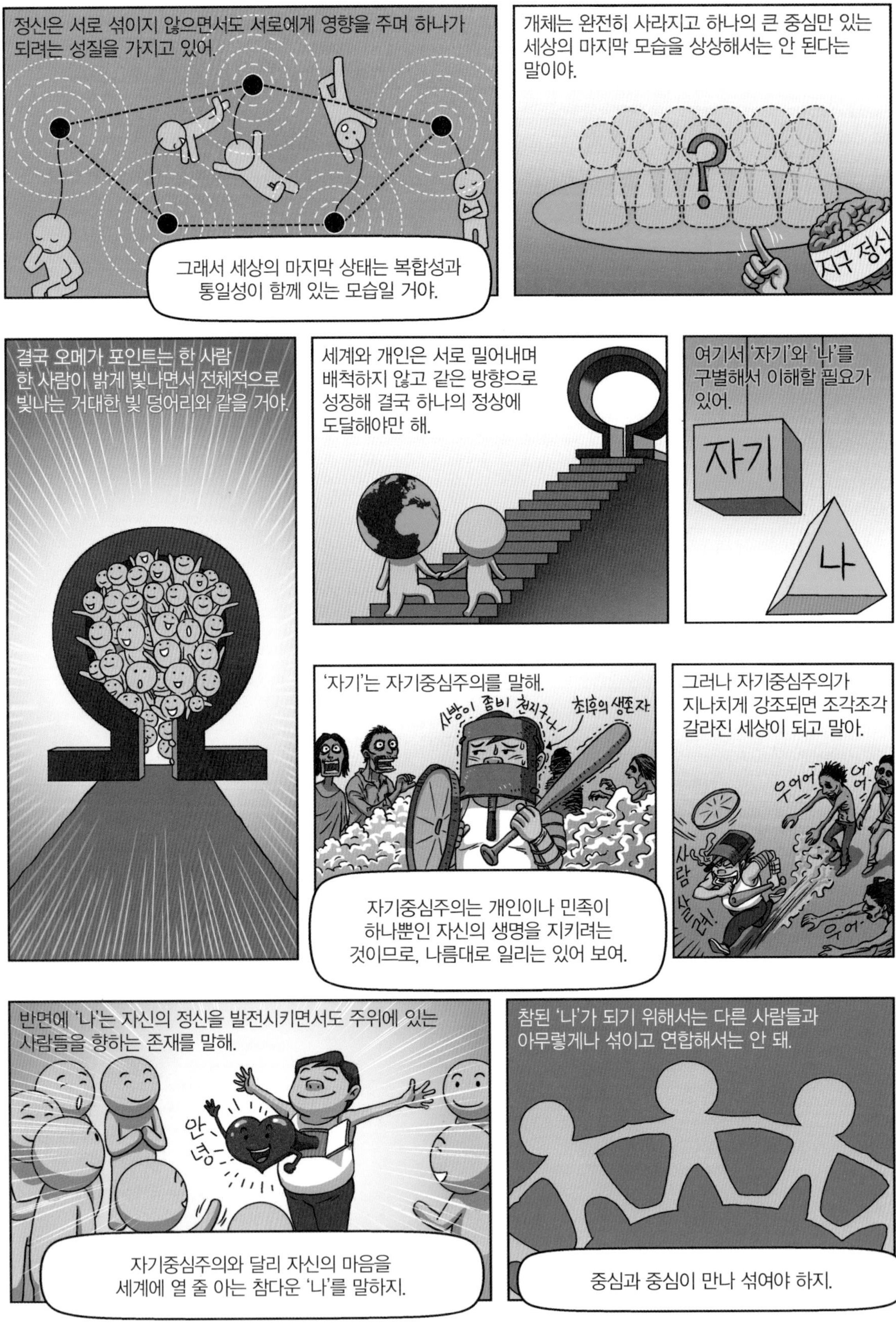
정신은 서로 섞이지 않으면서도 서로에게 영향을 주며 하나가 되려는 성질을 가지고 있어.
그래서 세상의 마지막 상태는 복합성과 통일성이 함께 있는 모습일 거야.
개체는 완전히 사라지고 하나의 큰 중심만 있는 세상의 마지막 모습을 상상해서는 안 된다는 말이야.
?
지구 정신
결국 오메가 포인트는 한 사람 한 사람이 밝게 빛나면서 전체적으로 빛나는 거대한 빛 덩어리와 같을 거야.
세계와 개인은 서로 밀어내며 배척하지 않고 같은 방향으로 성장해 결국 하나의 정상에 도달해야만 해.
여기서 '자기'와 '나'를 구별해서 이해할 필요가 있어.
자기
나
'자기'는 자기중심주의를 말해.
사방이 좀비 천지구나!
최후의 생존자
자기중심주의는 개인이나 민족이 하나뿐인 자신의 생명을 지키려는 것이므로, 나름대로 일리는 있어 보여.
그러나 자기중심주의가 지나치게 강조되면 조각조각 갈라진 세상이 되고 말아.
우어어
어어
사람 살려!
우어
반면에 '나'는 자신의 정신을 발전시키면서도 주위에 있는 사람들을 향하는 존재를 말해.
안녕
자기중심주의와 달리 자신의 마음을 세계에 열 줄 아는 참다운 '나'를 말하지.
참된 '나'가 되기 위해서는 다른 사람들과 아무렇게나 섞이고 연합해서는 안 돼.
중심과 중심이 만나 섞여야 하지.

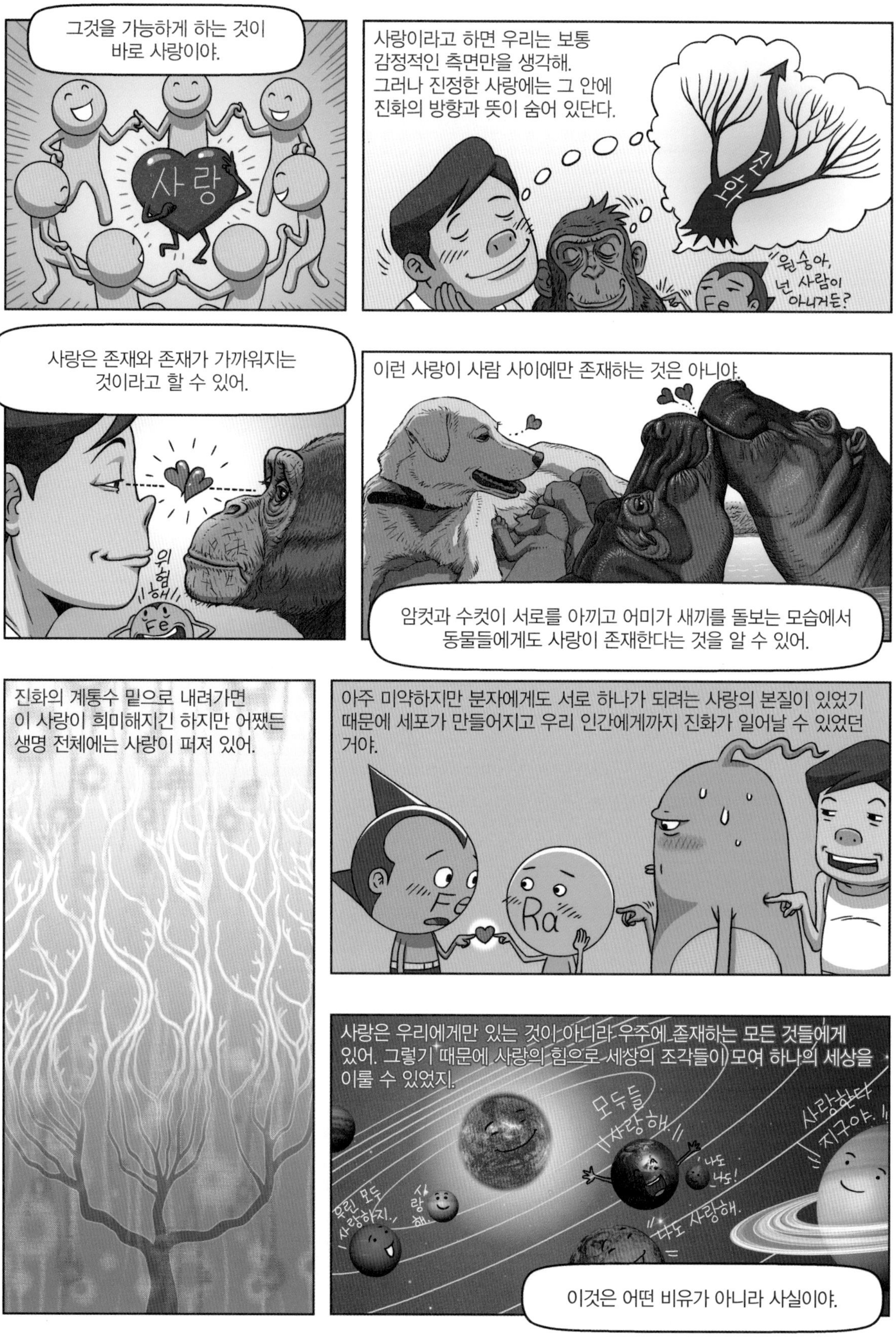
그것을 가능하게 하는 것이
바로 사랑이야.
사랑
사랑이라고 하면 우리는 보통
감정적인 측면만을 생각해.
그러나 진정한 사랑에는 그 안에
진화의 방향과 뜻이 숨어 있단다.
진화
원숭아,
넌 사람이
아니거든?
Fe
사랑은 존재와 존재가 가까워지는
것이라고 할 수 있어.
위험해
Fe
이런 사랑이 사람 사이에만 존재하는 것은 아니야.
암컷과 수컷이 서로를 아끼고 어미가 새끼를 돌보는 모습에서
동물들에게도 사랑이 존재한다는 것을 알 수 있어.
진화의 계통수 밑으로 내려가면
이 사랑이 희미해지긴 하지만 어쨌든
생명 전체에는 사랑이 퍼져 있어.
아주 미약하지만 분자에게도 서로 하나가 되려는 사랑의 본질이 있었기
때문에 세포가 만들어지고 우리 인간에게까지 진화가 일어날 수 있었던
거야.
Fe
Ra
사랑은 우리에게만 있는 것이 아니라 우주에 존재하는 모든 것들에게
있어. 그렇기 때문에 사랑의 힘으로 세상의 조각들이 모여 하나의 세상을
이룰 수 있었지.
모두들
사랑해.
사랑한다
지구야.
나도
나도!
우린 모두
사랑하지.
사랑해.
나도 사랑해.
이것은 어떤 비유가 아니라 사실이야.

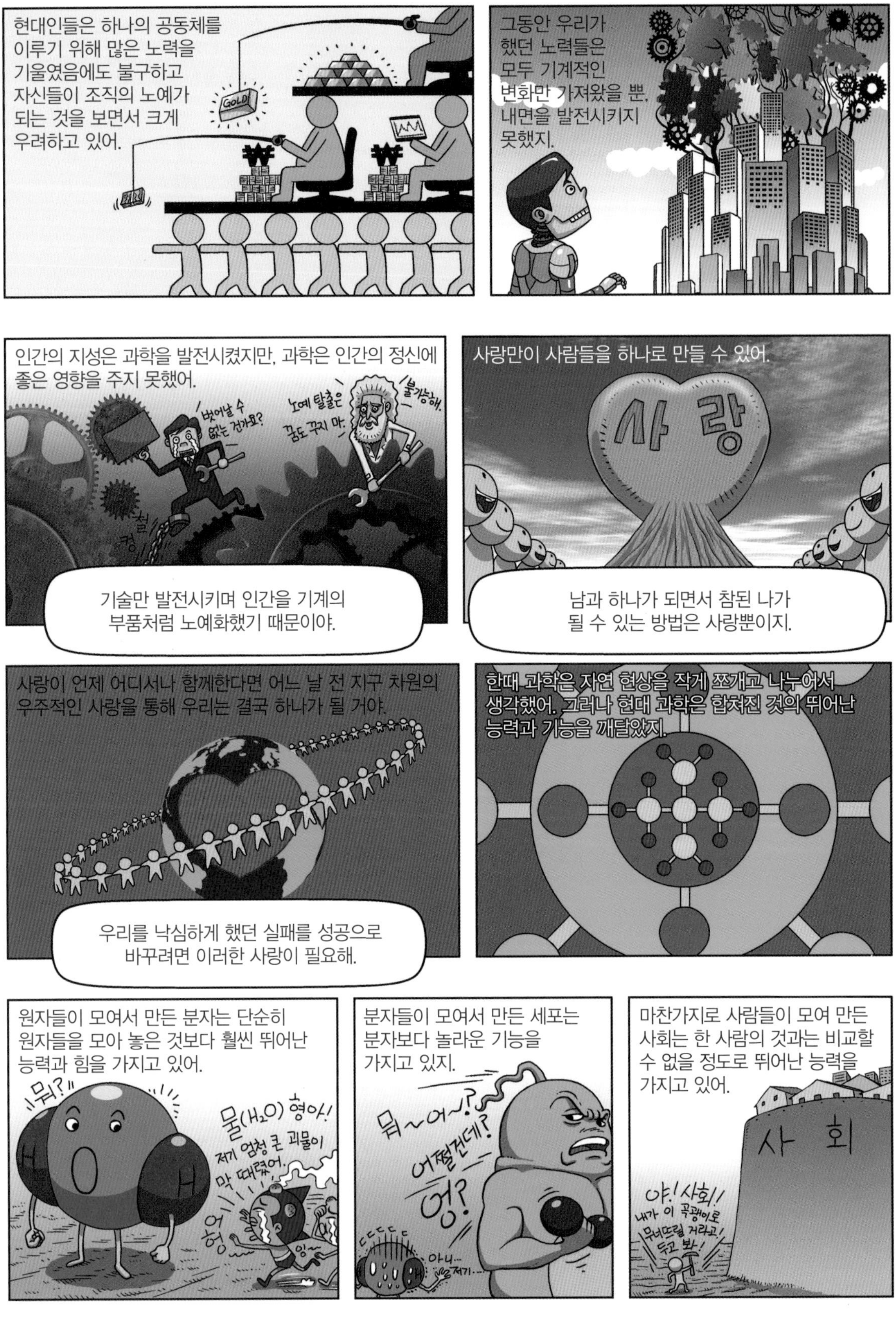
현대인들은 하나의 공동체를 이루기 위해 많은 노력을 기울였음에도 불구하고 자신들이 조직의 노예가 되는 것을 보면서 크게 우려하고 있어.
GOLD
그동안 우리가 했던 노력들은 모두 기계적인 변화만 가져왔을 뿐, 내면을 발전시키지 못했지.
인간의 지성은 과학을 발전시켰지만, 과학은 인간의 정신에 좋은 영향을 주지 못했어.
벗어날 수 없는 건가요?
노예 탈출은 꿈도 꾸지 마.
불가능해.
철
컹
기술만 발전시키며 인간을 기계의 부품처럼 노예화했기 때문이야.
사랑만이 사람들을 하나로 만들 수 있어.
사 랑
남과 하나가 되면서 참된 나가 될 수 있는 방법은 사랑뿐이지.
사랑이 언제 어디서나 함께한다면 어느 날 전 지구 차원의 우주적인 사랑을 통해 우리는 결국 하나가 될 거야.
우리를 낙심하게 했던 실패를 성공으로 바꾸려면 이러한 사랑이 필요해.
한때 과학은 자연 현상을 작게 쪼개고 나누어서 생각했어. 그러나 현대 과학은 합쳐진 것의 뛰어난 능력과 기능을 깨달았지.
원자들이 모여서 만든 분자는 단순히 원자들을 모아 놓은 것보다 훨씬 뛰어난 능력과 힘을 가지고 있어.
뭐?
H
H
물(H₂O) 형아!
저기 엄청 큰 괴물이 막 때렸어.
어헝
잉~
분자들이 모여서 만든 세포는 분자보다 놀라운 기능을 가지고 있지.
뭐~어~!?
어쩔건데?
엉?
ㄷㄷㄷㄷㄷ
아니…
저기…
마찬가지로 사람들이 모여 만든 사회는 한 사람의 것과는 비교할 수 없을 정도로 뛰어난 능력을 가지고 있어.
사 회
야! 사회!
내가 이 곡괭이로 무너뜨릴 거라고!
두고 봐!

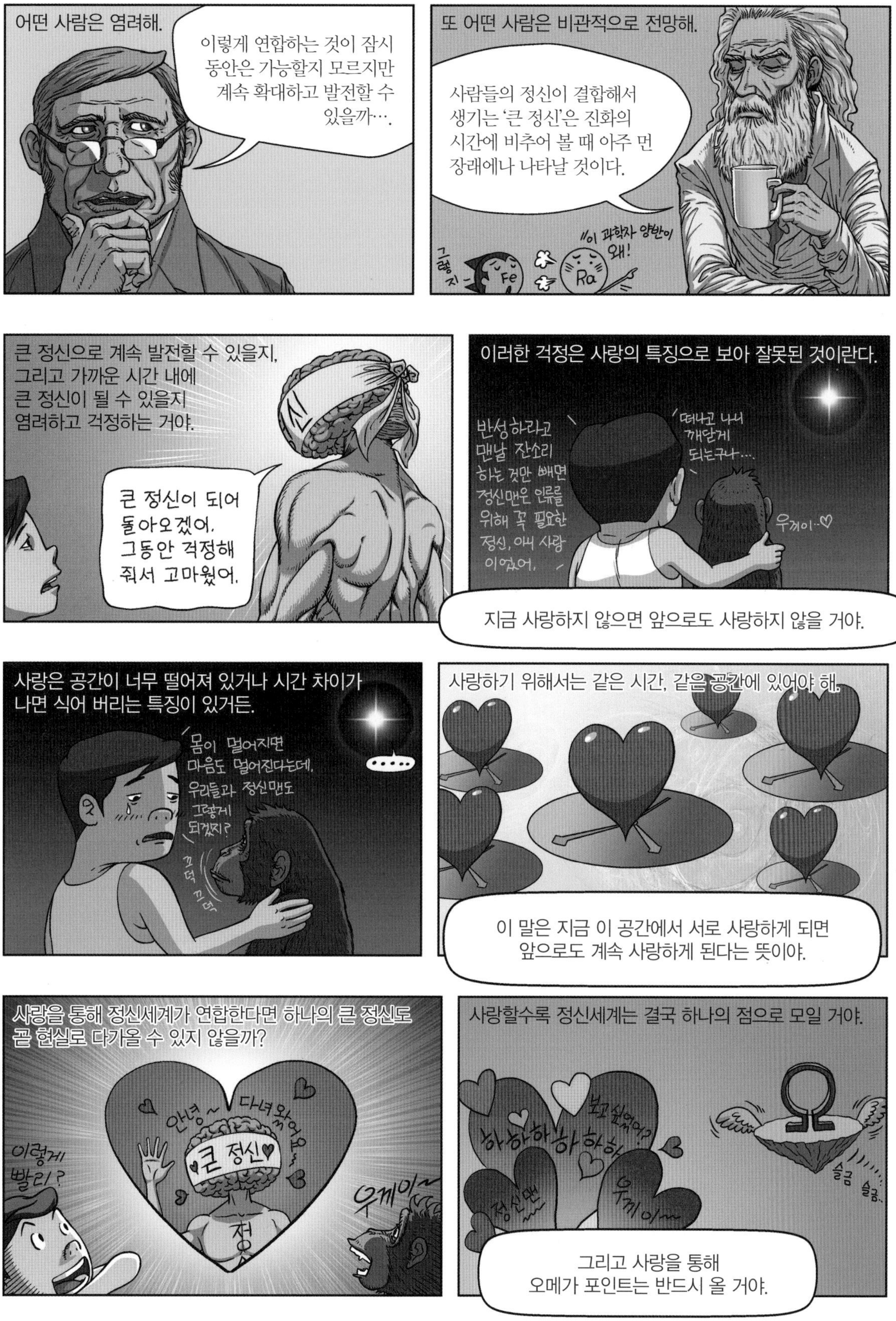

어떤 사람은 염려해.
이렇게 연합하는 것이 잠시 동안은 가능할지 모르지만 계속 확대하고 발전할 수 있을까….
또 어떤 사람은 비관적으로 전망해.
사람들의 정신이 결합해서 생기는 '큰 정신'은 진화의 시간에 비추어 볼 때 아주 먼 장래에나 나타날 것이다.
그렇지
Fe
Ra
이 과학자 양반이 왜!
큰 정신으로 계속 발전할 수 있을지, 그리고 가까운 시간 내에 큰 정신이 될 수 있을지 염려하고 걱정하는 거야.
큰 정신이 되어 돌아오겠어. 그동안 걱정해 줘서 고마웠어.
이러한 걱정은 사랑의 특징으로 보아 잘못된 것이란다.
반성하라고 맨날 잔소리 하는 것만 빼면 정신맨은 인류를 위해 꼭 필요한 정신, 아니 사랑이었어.
떠나고 나서 깨닫게 되는구나….
우끼이…♡
지금 사랑하지 않으면 앞으로도 사랑하지 않을 거야.
사랑은 공간이 너무 떨어져 있거나 시간 차이가 나면 식어 버리는 특징이 있거든.
몸이 멀어지면 마음도 멀어진다는데, 우리들과 정신맨도 그렇게 되겠지?
끄덕 끄덕
……
사랑하기 위해서는 같은 시간, 같은 공간에 있어야 해.
이 말은 지금 이 공간에서 서로 사랑하게 되면 앞으로도 계속 사랑하게 된다는 뜻이야.
사랑을 통해 정신세계가 연합한다면 하나의 큰 정신도 곧 현실로 다가올 수 있지 않을까?
안녕~
다녀왔어요~
큰 정신♥
정
이렇게 빨리?
우께이~
사랑할수록 정신세계는 결국 하나의 점으로 모일 거야.
하하하하하하
보고 싶었어?
정신맨~
우끼이~
슬금 슬금.
그리고 사랑을 통해 오메가 포인트는 반드시 올 거야.

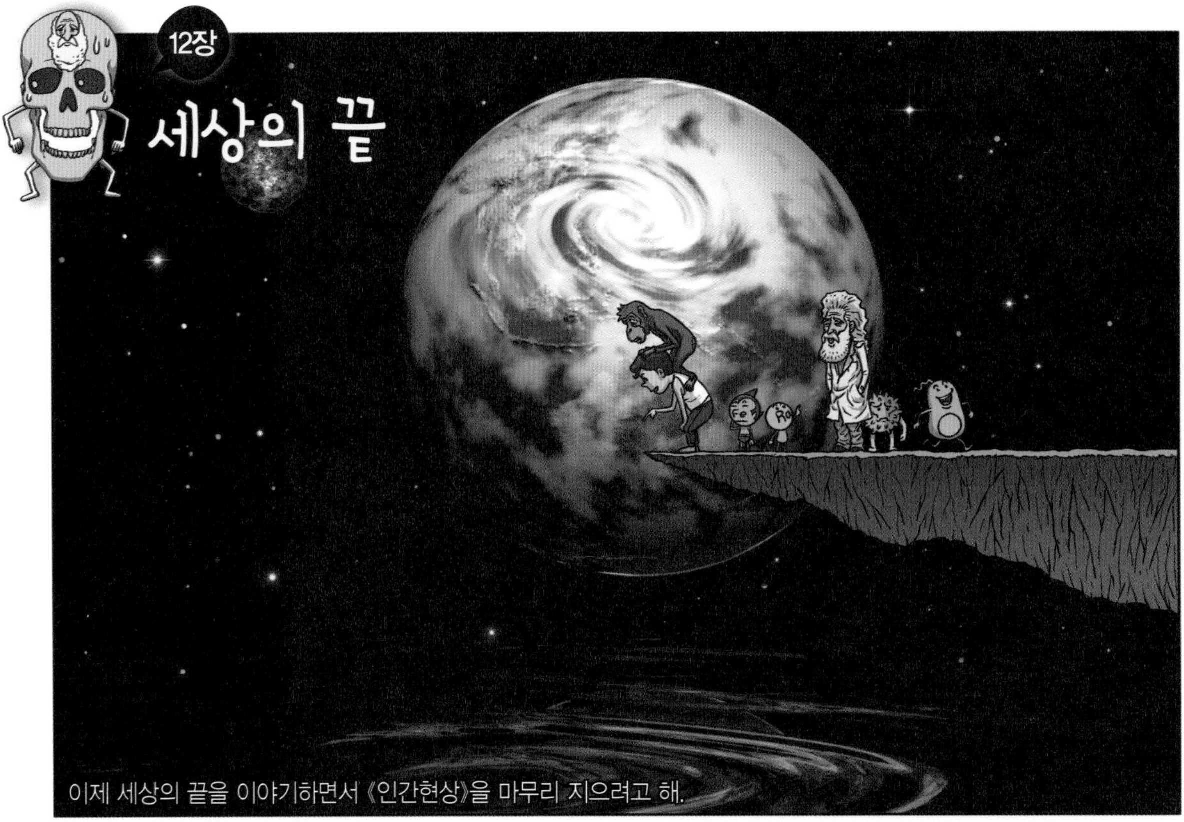
12장
세상의 끝
이제 세상의 끝을 이야기하면서 《인간현상》을 마무리 지으려고 해.

세상의 끝을 말할 때면 사람들은 흔히 불행한 결말을 떠올리곤 해.
세상의 끝?
호세 솔라나의 〈세상의 끝(1932)〉

그중에서도 가장 흔하게 말하는 것은 우주의 재앙이야. 하늘에서 수많은 별들이 떨어지고 땅이 갈라지는 것에 대해 이야기하지.

과학자들은 인간이 사용할 수 있는 에너지가 점점 줄어들고 있다고 말해.

비교적 최근에 발견된 원자력 에너지 역시 언젠가는 줄어들 거야.
그렇기 때문에 새로운 에너지가 등장해도 세상이 끝나는 날이 뒤로 미루어졌을 뿐이라고 생각할 수 있어.

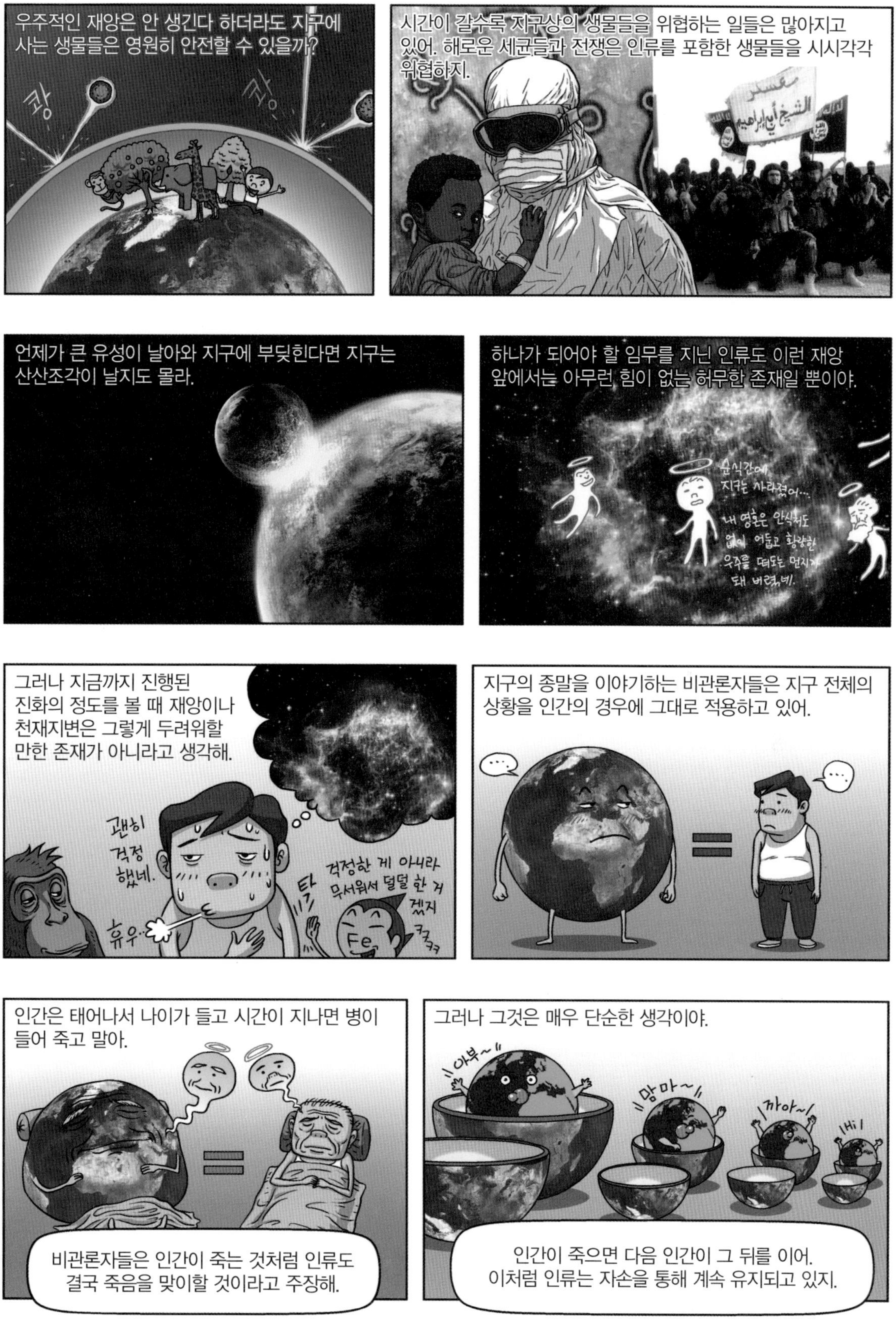
우주적인 재앙은 안 생긴다 하더라도 지구에 사는 생물들은 영원히 안전할 수 있을까?
쾅
쾅
시간이 갈수록 지구상의 생물들을 위협하는 일들은 많아지고 있어. 해로운 세균들과 전쟁은 인류를 포함한 생물들을 시시각각 위협하지.
언제가 큰 유성이 날아와 지구에 부딪힌다면 지구는 산산조각이 날지도 몰라.
하나가 되어야 할 임무를 지닌 인류도 이런 재앙 앞에서는 아무런 힘이 없는 허무한 존재일 뿐이야.
순식간에 지구는 사라졌어…
내 영혼은 안식처도 없이 어둡고 황량한 우주를 떠도는 먼지가 돼 버렸네.
그러나 지금까지 진행된 진화의 정도를 볼 때 재앙이나 천재지변은 그렇게 두려워할 만한 존재가 아니라고 생각해.
괜히 걱정 했네.
휴우..
탁
걱정한 게 아니라 무서워서 덜덜 한 거 겠지
Fe
ㅋㅋㅋ
지구의 종말을 이야기하는 비관론자들은 지구 전체의 상황을 인간의 경우에 그대로 적용하고 있어.
…
…
인간은 태어나서 나이가 들고 시간이 지나면 병이 들어 죽고 말아.
비관론자들은 인간이 죽는 것처럼 인류도 결국 죽음을 맞이할 것이라고 주장해.
그러나 그것은 매우 단순한 생각이야.
아부~
맘마~
까아~
Hi
인간이 죽으면 다음 인간이 그 뒤를 이어. 이처럼 인류는 자손을 통해 계속 유지되고 있지.

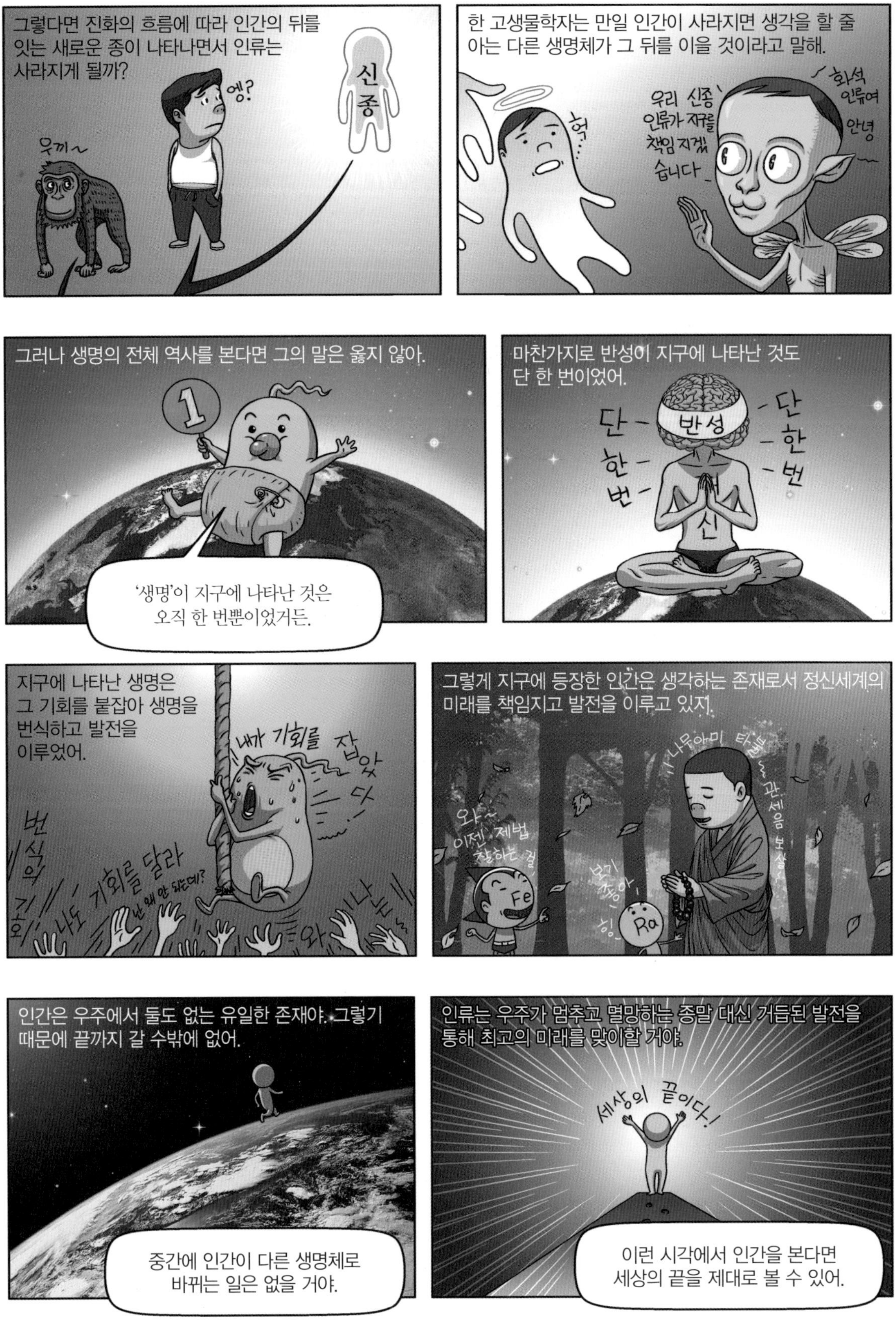

그렇다면 진화의 흐름에 따라 인간의 뒤를 잇는 새로운 종이 나타나면서 인류는 사라지게 될까?
엥?
우끼~
신종
한 고생물학자는 만일 인간이 사라지면 생각을 할 줄 아는 다른 생명체가 그 뒤를 이을 것이라고 말해.
헉…
우리 신종 인류가 지구를 책임 지겠습니다
화석 인류여 안녕~
그러나 생명의 전체 역사를 본다면 그의 말은 옳지 않아.
1
'생명'이 지구에 나타난 것은 오직 한 번뿐이었거든.
마찬가지로 반성이 지구에 나타난 것도 단 한 번이었어.
반성
단 한 번
단 한 번
정신
지구에 나타난 생명은 그 기회를 붙잡아 생명을 번식하고 발전을 이루었어.
내가 기회를 잡았다
번식의 기회
나도 기회를 달라
난 왜 안 되는데?
그렇게 지구에 등장한 인간은 생각하는 존재로서 정신세계의 미래를 책임지고 발전을 이루고 있지.
나무아미 타불~ 관세음 보살~
와~ 이젠 제법 잘하는 걸
Fe
Ra
인간은 우주에서 둘도 없는 유일한 존재야. 그렇기 때문에 끝까지 갈 수밖에 없어.
중간에 인간이 다른 생명체로 바뀌는 일은 없을 거야.
인류는 우주가 멈추고 멸망하는 종말 대신 거듭된 발전을 통해 최고의 미래를 맞이할 거야.
세상의 끝이다!
이런 시각에서 인간을 본다면 세상의 끝을 제대로 볼 수 있어.

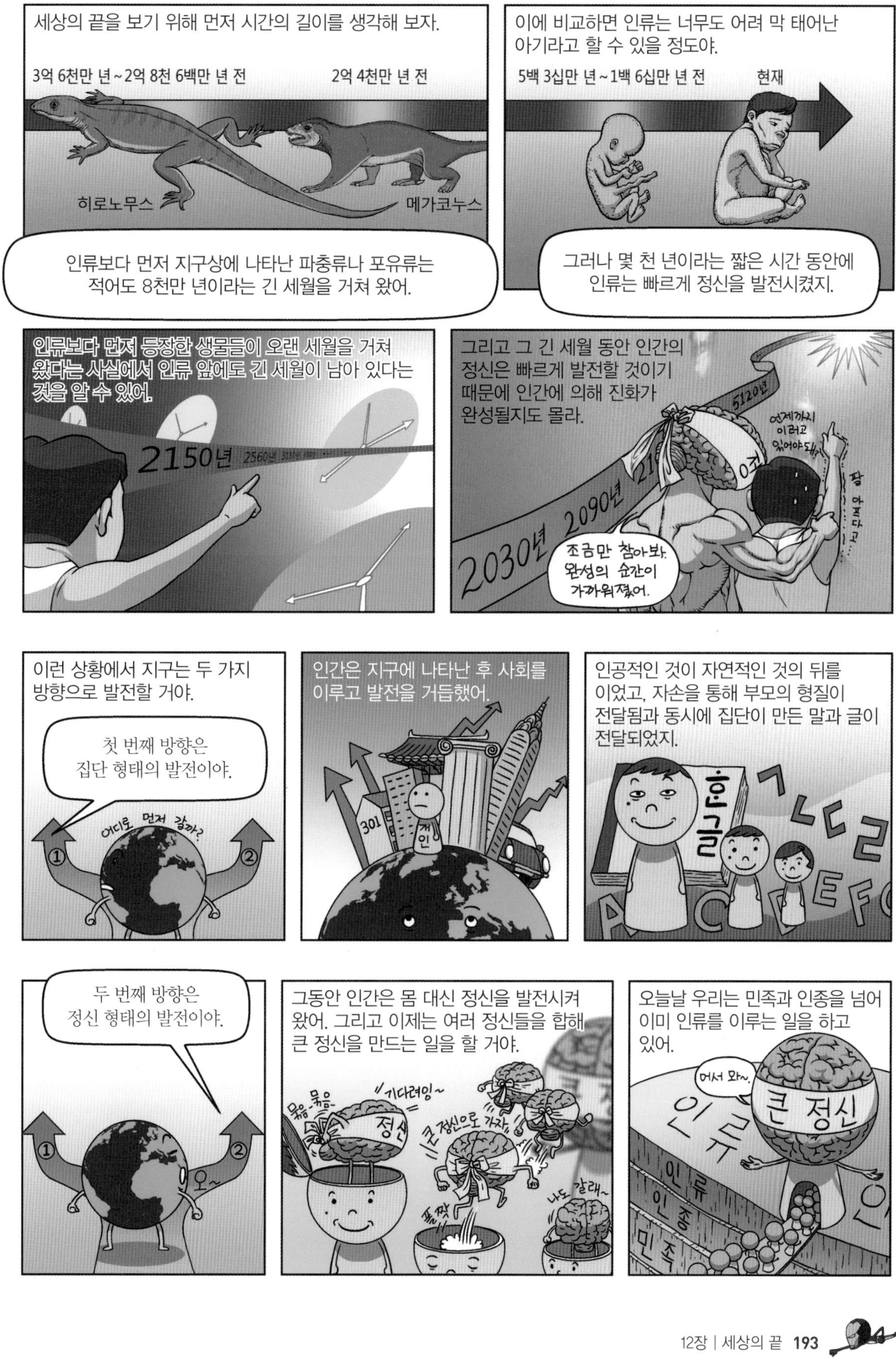

세상의 끝을 보기 위해 먼저 시간의 길이를 생각해 보자.
3억 6천만 년~2억 8천 6백만 년 전
2억 4천만 년 전
히로노무스
메가코누스
인류보다 먼저 지구상에 나타난 파충류나 포유류는 적어도 8천만 년이라는 긴 세월을 거쳐 왔어.
이에 비교하면 인류는 너무도 어려 막 태어난 아기라고 할 수 있을 정도야.
5백 3십만 년~1백 6십만 년 전
현재
그러나 몇 천 년이라는 짧은 시간 동안에 인류는 빠르게 정신을 발전시켰지.
인류보다 먼저 등장한 생물들이 오랜 세월을 거쳐 왔다는 사실에서 인류 앞에도 긴 세월이 남아 있다는 것을 알 수 있어.
2150년
2560년
그리고 그 긴 세월 동안 인간의 정신은 빠르게 발전할 것이기 때문에 인간에 의해 진화가 완성될지도 몰라.
5120년
언제까지 이러고 있어야 돼?
팔 아프다고…
2030년
2090년
조금만 참아봐. 완성의 순간이 가까워졌어.
이런 상황에서 지구는 두 가지 방향으로 발전할 거야.
첫 번째 방향은 집단 형태의 발전이야.
어디로 먼저 갈까?
①
②
인간은 지구에 나타난 후 사회를 이루고 발전을 거듭했어.
301
개인
인공적인 것이 자연적인 것의 뒤를 이었고, 자손을 통해 부모의 형질이 전달됨과 동시에 집단이 만든 말과 글이 전달되었지.
한글
ㄱ ㄴ ㄷ ㄹ
A C E F
두 번째 방향은 정신 형태의 발전이야.
①
②
오~
그동안 인간은 몸 대신 정신을 발전시켜 왔어. 그리고 이제는 여러 정신들을 합해 큰 정신을 만드는 일을 할 거야.
묶음-묶음-
기다려잉~
정신
큰 정신으로 가자.
폴짝
나도 갈래~
오늘날 우리는 민족과 인종을 넘어 이미 인류를 이루는 일을 하고 있어.
어서 와~
큰 정신
인류
인류
인종
민족

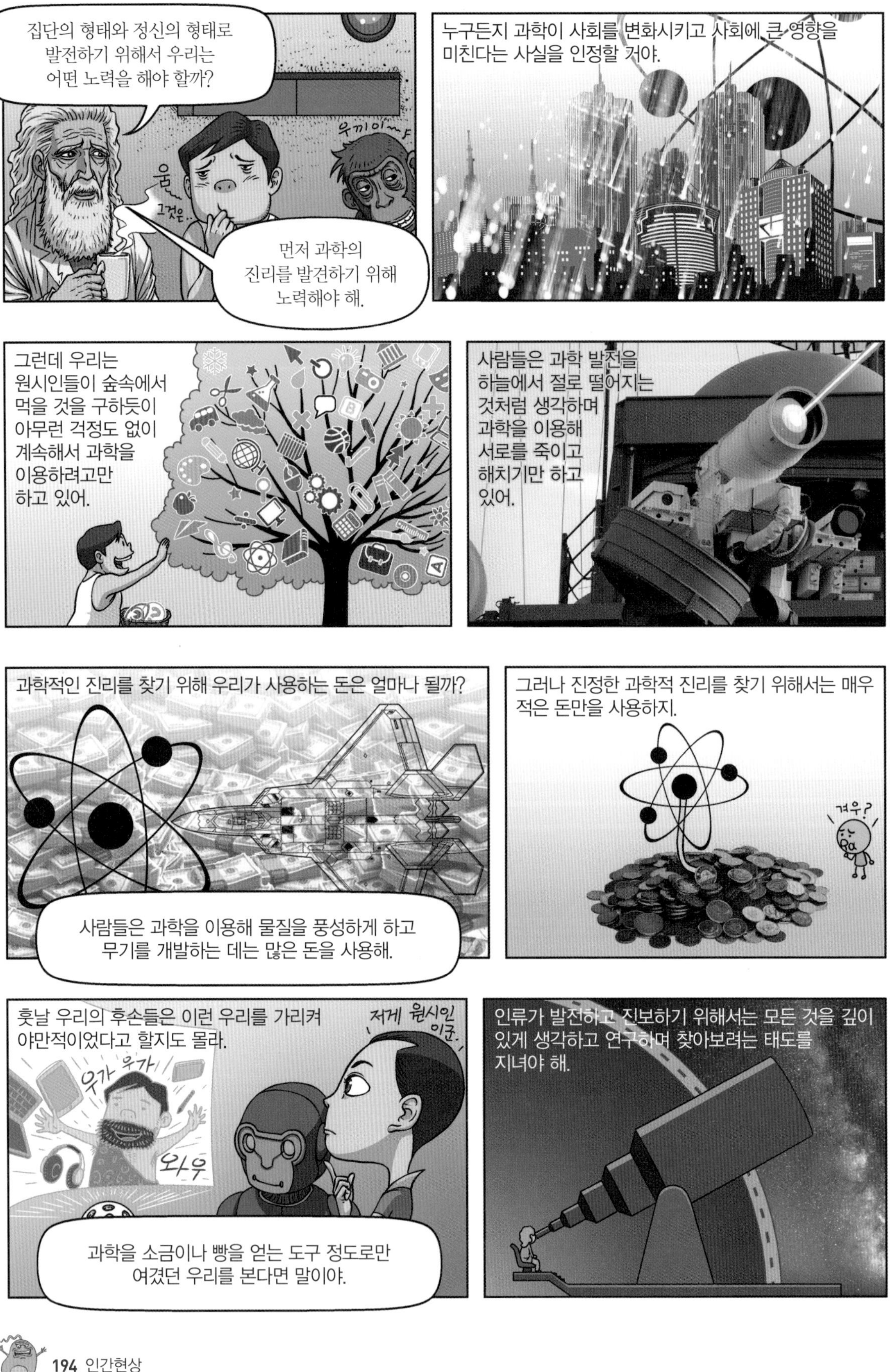
집단의 형태와 정신의 형태로
발전하기 위해서 우리는
어떤 노력을 해야 할까?
움
그것은..
우끼이~
먼저 과학의
진리를 발견하기 위해
노력해야 해.
누구든지 과학이 사회를 변화시키고 사회에 큰 영향을 미친다는 사실을 인정할 거야.
그런데 우리는
원시인들이 숲속에서
먹을 것을 구하듯이
아무런 걱정도 없이
계속해서 과학을
이용하려고만
하고 있어.
사람들은 과학 발전을
하늘에서 절로 떨어지는
것처럼 생각하며
과학을 이용해
서로를 죽이고
해치기만 하고
있어.
과학적인 진리를 찾기 위해 우리가 사용하는 돈은 얼마나 될까?
사람들은 과학을 이용해 물질을 풍성하게 하고
무기를 개발하는 데는 많은 돈을 사용해.
그러나 진정한 과학적 진리를 찾기 위해서는 매우 적은 돈만을 사용하지.
겨우?
훗날 우리의 후손들은 이런 우리를 가리켜
야만적이었다고 할지도 몰라.
저게 원시인이군.
우가 우가
와우
과학을 소금이나 빵을 얻는 도구 정도로만
여겼던 우리를 본다면 말이야.
인류가 발전하고 진보하기 위해서는 모든 것을 깊이 있게 생각하고 연구하며 찾아보려는 태도를 지녀야 해.

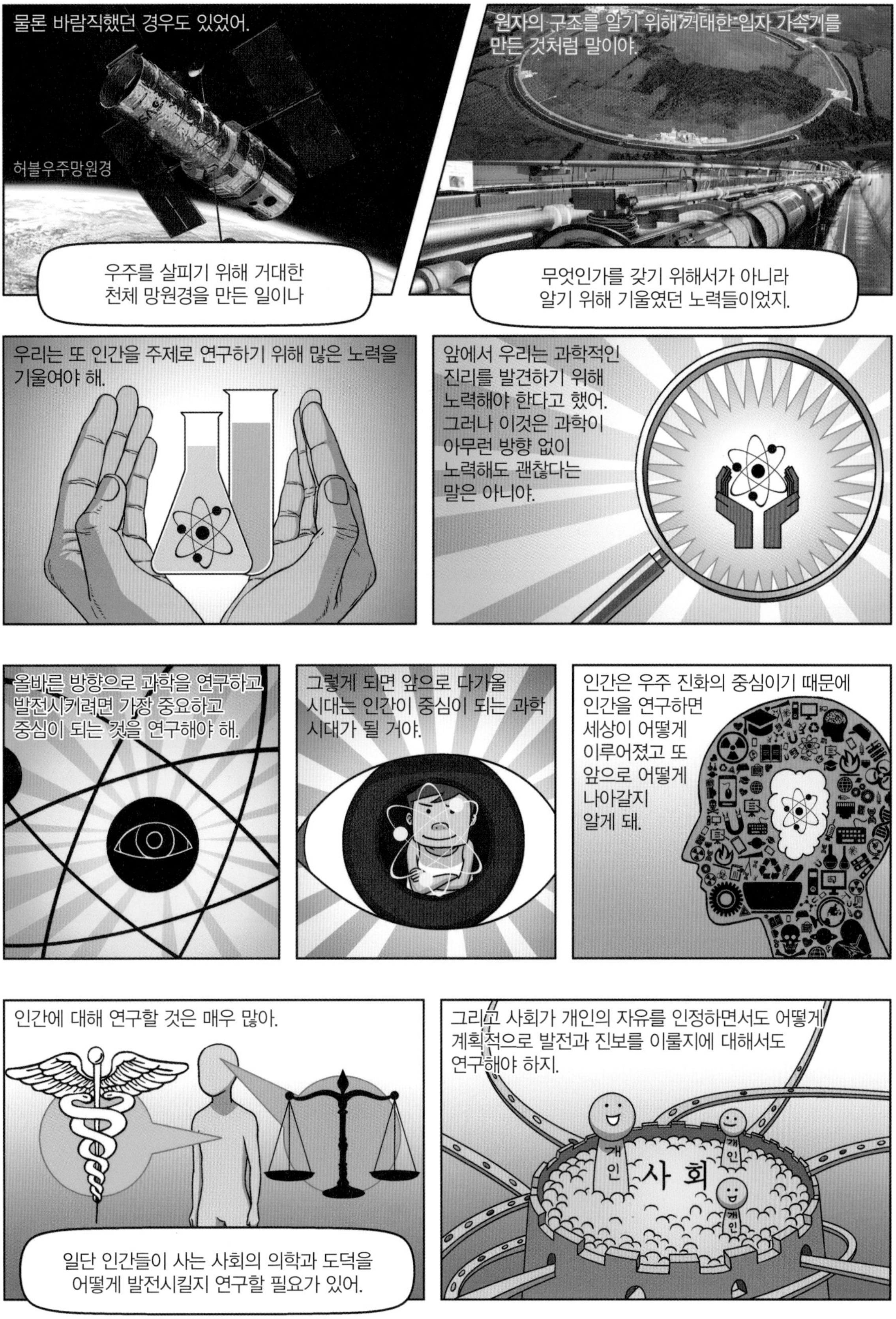
물론 바람직했던 경우도 있었어.
허블우주망원경
원자의 구조를 알기 위해 거대한 입자 가속기를 만든 것처럼 말이야.
우주를 살피기 위해 거대한 천체 망원경을 만든 일이나
무엇인가를 갖기 위해서가 아니라 알기 위해 기울였던 노력들이었지.
우리는 또 인간을 주제로 연구하기 위해 많은 노력을 기울여야 해.
앞에서 우리는 과학적인 진리를 발견하기 위해 노력해야 한다고 했어. 그러나 이것은 과학이 아무런 방향 없이 노력해도 괜찮다는 말은 아니야.
올바른 방향으로 과학을 연구하고 발전시키려면 가장 중요하고 중심이 되는 것을 연구해야 해.
그렇게 되면 앞으로 다가올 시대는 인간이 중심이 되는 과학 시대가 될 거야.
인간은 우주 진화의 중심이기 때문에 인간을 연구하면 세상이 어떻게 이루어졌고 또 앞으로 어떻게 나아갈지 알게 돼.
인간에 대해 연구할 것은 매우 많아.
일단 인간들이 사는 사회의 의학과 도덕을 어떻게 발전시킬지 연구할 필요가 있어.
그리고 사회가 개인의 자유를 인정하면서도 어떻게 계획적으로 발전과 진보를 이룰지에 대해서도 연구해야 하지.
개인
사회
개인
개인

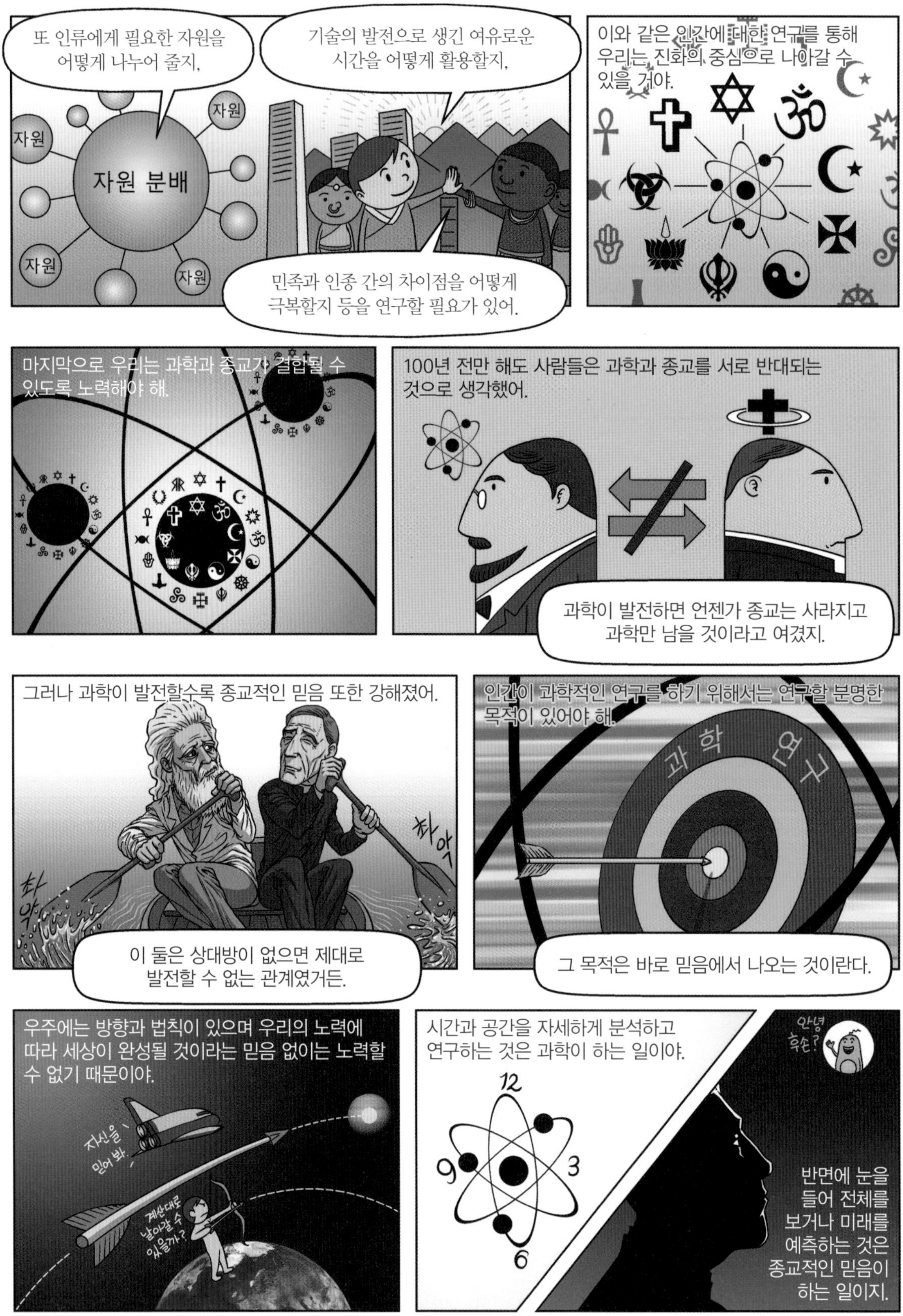
또 인류에게 필요한 자원을 어떻게 나누어 줄지,
자원 분배
자원
자원
자원
자원
기술의 발전으로 생긴 여유로운 시간을 어떻게 활용할지,
민족과 인종 간의 차이점을 어떻게 극복할지 등을 연구할 필요가 있어.
이와 같은 인간에 대한 연구를 통해 우리는 진화의 중심으로 나아갈 수 있을 거야.
마지막으로 우리는 과학과 종교가 결합될 수 있도록 노력해야 해.
100년 전만 해도 사람들은 과학과 종교를 서로 반대되는 것으로 생각했어.
과학이 발전하면 언젠가 종교는 사라지고 과학만 남을 것이라고 여겼지.
그러나 과학이 발전할수록 종교적인 믿음 또한 강해졌어.
화악
화악
이 둘은 상대방이 없으면 제대로 발전할 수 없는 관계였거든.
인간이 과학적인 연구를 하기 위해서는 연구할 분명한 목적이 있어야 해.
과학 연구
그 목적은 바로 믿음에서 나오는 것이란다.
우주에는 방향과 법칙이 있으며 우리의 노력에 따라 세상이 완성될 것이라는 믿음 없이는 노력할 수 없기 때문이야.
자신을 믿어 봐.
계산대로 날아갈 수 있을까?
시간과 공간을 자세하게 분석하고 연구하는 것은 과학이 하는 일이야.
12
3
6
9
안녕 후손?
반면에 눈을 들어 전체를 보거나 미래를 예측하는 것은 종교적인 믿음이 하는 일이지.

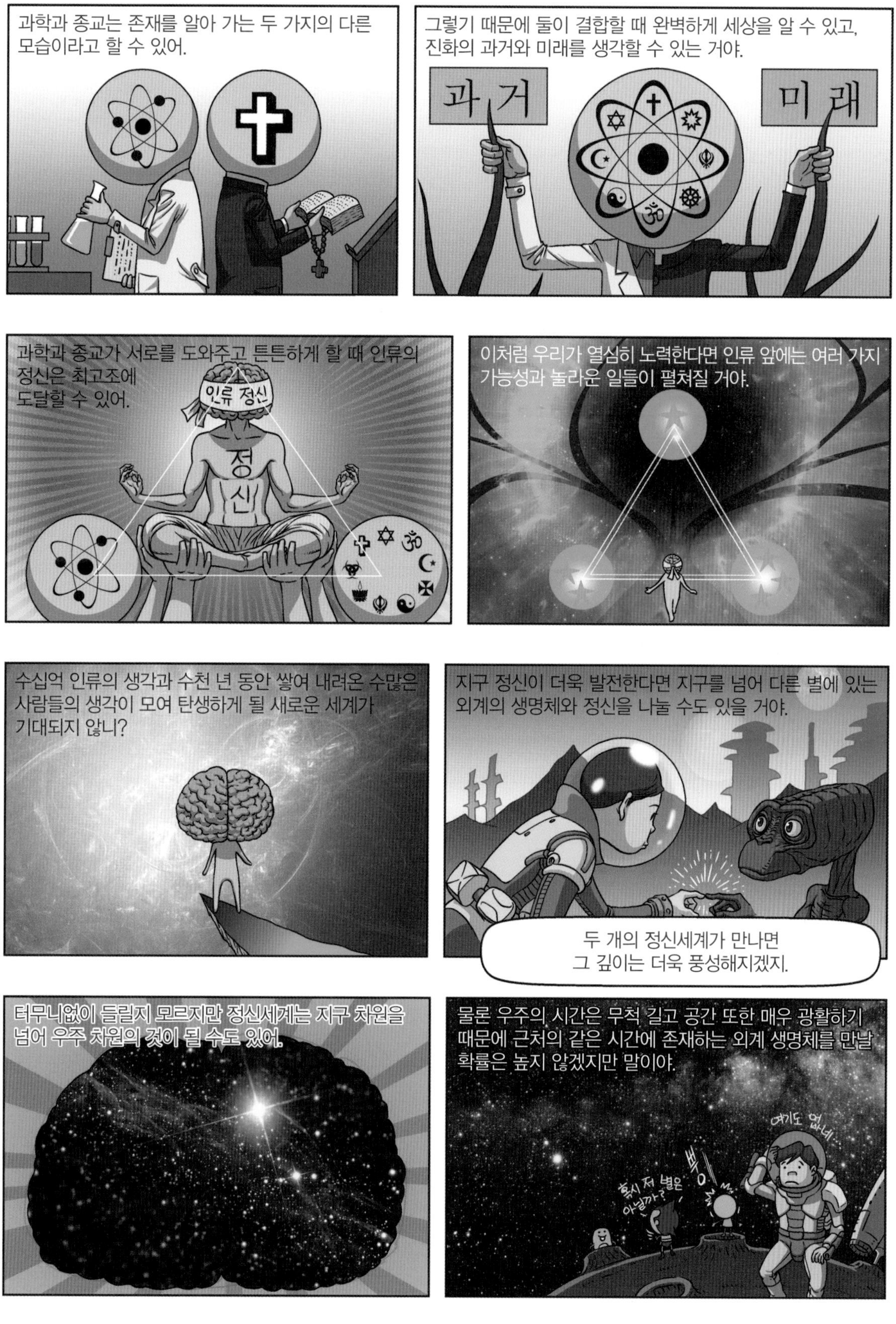

과학과 종교는 존재를 알아 가는 두 가지의 다른 모습이라고 할 수 있어.
그렇기 때문에 둘이 결합할 때 완벽하게 세상을 알 수 있고, 진화의 과거와 미래를 생각할 수 있는 거야.
과거
미래
과학과 종교가 서로를 도와주고 튼튼하게 할 때 인류의 정신은 최고조에 도달할 수 있어.
인류 정신
정신
이처럼 우리가 열심히 노력한다면 인류 앞에는 여러 가지 가능성과 놀라운 일들이 펼쳐질 거야.
수십억 인류의 생각과 수천 년 동안 쌓여 내려온 수많은 사람들의 생각이 모여 탄생하게 될 새로운 세계가 기대되지 않니?
지구 정신이 더욱 발전한다면 지구를 넘어 다른 별에 있는 외계의 생명체와 정신을 나눌 수도 있을 거야.
두 개의 정신세계가 만나면 그 깊이는 더욱 풍성해지겠지.
터무니없이 들릴지 모르지만 정신세계는 지구 차원을 넘어 우주 차원의 것이 될 수도 있어.
물론 우주의 시간은 무척 길고 공간 또한 매우 광활하기 때문에 근처의 같은 시간에 존재하는 외계 생명체를 만날 확률은 높지 않겠지만 말이야.
혹시 저 별은 아닐까?
뿅
여기도 없네...

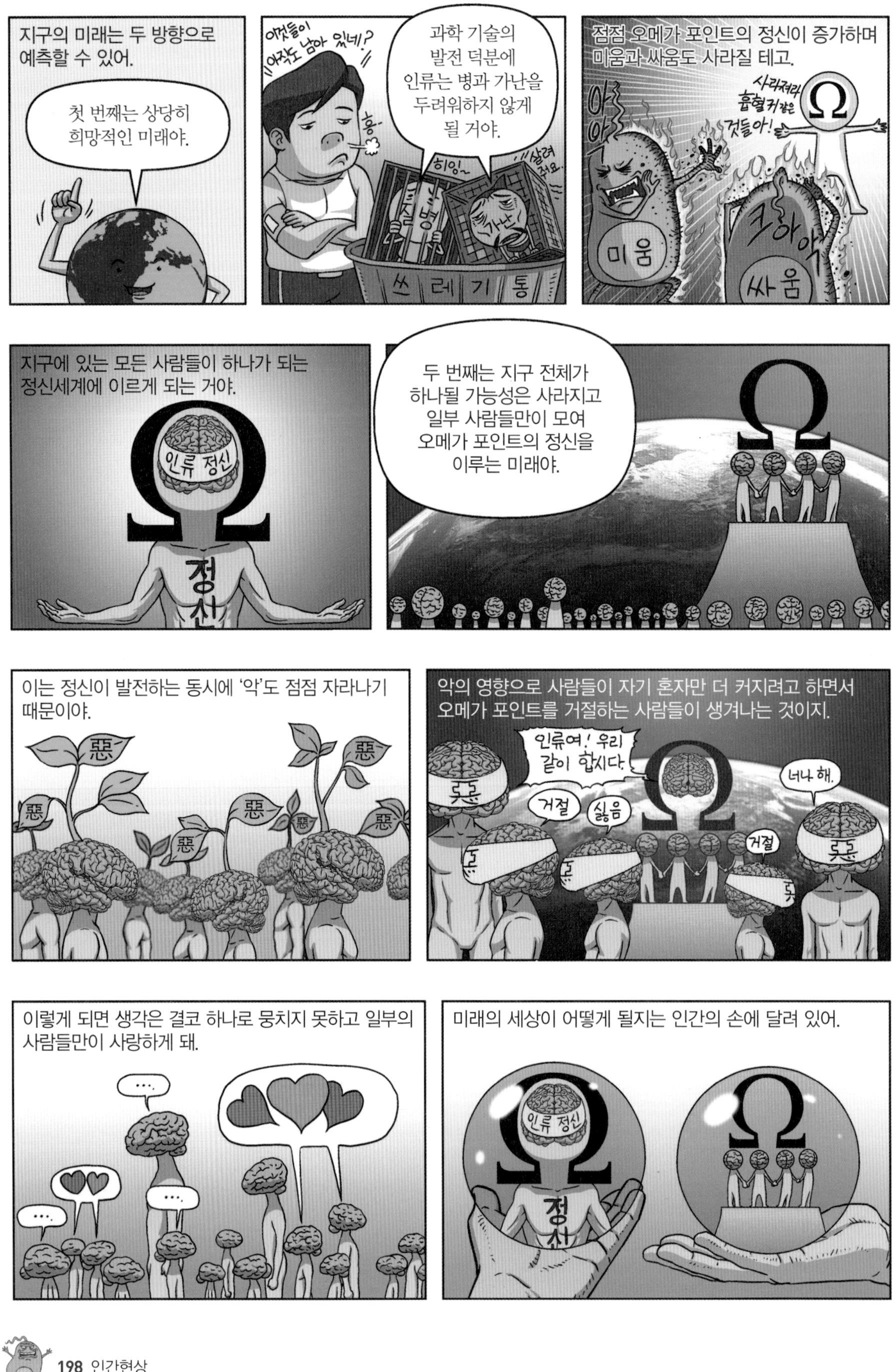

지구의 미래는 두 방향으로 예측할 수 있어.
첫 번째는 상당히 희망적인 미래야.
이것들이 아직도 남아 있네!?
과학 기술의 발전 덕분에 인류는 병과 가난을 두려워하지 않게 될 거야.
흥
히잉~
살려 줘요.
질병
가난
쓰레기통
점점 오메가 포인트의 정신이 증가하며 미움과 싸움도 사라질 테고.
사라져라 흡혈귀 같은 것들아!
아악
크아악
미움
싸움
지구에 있는 모든 사람들이 하나가 되는 정신세계에 이르게 되는 거야.
인류 정신
정신
두 번째는 지구 전체가 하나될 가능성은 사라지고 일부 사람들만이 모여 오메가 포인트의 정신을 이루는 미래야.
이는 정신이 발전하는 동시에 '악'도 점점 자라나기 때문이야.
惡
악의 영향으로 사람들이 자기 혼자만 더 커지려고 하면서 오메가 포인트를 거절하는 사람들이 생겨나는 것이지.
인류여! 우리 같이 합시다!
거절
싫음
너나 해.
거절
이렇게 되면 생각은 결코 하나로 뭉치지 못하고 일부의 사람들만이 사랑하게 돼.
...
미래의 세상이 어떻게 될지는 인간의 손에 달려 있어.
인류 정신
정신

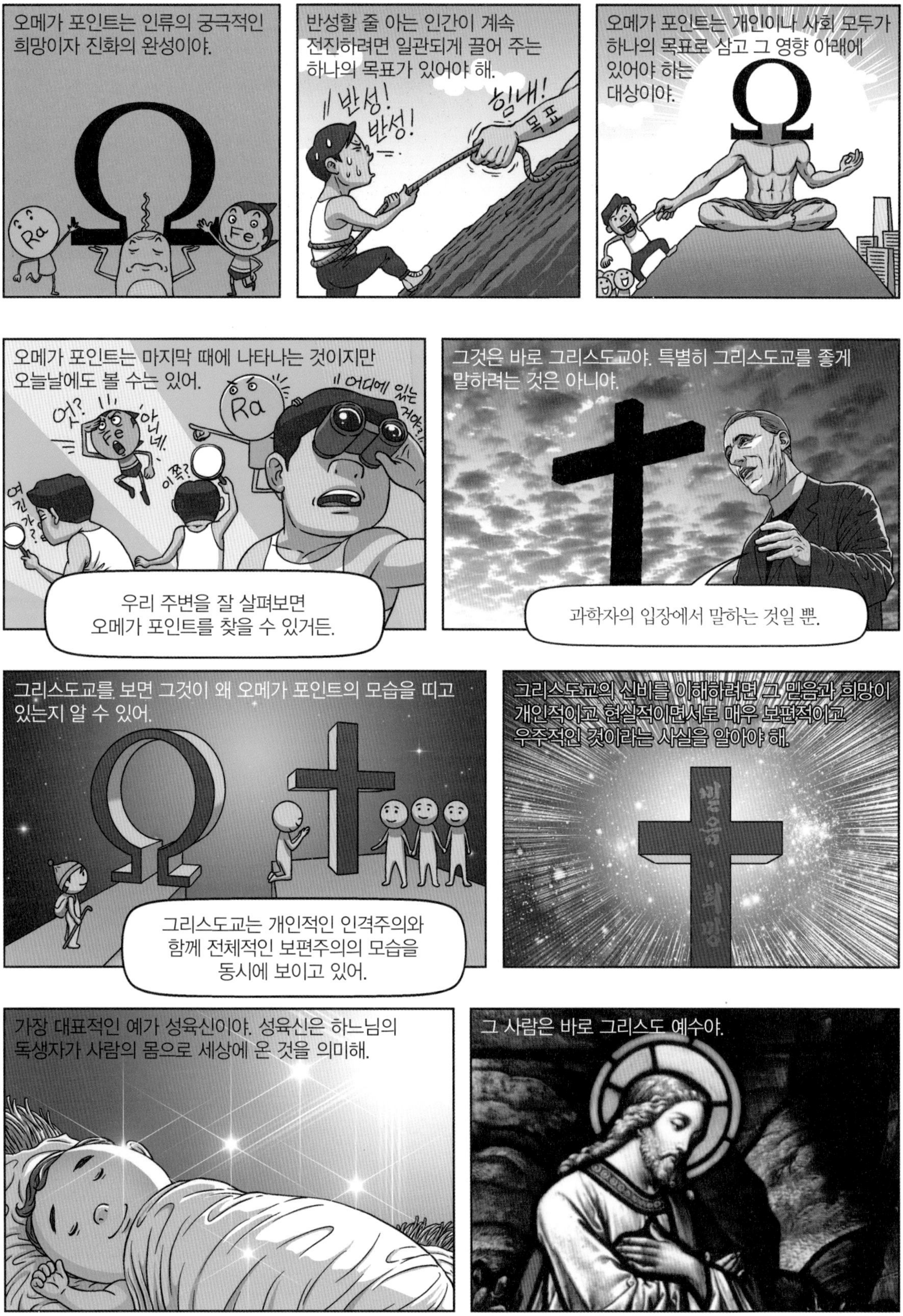
오메가 포인트는 인류의 궁극적인 희망이자 진화의 완성이야.
Ra
Fe
반성할 줄 아는 인간이 계속 전진하려면 일관되게 끌어 주는 하나의 목표가 있어야 해.
반성! 반성!
힘내!
목표
오메가 포인트는 개인이나 사회 모두가 하나의 목표로 삼고 그 영향 아래에 있어야 하는 대상이야.
오메가 포인트는 마지막 때에 나타나는 것이지만 오늘날에도 볼 수는 있어.
어?
아니네!
Ra
어디에 있는 거야?!
이쪽?
여긴가?
우리 주변을 잘 살펴보면 오메가 포인트를 찾을 수 있거든.
그것은 바로 그리스도교야. 특별히 그리스도교를 좋게 말하려는 것은 아니야.
과학자의 입장에서 말하는 것일 뿐.
그리스도교를 보면 그것이 왜 오메가 포인트의 모습을 띠고 있는지 알 수 있어.
그리스도교는 개인적인 인격주의와 함께 전체적인 보편주의의 모습을 동시에 보이고 있어.
그리스도교의 신비를 이해하려면 그 믿음과 희망이 개인적이고 현실적이면서도 매우 보편적이고 우주적인 것이라는 사실을 알아야 해.
믿음 · 희망
가장 대표적인 예가 성육신이야. 성육신은 하느님의 독생자가 사람의 몸으로 세상에 온 것을 의미해.
그 사람은 바로 그리스도 예수야.

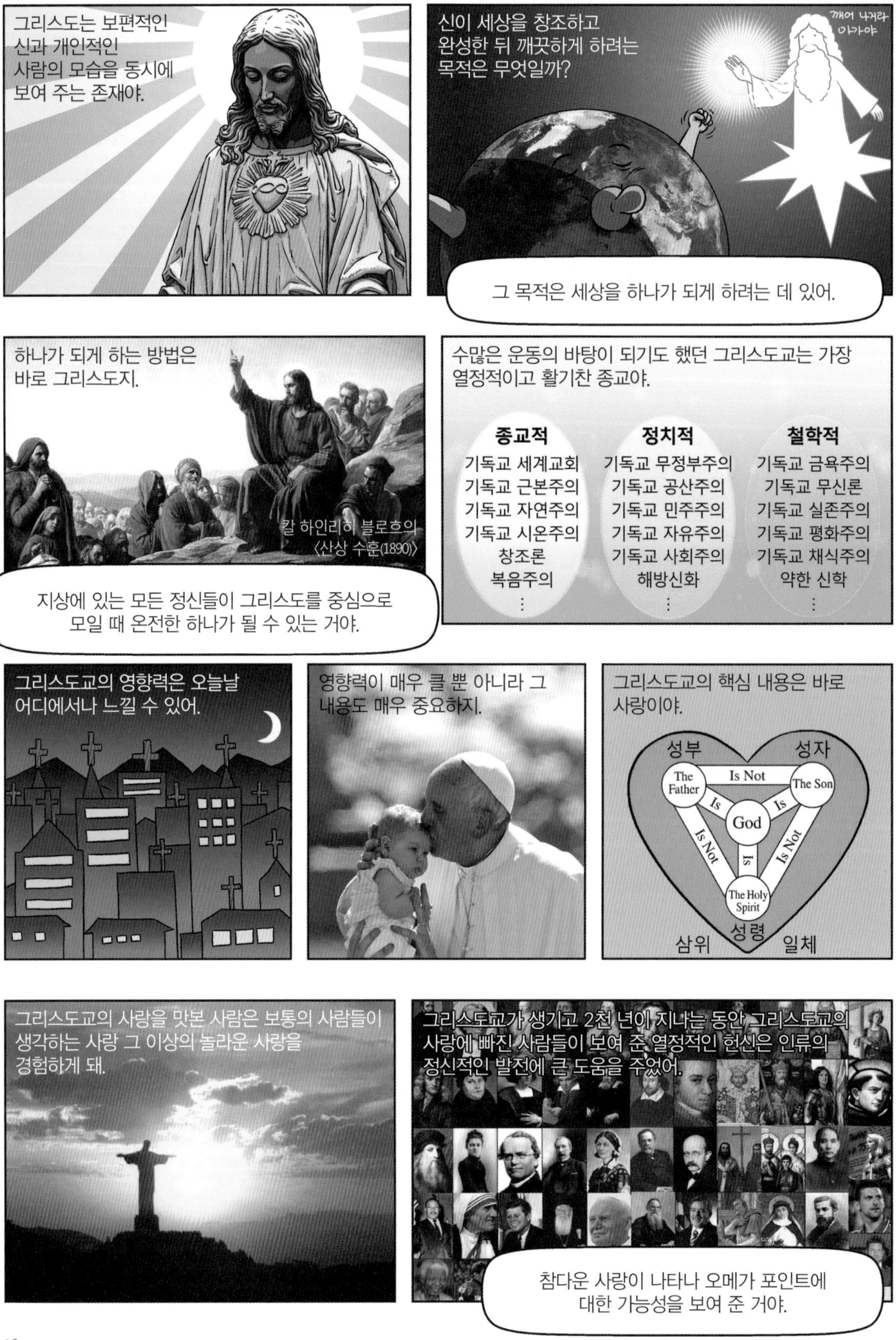
그리스도는 보편적인
신과 개인적인
사람의 모습을 동시에
보여 주는 존재야.
신이 세상을 창조하고
완성한 뒤 깨끗하게 하려는
목적은 무엇일까?
깨어 나거라
아가야
그 목적은 세상을 하나가 되게 하려는 데 있어.
하나가 되게 하는 방법은
바로 그리스도지.
칼 하인리히 블로흐의
〈산상 수훈(1890)〉
지상에 있는 모든 정신들이 그리스도를 중심으로
모일 때 온전한 하나가 될 수 있는 거야.
수많은 운동의 바탕이 되기도 했던 그리스도교는 가장
열정적이고 활기찬 종교야.
종교적
기독교 세계교회
기독교 근본주의
기독교 자연주의
기독교 시온주의
창조론
복음주의
⋮
정치적
기독교 무정부주의
기독교 공산주의
기독교 민주주의
기독교 자유주의
기독교 사회주의
해방신화
⋮
철학적
기독교 금욕주의
기독교 무신론
기독교 실존주의
기독교 평화주의
기독교 채식주의
약한 신학
⋮
그리스도교의 영향력은 오늘날
어디에서나 느낄 수 있어.
영향력이 매우 클 뿐 아니라 그
내용도 매우 중요하지.
그리스도교의 핵심 내용은 바로
사랑이야.
성부
성자
The Father
Is Not
The Son
Is
God
Is
Is Not
Is
Is Not
The Holy Spirit
삼위
성령
일체
그리스도교의 사랑을 맛본 사람은 보통의 사람들이
생각하는 사랑 그 이상의 놀라운 사랑을
경험하게 돼.
그리스도교가 생기고 2천 년이 지나는 동안 그리스도교의
사랑에 빠진 사람들이 보여 준 열정적인 헌신은 인류의
정신적인 발전에 큰 도움을 주었어.
참다운 사랑이 나타나 오메가 포인트에
대한 가능성을 보여 준 거야.

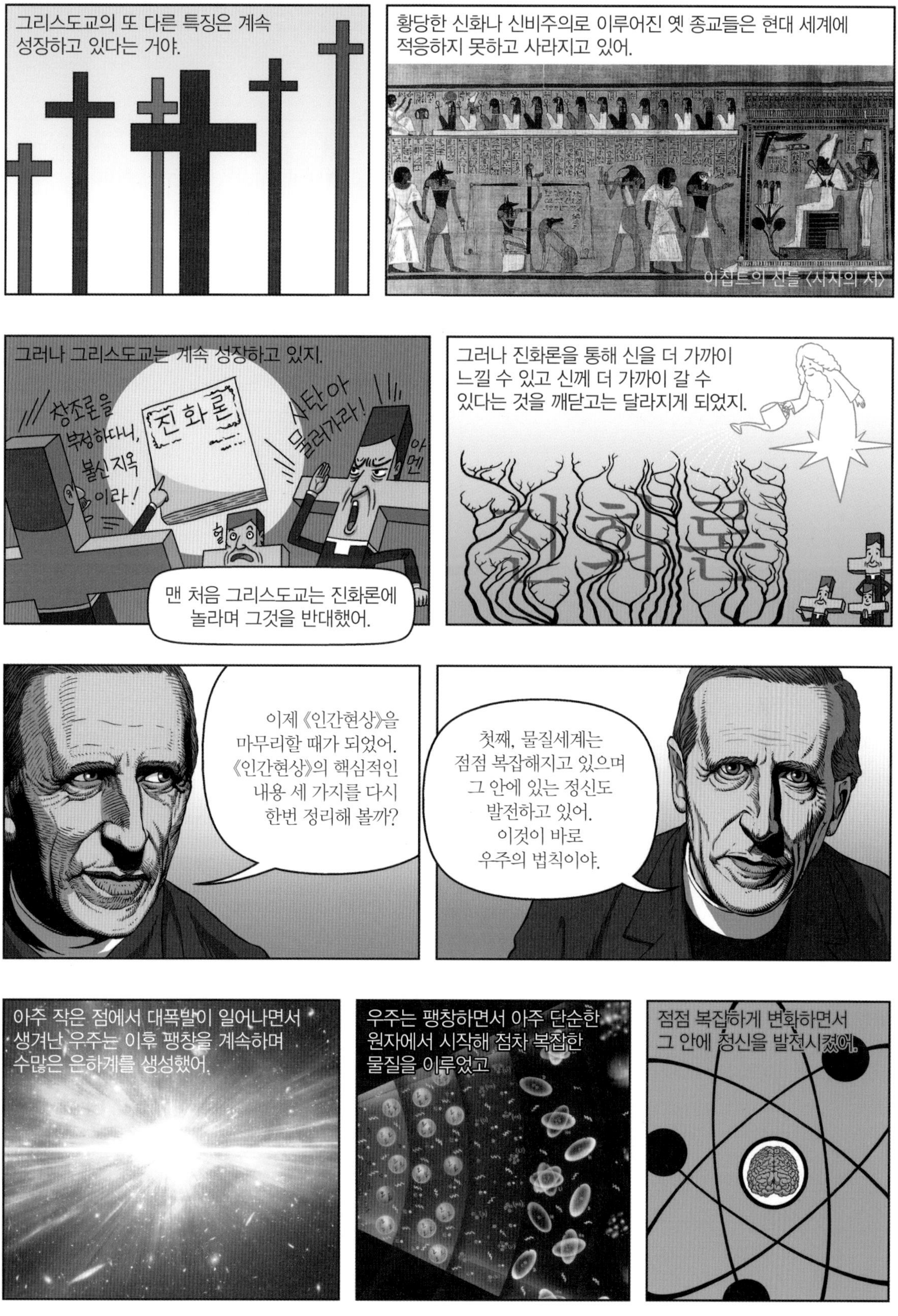

그리스도교의 또 다른 특징은 계속 성장하고 있다는 거야.
황당한 신화나 신비주의로 이루어진 옛 종교들은 현대 세계에 적응하지 못하고 사라지고 있어.
이집트의 신들 〈사자의 서〉
그러나 그리스도교는 계속 성장하고 있지.
창조론을 부정하다니, 불신지옥이라!
진화론
사탄아 물러가라!
헐
아멘
맨 처음 그리스도교는 진화론에 놀라며 그것을 반대했어.
그러나 진화론을 통해 신을 더 가까이 느낄 수 있고 신께 더 가까이 갈 수 있다는 것을 깨닫고는 달라지게 되었지.
신화론
이제 《인간현상》을 마무리할 때가 되었어. 《인간현상》의 핵심적인 내용 세 가지를 다시 한번 정리해 볼까?
첫째, 물질세계는 점점 복잡해지고 있으며 그 안에 있는 정신도 발전하고 있어. 이것이 바로 우주의 법칙이야.
아주 작은 점에서 대폭발이 일어나면서 생겨난 우주는 이후 팽창을 계속하며 수많은 은하계를 생성했어.
우주는 팽창하면서 아주 단순한 원자에서 시작해 점차 복잡한 물질을 이루었고
점점 복잡하게 변화하면서 그 안에 정신을 발전시켰어.

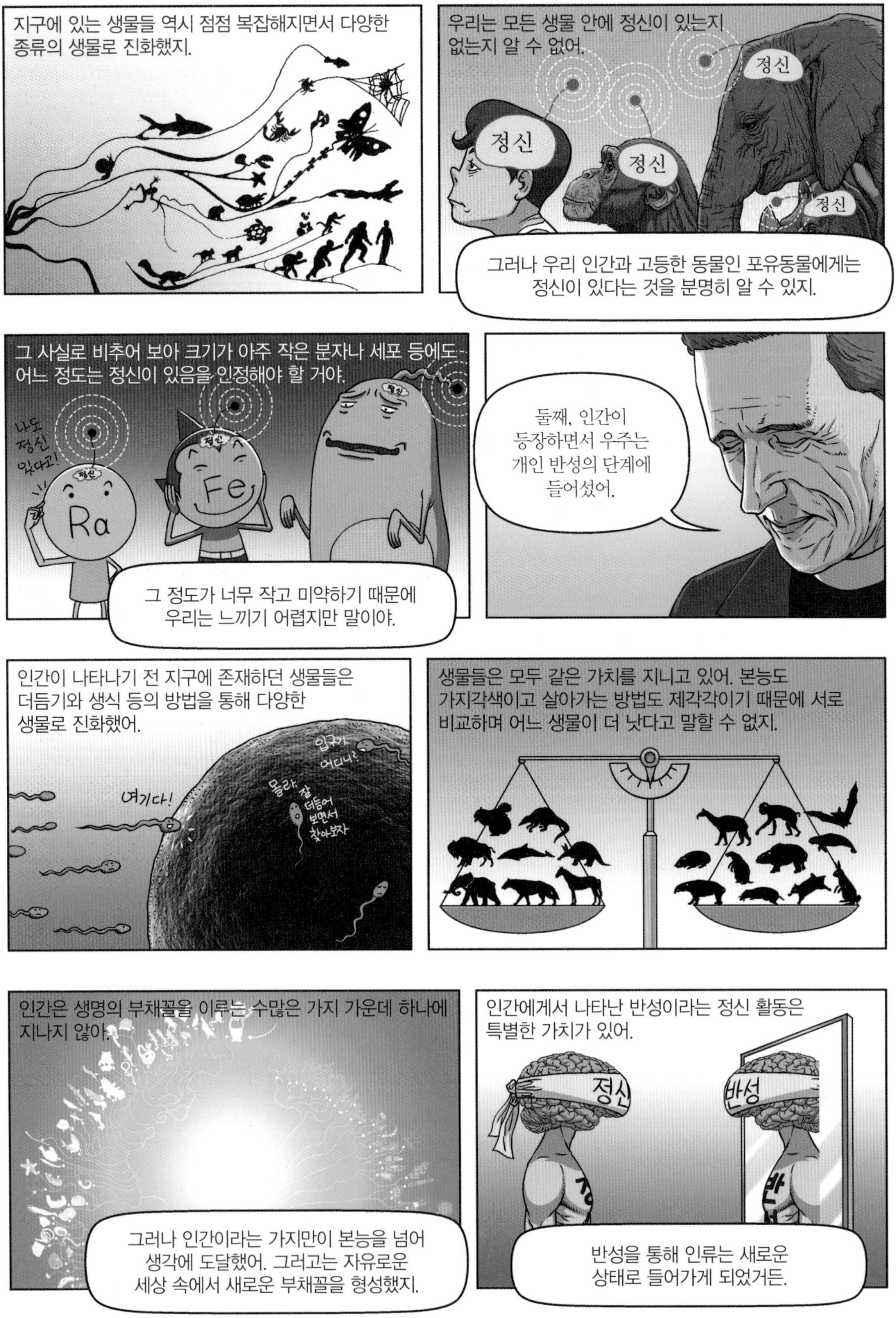
지구에 있는 생물들 역시 점점 복잡해지면서 다양한 종류의 생물로 진화했지.
우리는 모든 생물 안에 정신이 있는지 없는지 알 수 없어.
정신
정신
정신
정신
그러나 우리 인간과 고등한 동물인 포유동물에게는 정신이 있다는 것을 분명히 알 수 있지.
그 사실로 비추어 보아 크기가 아주 작은 분자나 세포 등에도 어느 정도는 정신이 있음을 인정해야 할 거야.
나도 정신 있다고!
Ra
Fe
그 정도가 너무 작고 미약하기 때문에 우리는 느끼기 어렵지만 말이야.
둘째, 인간이 등장하면서 우주는 개인 반성의 단계에 들어섰어.
인간이 나타나기 전 지구에 존재하던 생물들은 더듬기와 생식 등의 방법을 통해 다양한 생물로 진화했어.
여기다!
입구? 어디니?
몰라. 잘 더듬어 보면서 찾아보자
생물들은 모두 같은 가치를 지니고 있어. 본능도 가지각색이고 살아가는 방법도 제각각이기 때문에 서로 비교하며 어느 생물이 더 낫다고 말할 수 없지.
인간은 생명의 부채꼴을 이루는 수많은 가지 가운데 하나에 지나지 않아.
그러나 인간이라는 가지만이 본능을 넘어 생각에 도달했어. 그러고는 자유로운 세상 속에서 새로운 부채꼴을 형성했지.
인간에게서 나타난 반성이라는 정신 활동은 특별한 가치가 있어.
정신
반성
반성을 통해 인류는 새로운 상태로 들어가게 되었거든.

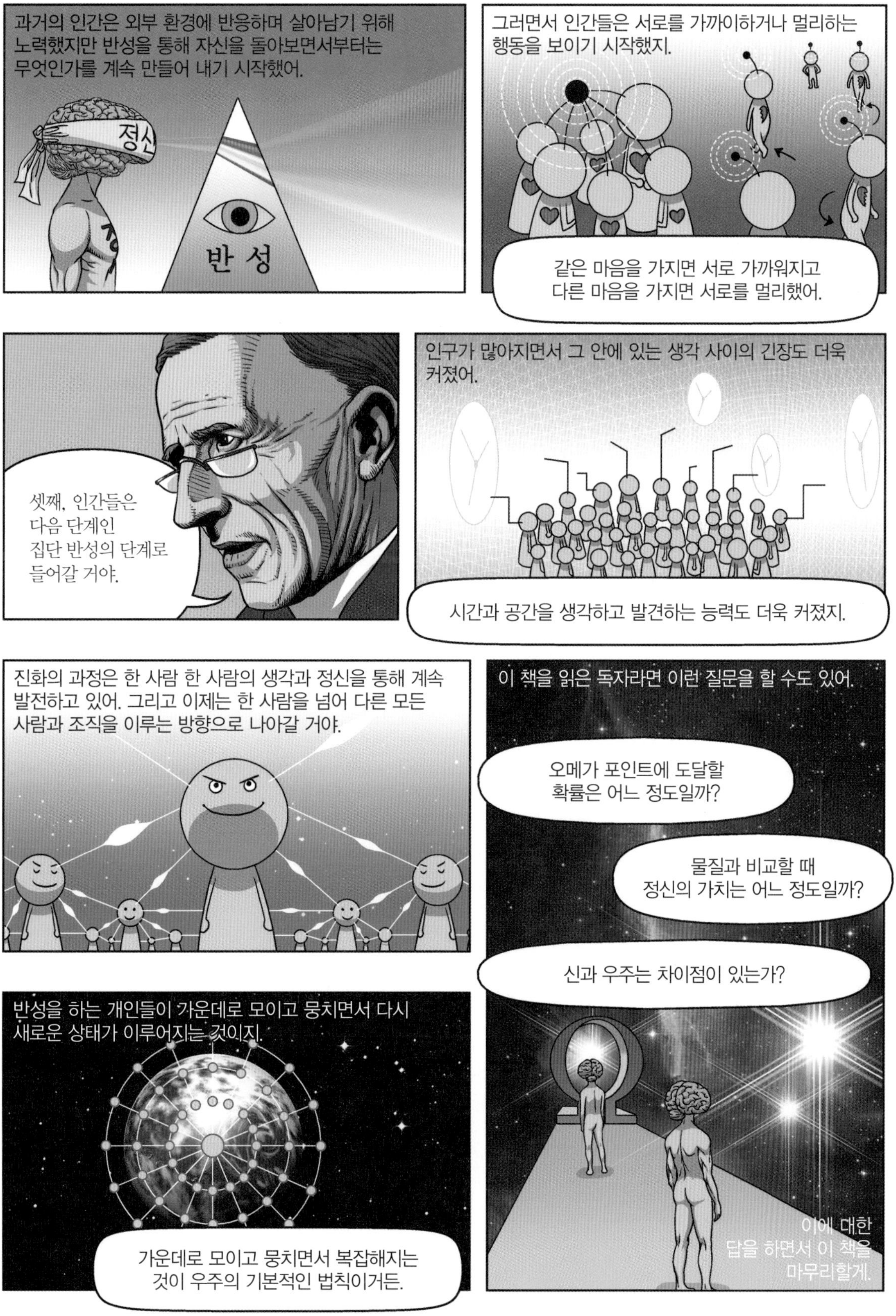
과거의 인간은 외부 환경에 반응하며 살아남기 위해 노력했지만 반성을 통해 자신을 돌아보면서부터는 무엇인가를 계속 만들어 내기 시작했어.
정신
반 성
그러면서 인간들은 서로를 가까이하거나 멀리하는 행동을 보이기 시작했지.
같은 마음을 가지면 서로 가까워지고 다른 마음을 가지면 서로를 멀리했어.
셋째, 인간들은 다음 단계인 집단 반성의 단계로 들어갈 거야.
인구가 많아지면서 그 안에 있는 생각 사이의 긴장도 더욱 커졌어.
시간과 공간을 생각하고 발견하는 능력도 더욱 커졌지.
진화의 과정은 한 사람 한 사람의 생각과 정신을 통해 계속 발전하고 있어. 그리고 이제는 한 사람을 넘어 다른 모든 사람과 조직을 이루는 방향으로 나아갈 거야.
이 책을 읽은 독자라면 이런 질문을 할 수도 있어.
오메가 포인트에 도달할 확률은 어느 정도일까?
물질과 비교할 때 정신의 가치는 어느 정도일까?
신과 우주는 차이점이 있는가?
반성을 하는 개인들이 가운데로 모이고 뭉치면서 다시 새로운 상태가 이루어지는 것이지.
가운데로 모이고 뭉치면서 복잡해지는 것이 우주의 기본적인 법칙이거든.
이에 대한 답을 하면서 이 책을 마무리할게.

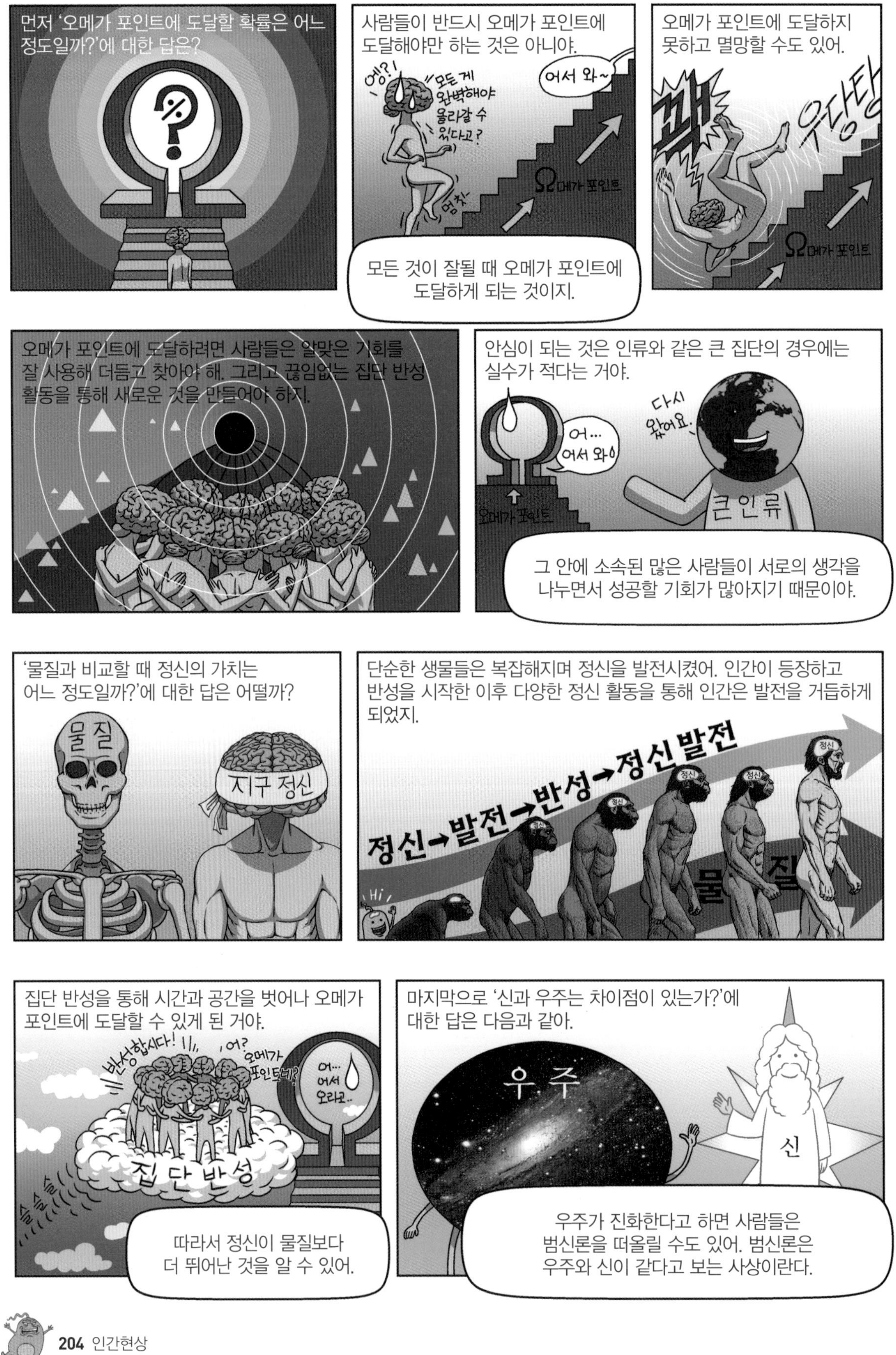

먼저 '오메가 포인트에 도달할 확률은 어느 정도일까?'에 대한 답은?
사람들이 반드시 오메가 포인트에 도달해야만 하는 것은 아니야.
엥?!
모든 게 완벽해야 올라갈 수 있다고?
멈칫
어서 와~
Ω메가 포인트
모든 것이 잘될 때 오메가 포인트에 도달하게 되는 것이지.
오메가 포인트에 도달하지 못하고 멸망할 수도 있어.
우당탕
Ω메가 포인트
오메가 포인트에 도달하려면 사람들은 알맞은 기회를 잘 사용해 더듬고 찾아야 해. 그리고 끊임없는 집단 반성 활동을 통해 새로운 것을 만들어야 하지.
안심이 되는 것은 인류와 같은 큰 집단의 경우에는 실수가 적다는 거야.
다시 왔어요.
어… 어서 와~
오메가 포인트
큰 인류
그 안에 소속된 많은 사람들이 서로의 생각을 나누면서 성공할 기회가 많아지기 때문이야.
'물질과 비교할 때 정신의 가치는 어느 정도일까?'에 대한 답은 어떨까?
물질
지구 정신
단순한 생물들은 복잡해지며 정신을 발전시켰어. 인간이 등장하고 반성을 시작한 이후 다양한 정신 활동을 통해 인간은 발전을 거듭하게 되었지.
정신→발전→반성→정신발전
정신
물질
Hi
집단 반성을 통해 시간과 공간을 벗어나 오메가 포인트에 도달할 수 있게 된 거야.
반성합시다!
어? 오메가 포인트네?
어… 어서 오라고..
집단 반성
슝슝슝
따라서 정신이 물질보다 더 뛰어난 것을 알 수 있어.
마지막으로 '신과 우주는 차이점이 있는가?'에 대한 답은 다음과 같아.
우주
신
우주가 진화한다고 하면 사람들은 범신론을 떠올릴 수도 있어. 범신론은 우주와 신이 같다고 보는 사상이란다.

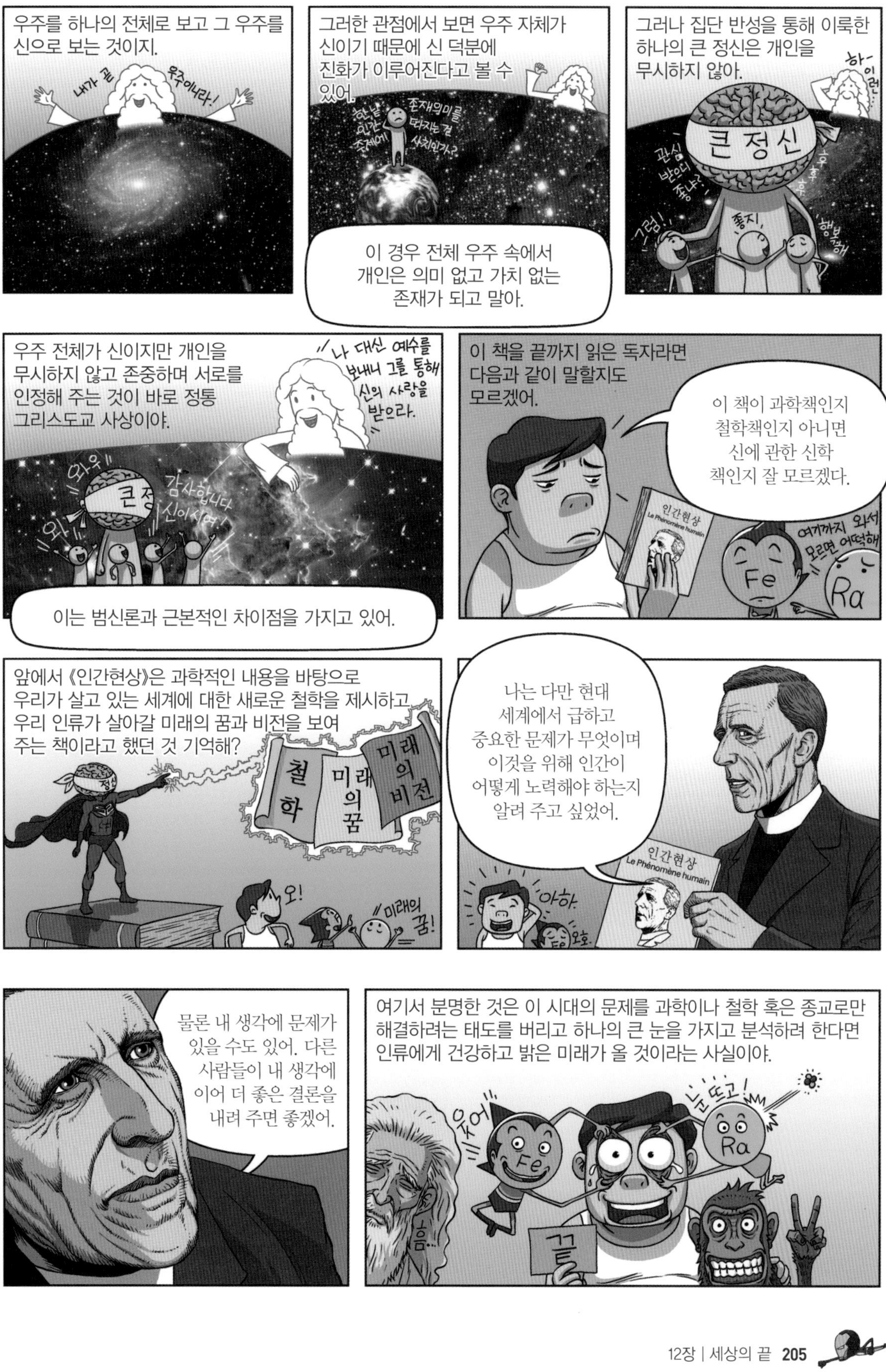
우주를 하나의 전체로 보고 그 우주를 신으로 보는 것이지.
내가 곧 우주이니라!
그러한 관점에서 보면 우주 자체가 신이기 때문에 신 덕분에 진화가 이루어진다고 볼 수 있어.
한낱 인간 존재에!
존재의미를 따지는 걸 사치인가?
이 경우 전체 우주 속에서 개인은 의미 없고 가치 없는 존재가 되고 말아.
그러나 집단 반성을 통해 이룩한 하나의 큰 정신은 개인을 무시하지 않아.
하-이런…
큰 정신
관심 받으니 좋냐?
그럼!
좋지
후후후
행복해
우주 전체가 신이지만 개인을 무시하지 않고 존중하며 서로를 인정해 주는 것이 바로 정통 그리스도교 사상이야.
나 대신 예수를 보내니 그를 통해 신의 사랑을 받으라.
와우!
큰 정
감사합니다 신이시여!
와!
이는 범신론과 근본적인 차이점을 가지고 있어.
이 책을 끝까지 읽은 독자라면 다음과 같이 말할지도 모르겠어.
이 책이 과학책인지 철학책인지 아니면 신에 관한 신학 책인지 잘 모르겠다.
인간현상 Le Phénomène humain
여기까지 와서 모르면 어떡해
Fe
Ra
앞에서 《인간현상》은 과학적인 내용을 바탕으로 우리가 살고 있는 세계에 대한 새로운 철학을 제시하고, 우리 인류가 살아갈 미래의 꿈과 비전을 보여 주는 책이라고 했던 것 기억해?
철학
미래의 꿈
미래의 비전
오!
미래의 꿈!
나는 다만 현대 세계에서 급하고 중요한 문제가 무엇이며 이것을 위해 인간이 어떻게 노력해야 하는지 알려 주고 싶었어.
인간현상 Le Phénomène humain
아하.
오호.
물론 내 생각에 문제가 있을 수도 있어. 다른 사람들이 내 생각에 이어 더 좋은 결론을 내려 주면 좋겠어.
여기서 분명한 것은 이 시대의 문제를 과학이나 철학 혹은 종교로만 해결하려는 태도를 버리고 하나의 큰 눈을 가지고 분석하려 한다면 인류에게 건강하고 밝은 미래가 올 것이라는 사실이야.
웃어
눈 뜨고!
Fe
Ra
끝
흠…

빅뱅 이론과 우주의 탄생

(1) 빅뱅 이론과 우주의 탄생

1929년에 미국의 과학자인 허블은 망원경으로 우주를 관측하다가 놀라운 사실을 발견했어요. 그것은 별과 별 사이, 은하와 은하 사이가 점점 멀어지고 있다는 사실이었지요. 이는 우주가 아주 작은 점에서 시작했으며 지금도 계속 팽창하고 있다는 것을 의미했어요.

우주가 아직 탄생하지 않았을 때는 시간은 물론, 공간도 존재하지 않았어요. 그러던 어느 순간 거대한 폭발이 일어나면서 지금의 우주가 탄생했어요. 과학자들은 이 폭발을 빅뱅(Big Bang)이라고 불러요. 1920년대에 러시아의 수학자인 프리드만과 벨기에의 신부인 르메트르가 제안한 이후 1940년대에 미국의 물리학자인 조지 가모프가 체계화했지요. 빅뱅 이론을 바탕으로 우주의 나이를 계산해 보면 우주는 무려 137억 년 전에 생겨났다고 해요.

137억 년 전의 우주는 온도가 아주 높았고 매우 작은 소립자들만 존재했어요. 소립자란, 물질을 나누었을 때 더 이상 나누어지지 않는 작은 입자를 말해요. 물질은 원자로 이루어져 있는데 원자는 다시 전자와 원자핵으로 나뉘어요. 전자는 더 이상 쪼갤 수 없기 때문에 소립자의 일종이에요. 그러나 원자핵은 다시 양성자와 중성자로 나눌 수 있어요. 양성자와 중성자는 더 이상 쪼갤 수 없는 쿼크로 이루어져 있지요.

우주가 탄생했을 당시에는 전자와 쿼크 같은 소립자들만 존재했어요. 그러다가 우주가 팽창하며 온도가 빠르게 낮아지자 소립자들은 무리를 지으며 새로운 물질들로 만들어지기 시작했지요.

우주가 탄생하고 0.0000001초가 지나자 우주 공간에서 자유롭게 움직이던 쿼크들이 모이며 양성자와 중성자를 만들었어요.

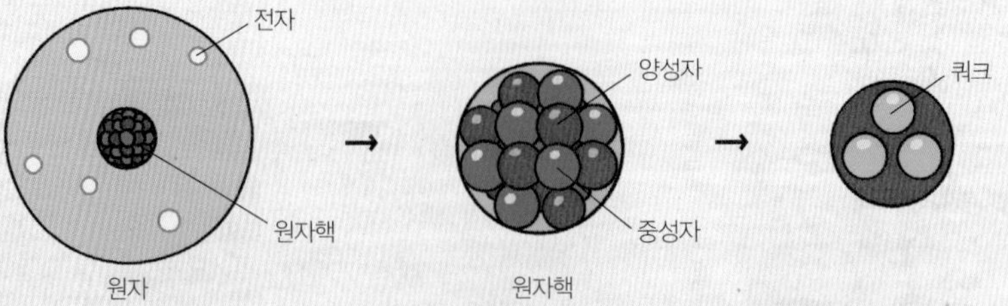
전자
원자핵
원자
양성자
중성자
원자핵
쿼크

물질의 구성

우주가 탄생하고 3분이 지나면서 온도가 더욱 낮아지자 양성자와 중성자가 서로 충돌하기 시작했어요. 그 과정에서 서로 합쳐지며 여러 가지 원자핵이 만들어졌지요. 먼저 양성자 1개와 중성자 1개로 이루어진 중수소 원자핵이 만들어졌고, 이어 양성자 1개와 중성자 2개로 이루어진 삼중 수소 원자핵과 양성자 2개와 중성자 2개로 이루어진 헬륨 원자핵이 만들어졌어요.

(2) 팽창하는 힘과 만유인력의 조화

우주는 탄생과 동시에 계속해서 팽창하며 식었고, 꽤 오랜 시간이 흘렀어요. 그렇게 38만 년이 흐르자 드디어 원자핵과 전자가 결합된 원자가 만들어지기 시작했어요.

우리 은하

처음에는 가장 작은 원자인 수소 원자와 헬륨 원자가 만들어졌어요. 그리고 우주가 탄생한 지 7억 년이 되자 수소와 헬륨 등이 모여 별을 만들었지요. 그렇게 만들어진 별들이 모여 은하를 이루고 오늘날의 우주가 되었어요. 우주는 시간이 지나며 점점 더 큰 물질들로 채워졌어요.

지금 이 순간에도 우주는 팽창하는 힘과 잡아당기는 힘, 즉 만유인력이 적절히 조화를 이루고 있어요. 지금까지의 연구 결과에 따르면 거리 1억 광년에 있는 은하는 초속 3,000㎞의 속도로, 10억 광년인 은하는 초속 30,000㎞의 속도로 팽창하고 있다고 해요.

만약에 만유인력이 팽창하는 힘보다 크다면 우주는 팽창을 멈추고 다시 한 점으로 모일 거예요. 또 반대로 팽창하는 힘이 만유인력보다 조금이라도 더 크다면 물질들이 너무 멀어져서 우주 전체는 죽음의 공간이 될지도 몰라요. 이처럼 우주는 팽창하는 힘과 끌어당기는 만유인력이 적절하게 조화를 이루고 있기 때문에 생명체가 존재할 수 있는 것이랍니다.

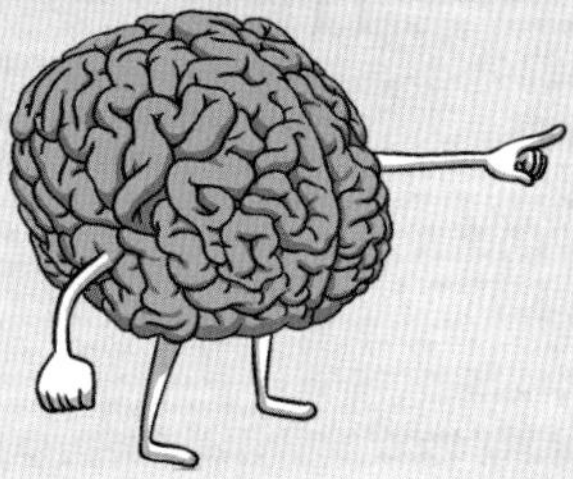

지구의 탄생

(1) 지구의 탄생

아름다운 지구

마그마의 바다

지구는 파란색 진주라고 불릴 만큼 아름다운 행성이에요. 다른 행성들과 달리 지구에는 땅과 물, 공기 등이 존재해요. 이러한 물질 덕분에 지구에서 생명체가 나타날 수 있었지요. 그러나 태초의 지구는 지금과 전혀 다른 모습이었다는 사실을 알고 있나요?

46억 년 전, 지구는 다른 행성들처럼 우주에 있는 먼지와 가스 등이 모여 만들어졌어요. 그렇다면 결국 우리 인간도 우주의 먼지에서부터 왔다고 할 수 있겠지요.

맨 처음 지구가 탄생했을 때는 그 크기가 오늘날의 절반도 되지 않을 만큼 작았어요. 그러나 우주에 떠다니던 운석들이 계속 지구와 충돌하면서 지구에 변화가 일어나기 시작했어요. 처음 태양계가 만들어질 당시에는 우주에 운석들이 매우 많았거든요. 운석들과 충돌하면서 발생하는 열로 인해 지구의 온도는 무려 1,600℃까지 올라갔어요. 땅은 모두 녹아 마그마의 바다가 되었고, 마그마 속에 있던 무거운 원소인 철과 니켈은 지구의 중심으로 모이며 핵을 이루었지요.

그러다 점차 운석과의 충돌이 줄어들며 지구는 서서히 식기 시작했어요. 마그마가 식으면서 땅이 만들어졌지요. 온도가 계속 떨어지다가 100℃ 이하가 되자 그동안 공기 중에 기체 상태로 있던 수증기가 물이 되어 지구에 고였어요. 원시 바다가 탄생한 거예요.

(2) 생명의 탄생

물은 생물이 탄생하는 데 매우 중요한 역할을 해요. 실제로 대부분의 생명체는 60~90%의 물로 이루어져 있어요. 태초에 생명은 원시 바다에서 탄생했어요. 바다는 지구로 오는 각종 위험한 광선들을 막아 주었지요. 당시 태양에서 오는 자외선이나 X선 등은 지구의 생명체를 위협할 정도로 강력했답니다.

바닷속에서 탄생한 생물들은 광합성을 시작했어요. 광합성은 생물이 태양 에너지를 이용해 이산화 탄소와 물로 유기물을 합성하고, 산소를 공기 중에 방출하는 작용이에요. 생물들이 광합성을 시작하면서 대기 중의 이산화 탄소가 줄고 산소가 증가했어요.

이산화 탄소는 온실 효과를 유발해 지구의 온도를 높이기도 해요. 온실 효과는 대기 중의 수증기와 이산화 탄소, 오존 등이 지구 표면에서 우주 공간으로 향하는 적외선을 대부분 흡수해 지구 표면의 온도가 높아지는 현상을 말해요. 이산화 탄소가 줄어들면서 지구의 온도는 평균 15℃로, 생명체가 살기에 적당한 온도가 되었어요. 또한 산소가 성층권에 오존층을 만들어 태양에서 오는 해로운 광선들을 막아 주면서 육지에서도 생물들이 살 수 있게 되었지요.

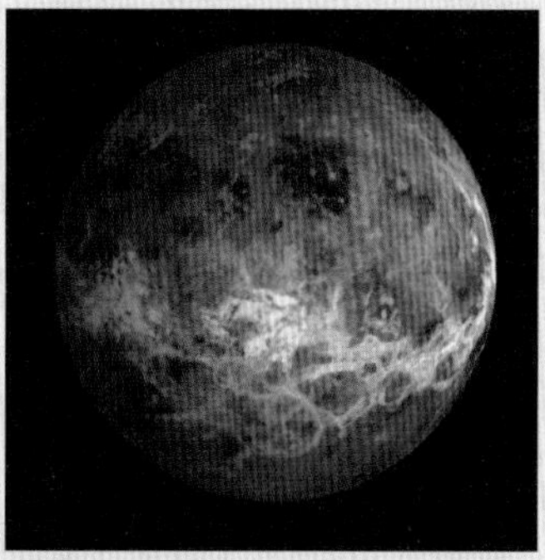
금성

한편 지구와 가까이에 있는 행성인 금성과 화성에서는 생물들이 살지 못해요. 금성은 태양과 너무 가까이 있는데다 이산화 탄소로 인한 온실 효과 때문에 표면 온도가 약 480℃나 되기 때문이에요. 또 화성은 표면의 온도가 평균 영하 80℃ 정도로 매우 추워요. 이는 화성에 대기가 너무 희박해서 온도를 유지할 수 없기 때문이라고 해요. 화성의 대기는 지구 대기의 약 0.75%에 불과하지요. 금성이나 화성처럼 물이 없는 행성에서는 생물들이 살아갈 수 없을 뿐더러 태어날 수도 없답니다.

화성

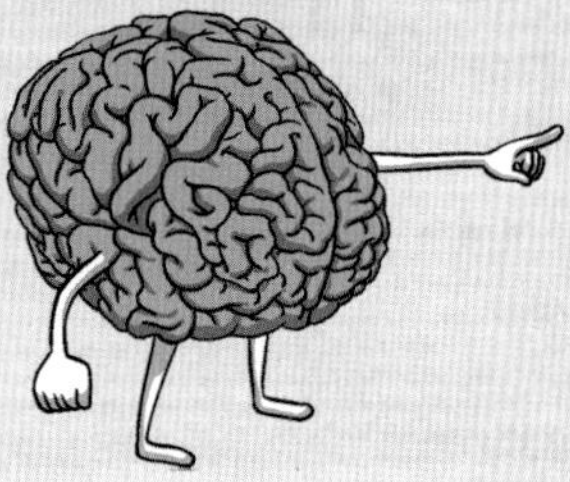

생명의 기원에 관한 가설들

(1) 자연 발생설

자연 발생설은 자연에서 우연히 생물이 생겨날 수 있다고 보는 이론이에요. 18세기 초에 니담은 고기 수프 속에 미생물이 생긴 것을 보고, 미생물이 저절로 생겼다고 믿었지만 이것은 사실이 아니었어요. 프랑스의 생물학자인 파스퇴르가 플라스크에 공기가 들어가지 않는 조건으로 실험을 하자 아무리 시간이 지나도 미생물이 발생하지 않았거든요. 이는 결국 공기 중에 존재하던 미생물이 고기 수프에 들어간 것으로 밝혀졌지요.

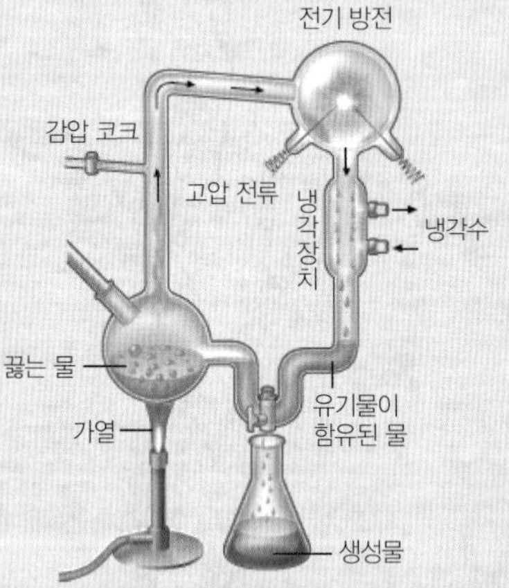
전기 방전
감압 코크
고압 전류
냉각 장치
냉각수
끓는 물
유기물이 함유된 물
가열
생성물
밀러의 실험 장치

이후에도 생물의 기원에 대한 연구는 계속되었는데, 가장 대표적인 것이 바로 '밀러의 실험'이에요. 밀러는 원시 지구의 대기를 모방해 유리 용기에 몇 가지 간단한 물질을 넣고, 화산 폭발이나 번개를 흉내 낸 전기 방전으로 에너지를 제공하며 반응을 살폈어요. 그러고 나서 약 일주일 후에 생성물을 분석해 글라이신, 알라닌 등의 아미노산과 몇몇 유기물이 생성된 것을 확인했지요.

단백질은 생명체의 기본 단위인 세포에게 꼭 필요한 물질이에요. 단백질은 여러 가지 종류의 아미노산으로 이루어져 있는데 원시 지구의 환경에서 아미노산이 만들어졌다는 것은 생명체가 탄생할 수 있는 가능성이 있었다는 것을 뜻해요. 그러나 밀러의 실험에서는 복잡한 구조의 단백질이나 세포는 만들어지지 않았답니다.

단백질은 아미노산보다 훨씬 복잡한 물질이에요. 사람의 몸속에는 약 100만 가지의 단백질이 있는데, 단백질 하나하나가 모두 놀라운 작용을 하지요. 흔한 단백질 가운데 하나인 콜라겐은 20여 종의 아미노산 1,055개를 정확한 순서로 연결시켜야 해요. 이로 보아 아무렇게나 일어나는 사건에 의해 단백질이 생겨나는 것은 불가능해요. 천문학자 프레드 호일은 이에 대해 다음과 같이 말했어요.

"단백질이 우연히 생겨났다는 것은 회오리바람이 휩쓸고 간 고물이 보잉 747 점보 여객기로 조립되어 있는 것과 같은 일이다."

(2) 외계 유입설

머치슨 운석

생명의 기원에 관한 또 다른 가설로, 외계에서 생물 또는 생물을 만드는 데 필수적인 유기 화합물이 운석이나 소행성과 함께 지구로 유입되었다는 설이 있어요.

1969년 9월, 수만 명의 호주 사람들이 큰 폭발 소리와 함께 하늘을 가로지르는 불덩어리를 목격했어요. 이때 커다란 운석이 지구에 떨어졌는데 이 운석을 '머치슨 운석'이라고 해요. 분석해 보니 머치슨 운석에는 아미노산이 잔뜩 들어 있었어요. 발견된 74종의 아미노산 중 8종은 지구상의 단백질에 포함된 아미노산이었지요.

이 사실만 보면 외계에서 생명의 핵심 물질이 만들어져 지구로 들어왔을 가능성이 있다고 생각할 수도 있어요. 그러나 운석이나 소행성은 지구의 대기권으로 들어올 때 높은 온도로 가열되기 때문에, 생물이나 생물을 만드는 물질이 고온에서도 파괴되지 않고 지구 표면까지 도달할 수 있는가에 대해 의문을 제기할 수 있어요. 게다가 외계에서 생명체가 왔다면 외계의 생명체는 어떻게 만들어졌는가에 대한 또 다른 의문점이 생길 수 있지요. 이는 생명의 기원에 관한 문제를 외계로 떠넘기는 것이나 마찬가지예요.

최근에 과학자들은 생명의 기원에 관한 또 다른 가설에 주목하고 있어요. 바닷속 1㎞ 이상 깊이에 있는 해저 화산 주위에서 발견되는 열수구에서 생물이 태어났다는 설이지요. 열수구는 깊은 바닷속의 지각에서 따뜻한 물 또는 270~380℃의 뜨거운 물이 나오는 곳을 가리켜요. 앞으로 더 많은 연구가 이루어져야겠지만 생명의 기원에 대한 비밀이 풀릴지 기대해 볼 만해요.

세포의 진화와 세포 내 공생설

(1) 세포의 진화

지구의 생물들은 세포로 이루어져 있어요. 따라서 세포가 어떻게 변화하고 진화했는지 아는 것은 지구에서 생물이 진화해 온 역사를 이해하는 데 있어 매우 중요해요.

맨 처음 생겨난 세포는 핵이 없고 막으로 싸인 작은 원핵 세포였어요. 그로부터 약 16억 년이 흐른 후 진핵 세포가 등장했는데 진핵 세포는 원핵 세포에 비해 크기가 크고, 막으로 싸인 세포 소기관인 소포체, 골지체, 엽록체, 미토콘드리아 등으로 이루어져 있었어요. 그중 염색체는 핵막으로 둘러싸여 있었지요.

원핵 세포는 세포 1개로 구성된 단세포 생물로서, 대부분이 세균(박테리아)이에요. 단세포 생물은 세포가 1개이기 때문에 세포가 파괴되거나 잡혀 먹히면 그 생명체는 죽고 말아요. 그런데도 원핵 세포로 이루어진 단세포 생물은 16억 년 동안이나 지구상에 존재했어요.

미토콘드리아
핵
세포질

진핵 세포

원핵 세포가 지배하던 세상에 진핵 세포가 출현하면서 세포의 구조와 기능에 많은 변화가 나타났어요. 이 변화를 통해 다세포 생물이 등장하게 되었지요. 다세포 생물은 여러 개의 세포로 이루어진 생물을 말해요. 인간도 여러 가지 구조와 기능을 가지고 있는 다양한 세포로 이루어진 다세포 생물이지요. 대부분의 진화되고 발전된 생명체는 진핵 세포로 이루어져 있어요. 따라서 진핵 세포가 지구상에 나타난 것은 진화에 있어 매우 중요한 사건이었답니다.

(2) 세포 내 공생설

진핵 세포는 어떻게 지구상에 나타날 수 있었을까요? 이에 대한 가장 유력한 가설은 세포 내 공생설이에요. 세포 내 공생설은 미국의 생물학자인 린 마굴리스(Lynn Margulis, 1938~2011)가 주장한 이론으로, 약 21억 년 전에 원핵 세포 속으로 다른 세균이 들어와 진핵 세포가 되었다는 것이 주 내용이지요.

세포 내 공생설에 따르면 먼저 산소 호흡을 하며 에너지를 내는 호기성 세균이 원핵 세포로 들어왔어요. 호기성 세균을 받아들인 세포는 그 세균에 의해 에너지를 쉽게 공급받을 수 있었고, 호기성 세균은 먹이와 안전한 서식처를 제공받으며 세포와 공생 관계가 되었어요. 이 영향으로 세포는 진핵 세포가 되었고, 세균은 세포 속에서 에너지를 발생하는 미토콘드리아로 발전할 수 있었지요.

미토콘드리아를 통해 진핵 세포는 원핵 세포와는 비교할 수 없을 정도로 많은 에너지를 만들 수 있게 되었어요. 또 이 에너지를 바탕으로 진핵 세포는 원핵 세포보다 1만 배 이상 커질 수 있었고, 1,000배나 많은 유전 정보를 저장할 수 있게 되었지요. 가장 간단한 형태의 진핵 생물인 아메바도 세포 안에 약 4억 개의 유전 정보를 가지고 있어요. 과학자 칼 세이건에 의하면 아메바가 가지고 있는 유전 정보는 500쪽 짜리 책 80권에 해당하는 양이라고 해요.

세포 내 공생설을 뒷받침하는 증거들도 있어요. 가장 대표적인 증거는 미토콘드리아가 자기가 속해 있는 주인 세포와 별도로 움직이고 행동한다는 점이에요. 미토콘드리아는 주인 세포와 다른 시기에 번식하며, 세균처럼 생긴 데다가 세균처럼 분열해요. 뿐만 아니라 주인 세포와 다른 유전자 언어를 사용하지요.

세포 내 공생설에 의하면 식물 세포는 광합성을 하는 세균을 더 받아들였다고 해요. 광합성 세균이 후에 세포 안에서 광합성을 하는 엽록체로 발전하며 식물 세포가 되었다는 것이지요.

이 이론에 따라 세포의 진화를 살펴보면 식물 세포가 동물 세포보다 더 발전된 형태라고 할 수 있어요. 식물 세포는 태양빛을 이용해 스스로 에너지를 만들 수 있기 때문이지요.

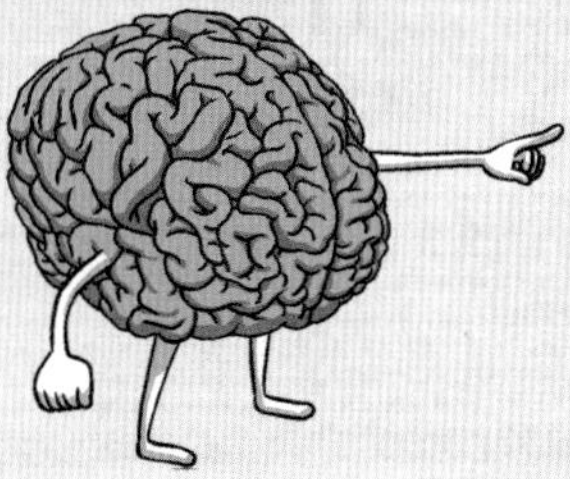

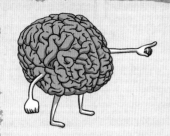

인류의 진화 과정과 뇌의 크기

인류는 언제 나타났고, 어떻게 진화했을까요? 인류의 기원과 발전 과정에 대한 다양한 이론들이 있지만 크게 4가지 단계로 구분할 수 있어요.

1. 오스트랄로피테쿠스(약 300만 년 전)
   최초의 인류로, 직립 보행을 했으며 간단한 도구를 사용했어요.
2. 호모 에렉투스(약 160만 년 전)
   다양한 도구를 만들어 사용할 줄 알았고 완전한 직립 보행을 했어요. 불과 언어를 사용했지요.
3. 호모 사피엔스(약 20만 년 전)
   장례를 치르고, 죽은 사람을 매장했어요.
4. 호모 사피엔스 사피엔스(약 4만~3만 년 전)
   인류의 직접 조상으로 정교한 석기와 골각기를 만들어 사용했어요. 동굴 벽화도 제작했지요.

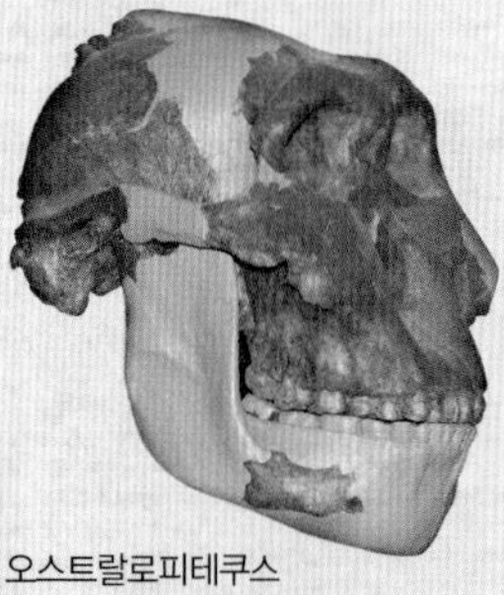
오스트랄로피테쿠스

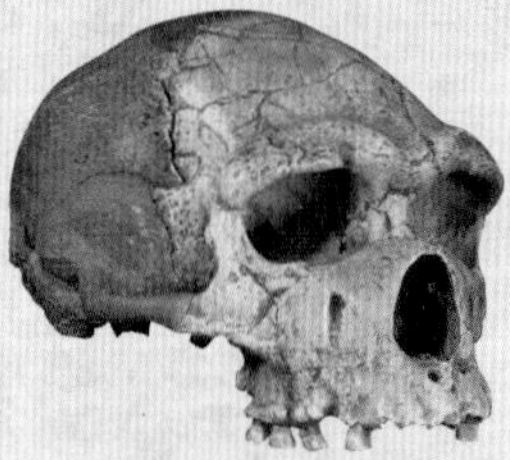
호모 에렉투스

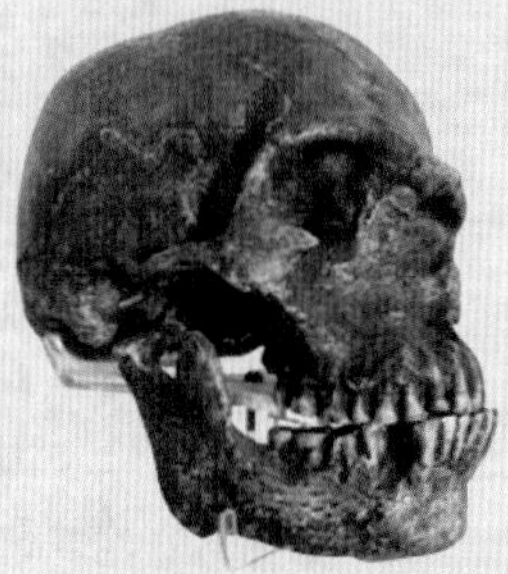
호모 사피엔스

(1) 직립 보행의 단점과 장점

최초의 인류는 남아프리카 공화국에서 처음 발견된 오스트랄로피테쿠스예요. 뜻은 남쪽(오스트랄로) 원숭이(피테쿠스)지요. 오스트랄로피테쿠스를 인류의 조상이라고 부르는 가장 중요한 이유는 직립 보행을 했다는 점이에요. 직립 보행은 뒷다리만을 사용해 등을 꼿꼿하게 세우고 걷는 것을 말해요. 인간의 발달이 직립 보행부터 시작되었다고 해도 무난할 정도로 직립 보행은 중요한 사건이랍니다.

그러나 직립 보행은 똑바로 서서 걷기 위해 골반이 큰 힘을 지탱해 주어야 하기 때문에 여자들의 경우에는 태아가 자라는 공간인 자궁이 매우 좁아져요. 그렇게 되면 여자가 아이를 낳을 때 굉장히 큰 고통을 받는 것은 물론, 아이도 아주 작게 태어나지요. 결국 아이가

태어나 죽을 확률이 높아질 뿐만 아니라 태어난 후에도 오랜 기간 돌봐야 해요. 네발로 걷는 동물들의 새끼가 태어난 직후부터 쉽게 걸어 다니 것에 비해 직립 보행하는 동물, 즉 두 발로 걷는 동물의 새끼는 걷는 데 상당한 시일이 걸려요. 게다가 똑바로 서 있으면 적에게 쉽게 노출될 수 있고 네발 동물보다 잘 달리지 못해 살아가는 데 큰 문제가 되기도 하지요.

그러나 두 발로 걷는 것에도 큰 장점이 있어요. 두 손을 마음대로 사용할 수 있다는 점이지요. 인류는 손을 이용해 위험한 물체를 던지거나 휘두를 수 있게 되면서 먼 거리에서도 동물들을 위협할 수 있었어요. 또한 손을 사용하면서 자신이 무엇을 하는지 눈으로 관찰할 수 있게 되었지요. 이로써 뇌가 자극을 받기 시작했어요. 즉 반성 활동을 하기 시작한 거예요.

(2) 뇌 크기의 증가

오스트랄로피테쿠스의 뇌는 $500cm^3$ 정도로 현재 인류의 3분의 1 크기에 지나지 않았어요. 이는 고릴라의 뇌 크기와 거의 같은 수준이지요. 오스트랄로피테쿠스는 수백만 년 동안 뇌의 크기가 거의 변하지 않았어요.

그 뒤에 등장한 호모 에렉투스부터 뇌의 크기가 커지기 시작했어요. 호모 에렉투스란 똑바로 선(에렉투스) 인간(호모)이라는 뜻이에요. 호모 에렉투스는 큰 뇌를 이용해 지능을 발전시키며 현재 인류와 비슷한 활동을 하기 시작했어요. 다양한 도구를 만들고 불과 언어를 사용했지요.

호모 에렉투스는 아프리카에서 시작해 전 세계로 이동했어요. 그래서 호모 에렉투스의 화석은 전 세계에서 발견되지요. 샤르댕이 중국 베이징에서 발견한 베이징 원인도 바로 호모 에렉투스의 일종이랍니다.

이후 인류의 뇌는 크기가 커지며 지능도 점점 발달했어요. 그 결과 호모 사피엔스가 등장했지요. 호모 사피엔스는 지혜로운(사피엔스) 인간(호모)이라는 뜻이에요. 네안데르탈 지방에서 발견된 네안데르탈인이 바로 호모 사피엔스의 일종이지요. 네안데르탈인은 죽은 사람을 매장하고 장례를 치렀어요. 이는 죽음 이후의 세계를 믿고 종교도 있었다는 것을 의미하지요.

뇌의 크기가 계속 커지면서 호모 사피엔스 사피엔스가 등장해요. 지혜롭고 지혜로운(사피엔스 사피엔스) 인간(호모)이라는 뜻이지요. 크로마뇽 지방에서 발견된 크로마뇽인이 이들의 일종이에요. 호모 사피엔스 사피엔스는 인류의 직접적인 조상이랍니다.

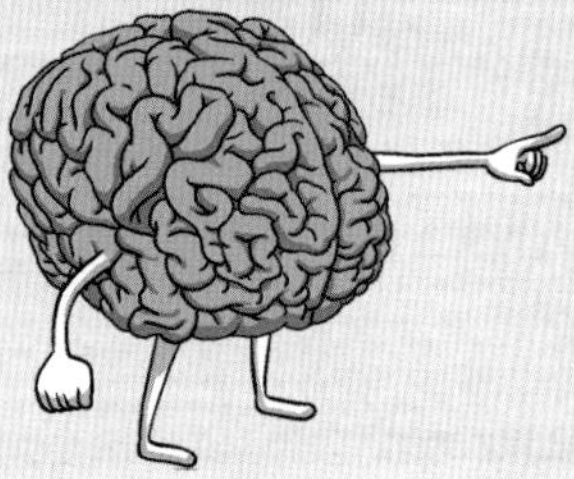

현대인의 불안

프랑스의 실존주의 문학가인 알베르 까뮈는 시대별 특징에 대해 다음과 같이 말했어요.

"17세기는 수학의 시대였고 18세기는 물리학의 시대였으며 19세기는 생물학의 시대였다. 그리고 현대는 불안의 시대이다."

이처럼 현대인들이 불안을 느끼는 주된 이유는 무엇일까요? 지금까지 밝혀진 몇 가지 이유에 대해 소개할게요.

첫째, 현대 사회는 개인주의 사회이기 때문이에요. 과거 농업 사회에서 개인은 좋든 싫든 공동체에 소속되어 있었어요. 농업 사회에서는 사람의 수가 매우 중요했기 때문이에요. 여러 사람이 함께 씨를 뿌리고 추수를 해야 했으므로 한 사람 한 사람이 매우 귀했지요.

그러나 현대로 접어들자 사회는 산업 사회와 정보화 사회의 특징을 보이며 공동체보다는 개인의 자율과 존엄성을 중요시하기 시작했어요. 개인주의 사회에서는 다른 사람에게 피해를 주지 않는 한 얼마든지 자유로울 수 있어요. 때문에 겉으로 보기에는 개인의 자율을 존중하는 행복한 세상처럼 보일 수 있지요. 그러나 개인주의 사회에서는 남의 일에 참견하지 않아야 한다는 생각 때문에 타인에게 무관심해질 수 있고, 자신의 인생과 자신이 맡은 일을 혼자 책임져야 해요. 또한 자신의 인생만을 중요하게 여기면서 삶의 시야가 좁아지고, 인생의 목적을 자신이나 가족의 행복에 두면서 의지할 것 없는 사회에서 항상 불안을 느끼게 되지요. 자본주의 국가의 사람들은 경제적 불안에 시달리기도 해요. 대다수의 서민들은 자신과 가족을 위해 경제적인 책임을 지고 있기 때문에 질병이나 실직 등 생활에 위협이 되는 요소에 늘 불안을 느끼지요.

둘째, 과학 기술과 정보의 급속한 발전 때문이에요. 현대 사회는 과학 기술 사회라고 해도 좋을 만큼 과학 기술이 급속도로 발전하고 있어요. 정보 통신 기술과 각종 교통 수단 그리고 자동화 기계 등은 생활에 편리함을 줄 뿐 아니라 식량 문제를 해결하고 난치병을 치료하는 데 중요한 역할을 하기도 했어요. 그러나 사회에 많은 문제를 야기하기도 했지요. 핵무기와 같은 집단 살상 무기나 환경 오염, 생태계 파괴, 에너지 고갈 등으로 인한 문제를 일으켜 인류의 생명을 위협하기도 했거든요. 이러한 이유로 현대의 인류는 생명의 존속에 대한 불안을 느낄 수밖에 없어요.

한편 다양한 정보가 전달되면서 불안의 원인이 늘기도 해요. 새로운 박테리아나 새롭게 발견된 병

의 존재를 알게 되면서 불안해 해요. 새로운 건강 상식으로 인해 더욱 불안해지는 거예요.

물론 과거에도 불안은 존재했어요. 그러나 고대인의 불안은 현대인들이 느끼는 불안과는 성질이 달랐어요. 고대인들은 인간을 시시때때로 위협하는 어마어마한 자연 현상으로 인해 커다란 불안을 느꼈어요. 그래서 두려움과 불안을 극복하기 위해 종교를 발전시켰고, 종교적인 의식을 통해 불안을 감소시켰지요. 한편 현대인들은 고대인들이 느꼈던 자연 현상에 대한 두려움이나 불안 대신 일상을 통해 수많은 불안을 느껴요. 불안이 심해지면 정신적인 문제까지 일어나 불안장애 증세가 나타나기도 하지요.

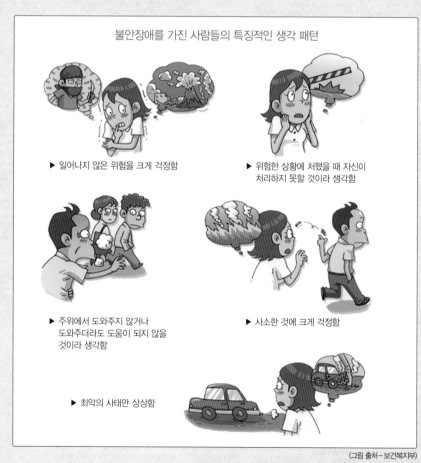

불안장애를 가진 사람들의 특징적인 생각 패턴

▶ 일어나지 않은 위험을 크게 걱정함

▶ 위험한 상황에 처했을 때 자신이 처리하지 못할 것이라 생각함

▶ 주위에서 도와주지 않거나 도와주더라도 도움이 되지 않을 것이라 생각함

▶ 사소한 것에 크게 걱정함

▶ 최악의 사태만 상상함

(그림 출처–보건복지부)

오메가 포인트에 대한 새로운 해석들

오메가 포인트는 샤르댕이 처음으로 사용한 용어로, 이 책의 핵심 개념이에요. 그런데 여기에 새로운 해석을 부여한 학자들이 있어 소개하려고 해요.

(1) 프랭크 J. 티플러의 오메가 포인트

미국의 물리학자인 티플러는 언젠가 지금까지 살았던 모든 사람들이 부활해 다시 살게 될 것이라고 말했어요. 아주 먼 미래의 어느 시기에 이르면 슈퍼컴퓨터와 기계의 힘으로 죽은 사람들을 부활시킬 수 있을 것이라고 했지요. 티플러는 그때를 가리켜 오메가 포인트라고 했어요.

그는 자신의 이론을 증명할 수는 없지만, 자신의 이론은 논리적이며 우리가 현재 가지고 있는 지식을 바탕으로 한 것이라고 주장했어요. 또 우리가 과학적 호기심으로 우리 조상의 신체나 사고방식을 재현하기 위해 노력하고 부분적인 성공을 거둔 것처럼, 먼 미래의 후손들도 우리를 재현하는 데 성공할 것이라고 했지요.

티플러의 주장대로 되려면 슈퍼컴퓨터가 과거를 돌이켜 보고 과거의 모든 정보를 수집할 수 있어야 해요. 이때 필요한 정보를 얻으려면 우주는 닫혀 있어야만 하지요. 즉 우주가 먼 훗날 다시 한 점으로 모여야 한다는 말이에요. 티플러는 다음과 같이 설명해요.

"우리는 몇 백 년 전에 살았던 사람을 볼 수 없다. 그 사람이 방출한 광선이 오래전에 태양계를 벗어나 밖으로 나갔기 때문이다. 그러나 만일 우주가 닫혀 있다면 상황은 달라진다. 그동안 방출된 모든 광선이 오메가 포인트로 모일 것이다. 천 년 전에 죽은 사람들과 현재 살아 있는 모든 사람들 그리고 지금으로부터 천 년 뒤에 살게 될 모든 사람들이 방출한 광선이 그곳으로 모이게 될 것이다."

(2) 레이 커즈와일의 오메가 포인트

미국의 컴퓨터 과학자인 레이 커즈와일은 오메가 포인트와 같은 개념으로 '기술적 특이점'을 주장했어요. 인간의 기술과 문명이 고도로 발전하다 보면 인공 지능이 발전해 인간 스스로 자신이 만들어 낸 기술을 이해하지 못하거나 따라잡지 못하는 때가 오는데, 그때가 바로 기술적 특이점이라고 말했지요.

여기서는 인공 지능이 인간의 지능을 뛰어넘는 시점이 중요해요. 이때가 되면 인공 지능이 알아서 필요한 모든 것을 개발하기 때문이에요. 인간의 지능을 컴퓨터를 통해 구현할 수 있게 되면 그 지능은 인간의 지능과 비교해 훨씬 강력해져요. 컴퓨터는 빠르게 지식을 흡수하며 정보를 공유할 뿐만 아니라 확장할 수도 있기 때문이에요. 컴퓨터를 통해 구현된 인공 지능은 인간과 달리 지식을 흡수하기 위해 책을 읽지 않아도 돼요. USB만 꽂으면 그 모든 것을 알 수 있거든요. 또한 몇 시간씩 토론할 필요도 없어요. 선만 연결하면 서로를 이해할 수 있지요. 뇌의 성능이 몇 만 년째 그대로인 인간과 달리 회로를 확장하면 그 양을 쉽게 늘릴 수 있다는 점도 특징이에요.

(3) 닉 보스트롬의 오메가 포인트

옥스퍼드 대학의 철학과 교수이자 인공 지능 전문가인 닉 보스트롬이 주장한 시뮬레이션 논쟁 또한 오메가 포인트의 개념과 유사한 부분이 있어요. 그는 앞으로 100년 이내에 기계의 지능이 인간의 지능을 능가할 확률이 꽤 높다고 전망했어요. 보스트롬의 주장에 따르면 100년 전만 하더라도 오늘날과 같은 컴퓨터는 없었어요. 뿐만 아니라 지금 우리가 보고 있는 모든 것들은 등장한 지 70년이 채 되지 않았지요 이러한 점을 감안하면, 100년 또는 이보다 짧은 기간에 우리는 인류 앞에 남아 있는 마지막 단계에 도달할지도 몰라요.

보스트롬은 기계의 지능이 인간의 지능과 동일한 수준에 도달하면 인류 문명에 근본적인 변화가 일어날 것이라고 예상하며, 이는 인류 역사상 가장 중대한 변화가 될 수도 있다고 강조했어요. 그러면서 기계의 지능이 인간과 동등한 수준이 되면 얼마 지나지 않아 초지능이 생겨날 것이라고 했지요. 그는 기계가 인간과 동등한 지능을 갖게 되기까지는 오랜 시간이 걸릴 수 있으나 거기에서 초지능까지 도달하는 것은 금방이라고 했어요. 초지능을 가진 기계들은 아주 강력한 힘을 발휘할 것이라고 내다보았지요. 이때 기계들이 발휘하는 힘은 인간이 지구상의 다른 동물들에게 행사했던 강력한 힘과 비슷한 힘이에요. 인간이 다른 동물들에게 행사했던 힘은 물리적인 힘이 아니라 뛰어난 두뇌에서 비롯한 힘이었기 때문이지요.

53

샤르댕 인간현상

심재규 글 | 권욱 그림

01 《인간현상》을 쓴 사람은 누구일까요?

① 린네　② 다윈　③ 스펜서　④ 샤르댕　⑤ 야스퍼스

02 진화와 진화론에 대한 설명입니다. 틀린 것은 무엇일까요?

① 진화와 진화론은 서로 같은 의미이다.

② 진화는 생물이 자손을 통해 점진적으로 변화해 가는 것이다.

③ 진화론은 생물이 진화하는 원인과 과정을 설명하는 과학 이론이다.

④ 진화론의 기초 가설로는 우연 발생가설, 단인 기원설, 돌연변이설 등이 있다.

⑤ 학자들은 생물이 진화한다는 것에는 동의하나 진화론에 대해서는 의견이 다를 수 있다.

03 샤르댕의 진화론에 대한 설명으로 적절한 것은 무엇일까요?

① 인간을 포함한 모든 생명체는 물질적인 측면만 지니고 있다.

② 진화는 생물의 영역에서만 관찰하고 설명해야 한다.

③ 진화는 일정한 방향에 따라 진행된다.

④ 진화를 통해 미래를 예측할 수 없다.

⑤ 인간은 진화의 과정에서 우연히 나타난 영장류의 한 종류이다.

04 아래 글에서 '이것'이 가리키는 것은 무엇일까요?

- 생명의 탄생은 이것과 함께 시작되었다.
- 이것은 생명체를 이루는 기본 단위이다.
- 지구상의 각각의 생명체는 형태가 매우 다양하나 그 생명체들을 이루는 이것은 모두 비슷하다.
- 이것은 자신의 구조를 유지하면서도 상황에 따라 자신의 구조를 조정하고 변경할 수 있다.

① 바이러스 ② 원자 ③ 세포 ④ 분자 ⑤ 핵

05 《인간현상》에 나타난 진화와 정신의 관계 대한 설명으로 틀린 것을 고르세요.

① 생명의 발생은 정신의 발생으로 이어졌다.
② 지구 환경 위에 생명이 있고, 생명의 중심에는 정신이 있다.
③ 호랑이가 송곳니와 날카로운 발톱을 갖게 된 것은 육식하려는 마음이 혈통을 따라 이어지며 더 강해졌기 때문이다.
④ 생명체는 정신에 맞게 겉모습이 다르게 발전했다.
⑤ 진화의 원인에는 적자생존과 같은 외적인 환경도 중요하다.

04 ③ / 05 ⑤ / 06 계통수
07 첫째 생식을 통한 번식, 둘째 혁신과 접합, 셋째 무리 짓기, 넷째 쌓아 올리기
08 반성 / 09 호모 에렉투스 / 10 오메가 포인트

06 옆의 그림과 같이 생물이 진화해 온 과정을 한 그루의 나무 모양으로 나타낸 것을 무엇이라고 할까요?

과
거

07 샤르댕은 생물의 복잡한 진화 과정을 이해하려면 생명의 기본 운동과 그 특징을 잘 알아야 한다고 했습니다. 생명의 기본 운동 네 가지를 설명해 보세요.

08 샤르댕은 인간의 수많은 정신 활동 중 가장 중심이 되는 현상으로 '이것'을 들었습니다. 이것은 자신의 언행에 대해 잘못이나 부족함이 없는지를 돌이켜본다는 뜻입니다. 인간은 이것을 함으로써 엄청난 변화를 일으켜 왔고, 이를 바탕으로 알게 된 것을 정리하고 통일해 새로운 생각을 낳게 하는 지성을 하게 되었죠. 인류 발전에 있어 가장 중요한 정신 활동이었던 이것은 무엇일까요?

정답

01 ④

02 ① : 생명체가 시간이 지남에 따라 변화해 가는 현상 자체를 '진화'라 하고, 이것이 왜 일어나고 어떤 과정으로 진행되는지를 설명하는 이론이 '진화론'입니다. '진화론'은 학자마다 의견이 다를 수 있습니다.

03 ③ : 샤르댕의 진화론을 정리하면 다음과 같습니다. 첫째, 인간을 포함한 생명체는 물질과 정신의 두 가지 면을 모두 가지고 있다. 둘째, 우주적 관점에서 진화론을 봐야 한다. 셋째, 진화는 일정한 방향(정방향)에 따라 진행된다.

09 괄호 안에 공통으로 들어갈 말은 무엇일까요?

- (　　　　　)에는 피테칸트푸로스와 시난트로푸스가 속한다.
- (　　　　　)는 해부학적으로 사람의 모습을 가지고 있다.
- (　　　　　)는 직립 원인이라고도 하는데, 이는 두 발로 똑바로 섰던 원숭이 인간을 뜻한다.
- (　　　　　)는 인간과 닮은 점이 많지만 다른 점도 많다.
- (　　　　　)는 정신의 측면에서 봤을 때 아직 완전한 인간이라고 볼 수 없다.

10 샤르댕은 인간의 정신이 계속해서 일정한 방향을 가지고 진화하며, 그 끝에는 하나의 큰 정신을 가진 큰 사람의 모습이 있을 것이라 했습니다. 인류가 바라는 세상의 마지막 도착점을 뜻하는 이 지점을 무엇이라고 부를까요?